JN161000

# 監査役監査の実務と対応

第8版

高橋 均 著

同文舘出版

# 第8版にあたって

令和元年改正会社法が公布されて３年が経過し、令和５年３月の株主総会から適用となる株主総会資料の電子提供制度の開始で、改正への対応は実務的にも一段落となりました。しばらくの間は、監査役制度を規定する会社法の大きな改正はないものと考えられますので、監査役・監査委員・監査等委員（以下「監査役等」）の皆様にとっては、現行法の下で、いかに実効性があがる監査実務を行っていくかが重要になってくると思います。

制度改正の実務に追われることもない時期だからこそ、新任の監査役等はもちろんのこと、中堅・ベテランの監査役等およびそのスタッフの皆様にとって、監査実務を行う上でさらに工夫する余地がないか、立法趣旨について認識を新たにすることはないか、再確認する意義は大いにあると考えます。

上記のような視点を意識し、第８版では、大きくは３点について追記や修正を行いました。

第一点は、監査役が職務につき任務懈怠であるとして損害賠償責任が認容された代表的な裁判例を選択して、事案の概要・判旨・解説を加えました。監査役等は、法定監査を職責とし、会社に対して善管注意義務を負っていることは理解していても、実際に責任が認容された裁判例に接することで、任務懈怠とされた具体的なイメージを持っていただけると考えました。

第二点は、令和３年６月11日に再改訂となったコーポレートガバナンス・コード（以下「CGコード」）の内容を反映させ、解説に加えています。CGコードは、ソフト・ローに位置付けられ法的強制力はありませんが、上場会社の実務に大きな影響を及ぼしていますし、非上場会社にとっても、ESGをはじめとした企業の持続的発展（サステナビリティ）のために各企業で実行すべき内容が規定されており、大いに参考になると思います。

第三点は、本書の姉妹図書である『監査役・監査(等)委員監査の論点解説』(同文舘出版、2022年、以下『論点解説』）との関連を明示しました。『論点解説』は、監査役等の法と実務にとって重要な論点と思われるテーマを取り出して、深掘りした解説を行っています。本書において記載された項目や内容について、さらに応用的観点から理解されたいと考える読者の方の利便性を意識しました。

上記以外でも、最新データへの置き換え、掲載様式・図表・巻末資料等の差し替え、本文の加筆等も適宜行っています。もっとも、初版からの特徴である監査業務に係る法と実務の双方を意識した書籍のスタイルは継続しています。監査に携わる監査役等およびそのスタッフの皆様、および監査役等と意思疎通を図る会計監査人や内部監査部門等のコーポレート部門の皆様にとり、監査に関する法と実務の理解を深め、企業実務に活用されることに少しでもお役に立てることができれば、筆者として大変に嬉しく思います。

本書が継続して多くの皆様にご支持をいただいているのも、公益社団法人日本監査役協会や一般社団法人監査懇話会を通じて知り合った多くの監査役等やスタッフおよび関係者の皆様との日頃からの意見交換や質疑、励ましも大きな力となっています。

最後になりましたが、同文舘出版㈱取締役の青柳裕之氏には今回も大変にお世話になりました。初版発刊以来、15年の長きにわたり支えてくださったことに改めて感謝を申し上げます。

癸卯の年を迎えて
令和5年1月吉日
高橋　均

# はしがき

本書は、日頃、監査役監査の実務に携わる監査役スタッフを念頭においた書籍です。同時に監査役にとっても大いに参考にしていただけるものと考えています。監査役スタッフを擁しない監査役は自ら実務を行っている実態があり、また専任の監査役スタッフを配下に置いている監査役においても、監査役スタッフの実務を確認する意味でも有益であると思えるからです。

本書では、監査役スタッフの目線からの解説を特に意識しました。具体的には、以下のような特徴があります。

第一の特徴は、監査役スタッフとして、実務的に最も重要な項目から解説した構成としました。監査役制度論や解釈論よりも、監査役スタッフとしてやるべきことは、監査役監査の実務を処理しなければならないことです。例えば、監査方針や監査計画の策定の方法、監査役会議事録の記載、監査調書のまとめなどがあります。しかし、私が知る限り、監査役監査に関する書籍は、監査役制度等に関する法律論からはじまっており、理解のためにそこに多くの時間を費やし、実務的には必ずしも使い勝手が良いとはいえません。そこで、本書では、監査役監査において実務的に最も重要な点から解説しました。

すなわち、第1章では、監査方針・監査計画、期中および期末監査活動、監査役(会)監査報告について、第2章では、定時株主総会の事前準備や総会直後の対応、監査役会議事録の作成や運営等、第3章では、監査役監査を推進する上で意思疎通を図るべき者との対応、内部統制システムや株主代表訴訟への対応など、そして最後の第4章で、監査役制度の変遷、監査役の権限・義務や資格要件、監査委員会など法律論を解説する構成としました。そして、各項目とも、単なる項目の内容解説にとどまらず、実務的な留意点や注意点に言及するとともに、法的に押さえておかなければならない論点は、都度解説に加えてあります。

第二の特徴は、必要項目にはすべてにわたって具体的事例として、図表・様式を掲載し、その数は50超にも及びました。言葉や文書の説明に加えて、具体的な整理の方法や事例を明示することは、実務担当者にとっては極めて有意義であると考えたからです。監査方針・計画を策定すべきことは会社法の条文を見れば明らかですが、それでは、具体的にはどのような記載をしたらよいのか、監査役監査調書と監査役会議事録を作成するにあたり法的論点を踏まえると、双方の差異はどこにあり、また何に注意して記載しなければいけないのかなど、実務的に迷うことも多くあります。さらには、監査役(会)としての同意の手続様式、社外監査役の責任限定契約などに至るまで、極力、事例を示しました。文書化が叫ばれる中、文書として残しておくことは必要であると考えているからです。本書で示した実例や図表・様式は、スタッフ研究会や実務部会で開示され議論した一例でありますが、読者の皆さんがこれらを参考に、独自に工夫していただければ幸いです。ベースとなる様式等を参考にしていただければ、その後は時間を要することなく対応できると思います。

第三の特徴は、各項の冒頭に要点を示すとともに、コラムやQ&Aコーナーを随所に挿入し、読者の理解促進の利便性を図った点です。要点を通読することにより監査役監査の実務面および法的な概略を把握することが可能であり、特に法律上の重要な用語等をコラムに掲載しました。また、監査役スタッフ研究会や実務部会等の場において頻繁に質問があった事項については、漏れなく掲載してあります。

企業不祥事を未然に防止し、内部統制システムを適切に構築し運用することは、益々重要になっています。そこで、監査役には、取締役の職務執行の監査を通じて企業不祥事を未然に防止し、事件・事故発生後の適切な対応状況の確認など、コーポレート・ガバナンスの担い手ともいうべき役割が求められています。このために、監査役制度の機能強化の一環として、監査役の補助者である監査役スタッフの強化も図られつつあります。

一方で、監査役スタッフのバックグラウンドは、監査役以上に極めて多様性に富んでいます。経理をはじめ、総務、法務、営業、購買、企画等、様々な職歴となっています。また、監査役直属の組織的位置付けから執行部門に位置付けられているもの、専任または兼任と様々です。さらには、専任者であっても、多くの会社では、その数は1～2名という現状です。そのためか、監査役スタッフを対象にしたセミナーや解説会はほとんど皆無といってもよく、多くの会社の監査役スタッフは手探りの状況で監査役監査の実務を行っているようです。このような実情を踏まえて企画されたのが本書の誕生の背景です。

本書に関しては、有り難いことに、日本監査役協会の関哲夫会長より推薦をいただき、また、同じく日本監査役協会の伊藤智文専務理事にも、参考資料の掲載をはじめ、日頃から監査役スタッフの活動に多大なご理解を頂戴して感謝しております。さらに、本部スタッフ研究会で、かつて同じ幹事の一員として在任し、みずほ証券㈱の前監査役室長で現在オエノンホールディングス㈱の藤野護常勤監査役からは、草稿段階で貴重なご意見・指摘をいただきました。また、本書の執筆にあたっては、これまでの多くの監査役や監査役スタッフの皆さんとの意見交換や議論がベースとなっています。お一人おひとりの名前は挙げませんが、ここに謝意を表したいと思います。

最後になりますが、本書の刊行にあたり、同文舘出版(株)の青柳裕之氏には、図表や様式などが多く、編集にご苦労をかける中、多大なご協力をいただきました。改めて、感謝を申し上げたいと思います。

本書にかかわる意見の部分については、所属組織の意見を代弁しているものではなく私見が含まれておりますが、監査役監査に携わる多くの監査役およびスタッフの方々、さらには監査役監査と接点を持つ内部監査部門のスタッフの方々等にとり参考になれば、筆者としてこれに勝る喜びはありません。

残暑
平成20年9月1日
高橋　均

# 本書の読み方

本書では、本文の各所の見出しの横に、下記の【例】のようなアイコンがついています。

これらは、本書の姉妹書である、『監査役・監査(等)委員監査の論点解説』(以下『論点解説』、同文舘出版より刊行) の各章の内容と関連する項目であることをあらわしています。

下記の【例】の場合は、本書の第２章・Ⅱの「1．監査役等の報酬」が、『論点解説』の第14章および第20章の内容と関連することを示しています。

本書の内容や監査役監査の実務に対する理解を深めるために、『論点解説』をあわせてお読みいただくことをお薦めいたします。

【例】本書の題２章・Ⅱ

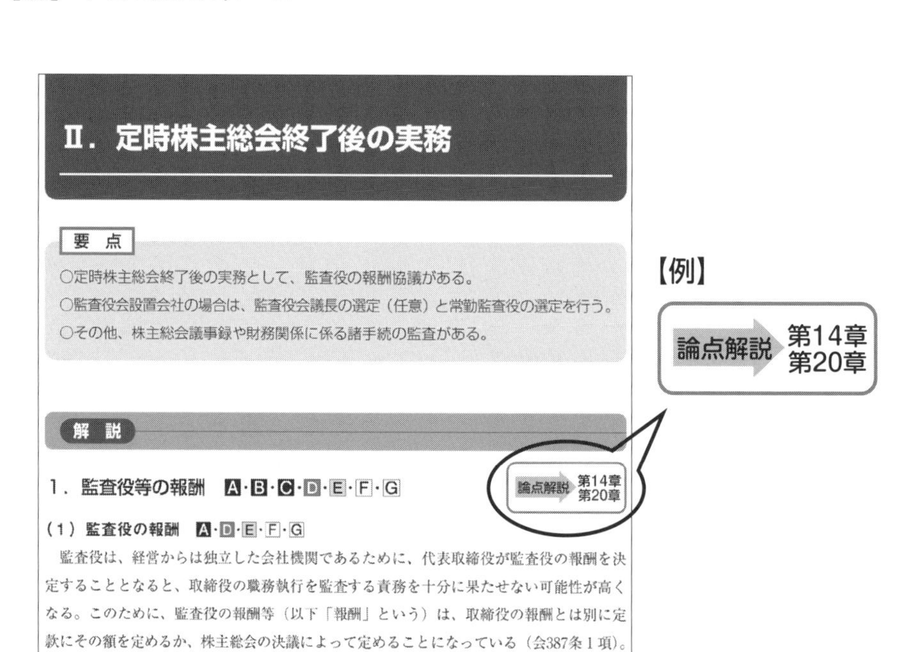

Ⅱ．定時株主総会終了後の実務

要　点

○定時株主総会終了後の実務として、監査役の報酬協議がある。

○監査役会設置会社の場合は、監査役会議長の選定（任意）と常勤監査役の選定を行う。

○その他、株主総会議事録や財務関係に係る諸手続の監査がある。

解　説

1．監査役等の報酬　A·B·C·D·E·F·G

(1) 監査役の報酬　A·D·E·F·G

監査役は、経営からは独立した会社機関であるために、代表取締役が監査役の報酬を決定することとなると、取締役の職務執行を監査する責務を十分に果たせない可能性が高くなる。このために、監査役の報酬等（以下「報酬」という）は、取締役の報酬とは別に定款にその額を定めるか、株主総会の決議によって定めることになっている（会387条１項)。仮に監査役が複数就任している場合には、各監査役の報酬を個別に定める必要はなく、報酬総額を定めることで足りる。すると、各監査役の個別報酬額は、定款の定めまたは株主総会で決議された報酬総額の範囲内において、監査役の協議によって定めることになる（会387条２項)。監査役の協議によって定めるとは、監査役全員で協議した上で、監査役全員

## 略　記　表

| 略　記 | 正式名称 |
|---|---|
| 会 | 会社法 |
| 会施規 | 会社法施行規則 |
| 会算規 | 会社計算規則 |
| 金商 | 金融商品取引法 |
| 商 | 商法 |
| 旧商 | 平成17年に改正される以前の商法 |
| 旧商施規 | 改正前商法施行規則 |
| 旧商特 | 旧商法特例法 |
| 証取 | 証券取引法（平成18年65号で「金融商品取引法」に改題） |
| 民 | 民法 |
| 民訴 | 民事訴訟法 |
| 振替法 | 社債、株式等の振替に関する法律 |
| 振替法施行令 | 社債、株式等の振替に関する法律施行令 |
| 開示府令 | 企業内容等の開示に関する内閣府令 |
| 内部統制府令 | 財務計算に関する書類その他の情報の適正性を確保するための体制に関する内閣府令 |

・法令は、令和５年１月１日現在

※本書で紹介している様式は、特に出所を明記しているもの以外は、(社)日本監査役協会（現、公益社団法人日本監査役協会）のスタッフ実務部会で各社のスタッフが持ち寄って開示しあった資料またはその改訂である。

# 様式・参考・図表・COLUMN・Q&A一覧表

## 様式一覧

## 参考一覧

# 図表一覧

## COLUMN一覧

# Q&A一覧

# 序章

# 監査役監査の位置付け

# 序

監査役は、取締役と同様に、会社法上の正式な会社機関である。委員会型の会社形態を採用している監査委員や監査等委員も同様に正式な会社機関である（以下、本章ではまとめて「監査役」という）。監査役は、一事業年度を通じて取締役の職務執行を監査し、法令・定款違反や不正行為の有無等を確認した結果を監査報告としてまとめて株主に通知することがその職責である。したがって、監査役による監査は、会社法および法務省令（会社法施行規則・会社計算規則）に則った実務を行わなければならない。

しかし、会社によっては、監査役監査以外にも、内部監査や会計監査も存在する。いずれも「監査」を行うことは自明のように思われるが、各々の役割や位置付けが異なる。監査役監査を理解するためには、監査役監査の位置付けを内部監査や会計監査との比較の観点から確認することが出発点である。

そこで、本章では、監査役監査実務を解説する前に、監査役監査の位置付けを確認した上で、取締役会や監査役会等の会社機関設計の有無による監査実務の違いを解説する。

なお、本書全体の記述では、特に断りがないかぎり、監査委員(会)・監査等委員(会)は監査役(会)に置き換えて理解していただき、監査役(会)実務と異なる点については、都度言及したり、章を改めて解説することにしている。

# 監査役監査の位置付けと会社機関設計に基づく監査実務



**要点**

○監査には、監査役監査、内部監査、会計監査人監査の三種類があり、通常、三様監査と称している。
○監査役監査と会計監査人監査は、会社法に規定されている法定監査であり、任意監査である内部監査とは法的位置付けが異なる。
○会社機関設計（取締役会・監査役会・会計監査人の有無）によって、監査役監査実務が異なってくることから、自社に関係する実務を意識して実施することが効率的かつ有益である。

**解説**

## 1．三様監査

論点解説 第１章

一般的には、「監査」と称するものには、「監査役監査」「内部監査」「会計監査人監査」があり、これらをまとめて、通常「三様監査」という。三様監査は、法律用語ではないが、監査の世界ではよく使用される文言である。

三様監査は、監査を行う主体によって区別されている監査である。すなわち、監査役監査は、監査役による監査、内部監査は、社内の内部監査部門またはそれに相当する部署による監査、会計監査人監査は、公認会計士の国家資格を持った会計監査人による監査である。

三様監査の内で、会計監査人は会計に関する監査を行うということでわかりやすいであろう。会社法上も、会計監査人は、会社の計算書類及びその附属明細書、臨時計算書類並びに連結計算書類を監査した上で、会計監査報告の作成義務があると規定している（会396条１項）。計算書類とは、貸借対照表・損益計算書・資本等変動計算書・個別注記表のことであり、企業会計基準等の一定の規定によって会計処理をしなければならないことから、専門的な知見が必要となる。そこで、会計監査人は、公認会計士または監査法人（5名以上の公認会計士を社員として設立された法人）でなければならない（会337条1項）。したがって、会計監査人監査とは、会社にとって外部の職業的専門家による会計監査ということになる。すなわち、会社の会計が一般に公正妥当と認められる企業会計の慣行に従っているか否か（会431条）を見極めるために会計監査を実施し、その結果は最終的に広く株主にも通知される。

他方、監査役による監査役監査と内部監査部門等による内部監査は、会計分野に特化されたものではなく、法令・定款違反の有無の全般に及ぶ。しかも、会社内で部長や執行役員等から就任した社内出身の監査役の監査と、内部監査部門が行う監査は、監査を受ける部門からすると、同じ社内出身者による監査という認識から、その位置付けや役割に違いを見出すことは困難であるのが一般的である。このために、監査を受ける部門は、純粋外部者である会計監査人による監査と異なり、内部者による類似した監査であると錯覚して、形式的な対応に終始したり、片方の監査に対応することにより、もう一方の監査への対応が不十分であることも大いにあり得るところである。そこで、特に監査役監査と内部監査の違いについて、監査役自身が正確な理解を行うことが大切となる。

## 2．監査役監査と内部監査の違い

監査役監査が会社法上定められた法定監査であるのに対して、内部監査は法令上の定めのない任意監査である。この点の認識が出発点となる。

監査役は、取締役の職務執行を監査した上で、法務省令である会社法施行規則に基づいて監査報告を作成しなければならない（会381条1項、会施規105条）[1)]。監査報告は、最終的に定時株主総会の前に株主に通知される。「取締役の職務執行を監査する」が意味するところは、取締役が法令・定款違反をしていたり、そのおそれがないか監査を通じて発見することであり、仮に取締役に重大な法令・定款違反があれば、監査報告に「取締役の善管注意義務違反がある」などと記載することになる。

取締役の法令・定款違反とはいえ、取締役による直接の法令・違反行為に限らず、部下の法令・定款違反を指示したり、部下の法令・定款違反行為に対して見て見ぬふりをした

1）監査等委員監査は、会社法399条の2第3項2号。監査委員監査は、会社法404条2項1号。なお、経営と執行が分離することを目的とする指名委員会等設置会社の監査委員監査には、執行役の職務執行も含まれる。

り放置するといういわゆる不作為の行為も含まれる。したがって、監査役監査の対象が取締役であり、取締役の職務執行を監査することが監査役の権限であるとしても、監査役監査は、取締役を直接監査しなくても、執行役員以下の使用人を通じた監査を行うことにより、結果として取締役の職務執行を監査することになる。

このために、監査役は、執行部門から法的に独立した位置付けとなっており、取締役とは別に株主総会で選任されたり、監査役の任期も取締役よりも長い上に、他の監査役の意向に左右されずに、最終的には自らの判断で監査報告の内容を記載することができる「独任制」が認められている[2)]。会社法上、監査役は取締役と異なった規定が随所にみられる（**第4章. 監査役制度**を参照）。

また、監査役設置会社では具体的な監査実務を行う補助使用人（監査役スタッフ）を配置していなかったり、配置していたとしても、配置員数が少ない会社が圧倒的に多い[3)]。このために、どちらかというと、全部門を監査する際も、ある程度、監査項目を絞ったりするなど、重点的な内容を中心に監査を行う傾向がある。

他方、内部監査は、内部監査部門に相当する部署やスタッフが、取締役の指揮・命令下において、社内業務を監査する。例えば、上場会社の場合には、金融商品取引法上、財務報告に係る内部統制システム（J-SOX）の評価を内部統制報告書として、代表取締役社長名等で、内閣総理大臣に提出する義務があるが、社内で実際に内部統制報告書の記載のために実務を行うのは、取締役の下命を受けた内部監査部門である（**第3章. Ⅱ監査役と内部統制システム**を参照）。そして、監査対象は、あくまで使用人（従業員）が不祥事や法令・定款違反を行っていないか監査することであり、自らを指揮・命令している取締役を監査することは予定されていない。社内の使用人を監査対象としていることから、網羅的に監査をせざるを得ない面もあり、同じ執行部門としての連携をしつつも、内部監査部門として直接現場を監査するモニタリングやチェックリストを使用するなどにより、組織監査を実行する。

また、内部監査は法定監査でないために、組織としての名称（内部監査部・検査部・監

2）監査(等)委員は、会社法上取締役であり、多数決により議決する取締役会の構成メンバーであることから、監査役のように独任制は法定されていないために、監査(等)委員会で議論を尽くして、最終的に決議する組織監査である。

3）日本監査役協会のアンケートによると、監査役スタッフを配置している会社の割合は、2021年で39.8%（1,338社）であり、その内、専属のスタッフのみの割合は、23.5%（314社）にとどまっており、兼任も含めたスタッフ数も、平均1.88人と内部監査部門のスタッフ平均数の5.01人と比較しても少ない状況になる。日本監査役協会「役員等の構成の変化などに関する第22回インターネット・アンケート集計結果」監査役No.736（2022年）30-31頁・35頁。

査部等）や位置付け（社長直轄・総務部と同列等）は、各社の自由である。そもそも、独立した内部監査部門を持たなくても法令違反とはならない。さらに、内部監査部門としての業務内容も、監査報告の作成有無はもちろんのこと、仮に作成したとしても監査報告の具体的項目について監査役監査報告のように法令で規定されているわけではない。

以上のように、法定監査である監査役監査と任意監査である内部監査とは、監査の対象やその目的、監査業務の進め方について明確な違いがあることを監査役や内部監査部門は常に意識しておくとともに、監査対象部門である各執行部門にも理解してもらう必要がある（**【図表序－A】**参照）。

**【図表序－A】監査役監査と内部監査の違い**

| | 監査役監査 | 内部監査 |
|---|---|---|
| 法的位置づけ | 会社法に規定（法定監査） | 法律上の規定はなし（任意監査） |
| 監査対象の中心 | 取締役の職務執行 | 従業員の業務執行<br>内部統制システムの評価 |
| 組織体制 | 独任制が前提[4] | 組織監査が前提 |

## 3．会社機関設計による監査役監査の相違

会社法は、定款自治の考え方から、会社形態によっては、取締役会・監査役会・会計監査人の設置は任意である。例えば、大会社（資本金５億円以上または負債総額200億円以上）かつ公開会社の場合は、取締役会等の会社機関を設置しなければならないが、非大会社で譲渡制限会社（すべての株式について譲渡の際に会社の承認が必要）の場合は、取締役以外の会社機関の設置は任意である（会社形態と会社機関設計の相関については、**第４章．Ⅰ．１．監査役と定款自治【図表４－A】会社形態と会社機関設計**参照）。

このために、会社の機関設計の相違により監査役の職務遂行実務に違いがある。

### （１）取締役会の設置有無

取締役会設置会社の監査役は、取締役会に出席し、意見陳述義務がある（会383条１項）のに対して、取締役会非設置会社の監査役は、法定された出席・意見陳述義務がある会議

4）監査等委員、監査委員は独任制ではなく、組織監査が前提である。

は存在しない。もっとも、取締役会設置の有無にかかわらず、監査役としては、社内の重要な会議に出席することを通じて、監査のための情報収集や、必要に応じて監査役として質問したり意見を述べることは、監査役の職責を果たすためにも重要となる（**第1章．Ⅲ「期中監査活動」**を参照）。

### (2) 監査役会の設置有無

監査役が3人以上就任している場合は、監査役会設置会社となることができる5)。監査役会では、監査役間で情報を共有したり意見交換を通じて監査役会としての意見形成を図るとともに、法定されている監査役会決議事項や同意事項への対応をしなければならない（監査役会の決議事項や同意事項については、**第2章．Ⅲ・Ⅳ**を参照）。すなわち、監査役会設置会社の監査役は、通常の監査業務に加えて、法定された事項を法定された監査役会運営にしたがって実施し、最終的に監査役会議事録に記載し所定の期間を備置しなければならない（監査役会については、**第2章．ⅢからⅤ**を参照）。

他方、監査役会非設置会社の監査役は、当然のことながら、監査役会に関する会社法の規定とは無関係である。すなわち、監査役一人の場合には、効率的な監査の実践を行い、監査役が複数就任している場合には、監査役相互の意思疎通を図りながら、その結果を、最終的に監査報告として整理し株主に通知する。

### (3) 会計監査人の設置有無

監査役にとって、会計監査人の設置有無によって、監査実務は大きく異なる。すなわち、会計監査人が選任されている場合には、監査役は会計監査実務を職業的専門家である会計監査人に一次的に任せ、会計監査人が会計監査を行った上で、監査役が会計監査人の監査の相当性を判断することになる。会計監査人に一次的に監査を任せるといっても、監査役の立場から会計監査人がその職責を果たしているか確認する必要があることには注意が必要である（会計監査人の相当性の判断については、**第1章．Ⅳ期末監査の実践**を参照）。

会計監査人が選任されていない場合には、監査役が会計監査を直接実施する必要がある。会計・経理に知見のある監査役の場合は、計算書類の読み方をはじめ、会計を監査する上でのポイントは押さえているであろうから、自ら会計監査を行うことに対してそれほど違

---

5）監査役が3人以上就任している場合に、監査役会を設置しなくてはならないというわけではない。監査役会を設置する場合には、監査役は3人以上就任（内1人以上は常勤監査役）し、かつ社外監査役が半数以上が法定されている（会335条3項）。

和感はないと思われる。一方、営業部門等の出身の監査役の場合は、会計の一定のルールを習得するのとあわせて、会計の知見のある社外の人材を活用することも可能である。会計監査人非設置会社の会計監査マニュアルも公表されているので、それらを活用することもできる（**第1章．Ⅴ．監査報告作成**を参照）。

## 4．会社形態別の会社機関設計のパターン

前述したように、会社形態の違いによって、会社機関設計も異なってくるために、監査役監査の実務に違いが出てくる。また、委員会型の会社の監査委員や監査等委員は、基本的には監査役監査実務とは同様であるが、一部には委員会型特有の実務や監査役設置会社の規定には該当しない実務も存在する。

そこで、本書では、以下のパターン分けをした上で、各パターンに関係する項目を区別できるようにしている。したがって、自社の会社機関設計を確認した上で、実際の監査実務を行う際には、該当する項目を参照していただきたい。

なお、下記のパターンの中で、例えば、取締役会を置いていないものの、会計監査人は設置しているという会社があれば、Dのパターンに類似すると思われるので、D項目を参考にしてほしい。

【図表序－B】会社機関設計別のパターン分け

| | 主に公開会社 | 主に非公開会社 |
|---|---|---|
| 主に大会社 | A 取締役会＋監査役会＋会計監査人<br>B 取締役会＋監査委員会＋会計監査人<br>C 取締役会＋監査等委員会＋会計監査人 | D 取締役会＋監査役＋会計監査人 |
| 主に非大会社 | E 取締役会＋監査役 | F 取締役（会）＋監査役<br>G 取締役＋会計監査限定監査役 |

第1章

# 監査役監査の実務
## （その1）

# 序

監査役監査は、事業年度における監査方針・計画を出発点として、期中監査活動、期末監査活動を経て、その結果を監査役(会)監査報告として株主に開示する。この一連の流れが、実務的に最も重要なものであり、また各社で工夫の余地があるものである。しかし、実際には、監査方針・計画をとっても、毎年変更すべきか否か、作成上の留意点は何かなど、監査役として試行錯誤しているとの声も多い。

一方で、現実的には、監査方針・監査計画そのものは大きく変わるものではないとの考えから、若干の文言の見直しを行うことにとどめて、毎年、ほとんど同じ内容としている会社も少なくないようである。また、期中の監査活動についても、具体的な方法については、すでに各社で確立しており、基本的には、その方法を踏襲しているものと思われる。さらには、監査役(会)監査報告については、日本監査役協会等のひな型が公表されており、そのひな型に沿った整理をすればよいと考えている向きもある。

しかし、会社法や金融商品取引法によって、内部統制システムの重要性が認識され、監査役監査においても、この点を意識せざるを得ない状況の中で、監査役監査を常に振り返り、必要に応じて改善するなど深化を図る必要が生じてきている。すなわち、従来の自社の監査方法を若干手直しすれば足りるということではなく、常に、監査役監査のレベルアップを図っていくことが大切になっているといえよう。このためにも、まずは、監査役監査のPDCA（Plan・Do・Check・Action）の中心となる監査方針・計画、期中監査活動、期末監査活動、監査役(会)監査報告について、押さえるべき点を確認し、実務的に漏れがないか、また何らかの改善の余地がないかなどを再確認することが重要である。

本章では、監査方針・計画から監査役(会)監査報告に至るまでの重要な４項目について、具体的事例を織り込みながら、その実践方法や留意点について解説した。本章での解説を参考にしつつ、自社の監査業務と照らしあわせて、遺漏無く監査実務が行われているか、また何らかの工夫する余地があるかなどについて確認または参考にしていただきたい。

# Ⅰ．監査役監査の年間スケジュール

**要　点**

○監査役監査活動は、事業年度を単位に完結するために、あらかじめ年間スケジュールを作成しておくと便利である。

○年間スケジュールの作成には二つのパターンがあり、監査役が選任される定時株主総会を起点とする場合と、事業年度の開始時点（３月決算であれば、翌月の４月）とする場合がある。

○定時株主総会終了後の新体制において、監査計画を作成すると考える場合は、定時株主総会終了時点を起点にする場合が多い。一方、監査計画を事業年度の開始にあわせて策定する場合は、事業年度開始時点を起点として整理することが考えられる。

○年間スケジュールを作成する際は、実査などの監査役の監査活動、監査役会の日程（監査役会設置会社の場合）、会計監査人との連携のための会合日程（会計監査人設置会社の場合）等の事項を内容として作成する。

## 解　説

### １．年間スケジュールの起点　A・B・C・D・E・F・G

監査役は、株主総会で選任される正式な会社機関である。したがって、選任された監査役は、（定時）株主総会終了後から活動を開始するため、監査役の監査活動を整理する場合は、株主総会終了後からの活動に基づいて行う場合が一般的である。

一方、３月決算の会社においては、通常、定時株主総会は６月に開催されるが、新たに選任された監査役が監査活動を開始する時点では、事業年度としてはすでに約３ヶ月を経過している。すなわち、３月決算の会社であれば、４月１日から翌年の３月末までの事業年度を一つの区切りとして監査役は監査活動を実施し、その結果を監査役監査報告としてまとめる。このために、あくまでも監査役監査の年間スケジュールを事業年度にあわせて整理している会社も存在する。

株主総会終了時点を起点とした年間スケジュールは、監査役の選任時期を意識した整理であるのに対して、事業年度の開始を基点とした年間スケジュールは、事業年度の実質的な監査期間を考慮したものであり、整理の仕方の問題といえよう。したがって、実務的には、どちらの整理を行ってもよいと思われるが、例えば監査役が一人の会社の場合は、新たに選任された監査役は、監査活動について知見がないことを勘案すると、事業年度開始時点を起点とする年間スケジュールを策定した上で新任監査役に引き継ぐ整理の方が当人にとってはわかりやすいと思われる。

他方、複数の監査役が就任している場合、新任の監査役を含めた新体制の下では、定時株主総会を起点とした年間スケジュールによりまとめる傾向がある。

## 2．年間スケジュールを構成する監査活動　A・B・C・D・E・F・G

年間スケジュール上の整理として、定時株主総会直後の活動関連、自らの監査役監査活動関連、会計監査人との関連（会計監査人設置会社の場合）、に大きく分類される。各々の主要な内容については、以下のとおりである（監査役会非設置会社では＊は不要）。

### （1）監査役（会）設置会社

1）定時株主総会直後の活動関連

- 監査役会議長の選定（任意）（＊）
- 常勤監査役の選定（＊）
- 特定監査役の選定（任意）
- 監査役の報酬協議

2）直接の監査活動関連

- 監査方針／計画策定
- 期中監査活動
- 期中監査中間結果監査役会報告（＊）
- 期中監査期末結果監査役会報告（＊）
- 期末監査活動
- 事業報告、計算関係書類受領
- 期末監査活動結果監査役会報告（＊）
- 監査役監査報告作成
- 監査役会監査報告作成（＊）

3）会計監査人関連（以下、会計監査人非設置会社は不要）
- 会計監査人の監査計画報告受け
- 会計監査人中間監査結果報告受け
- 会計監査人の報酬同意
- 会計監査人の会計監査報告受け
- 会計監査人解任・不再任の方針決定（再任含む）

### （2）指名委員会等設置会社

1）定時株主総会直後の活動関連
- 監査委員会議長の選定（任意）
- 特定監査委員の選定（任意）

2）直接の監査活動関連
- 監査役会設置会社と同様（(1)－2)）

3）会計監査人関連
- 監査役会設置会社と同様（(1)－3)）

### （3）監査等委員会設置会社

1）定時株主総会直後の活動関連
- 監査等委員会議長の選定（任意）
- 特定監査等委員の選定（任意）
- 監査等委員の報酬協議

2）直接の監査活動関連
- 監査役会設置会社と同様（(1)－2)）

3）会計監査人関連
- 監査役会設置会社と同様（(1)－3)）

上記の項目を、具体的に年間スケジュールに展開することになるが、実査を含めた期中の監査活動、監査役会設置会社における年間の監査役会の設定時期と回数、会計監査人設置会社における会計監査人との連携の具体的会合を含めて、スケジュールを作成しておくとよいであろう（**【図表1－A】**参照）。年間スケジュールは、毎年大きく変動するものではないと思われるが、事業年度の監査計画や実施要領を具体的に作成する際のベースとなるものである。

年間のスケジュール項目の中で、監査役監査活動の中心を占めるのは、①監査計画策定、②期中監査活動、③期末監査活動、④監査役(会)監査報告作成、であるので、本章では、これらの項目に関する具体的な実践や運用方法等について解説することから始めたい

## 【図表１－A】年間スケジュール作成事例（監査役会及び会計監査人設置会社）

| | | 〈N年〉6月（総会後） | 7月 | 8月 | 9月 | 10月 |
|---|---|---|---|---|---|---|

### Ⅰ．年間監査活動の概要

| | | 6月（総会後） | 7月 | 8月 | 9月 | 10月 |
|---|---|---|---|---|---|---|
| 監査役会の時期・主要議題 | 全監査役 | ○<br>・議長（招集者）選定<br>・常勤監査役選定<br>・監査役報酬協議<br>・監査方針・計画<br>監査業務分担審議<br><br>・監査費用予算等審議 他<br>・会計監査人の報酬同意 | | | ○<br>・期中監査活動の報告 他 | |
| 監査活動の主要項目 | 全監査役 | 《株主総会》<br>▼<br>総会終了後監査実施<br>←→ | 監査計画策定<br>←→<br>取締役会報告<br>▼<br>監査計画 | | ←→<br>会計監査人<br>中間監査立会 | |
| 監査役連絡会（含む監査役スタッフ） | 常勤監査役 | ○ | ○ | ○ | ○ | ○ |

### Ⅱ．監査の実施

1．重要会議への出席・意見陳述

| | | 6月（総会後） | 7月 | 8月 | 9月 | 10月 |
|---|---|---|---|---|---|---|
| 取締役会 | 全監査役 | ○ | ○<br>（監査計画） | ○ | ○ | ○ |
| その他重要会議 | 常勤監査役 | ○ | ○ | ○ | ○ | ○ |

①資料は原則事前受領。重要案件については、業務監査の一環として、必要の
②その他重要会議の議論内容については、終了後、出席監査役から、その他の

2．代表取締役との会合

| | | 6月（総会後） | 7月 | 8月 | 9月 | 10月 |
|---|---|---|---|---|---|---|
| 定例意見交換 | 全監査役 | | ○<br>監査計画・経営方針・内部統制システム 他 | | | 経営課題 |
| 社長等への監査意見提示 | 常勤監査役 | | ○<br>監査計画 他 | | | |

＊なお、社長等とは、必要の都度、個別に意見交換を実施。

| 11月 | 12月 | 〈N+1年〉1月 | 2月 | 3月 | 4月 | 5月 | 6月（総会前） |
|---|---|---|---|---|---|---|---|
| | ○ | | | ○ | ○ | ○ | ○ |
| | ・期中監査報告・審議<br>・会計監査人監査の相当性判断（中間期） | | | ・期中監査活動の報告他 | ・総会関係日程適法性監査<br>・会計監査人監査の相当性判断（期末期） | ・監査調書・期末監査報告・審議<br>・監査報告書作成・提出<br>・監査役選任議案・同意審議<br>・会計監査人選任・再任審議<br>・会計監査人の解任・不再任の方針決定・確認 | ・総会関連報告 |
| | 監査調書中間整理 ↔<br>中間決算監査実施 ↔ | | ↔ 実施棚卸立会 | | 監査調書最終整理 ↔<br>▼ **監査調書**<br>事業報告関連受領 ↔<br>期末決算監査事前準備 ↔<br>↔ 期末監査立会 | ▼ **監査役会監査報告書**<br>期末決算監査実施 ↔<br>▼ **期末監査報告書**<br>↔ 会計監査人監査報告書受領<br>▼ **会計監査人監査報告書** | 《株主総会》▼<br>議題・議案調査 ↔ |
| | | | | | | 監査役選任議案受領 ↔ | |
| ○ | ○ | ○ | ○ | ○ | ○ | ○ | ○ |

| 11月 | 12月 | 〈N+1年〉1月 | 2月 | 3月 | 4月 | 5月 | 6月（総会前） |
|---|---|---|---|---|---|---|---|
| ○ | ○ | ○ | ○ | ○ | ○ | ○<br>（決算取締役会） | ○<br>（監査報告） |
| ○ | ○ | ○ | ○ | ○ | ○ | ○ | ○ |

都度、事前報告聴取を実施。
監査役へ説明。重要事項については、監査役会等にて意見交換。

| 11月 | 12月 | 〈N+1年〉1月 | 2月 | 3月 | 4月 | 5月 | 6月（総会前） |
|---|---|---|---|---|---|---|---|
| ○<br>（中間決算）・監査実施状況 他 | | | | ○<br>経営課題（期末決算）・監査実施状況 他 | | ○<br>監査報告・監査役選任提案受領 他 | |
| | ○<br>監査実施状況 他 | | | | | ○<br>監査結果 他 | |

| | | 〈N年〉<br>6月（総会後） | 7月 | 8月 | 9月 | 10月 |
|---|---|---|---|---|---|---|

3．日常監査（常勤監査役が基本、非常勤社外監査役も適宜参画）

| | 〈N年〉<br>6月（総会後） | 7月 | 8月 | 9月 | 10月 |
|---|---|---|---|---|---|
| 本社部門監査<br>〔・取締役職務執行の監査・報告聴取<br>・書類閲覧　他〕 | ←— | ——— | ——— | ——— | ——— |
| 国内拠点実地調査 | | ←— | ——— | ——— | ——— |
| 海外拠点実地調査 | | ←— | —→ | | |
| 監査調書の作成・監査内容等の報告・説明 | ←— | ——— | ——— | ——— | ——— |

## Ⅲ．会計監査人との連携

| | | | | | | |
|---|---|---|---|---|---|---|
| 会計監査人との会合 | 常勤監査役 | | ○監査役会監査計画説明<br>会計監査人監査計画説明聴取 他 | | | |
| 会計監査人監査への同行・立会 | 常勤監査役 | | | | | ○中間監査 |

## Ⅳ．内部監査部門等との連携

| | | | | | | |
|---|---|---|---|---|---|---|
| 監査意見の提示 | 常勤監査役 | | ○監査計画 | | | |
| 〔コンプライアンス委員会〕 | 常勤監査役 | | | | | ○ |
| 〔内部通報制度の状況聴取〕 | 常勤監査役 | ○ | ○ | ○ | ○ | ○ |
| 〔顧問弁護士との対話〕 | 常勤監査役 | | | | | ○ |

## Ⅴ．グループ会社等監査役との連携

| | | | | | | |
|---|---|---|---|---|---|---|
| 監査状況聴取等調査 | 常勤監査役 | | | | | |
| 国内外拠点視察 | 常勤監査役 | | ←— | ——— | ——— | ——— |
| グループ監査役連絡会 | 常勤監査役 | | ○監査結果・計画情報共有化 他 | | | |

## Ⅵ．その他

| | | | | | | |
|---|---|---|---|---|---|---|
| 〔セミナー参加〕 | 常勤監査役 | | ○ | ○ | ○ | ○ |
| 〔日本監査役協会<br>監査役全国会議〕 | 常勤監査役 | | | | | ○ |

| 11月 | 12月 | 〈N+1年〉1月 | 2月 | 3月 | 4月 | 5月 | 6月（総会前） |
|---|---|---|---|---|---|---|---|

| 11月 | 12月 | 1月 | 2月 | 3月 | 4月 | 5月 | 6月 |
|---|---|---|---|---|---|---|---|
| → | → | → | → | → | → | → | → |
| → | → | → | → | → | | | |
| | | ↔ | ↔ | | | | |
| → | →（中間整理） | → | → | → | →（最終整理） | | |

| 11月 | 12月 | 1月 | 2月 | 3月 | 4月 | 5月 | 6月 |
|---|---|---|---|---|---|---|---|
| | ○中間決算監査実施報告・説明聴取<br>監査実施状況意見交換 他 | | | | | ○監査報告書受領・説明聴取 他<br>○金商法内部統制・KAMの意見交換 | |
| 立会 | | | ○実地棚卸立会 | | ○期末監査立会 | | |

| 11月 | 12月 | 1月 | 2月 | 3月 | 4月 | 5月 | 6月 |
|---|---|---|---|---|---|---|---|
| | ○監査実施状況 | | | | | ○監査結果 | |
| | ○監査実施状況 | | | | ○ | | ○監査結果 |
| ○ | ○ | ○ | ○ | ○ | ○ | ○ | ○ |
| | | | | ○ | | | |

| 11月 | 12月 | 1月 | 2月 | 3月 | 4月 | 5月 | 6月 |
|---|---|---|---|---|---|---|---|
| 主要子会社等中間調査 ↔ | | | | | 主要子会社等期末調査 ↔ | | |
| 視察（主要会社以外も対象）→ | → | → | → | → | → | | |
| | ○監査実施状況 他 | | | | | | |

| 11月 | 12月 | 1月 | 2月 | 3月 | 4月 | 5月 | 6月 |
|---|---|---|---|---|---|---|---|
| ○ | ○ | ○ | ○ | ○ | ○ | ○ | |
| | | | | | ○ | | |

# Ⅱ．監査計画策定

**要　点**

○監査を開始するにあたり、当該事業年度の監査方針や重点的な監査項目を執行部門に知らしめる点で、監査計画の策定は重要である。
○監査計画は、前年度の監査実績を踏まえて、毎年、その内容を見直す必要性も含めた検討を行うべきである。
○監査役会設置会社では、監査の方針、業務および財産の状況の調査の方法について、監査役会で決議しなければならない。
○企業集団としての内部統制システムの整備が要請されている中で、監査計画も、グループ全体としての整合性を意識することが望まれる。

**解　説**

## 1．監査計画策定の意義と内容　A・B・C・D・E・F・G

### （1）監査計画策定の意義

監査を開始するにあたって、あらかじめ監査計画を策定することが一般的である。これは、監査役が監査を実施するのに先立って、当該事業年度は、どのような監査方針で臨むのか、具体的な監査の実施方法はどのようにするのかなどについて、監査対象部門に知らしめることによって、効率的かつ有益な監査を行うことが可能となるからである。このため、会社法上は、監査役会の職務として、「監査の方針、監査役会設置会社の業務及び財産の状況の調査の方法その他の監査役の職務の執行に関する事項の決定」（会390条２項３号）を行うことを定めている。すなわち、監査役会は、監査の方針や業務の調査の方法等を決議しなければならないと規定している。

一方、監査役会を設置していない会社においても、監査役は「取締役（会計参与設置会社にあっては、取締役及び会計参与）の職務の執行を監査する」（会381条１項）ためには、監査役会設置会社と同様に、監査の方針等を定めることが望ましい。

監査の方針や調査の方法を定めることを、便宜上、包括的に「監査計画」と称することが多いが、「監査計画」という言葉自身は会社法で定められている用語ではない。言い換えると、監査計画を策定する際に、単に監査スケジュールのみを策定し、当該事業年度の監査方針を策定しないとすると、監査役会設置会社においては、会社法で規定された要件を満たさないことになるので注意が必要である。

なお、監査(等)委員会が監査役会と同様に、監査計画を決議しなければならないという明文規定は存在しない。監査役は、独任制であるために、監査役会において、監査の方針等について一定の意思統一をする趣旨である。もっとも、監査(等)委員会として監査計画を定めることの重要性は同様である。



### (2) 監査計画の内容

監査計画は、①監査の基本方針、②監査項目、③監査の調査方法、を主な項目として構成される。この内、監査役会設置会社は、監査計画の中に、監査の方針と監査の調査方法を必ず盛り込んだ上で、監査役の過半数による監査役会での決議を行わなければならない。

監査の基本方針は、前年度の監査実績を踏まえて、当該事業年度の監査をどのような方針で行うのか監査の方向性を示したものであり、特に重要である。例えば、前年度に不祥事が発生していれば、今年度は、「不祥事ゼロ」を目指す予防監査に力を入れる、またはコンプライアンスの観点から、内部統制システムの構築・運用状況を重点的に監査することなどが考えられる。また、子会社に不祥事が発生していれば、企業集団の内部統制システムの整備の改善状況を監査する方向性を打ち出すことも必要となろう。

次に、監査項目は、監査方針を具体的な項目に展開したものであり、監査対象部門が監査を受ける際に、重点的に意識すべき点を明示的に示す。例えば、監査の基本方針において、コンプライアンスを標榜したとしても、単に「法令・定款の遵守」とするのではなく、リスク予知の観点から、どの分野のどの法令を重点的に監査するのか明確化することが大事である。例えば、世間で環境汚染問題に関心が集まっているようであれば、環境関連法令の遵守を、また前年度で国税庁から重加算税を課された事実があれば、今年度は、税法関連法令のように、個別・具体的な法令を掲げることが重要である。監査項目自体はすべての法令に及ぶが、各事業年度の基本方針を踏まえて、特に重点的な監査項目を監査対象部門に明示的に示すことが、監査の実効性確保のためには大切である。

監査の調査方法とは、監査の具体的実施要領である。監査役監査を実施するにあたり、いかなる方法によって行うのかについてあらかじめ監査対象部門に示すことにより、監査対象部門は、監査の具体的な準備に取り掛かることが可能となる。調査方法は、重要会議（取締役会、経営会議、常務会等）の出席、重要文書の閲覧、各部門からの報告聴取、現場の実地調査（実査）などである。この中で、重要な会議の出席や決裁等の重要な文書の閲覧は、監査役が監査を実施する際の基本的な方法であり、原則的には監査役が監査の実行上、必要であると判断して執行部門に要請すれば、あらゆる会議の出席や重要文書の閲覧は可能なはずである。しかし、実務的には、会議場所の確保や会議資料の分量の問題等の関係から、監査役が出席する会議や監査役が必ず回覧を要請する文書の範囲を示した上で、当該部門に申し入れをすることが一般的である。したがって、監査計画の段階では、監査役が出席する会議、回覧を要請する文書をあらかじめ明示しておくことが望ましい。

監査対象部門にとって、最も関心のある監査聴取については、監査計画書の中で、少なくとも聴取する頻度（年に１度か複数回か）や聴取時間について記載する。また、聴取にあたり資料の扱いや出席メンバーについても、明示しておくことが望ましい。例えば、監査項目に基づいて作成された資料については、監査対象部門に対して３日前までには提出を要請して、監査役および監査役スタッフは報告聴取を行う前に、あらかじめ資料を読み込んでおく方が、監査当日の報告聴取の実効性は上がる。また、報告聴取の出席メンバーについても、社外監査役の出席の有無、監査役監査として必要とする職制の範囲（取締役、事業部長等）を明示しておくことは、監査対象部門にとっては準備上都合がよい。その際、監査役監査が取締役の職務の執行を監査する性格上、業務担当取締役を出席とすると効果的である。

その他、内部監査部門や会計監査人との連携の方法、企業集団の内部統制システムの観点から、グループ会社の監査役との連携等についても、監査計画書に記載するとよい。

なお、具体的な監査日程や監査役の分担も監査の実施要領に相当するが、会社法上は、このような具体的監査日程まで監査役会の決議項目として要請していないため、別途作成した上で、事務的に当該部門に通知することもあり得る。監査計画の中に組み込んで監査役会で決議するか、個別具体的な分担等の計画を実務レベルで調整するかは、監査役スタッフの有無、所属会社の監査対象部門の数等の事情によると思われる（**【様式１－１】**・**【様式１－２】**参照）。

【様式１－１】監査方針・計画策定事例①（監査役会非設置会社の例）

令和○年○月○日
△△　監査役
△△　監査役
△△　監査役

## 令和○年度監査方針と監査計画

### Ⅰ．基本方針等

**1．基本方針**

会社法の趣旨に鑑み、株主の負託を受けた独立の機関として取締役の職務執行を監査することにより、企業集団として健全で持続的な成長を確保するとともに、社会的信頼に応える良質な企業統治体制を確立する責務を負うこととする。

**2．具体的な監査活動**

(1) 業務運営の適法性および企業集団としての企業行動規範の遵守状況
(2) 取締役会、常務会などによる経営判断の妥当性
(3) 内部統制システムの構築・運用状況
(4) 会計監査人による会計監査の相当性
(5) 企業の社会的責任の遂行とリスクマネジメントの状況

**3．本年度の重点監査項目**

(1) グループ会社における内部統制システム構築
(2) 事業本部における自律的な内部統制システムの運用体制
(3) 海外支店におけるリスク管理体制

**4．本年度から実施する新たな対応**

(1) グループ会社における内部統制システム構築に関して、「グループ会社常勤監査役連絡会」を新設し、その場でグループ会社における内部統制システムの構築状況について、確認する。
(2) グループ会社に対して、会計監査人との連携を強化し、情報を共有化した上で、必要に応じて、子会社調査権を発動する。
(3) 監査役室を新たに設置するとともに専任のスタッフを配置し、監査役監査の一層の充実を図る。

## Ⅱ．監査計画の概要

### 1．監査役連絡会

(1) 月例監査役連絡会の実施：取締役執行状況の監査報告、監査活動状況の評価

(2) 非定例監査役連絡会の実施：事件または事故が発生したときの報告および対応の審議

### 2．日常の監査活動

(1) 常時出席会議：取締役会、常務会、事業本部報告会、投融資委員会、プロジェクト方針会議、リスクマネジメント会議、与信管理委員会、懲罰委員会

(2) 重要文書の閲覧：取締役決裁文書、寄付・諸会費伺い（1千万円以上）、公共工事プロジェクト一覧表（1億円以上）、同業他社との会合議事録

(3) 監査単位：部別・工場（2回／年）、事業本部（1回／年）

(4) 海外監査：海外営業所・支店

### 3．監査結果報告

監査終了後、監査対象部門に対して監査結果を通知する。なお、監査結果は、会長・社長・総務管掌役員にも配付する。

### 4．会計監査人との連携

(1) 定例会合：四半期に1回行う。

(2) その他：システム監査、現金実査など会計監査人の監査現場に、必要に応じて立会を行う。

### 5．その他

(1) 内部監査部門との連携：情報交換会を実施（1回／月）

(2) 経理部および法務部との連携：情報交換会を実施（2回／月）

以　上

## 【様式１－２】監査方針・計画策定事例②（監査役会設置会社の例）

令和○年○月○日
監査役会議長

### 令和○年度 監査方針・計画

**A．令和○年度監査方針・計画の考え方**

**1．基本認識**

（1）「内部統制システムの基本方針」に対する取締役会決議、及び「内部統制規程」を踏まえ、当社及び当社グループの内部統制システムの構築・運用状況については、着実に進展している。但し、前年度、連結子会社において偽装請負が疑われる事案が発生するとともに、従業員の勤務管理に関して、サービス残業について労働基準監督署から指導および勧告を受けたことなどを踏まえると、内部統制システムのさらなる改善を推進する必要がある。

（2）内部統制システムを適切に運用していくためには、特に内部統制のＰＤＣＡを確実に廻していくことが重要であり、そのためにもリスク情報が遅滞無く報告される体制の整備、内部監査部の要員増加に伴う体制強化、監査役監査によるモニタリングの実践を図るとともに、内部監査部との連携を強化していくことが重要である。

（3）企業の社会的責任の観点から、サステナビリティ基本方針を策定し、サステナビリティ推進室を中心にグループ全体での取組みが開始されたことから、中長期視点に立って着実に実行していくことが大切である。

**2．監査方針**

（1）「法令・定款遵守体制の構築」、「個別リスクの未然防止」、及び「グループ会社を含めた内部統制の充実」に対する監査を本年度の基本方針とする。

（2）定常的業務監査・実地調査、及びグループ会社との個別対応を通じて、各部門との対話およびリスクアプローチ的視点を強化する中で、重点的な監査に留意する。

（3）サステナビリティ推進室が策定した本年度のサステナビリティ計画の実行状況を各部門に確認する。

**B．令和○年度業務監査の具体的進め方**

**1．監査方針に基づく監査項目**

（1）法令・定款遵守
会社法、労働関連法令、環境関連法令、知的財産関連法令　等の遵守状況、および日本経団連企業行動憲章、社長達　等の遵守状況

（2）個別リスクの未然防止

特に、下記の点を本年度は重点的に監査する。

①労働安全：特に従業員の勤務管理・健康管理、偽装請負、

②環境保全：特に水質・大気汚染・土壌汚染

③機密情報管理：特に、情報セキュリティ

④製品品質：特に、製造物責任

⑤大規模地震対策等：特に、東海・東南海地震発生時に備えた危機管理体制

（3）内部統制システムの整備・運用状況

特に、内部監査部の活動状況と企業集団の内部統制を重点的に監査する。

（4）ESGの推進状況

特に、リサイクル率の向上、二酸化炭素削減目標の達成、サプライチェーン先も含めた人権デューディリジェンスの徹底を図る。

**2．業務監査の具体的実施要領**

（1）定常業務監査の報告聴取

（対象）全部門　　（頻度）2回／年

①自主点検結果等の報告聴取

・当該部門の管掌役員より、自部門の監査結果の自己診断シートに基づいた報告を聴取する。

・上記報告聴取と併せて、リスクの未然防止に向けた日常業務での新たな工夫・対応等に関し、質疑・確認を行う。

・報告聴取の結果、指摘事項については、再度聴取を行う。

②重点監査項目の報告聴取

・各部門に提示した重点監査項目にそって、報告聴取する。

③内部通報制度に通報のあった案件の報告聴取

・その後の対応についても報告聴取する。

④定例業務監査実施に当たっての留意点

・監査の実効をあげるため、業務監査日の3日前までに被監査部門から報告資料の提出（必須）を受け、当該資料に基づく事前監査を行う。

・業務監査時間は、原則として各部門3時間程度とするが、個別テーマの内容、及び項目数に応じて聴取時間の変更はあり得る。

・定例業務監査を補完・強化する観点から、会計監査人が行うシステム監査・実地棚卸等にも適宜立会する。

（2）臨時の報告聴取

①下記案件が生じた場合、関連する各部門から報告聴取を行う。

・経営に重大な影響を及ぼす事故・事件（グループ会社案件を含む）

・内部統制規程に基づき管理部に報告のあった案件
・内部通報制度の中で、コンプライアンスに係る重要案件
②常務会等における重要意思決定事項等については、主としてデュープロセスの観点から執行決定前に報告聴取を行う。
③経営に重大な影響を及ぼす事件・事故について、速やかに報告を受け、初期対応・再発防止策等について聴取する。

（3）グループ会社対応
①重要なグループ会社（連結子会社）の常勤監査役との定期的な会合の充実、及び各社の現場視察拡大等を通じて、会社法に定められた「企業集団の内部統制」について、都度、親会社監査役としての助言等を行う。
②会計監査人から各グループ会社に関する会計監査の結果について適宜報告を受ける。

（4）各管理部門、内部監査部門、会計監査人との連携強化
①秘書部・広報部・環境部・労務部・法務部・総務部・人事部・技術部・知財部の各管理部門から、内部統制システムの整備・運用とリスク管理に関する具体的推進状況を聴取し、都度、監査役としての指摘・提言・意見表明等を行う。
②内部監査部から、グループ全体の内部統制システムの整備・運用に関する実行状況や、コンプライアンス委員会の活動状況、内部通報制度の活用状況を聴取し、都度、監査役としての指摘・提言・意見表明等を行う。
③会計監査人から、当社及びグループ会社の主に会計に関する内部統制の実行状況、リスクの評価及び重点監査項目、監査上の主要な検討事項（KAM）について説明を受け、適時に意見交換を行うことにより、会計監査人との連携を一層強化する。

（5）監査後のフィードバック、及び監査対象部門との意見交換
①常勤監査役から、取締役会並びにコンプライアンス委員会に対し監査結果を報告する。
②監査結果について、代表取締役並びに各部門管掌役員と個別に意見交換する。
③監査対象部門に対し、他部門業務監査結果からの参考項目の紹介を含め、監査意見・指摘事項を書面にてフィードバックする。

以　上

COLUMN

●常勤監査役●

監査役会設置会社においては、監査役の中から常勤監査役を選定しなければならない（会390条３項）と規定されているが、それでは、常勤監査役の定義は何であろうか。非常勤という言葉は、「非常勤講師」など日常的に使用されることが多いため、非常勤に対する概念として「常勤」を理解していると思われる。実は、会社法上は、「常勤監査役」の定義規定は存在しない。一般には、「他に常勤の仕事がなく、会社の営業時間中原則としてその会社の監査役の職務に専念する者」（江頭憲治郎『株式会社法（第８版）』562頁、有斐閣、2021年）と捉えられているが、それでは、週に２～３日程度の勤務でも、勤務時間中に監査役の職務に専念していれば、常勤監査役といえるのであろうか。少なくとも、他の営業日の勤務時間中に、他の常勤の仕事を兼務している場合は、常勤監査役とはいえないであろう。

いずれにせよ、監査役会設置会社では、常勤監査役の設置が義務付けられているために、常勤監査役として十分な活動を行うことができるのか、監査役の候補者を選任する際にあらかじめ確認しておくことが大切である。

なお、非常勤監査役も会社に対して善管注意義務を負っていることには変わりはないので、各々の職務を果たせる範囲で監査役としての役割を適正に果たすことが重要である。

### （３）監査計画関連項目

１）業務分担

監査役が複数就任している場合は、監査計画の一環として、監査役の分担をあらかじめ決定しておくことが考えられる。会社法上は、監査役は独任制であり、監査役の分担を決定する旨の明文化はないが、監査の実効性を高め、効率的な監査のためには、監査役の業務分担を定めた上での組織的な監査が求められる。

監査役会設置会社においては、社外監査役を半数以上としなければならない（会335条３項）。日常の監査活動を職務とする常勤監査役に対して、社外監査役の多くは非常勤であり、本業を持っているのが普通である。したがって、当該会社の監査活動に費やす監査時間は限定されていることから、社外監査役の役割を明確にし、監査の対象範囲や実査の参画有無などを、あらかじめ監査役間で意見交換をした上で効率的な監査活動が行えるよ

## 【様式１－３】監査役の業務の分担例

### 監査役の業務分担表

| 業務の分類 | | A監査役<br>社内(常) | B監査役<br>社内(常) | C監査役<br>社外(非) | D監査役<br>社外(非) | 監査役<br>スタッフ |
|---|---|---|---|---|---|---|
| 日常監査 | 事業所実査 | ○ | ○ | △ | △ | ○ |
| | グループ会社実査 | ○ | ○ | △ | △ | ○ |
| | 重要な決裁書類閲覧 | ○ | ○ | | | ○ |
| | 定款・規程類の整備・運営状況 | ○ | ○ | | | ○ |
| | 内部監査部との連絡会 | ○ | ○ | | | ○ |
| 重要な会議への出席 | 取締役会 | ○ | ○ | ○ | ○ | |
| | 常務会 | ○ | ○ | | | |
| | 業務連絡会 | ○ | ○ | | | ○ |
| | グループ会社業務連絡会 | ○ | ○ | | | ○ |
| | コンプライアンス委員会 | ○ | ○ | | | △ |
| 取締役からの報告聴取 | 社長・監査役懇談会 | ○ | ○ | ○ | ○ | △ |
| | 副社長・監査役懇談会 | ○ | ○ | ○ | ○ | △ |
| 部門別監査 | 環境・リサイクル | ○ | ◎ | | △ | ○ |
| | 労働・安全 | ◎ | ○ | △ | | ○ |
| | 知的財産 | ◎ | ○ | | | ○ |
| | 財務・資金 | ○ | ◎ | | | ○ |
| | 経営企画 | ◎ | ○ | | | ○ |
| | 法務 | ◎ | ○ | △ | | ○ |
| | 営業・購買 | ◎ | ○ | | | ○ |
| | 技術開発・研究開発 | ○ | ◎ | | △ | ○ |
| 会計監査 | 計算書類・附属明細書 | ○ | ◎ | | | ○ |
| | 有価証券報告書等 | ○ | ◎ | | | ○ |
| | 税務申告書 | ○ | ◎ | | | ○ |
| | 剰余金処分の妥当性 | ○ | ◎ | | | ○ |
| | 利益処分の妥当性の根拠 | ○ | ◎ | | | ○ |
| | 会計監査人監査の相当性判断 | ○ | ◎ | ○ | ○ | ○ |
| 後発事象 | | ◎ | ○ | | | ○ |
| 株主総会関連 | 監査報告書口頭報告 | ◎ | △ | △ | △ | ○ |
| | 想定問答準備 | ○ | ○ | | | ◎ |
| 総括業務 | 監査報告書の作成・提出 | ◎ | ○ | ○ | ○ | ○ |
| | 監査役会規則・監査基準見直し | ○ | ○ | ○ | ○ | ◎ |
| | 常勤監査選定手続き | ◎ | ○ | ○ | ○ | ○ |
| | 監査計画書・重点監査項目 | ◎ | ○ | ○ | ○ | ○ |
| | 業務の分担 | ○ | ○ | ○ | ○ | ◎ |
| | 報酬協議 | ◎ | ○ | ○ | ○ | ○ |
| | 監査予算作成・提出 | ○ | ○ | | | ◎ |

◎　主担当　　○　担当（定期）　　△　担当（不定期）

うに決定しておくことが重要である。また、常勤監査役の中でも、それまでの経歴や専門性を活用した監査活動を実施することは、監査の実効性を上げるためには有益である（**【様式１－３】**参照）。

しかし、監査役間で監査の分担を定めたとしても、分担外であることを理由にして、監査役としての責任を免れることはできない。すなわち、他の監査役が分担した監査について、疑義があるのにもかかわらず放置しておいた場合、放置した監査役に対しても、監査役としての任務懈怠責任が問われる可能性があるので注意が必要である。

**[参考1－1] 監査役の分担の分類例**

①業務別分担（財務、企画、総務、人事、営業、購買、技術管理、開発等）

②事業部別

③地域別（本社、工場、国内支店、海外支店等）

### ２）監査費用

監査役は、監査活動にあたり監査に必要な費用を会社に請求することができる。また、会社は監査役からの監査費用または債務の請求に対して、その請求が監査役の職務の執行に必要でないことを証明しなければ、拒むことはできない（会388条）。この立法趣旨は、監査役は経営の執行部門からは独立しており、監査費用の面から、その監査活動に制約を受けないようにするものである。具体的な監査費用とは、実査のための旅費、調査活動費（弁護士報酬等）、セミナーへの参画費等がある。

監査費用面から、監査活動に制約を受けないとの立法趣旨を明確化するために監査費用を予算化していない会社も存在するが、執行部門として、経営全体の費用把握の一環として、予算化している会社が多いようである。その場合は、監査役としては、事業年度の監査活動に基づいて、予算案を作成し、経理部門に申請することになる。監査費用は制約を受けないとはいいつつも、監査活動において、その適切性については十分に留意することはいうまでもない。

特に、海外監査を実施する場合は旅費等の滞在費が大きくなるので、監査の実効性に特段注意する必要がある。

なお、平成27年改正会社法施行規則において、監査役の職務の執行について生ずる費用の前払、または償還の手続その他の職務執行について生ずる費用または償還の処理に係る方針に関する事項について、内部統制システムの一環として、事業報告の開示事項となった（会施規100条３項６号)。費用等に関する方針を会社としてあらかじめ定めておくことによって、例えば、急遽監査役が外部に調査を依頼したときに発生する費用について、会社側が確実に支払うことを示すことになる。このことは、監査役にとっても安心してその職務を執行できることにつながるとの趣旨である。

#### ３）監査活動スケジュール

事業年度の監査活動スケジュールとは、各部門からの監査報告聴取や実査の時期、期中監査や期末監査の結果報告時期、会計監査人からの監査計画や監査結果の報告聴取時期などである。監査役会設置会社や複数の監査役が就任している会社においては、監査役間で決定した分担に沿って監査活動スケジュールを作成し、また監査役一人の会社においても、監査対象部門の諸準備のために監査日程をあらかじめ作成しておくことが必要である。

監査活動の一環としては、代表取締役との意見交換の場、会計監査人との意見交換の場など、監査計画に織り込んだ当該事業年度の個別具体的な実施要領については、年間監査活動スケジュールに前もって織り込んでおき、監査計画段階から明確にしておくとよい。

なお、監査計画段階では月別の監査活動の大まかな実施予定を作成し、個別具体的な監査日時は、月別のスケジュールに沿って都度設定することになる。

## ２．監査計画策定上の留意点　A・B・C・D・E・F・G

### （１）監査計画の策定時期

監査役は、取締役と同様に、株主総会で選任されることとの関係で、監査計画の策定時期が問題となる。例えば、３月決算の会社で、６月に定時株主総会を開催している会社においては、新年度の監査を実際に実行する新しい監査役の下で、総会終了後の７月に監査計画を策定することが一般的である。すなわち、総会で選任された新任の監査役を含めて、新しい体制の下で監査計画を策定し、自ら策定した監査計画に基づいて、監査を実行するわけである。しかし、この場合、３月期決算の会社では４月から翌年の３月末までが事業年度であることから、実質的には、４月以降の定時株主総会までの約３ヶ月の間は、新事業年度の監査計画としては空白の期間となる。

監査計画の対象期間については、大きく二つの考え方がある。

一つは、監査計画の対象期間を、「定時株主総会の開催日から翌年の定時株主総会の日まで」とする考え方である。これは、あくまで新体制で監査計画を策定すべきであるとの考えに基づくものである。この場合は事業年度と監査対象期間とのずれが生じるが、新任の監査役が加わった新体制があくまでも監査対象期間とする考えを重視したものといえよう。複数の監査役が就任している場合は、新年度の監査計画を任期中の監査役で作成しておき、定時株主総会で新任された監査役がそろった最初の監査役会で、正式に決議している会社もある。このようにすれば、株主総会直後から、直ちに新監査計画の下で監査が実施できるからである。

他方、監査活動および報告は、会社の経営計画に連動することが基本であり、また、監査活動のための費用を予算化している場合は、事業年度に合致することが自然であるとの考えから、監査対象期間を事業年度にあわせている会社もある。その際、新事業年度の監査が開始される４月に間に合うように、３月中に監査計画を策定する会社も存在する。但し、前年度の監査実績の反省を踏まえて、監査計画につなげることが望ましい点から考えると、前年度の監査を、少なくとも、３月の上旬頃までには終えておくこととなるため、かなり前倒しの監査活動を実行しなければならない。

また、前年の監査結果については、定時株主総会に提出する監査報告の策定によって最終の結論となることから、それを踏まえるとなると、期末監査（**Ⅳ．期末監査の実践**を参照）を行う４月から５月以降の策定にならざるを得ない事情もある。この点から、期末監査の状況を勘案しながら、監査報告の策定と並行して、あるいは策定後の５月または６月に監査計画を策定する会社もある。また、監査役が一人の会社では、新任監査役は、前年度の監査状況とその結果を十分に把握できない中で、実態感のある監査計画を策定することは困難であると思われるので、前任の監査役が在任している間に監査計画を策定しておき、引継ぎによってカバーするか、株主総会前に前任の監査役が原案を策定した上で、定時株主総会終了後に正式なものとするなどの工夫が必要である。

もっとも、折衷案として、監査計画は定時株主総会後に策定するものの、監査計画の対象期間としては、事業年度にあわせるとの割り切った考え方を採用している会社も多数ある。複数の監査役が就任している場合は、継続して就任している監査役が、実質的に新事業年度も監査を実施していると考えられるからである。

また、企業集団を構成するグループ会社の中で、監査方針や計画の一貫性を持たせることは、企業集団の内部統制システムが法令で規定されている（会施規100条１項５号）以上、留意すべき点である。例えば、親会社が法令遵守の徹底を監査項目として前面に掲げておきながら、子会社監査役がこの点についての監査意識が希薄であるとすれば、企業集団の内部統制システムが適切に機能しているとは言い難い。このためにも、親子会社の監査役間で、基本的な監査方針を共有し、企業集団としての監査役監査の一貫性に留意することは考慮してよいであろう。仮に、親会社の監査計画を定時株主総会終了後の７月に策定する場合は、夏季休暇がある８月を考えると、子会社の監査計画の策定が９月にずれ込むことも想定される。これでは、子会社の監査計画が策定されたときには、３月決算会社の場合は、事業年度としては実質、約半年が経過していることになる。このような事態を回避するためには、親会社の監査計画は、少なくとも株主総会前には策定を終えて、株主総会終了後、速やかに子会社に説明することができるような日程設定をすることが考えられる。すなわち、７月初旬までにグループ会社の監査役に対して、親会社の監査方針・計画を説明し、それを参考に、各グループ会社は、各々の業態・規模等を勘案した独自の監査方針・計画を付加した上で、少なくとも７月中に各社の監査計画の策定を完了することが望ましい。親会社が強く打ち出した監査方針に沿った監査計画を策定するように各社の監査役が工夫することによって、監査の面からも、企業集団としての一体的運用が可能となる。

連結経営の重要性を標榜していながら、監査の面での一体性が欠如していると、連結経営としての一貫性を欠くとの評価にもなり得るので、注意が必要である。



COLUMN

**●新任監査役と監査年度●**

３月決算の会社の場合、定時株主総会は、通常５月または６月に開催され新任の監査役が選任される。すると、新任監査役の就任時期に対して監査対象となる事業年度はすでに４月から開始されていることから、空白の期間となってしまうことになる。仮に複数の監査役が就任していれば、任期期間中の監査役は、事業年度開始以降も監査していることから、監査の継続性は担保できよう。しかし、監査役が一人の場合、あるいはすべての監査役が新任されたときは、監査開始時期と監査役の就任時期とのズレが問題となる。

この点については、前任者からの引継ぎ、関係書類の閲覧や関係者からの事情聴取等によって、監査の継続性が担保されていれば監査上は特に問題ないとの見解が通説である（直前に取締役であった者が監査役に就任することは何ら問題はなく、監査対象期間と監査役在任期間が完全に一致しなくともよいとした裁判例が存在する（「長谷工事件」東京高判昭和61・６・26判例時報1200号154頁）。

### （2）監査計画の周知徹底の方法

監査計画については、社内における周知徹底を図る必要がある。通知すること自体が目的であれば、書類による通知やE-MAILを送付することで足りるが、当該事業年度の監査役監査の重点を監査対象部門に周知徹底するためには、直接説明する機会を設定すべきである。例えば、監査役監査は、会社法上定められた会社機関による監査活動であることから、取締役会において、正式に報告・説明し、各取締役を通じて、各々の部門に周知徹底することが重要である。また、代表取締役には、個別に説明する機会を設け、意見交換を行っておくことも効果的である。一方で、執行役員制度を採用している会社においては、必要に応じて執行役員会や、あるいは部長連絡会などを通じた説明を行うことも考えられる。

会計監査人設置会社においては、会計監査人に対しても個別に説明する機会を設ける。監査役は、職業的専門家である会計監査人に会計部分の監査を任せるにあたり、事業年度の監査役監査の基本方針が会計監査人に適切に理解されていることが不可欠であり、また会計上、気になる特定分野（例えば、棚卸資産の監査、減損処理等）については、会計監査人に特に重点的な監査を要請する。また、金融商品取引法において、財務報告に係る内部統制システムが規定され、監査役と会計監査人との連携の必要性は益々高まってきていることから、監査計画の段階から、相互の意思疎通を図っておくことが重要である。

さらに、前述したように、企業集団を構成するグループ会社の監査役への説明も行うようにしたいものである。監査の観点からも連結経営に相応しいものとするためには、親会社の監査計画は、積極的にグループ会社の監査役にも説明し、各グループ会社の監査計画作成の一助となるようにする。個別に行うか、まとめて説明会を開催するかは、グループ会社数やグループ会社監査役の事情も勘案して実行すべきであろう（**【様式１－４】**参照）。会社によっては、親会社からグループ会社に派遣している非常勤監査役に説明することを通じて、各グループ会社への浸透を図っている会社もある。

監査役監査を実施するにあたり、効率的かつ有益な監査業務を実行するためには、当該事業年度の監査役監査の方針と実施要領が、監査対象部門はもとより、会計監査人・グループ会社監査役・内部監査部門に的確に理解されるとともに、相互の協力関係が不可欠であることから、監査計画の周知徹底の面でも、事前に関係者と十分に意見交換を行い、実践することに努めるべきである。

【様式１－４】グループ会社監査役に対する監査計画説明案内書例

令和○年○月○日

グループ会社監査役連絡会
　各社常勤監査役　各位

○○株式会社
常勤監査役　△△△△

第○○回グループ会社監査役連絡会　開催のご案内

拝啓　時下益々ご清栄のこととお慶び申し上げます。
　さて、第○○回グループ会社監査役連絡会を下記のとおり開催いたしますので、ご案内申し上げます。

敬具

記

１．日時　　令和○年○月○日　＊＊時より

２．場所　　２５階　大会議室

３．議題
(1)　令和○年度　監査方針・監査計画の説明　　　　６０分
(2)　質疑・応答　　　　　　　　　　　　　　　　　３０分

以　上

# Ⅲ．期中監査活動

**要　点**

○期中監査活動は、監査役の法的権限・義務に裏付けられた監査役監査の中心的な活動である。

○具体的には、報告聴取・実査・重要会議への出席・資料の閲覧である。

○取締役の職務執行を監査することが監査役の最大の任務であることを意識して、報告聴取では、取締役の同席を要請するなどの工夫が必要である。

○期中監査結果については、監査対象部門には、監査調書の形でフィードバックするとともに、取締役(会)に対しても報告する機会を設けて、監査役監査の結果を常に開示することが監査活動の透明化にもつながる。

**解　説**

## 1．監査役の法的権限　A・B・C・D・E・F・G

監査計画を策定した後の日常業務としての期中監査活動は、事業年度期間中に継続的に取締役の職務執行を監査する監査役としての中心的な職務である。

取締役の職務執行の監査とは、取締役が法令・定款違反がなく、その職務を適正に執行しているか否かを監査することである。監査役が取締役の職務を監査するにあたって、監査役に付与されている法的権限としては、取締役等に対する報告請求権・業務財産状況調査権（会381条２項）、子会社に対する報告請求権・業務財産状況調査権（会381条３項）、取締役の目的外行為その他法令・定款違反行為の差止請求権（会385条１項）等の権限がある（**第４章．Ⅲ．監査役の権限**を参照）。監査役は、これらの法的権限を必要に応じて行使しながら、日常の監査を実施する。日常の監査において基本となる活動の実践について解説すると以下のとおりである。

## 2．期中監査活動の実践　A・B・C・D・E・F・G

### (1) 定例報告聴取

監査対象部門からの報告聴取は、期中監査活動の中で特に重要な活動である。通常は、全部門を対象とした定例の監査役監査の報告聴取であり、年に1回から2回実施している会社が多いようである。また、事件・事故が発生した場合、リスク管理上、重要な問題に発展する危惧がある場合は、臨時の報告聴取を適宜実施しなければならない。

定例の報告聴取は、監査対象部門にとって、自らの業務の一環として組み込まれているが、限られた時間内での報告聴取であることから、実効が上がる方法を工夫する必要がある。一例として、チェックリストの利用がある。もっとも、チェックリストの利用の際には、形式的な記載に流れないような注意が必要である。

#### 1) チェックリストの利用

チェックリストとは、監査役が監査を行うに際して、自らがすべてを直接監査することが時間的にも困難であることから、監査対象部門があらかじめ自主点検（Control Self Assessment、自己点検または自己評価ともいう）を行うための確認表である。チェックリストには、個別の法令を遵守している証としての確認事項を列挙し、その項目に沿って必要な手続を行っているか、問題が無いか否かなどを個別に確認するためのものである（**【様式1－5】**参照）。チェックリストは、監査役が監査対象部門からの報告聴取で確認すべき事柄を、あらかじめ監査対象部門が自主点検によって確認することを目的としている。そして、報告聴取の際には、自主点検の結果、問題があった項目のみを重点的に聴取することが可能であり、効率的な監査が実現できるメリットがある。また、チェックリストは、通常、全社共通版を策定するために、直接、自部門に関係のない項目であっても、全社的にチェックしなければならない項目が記載されているために、会社全体として、特に注意しなければならない点を役職員に啓蒙する役割も果たしている。内部統制システムが整備されているためには、各組織単位で内部統制が適切に運用されている必要があり、それをサポートする意味でもチェックリストの活用意義がある。

もっとも、効率的なチェックリストではあるが、その運用上、留意しなければならない点もある。

## 【様式１－５】監査役監査チェックリストの例

**秘：関係者限り**

### 監査役業務監査チェックリスト

作成日 令和○年○月○日

箇所
部
［在籍人員（監査報告時点）　　人］

監査役　各位

日常の自主点検を踏まえ、本年度の監査役監査にあたって、以下のとおり確認いたしましたので、ご報告いたします。

1．報告対象期間：　前回報告時点（R　　年　　月）～今回報告時点（R　　年　　月）

2．報告責任者　：
（押印）

| 管掌役員 | 部　長 | 課　長 | 作成者 |
|---|---|---|---|
| | | | |

［注］チェックリスト作成上の留意点

（1）報告に当たっては、各部門管掌取締役の管理・執行責任により行われている日常の自主点検をベースにお願いいたします。

（2）本チェックリストには、前年度までの監査結果を踏まえ、監査役監査において確認すべき項目を記載しています。年間を通じての部門内自主点検としては必要最低限のレベルと認識した上で、日常の点検活動にご活用下さい。

（3）各部門が自主点検を通じて自部門の課題、問題点を摘出し、自ら改善アクションを取ることが極めて重要ですので、自主点検が形式的、表面的にならないように十分留意して下さい。

（4）なお、監査役が今回の報告を聴取する際に、本報告に併せて、日常の自主点検・自主管理の実施状況についても質疑・確認を行います。

以　上

＊＊部　　　　　　　　　　　　　　　　　　　　　　　　　　　　　　　　　　　**秘：関係者限り**

NO.　　　　　　　　　　　　　　項目　　　　　　　　　　　　　　　　　　YES　NO

## 1．企業の社会的責務の完遂

［該当箇所に○］
［該当無しは－］

（1）法令遵守・社会規範遵守

【全般】

1)　国・地方自治体による立入検査、勧告、警告、措置命令等、行政指導・処分並びに刑事告発・刑事罰のいずれかを受けた事実がありますか。（YESの場合、当局からの是正勧告等の文書および事実・対応等の概要資料を添付してください。）　□□

2)　行政官庁から、法令違反の容疑等で、非公式を含めた問い合わせ・確認を受けた事実がありますか。（YESの場合、別紙として、当局からの問い合わせ等の内容および事実・対応等の概要資料を添付してください。）　□□

3)　本年度に、新たに係争のおそれまたは係争に発展した案件はありますか。（YESの場合、法務部門に提出した資料を添付してください。）　□□

4)　すでに係争中の案件で裁決が下された案件はありますか。（YESの場合、法務部門に提出した資料を添付してください。）　□□

5)　主管しているグループ会社において、上記1）～4）と同様の内容の事案が起きた事がありますか。　□□

（ 5）に関連した確認事項）　　　　　　　　　　　　　　　　（チェック「レ」）

①グループ会社から「グループ会社管理規程」の内容に基づき報告があった。　□

②報告に基づき、対応を協議した。　□

【会社法】

1)　寄付・諸会費、定期購読図書・雑誌の購入に際して、無償の利益供与がないか点検し、問題がないことを確認しましたか。　□□

（ 1）に関連した確認事項）　　　　　　　　　　　　　　　　（チェック「レ」）

①寄付・諸会費については、社内決裁運用基準（決裁者基準・取締役会付議基準等）に則って処理した。　□

②寄付・諸会費、定期購読図書・雑誌の購入について、請求書、領収書等を受け取り、確認・保管している。（寄付・諸会費、定期購読図書・雑誌については、前回報告以降分について、名称・金額・部数等の内容一覧表を添付してください。特に、新規・削減については、表記してください。）　□

2)　貴事業部・工場・支店・部を管掌されている役員の方が、代表取締役に就任している会社との間で、取締役会の承認が必要である利益相反取引（自己取引）を行っていますか。　□□
（「YES」の場合には、取締役会の承認を受けた回・日を記入してください。）

| 2）の記入欄<br>イ）承認を受けた取締役会の回および日<br>　　例　第○○○回取締役会にて承認（R○年○月○日実施） |
|---|

＊＊部 秘：関係者限り

| NO. | 項目 | YES | NO |
|---|---|---|---|
| | | [該当箇所に○]<br>[該当無しは－] | |
| 3) | 子会社または株主との通例的でない取引の事例の有無について質問します。 | | |
| ① | 通常と著しく異なる高価または廉価で販売した事実の有無を確認した。 | | |
| ② | 通常と著しく異なる取引条件での取引が存在しないか確認した。 | | |
| | 【金融商品取引法等】 | | |
| ・ | 前回の業務監査報告時以降、インサイダー取引につながる恐れのある案件を扱いましたか。 | | |
| | （関連した確認事項） | （チェック「レ」） | |
| ・ | インサイダー取引につながる恐れのある案件であることを関係者に注意喚起する等、防止徹底に向けた具体的な対応をとった。（レの場合は、具体的対応の内容を紹介してください。） | | |
| | 【独占禁止法等】 | | |
| 1) | 独占禁止法の趣旨を理解し、貴事業部・部門内で、徹底を図っていますか。（YESの部門は、徹底のための具体的書類を添付してください。） | | |
| 2) | 海外を含め、独占禁止法（※）に違反した事実がないことを点検・確認しましたか。（いつ、誰が、どのように点検・確認したか下記に具体的に記入した上で、報告してください。また、疑義を生じる事例があった場合は、併せて報告してください。）<br>※私的独占の禁止・不当な取引制限の禁止・不公正な取引方法の禁止 | | |
| | 2）の記入欄 | | |
| | 【法人税法・国税通則法関連】 | | |
| ・ | 国税調査において、当局から指摘されている重要な点（何らかの修正が必要となる見込みの場合を含む）、または今後に向けて気になる点がありますか。（YESの場合、本件に関しては、業務監査時に聴取致します。） | | |
| | 【労働法関連】 | | |
| 1) | 令和○年○月から実施している新勤務管理方法に基づいて、勤務管理（特に出退勤）を実行していますか。（労働基準法） | | |
| 2) | ハラスメント（パワハラ・セクハラ・マタハラ等）防止等、快適な職場環境の維持・向上に努めていますか。（男女雇用機会均等法、労働施策総合推進法） | | |
| 3) | サービス残業、過勤務の未払いの状況が発生しないように徹底が図られていますか。 | | |

＊＊部　　　　　　　　　　　　　　　　　　　　　　　　　　　　**秘：関係者限り**

| NO. | 項目 | YES NO<br>［該当箇所に○］<br>［該当無しは－］ |
|---|---|---|
| | 【環境関連法令】＜対象部門：本社環境部、現場を持つ部門＞ | |
| | ・ダイオキシン・ベンゼン・大気・土壌・水質等、環境関連法令・条例・公害防止協定への違反がないことを点検しましたか。（大気汚染防止法・水質汚濁防止法等）（違反事実が存在した場合には、概要および改善内容を記載した資料を添付してください。） | |
| | 【知的財産関連法令】 | |
| | ・知的財産関連法令（特許法・弁理士法等）に違反した事実がないことを点検しましたか。 | |
| | （ 1）に関連した確認事項） | （チェック「レ」） |
| | ・ソフトウェアの違法コピー（著作権侵害罪）がないことをチェックした。（違反事実があった場合は、その概要を報告してください。） | |
| | 【その他法令】 | |
| | ・建設工事の種類毎の許可、建設請負契約の書面化、不当に低い請負代金の禁止等、建設業法に違反する事実がないことを点検しましたか。（違反事実が存在した場合には、その概要および是正指導した内容を報告してください。） | |
| | 【社会規範遵守】 | |
| | ・「日本経団連企業行動憲章」の理念・趣旨、社長達の徹底を、各職場において図りましたか。（YESの場合には、具体的な周知徹底の方法等を下記に記入してください。） | |
| | 1）の記入欄<br>イ）周知徹底の方法等 | |
| | （関連した確認事項） | （チェック「レ」） |
| | ・公務員（特殊法人、外国の公務員含む）・政治家への贈賄がないことをチェックした。（贈収賄・不公正競争防止法） | |
| | 【ESG対応】 | |
| 1） | サステナビリティ基本方針に基づき策定されたリサイクル率、$CO_2$削減率の本年度の目標値は、達成する見込みですか。（具体的な取組み状況を報告してください。） | |
| 2） | 人権尊重基本方針に基づき、業務を遂行することが徹底されていますか。 | |

＊＊部 　　　　　　　　　　　　　　　　　　　　　　　　　　　　　　　　　　**秘：関係者限り**

NO. 　　　　　　　　　　　　項目　　　　　　　　　　　　YES　NO

## 2．内部統制機能の充実

［該当箇所に○］
［該当無しは－］

【部別・箇所別の内部統制の機能状況】

1)　自部門の内部統制の運用状況について、定期的な点検を行っていますか。

（　1）に関連した確認事項）　　　　　　　　　　　　（チェック「レ」）

① 部門長への「リスク発生（顕在化）時における連絡ルート」を確認した。
（レの場合は、連絡ルート一覧表を添付してください。未作成の場合は、業務監査報告時までに作成の上、当日、報告してください。）

② リスクマネジメント責任者及び担当者の設置を確認した。（レの場合は、責任者および担当者の氏名を記入してください。）
責任者：　　　　　　　　　　　　担当者：

③ 収支を扱う責任者のローテーションあるいは、チェックの工夫等の体制がとられていることを確認した。（レの場合は、具体的工夫の内容を紹介してください。）

④ 人事異動の際の引継がきちんと行われていることを確認した。（レの場合は、引継書の具体的一例を添付してください。）

2)　各種規程、決裁手続、マニュアル等に準拠した業務運営が実施されていることを確認しましたか。

（　2）に関連した確認事項）

① 各種文書（法定備置書類を含む）・決裁伺い等の保管責任者、保存期間、保管場所を確認した。

② 印章の管理状況（保管責任者・保管場所等）を確認した。

3)　貴事業部、部門内で、部門長への報告を必要とするリスク予知項目の整理がされていますか。（YESの場合、自部門で強く意識している項目を紹介してください。）

4)　主管しているグループ会社のリスク管理体制の整備状況を確認しましたか。

（　4）に関連した確認事項）　　　　　　　　　　　　（チェック「レ」）

① グループ会社の各種規程類の整備状況を確認した。（レの場合は、各社の規程類の一覧表を添付してください。）

② グループ会社において、取締役会・監査役会（大会社の場合）が適正に実施され、議事録が保管されている。（開催回数および役員の出席状況がわかる資料を添付してください。）

＊＊部　　　　　　　　　　　　　　　　　　　　　　　　　　　　秘：関係者限り

NO.　　　　　　　　　　項目　　　　　　　　　　　　YES　NO

## 3．リスクの未然防止の徹底

［該当箇所に○］
［該当無しは－］

【安全・衛生・防災関連】

・現状、貴部門の安全・衛生・防災体制について、改善すべき点はありますか。（YESの場合、改善すべき主な内容を報告してください。）

【与受信関連】

・前回の業務監査報告時以降、与受信に関係する被害の発生がありましたか。（YESの場合、被害額等事案の概要を記載した資料を添付してください。与信連絡会提出資料で可）

（与受信に関連した確認事項）　　　　　　　　　　（チェック「レ」）

①「与信管理規程」に則った対応を実行した。

【機密情報漏洩関連】

・貴部門において、機密情報漏洩に該当する具体的事例が存在しましたか。（YESの場合は、原因を含めた事案の概要を報告してください。）

【その他】

1)　将来、係争案件に発展する可能性がある事案がありますか。（YESの場合は、その事案の概要を報告してください。）

2)　職場において、不平・不満・苦情・精神面での悩み等について、お互いに相談できる職場風土がありますか。（YESの場合、具体的に工夫している点があれば、紹介してください。）

ア）留意すべき第一のポイント

第一は、形式的な運用に流れないようにすることである。チェックリストは、確認したか否かを「はい」（またはYES）、「いいえ」（またはNO）でチェックする方法をとるが、場合によってはきちんとした確認をせずに、「問題なし」の該当欄にチェックする可能性もあり得る。このためには、チェックリストによって、あらゆる項目をカバーするという考えをやめ、必要最低限に絞り込むようにすること、およびチェックリストの項目を毎年見直すことが必要であろう。このためにも、監査計画の策定における監査方針や監査項目に連動し、それに応じたチェック項目を設定することがポイントとなる。

イ）留意すべき第二のポイント

第二は、監査対象部門がチェックリストを監査役に提出する際に、当該部門の管掌取締役の押印を求めることである。チェックリストは、手間隙がかかる業務であるため、場合によっては若手管理職や担当者がチェックリストによる点検を実施し、上級管理職や役員が、部下に任せ切りになる懸念がある。しかし、チェックリストは、監査対象部門が、責任を持って自主点検に基づいて自部門の内部統制システムの観点から、職場の状況確認を行うことに意味がある。したがって、チェックリストは、当該部門を管掌する取締役が自主点検の方法や手段等について最終的に確認し、問題ないことを確かめた上で押印し監査役に提出することを要件とすべきである。管掌取締役は、チェックリストの結果に基づいて、自部門の状況を把握するとともに、問題がある事項について、配下の従業員に対して、対応を個別・具体的に指示する必要も生じてくる。また、監査役監査は、取締役の職務執行を監査する観点からも、当該部門の管掌取締役が責任を持って、自主点検結果としてのチェックリストを監査役に提出すべき性格のものである。

ウ）留意すべき第三のポイント

第三は、監査役監査の報告聴取の際に、チェックリストの該当項目に「問題ない」とした場合であっても、必要に応じて、いかなる方法で自主点検をしたのか確認することである。例えば、インターネットにおけるソフト違法コピーの有無を確認する際に、①利用者にソフトの違法コピーの有無を口頭確認した、②利用者に対して、書面により有無を確認した、③部門内の第三者が直接目視確認した、④部門外の第三者（例えば、システム部門）に対して依頼・確認を実行した、の四つがあるが、後の方法ほど自主点検の信頼性は高まることになる。このように、監査役監査の報告聴取の場において、監査役は、自主点検の結果のみに注目するのではなく、その確認方法についても、きちんと確かめてみることが必要である。

#### エ）留意すべき第四のポイント

第四は、チェックリストの項目についての工夫である。内部統制システムの整備の重要性が認識されるようになってきたために、チェックリストは、文書化の一環として急速に広まっているようである。このため、内部監査部門はもとより、環境部門や労働部門等、社内の他の機能部門もチェックリストによる点検を行う傾向が高まったために、現場を中心とした監査対象部門では自主点検の重複感が増大している。このようになると、益々、時間的な制約等の観点から、形式的なチェックリストの記入に陥る懸念がある。したがって、あらかじめ、監査役監査としてチェックリストを利用する際には、内部監査部門や他の機能部門と事前に十分に打合せをして、監査対象部門が重複感を感じないような工夫をするべきである。例えば、労働安全衛生法関連について、労働部門がすでに詳細なチェックリストを現場に対して要請しているならば、監査役監査では、該当部門の詳細項目は省略し、労働部門のチェックリストによる点検結果と、その後の対応状況のみを監査役監査のチェックリスト項目とすることなどの工夫が必要である。

### 2）重点監査項目の設定

チェックリストは、基本的には全社共通であり、啓蒙的な性格を有するのに対して、各部門に対し個別に重点的に監査するポイントを提示することも、監査役監査にとって効果的な方法である。社内では、例えば、営業部門と製造部門では、各々のリスク項目は大きく異なるはずであり、また同じ営業部門でも、国内営業と海外営業では、リスクの性質も大きさも相違がある。これらの点をきめ細かく監査するには、全社共通のチェックリストでは不十分であり、各部門に対する重点監査項目を提示することが効果的である。

重点監査項目は、監査役間で意見交換をし決定する。監査役会で決定しても、あらかじめ非常勤監査役の意見も聴取した上で、常勤監査役間で決定してもよいであろう。監査役スタッフが配置されている会社では、監査役スタッフが原案を作成し、監査役が確認した上で、監査役会議長名または特定監査役名で当該部門に通知することが一般的である。

具体的な項目としては、過年度に不祥事や事件・事故を発生した部門であれば、その後の対応状況について質す質問が考えられる。また、前年度で当局から是正勧告や指導を受けた事例があれば、その事例を全社に展開して、他部門でも同様の指摘を受けないように

## 【様式１－６】重点監査ポイント事例

○○事業本部××専務取締役殿

令和○年○月○日

監査役会議長

### ○○○事業本部業務監査の重点監査ポイント

#### Ⅰ．重点監査ポイント

1．官公庁向や国家補助プロジェクトに対するコンプライアンス上の具体的な対応状況について、報告してください。

2．昨年度、発生した重大災害に対して、その後の具体的な安全対策について、報告してください。

3．昨年度の業務監査において、「リスク防止の観点からは、定期的な人事ローテーションの実施による特定者の専属的地位固定化防止の必要」を指摘しましたが、この点について、その後の対応状況を聴取しますので、報告してください。

4．その他

① 海外プロジェクトの進捗状況について、報告してください。

② 本年度計画値であるリサイクル率の達成状況について、報告してください。

#### Ⅱ．業務監査日時

令和○年○○月○○日　××時××分～××時××分

以　上

するために、リスク管理の観点から重点監査ポイントとして提示することも効果的である。さらには、世の中でとりわけ問題になっている事柄に関係する場合には、その点に関係が深い部門に対して、特別に重点監査ポイントとして提示することもあり得よう。例えば、サービス残業による過労死が一時社会的な問題となったが、これを受けて各部門に対しては、勤務管理の実態について重点監査項目とすることは意味がある。

重点監査項目に対して、当該部門は必要な点検・確認に基づく準備を行った上で、監査役監査に臨むことになるが、監査役側としては、提出される資料や書類の体裁にこだわるのではなく、必要に応じて、既存の資料も適宜利用させながら、監査役が通知した重点監査項目に的確に応答させることが重要である。重点監査項目は、部門による個別リスクに基づいたリスクアプローチの観点からの監査であり、いかなる重点監査ポイントを提示するかは、監査役および監査役スタッフとしても力点を置いて検討すべきであろう。また、重点監査項目は、詳細に記載する必要はなく、監査対象部門に、監査役監査の真意が伝われば十分である（**【様式１－６】**参照）。

### ３）報告聴取の仕方

監査役は、監査計画の方針を基本にして、チェックリストや重点監査項目に沿った報告聴取を監査対象部門から個別に受ける。報告聴取の時間は自由に設定してよいと思われるが、監査対象部門の負荷も勘案し、２時間から３時間程度が一般的である。もっとも、一律に時間を設定するのではなく、部門の規模を勘案したり、前年度に事件・事故を起こした部門であれば、多めの時間設定を行うなど、柔軟に考えるべきである。

報告聴取に先立って、チェックリストや重点監査項目について、監査対象部門から事前に資料を提出させて、監査役はあらかじめ資料を読み込んだ上で、報告聴取を行うと効率的になる。例えば、１週間前とか３日前のように、資料提出日を設定するならば、年度の監査計画の実施要領に、その旨を記載しておくべきであろう。そして、報告聴取の時間は限られていることを念頭において、監査対象部門が一方的に説明するのではなく、あらかじめ提出された資料に基づいて、報告聴取は質疑応答の対話形式を中心とすることも考えられる。すなわち、自主点検の方法についての確認および重点監査項目について、監査対象部門からの説明に対する監査役からの質問を中心として運営することである。これら対話方式による報告聴取の運営は、相互の緊張感を生み出し、型どおりの報告聴取に終わらないようにするために効果的であり、監査役および監査役をサポートする監査役スタッフとしても、その力量が問われるものといえるかもしれない。

**【様式１－７】監査役監査実施通知書例**

令和○年○月○日

○○○事業本部取締役本部長
△△△△殿（×××部長経由）

監査役会議長
○○○○

## 監査役監査実施通知書

標記の件につき、下記のとおり実施いたしますので、ご出席方よろしくお願い申し上げます。

記

1．日時
　令和○年○○月○○日（○曜日）　××時～××時
2．場所
　監査役会議室
3．監査実施者
　聴取者：　○○監査役、○○監査役、○○監査役
　事務局：　監査役室
4．出席者
　• 管掌取締役以下が原則
　• 報告者は各部門で決定の事
5．監査の実施項目
　①チェックリストによる自主点検結果の報告
　②重点監査ポイントによる報告
　③年度計画の達成状況等、業務課題についての報告
6．監査の実施要領
　①監査報告用資料は、監査実施日の一週間前までに、監査役室に提出のこと。
　②資料については、事前に読み込んで監査を実施するため当日は質疑応答形式で行う。
　③提出資料の訂正については、席上の差し替えを可とする。
　④監査の出席人数については、当日までに監査役室に連絡のこと。

事務局（担当）　××××（内線△△）
以上

また、報告聴取にあたり、監査対象部門の出席者および説明者が問題となる。報告聴取は、監査対象部門がチェックリストによる自主点検を実施した結果や、重点監査項目等について、改めて整理した結果を報告する場であるから、各部門における実施や整理した責任者が説明することが一般的である。しかし同時に、監査役監査は、取締役の職務執行を監査するという大きな目的があることを勘案し、当該部門の管掌取締役（担当取締役）が報告聴取に出席することが望ましい。実際に、報告や説明する者は、管掌取締役である必要はないが、監査役の報告聴取の場に、当該取締役が出席している意味は極めて大きい。チェックリストの押印とあわせて、監査対象の取締役が出席した上で報告聴取を行うことは、監査役監査が内部監査部門による監査と大きく異なる点を示す意味でも、是非とも実践したい事柄であると思われる（**【様式１－７】**参照）。

### （２）臨時報告聴取

定例報告に対して、監査対象部門から特に時期を定めずに臨時に報告聴取を受ける体制をとっておくことも必要である。臨時報告を受ける該当内容としては、①経営に重大な影響を及ぼす事件・事故の発生、②経営に重大な影響を及ぼすリスクが発見された場合、が考えられる。具体的には、法令・定款違反、重要な係争・不祥事、防災・環境・安全に係る重大事故、機密漏えい、与受信事故等が想定される。

臨時に報告聴取を受ける事項は、会社の業容や業態によって異なるため、監査役としては、自社のリスクを勘案した上で、臨時報告として報告聴取を受ける項目をあらかじめ監査計画書に記載した上で、監査計画を周知・徹底する際に、監査対象部門に提示しておくとよい。

また、例えば、企業買収（Ｍ＆Ａ）等のように、必ずしも法令・定款や事件・事故に係るものではないが、経営政策上、重要な案件と思われる事案についての対応は判断に迷うかもしれない。しかし、買収防衛策の導入や発動等、経営政策上の重要な案件は、経営事項として執行部門の問題とはいえ、会社に損害が及んだ場合は、株主から、担当取締役のみならず監督義務の観点から担当以外の取締役の善管注意義務違反に問われる可能性もある。したがって、監査役としては、政策判断に関して適法性に問題ないか、経営判断原則を踏まえているか等について、執行決定前に主管部門より報告聴取を受けることを業務習慣とすることが望ましい。特に、会社の重要意思決定事項については、主として、デュープロセスの観点から問題がないか、報告聴取を通じて監査することが肝要である。

### （3）実査

製造業等、現場を持っている企業を中心に、本社内の報告聴取に限らず、現場に直接赴いて、監査を行う実査（往査ともいう）が存在する。実査は、例えば、監査対象部門から報告聴取を受けるとともに、安全や環境問題等に対する法令・定款の遵守状況について、現場視察を通じて直接的に監査することである。

また、過去の事件・事故や、当局からの勧告や改善指導に対して、きちんとした対応を実行しているか確認する意味合いもある。例えば、前年度に火災事故が発生していれば、その後、再発防止のための設備投資や公設の消防への迅速な報告体制が整備されているか等を監査し、未だ対応が不十分であれば、その旨を指摘することになる。

実査の場合は、現場や実物を直接確認する手間隙がかかることから、通常の報告聴取のみによる監査と比較して、時間を要することが一般的である。例えば、午前中に報告聴取を行い、午後は報告聴取を踏まえた上で現場の監査を行うというように、丸一日を要することも多い。また、工場や現場は地方にあることが多く、通常は出張となる。このために、常に全員の監査役や監査役スタッフが実査に参加することは困難な場合もあるので、その場合は、あらかじめ現場や工場毎に担当の監査役を決めた上で、実施することになる。

また、実査は資料による報告聴取以上に、現場に対する専門的な知見が求められる。したがって、例えば、製造業であれば、監査役の中から、技術を専門（エンジニア）とする監査役が必ず参加するなどの工夫も必要である（**【様式１－８】**・**【様式１－９】**参照）。

【様式１－８】実査での監査項目例

## 実査（工場）での監査項目

### 1. 経営概況及び重点施策

重点施策については、特に経営課題等への取組み状況、問題点等につき御説明下さい。

### 2. 遵法状況の点検・確認

(1) 独禁法
(2) 公共工事入札・契約適正化法、建業法
(3) 下請法
(4) 会社法
(5) あっせん利得処罰法・国家公務員倫理法・不正競争防止法
(6) 環境規制法規関係
(7) 労働基準法・労働安全衛生法
(8) 訴訟・紛争

### 3. 適正な業務処理の遂行状況の点検・確認

(1) 危機管理の対応状況
(2) 内部監査の実施状況
(3) 各種伺出決裁基準の変更内容
(4) 営業業務処理ルールの整備・遵守状況
(5) 適正な経理処理の遂行状況
(6) 長期滞留債権発生防止策及びその回収促進状況
(7) 棚卸資産不良化防止及び適正化への取組み状況
(8) 保証・無償工事費、追加原価の状況
(9) 安全衛生管理の状況
(10) 情報システムの推進状況

### 4. 連結経営下での関連会社管理の状況

(1) 連結経営の観点での関連会社の管理や経営指導（含む支援）の状況
(2) 当社が推進している施策の関連会社への指導及び実施状況のフォロー
(3) 工場運営上の課題・問題点
(4) 主管する関連会社の経営状況
(5) 本年度における当社・関連会社間の重要な取引条件の変更内容及び最近における通例的でない取引の内容

(注)「経営概況及び重点施策」の説明資料は、既存資料の活用で十分です。

以　上

## 【様式１－９】実査での監査項目の内容例

**1. 遵法状況の点検・確認**

⑴独禁法

ア．官公需入札案件における「不当な取引制限」（談合、カルテル）等に関する法遵守徹底の状況

イ．入札経緯等の公表を踏まえた入札プロセスの記録の保存等への取組み状況

⑵公共工事入札・契約適正化法、建業法

ア．監理技術者・専任技術者等の資格者の確保及び適正な配置

イ．施行体系図・施工体制台帳等の整備状況

⑶下請法

「優越的地位の濫用禁止」（買いたたき、返品等）、「下請代金支払遅延禁止」、「書面交付義務」等に関する法遵守状況

⑷会社法関係（自己取引・利益相反取引、無償の利益供与）

ア．自己取引・利益相反取引

××××との取引において、取締役の自己取引・利益相反取引に該当するものはないか

イ．無償の利益供与

前回監査以降分につき、次の事項

①寄付金、広告宣伝費（業界誌・紙等への広告を含む賛助広告に限る）、社外団体会費、交際費（慶弔関係及び贈答金品に限る）等の決裁がルール通り行われているか

②同上の支払実績及びその明細（含、前年度との比較）

［支払時期・相手先（贈呈先）・金額が分かるリストまたは帳簿を準備］

③総会屋、エセ右翼、エセ同和等からの「利益供与要求」の有無と対応状況

⑸あっせん利得処罰法・国家公務員倫理法・不正競争防止法

ア．あっせん利得処罰法・国家公務員倫理法・不正競争防止法（外国公務員等に対する不正の利益供与等の禁止）の遵守状況［国内・海外公務員、政治家との係りについて］

イ．商社手数料（ルール外の料率とした場合及びスポット商社起用の場合の管理状況）

⑹環境規制法規関係

環境規制法規全般（例、大気汚染防止法、水質汚濁防止法、土壌汚染対策法、廃棄物処理法、PRTR法、家電リサイクル法、PCB処理特別法）への対応状況

⑺労働基準法

サービス残業の防止など適正な、労働時間管理をどのように行っているか。

⑻訴訟・紛争

重要な訴訟の状況（含、所管関連会社における重要な訴訟）について

**2. 適正な業務処理の遂行状況の点検・確認**

⑴危機管理の対応状況

重大なリスクを想定し、そうしたリスクの発生防止のためにどんなことに取り組んでいるか。

［危機管理の対象、内容、対策立案、体制整備、教育訓練等の状況等］

⑵内部監査の実施状況

計画及び実施結果（往査時未了の場合には、前年度実施結果のフォロー状況）

［テーマ選定の考え方、監査人の選定方法、監査責任者の実施結果に対する評価等も含める］

⑶各種伺出決裁基準の変更内容（見積決裁、研究開発費、建設費、資材発注など）

［前回の監査以降に変更したものがあれば、その内容について］

⑷営業業務処理ルールの整備・遵守状況

営業部門における次の事項の業務処理ルールの整備・遵守状況

①リスク評価　②与信管理（信用調査等）　③見積提出・受注決裁　④先行手配及び事前着工　⑤受注契約　⑥納入・請求　⑦債権回収　⑧関係書類の整理、保管等［前年度と変更があった点を中心に説明］

⑸適正な経理処理の遂行状況

ア．不適正経理の防止への取組み並びに経理教育の実施状況

イ．会計士監査時の指摘事項に対するフォロー改善状況（ある場合）

⑹長期滞留債権発生防止策及びその回収促進状況

ア．過去３年間の長期滞留債権額の推移

イ．大口滞留案件の状況と滞留理由、回収対策

(7)棚卸資産不良化防止及び適正化への取組み状況

過去３年間の棚卸資産の推移（額・月数）も併せて記載願います。

(8)保証・無償工事費、追加原価の状況

ア．過去３年間の発生額の推移及び本年度の目標額

イ．主要製品ないし工事の対策と今後の見通し

(9)安全衛生管理の状況

過去３年間における災害発生の状況と再発防止策

並びに衛生管理（含、メンタルヘルス）の状況

(10)情報システムの推進状況

ア．コンピュータシステムのセキュリティ管理の状況

［情報セキュリティ管理基準の制定及びこれに基づく自主監査の実施、パソコン盗難防止対策を含む］

イ．全社業務統合システム（経理資金、人事勤労）実施後の業務遂行体制・人員配置などの状況

ウ．その他開発中の重要なシステムについて

**3. 連結経営下での関連会社管理の状況**

（原則、第一次管理部門となっている関連会社A区分はすべて、B/C区分は重要な会社を対象とし、関連会社全体の考え方を記載する。）

(1)連結経営の観点での関連会社の管理や経営指導（含む支援）をどのように行っているか。

［例えば販売計画会議を関連会社社長を含め実施、関連会社経営計画を定期的にフォロー等具体的な管理の仕組みに触れながら記載］

(2)当社が推進している施策の関連会社への指導及び実施状況のフォローCS活動、危機管理/コンプライアンス体制の構築、建業法の遵守、内部監査の実施等

［例えば総務部長会議で○○を説明、××連絡会で実施内容を聴取する等具体的な管理・運営の仕組みに触れながら記載］

(3)経営上の課題・問題点（個別の会社で特記事項あれば）

(4)関連会社の経営状況

［下表はサンプルとして昨年までの例を示しているが、項目・全関連会社を網羅していなくとも実際に経営会議等で作成している連結管理資料にて説明することで可。］

（単位：百万円）

| 会　社　名 | ××期 | ××期 | ××期 |
|---|---|---|---|
| ①受　注　高<br>②売　上　高<br>（外販比率）<br>③営 業 損 益<br>④経 常 損 益<br>⑤税引後損益<br>⑥累 積 損 益<br>⑦配当（額・比率）<br>⑧社　員　数<br>⑨うち休職者数 | <br><br>（　　%） | <br><br>（　　%） | <br><br>（　　%） |

(5)本年度における当社・関連会社間の重要な取引条件の変更内容（*1）及び最近における通例的でない取引の内容

（*1　委託から請負への変更、当社との仕切り条件の考え方の変更等主要な取引条件に変更があった場合に記載願います。）

（別添2）子会社（関連会社）との通例的でない取引

（補足）

この調査表を、往査1月前を目処に送付し、資料作成・査覧帳票・エビデンス等の準備を依頼する。

## Q&A 海外実査の必要性

**Q 実査として、海外支店や海外の子会社等の監査は行うべきか。**

**A** 海外では、監査というと「Audit」として、会計監査をイメージすることも多く、特に海外支店や子会社の経営幹部が現地人であると、警戒感もあるようである。さらには、国内では、会社法をはじめとした国内法を準拠法として監査を行うわけであるが、海外は各々の現地法体系を持っており、わが国で考える法令違反が、そのまま適用しない場合もある。

このような事情はあるものの、費用や時間が許せば、海外支店や海外の工場・子会社の監査は実施した方がよいように考える。それは、海外支店や工場の不祥事の発生についても、親会社（役員）の責任が問われることは、巨額の損害賠償責任が認容された大和銀行ニューヨーク支店での判決結果を見ても明確である。

企業集団の内部統制システムの一環としても、海外支店や工場・子会社も含むことを考えれば、企業集団の内部統制システムが海外支店等にも適切に及んでいるか監査役として直接確認する必要があるとともに、現地経営者やスタッフの理解を得るためにも、現地経営者らと直接対話をする意義は大きいと考える。

もっとも、海外監査の実効性を確保するために、事前の準備と事後の監査報告をきちんと行うべきであることは言うまでもない。

## COLUMN

### ●ハインリッヒの法則●

ハインリッヒの法則とは、１件の重大な事故の発生の裏には、29件の軽微な事故が存在し、さらに300件のヒヤリ・ハットが存在するというものである。裏を返せば、ヒヤリ・ハットを疎かにせずに、その原因究明と対策をきちんと行っていれば、重大な事故の発生を防ぐことができる。例えば、現場での「ヒヤリ・ハット」があったものの、いわゆる紙一重で災害に至らなかった事象を蓄積して、対策に活かすことが重要である。

## (4) 重要会議の出席および重要書類の閲覧

### 1) 取締役会への出席および意見陳述

監査役は、取締役会への出席義務および意見陳述義務が規定されている(会383条1項)。監査役は取締役会に出席し、取締役会に上程される決議事項や報告事項の審議を通じて、取締役の職務執行を監査することが立法趣旨であると解される。取締役会への出席については、どの程度出席すれば問題がないのかに関して特段の規定はなく、また、取締役会への出席状況によって、監査役に罰則規定が存在するわけではない。しかし、取締役の職務執行を監査する監査役の役割の一つとして、取締役会への出席義務と意見陳述義務が条文化されたことを勘案すると[1]、取締役会への出席割合が低い場合には、監査役の任務懈怠に問われる可能性もある。特に、非常勤の社外監査役の場合は、本業との兼任の場合が多いため、取締役会への欠席が多くならざるを得ないことも想定される。このような事情もあってか、会社法では、取締役会における社外監査役の出席状況や発言状況について、事業報告に記載することが義務付けられた(会施規124条4号イ・ロ。なお、監査役会への出席についても同様に記載しなければならない)。すなわち、監査役の取締役会への欠席に、罰則規定はないものの、監査役の重要な任務の一つとして意識され、特に社外監査役に期待されている監査機能の点から、社外監査役の取締役会への出席状況については、株主の評価に晒されているといえよう。したがって、非常勤の社外監査役の取締役会への出席が可能となるために、その開催日程の調整を執行部門と行うなどの特段の配慮が必要である。取締役会への出席割合は法定化されていないが、中には、出席率が75%未満の社外監査役の選任は反対する旨を公表している投資機関もある[2]。一般的には、9割以上を目標にしている会社が多いように見受けられる。一方で、何らかの事情で、半数の出席にも満たない監査役の場合は、交代も視野に入れてよいとも思われる。

取締役会に出席した監査役は、特に付議事項について、法令・定款違反等はないか、必要なデュープロセスを経て意思決定がなされたものか、意思決定が取締役個人の利益や第三者の利益ではなく、会社の利益に基づくものであるかなどについて注意を払う。取締役会における付議は、会社の意思決定の最終となるものであるので、案件によっては、後述する経営会議等の実質的な意思決定会議に出席して是正を勧告したり、案件の主管部門か

---

1) 監査役の取締役会への出席義務と意見陳述義務が規定されたのは、平成13年の商法改正である(旧商260条ノ3)。本規定は、監査役の権限強化の一環として制定された。

2) ISS(International Shareholder Services Inc.)「2022年版日本向け議決権行使助言基準」(2022年2月1日施行)16頁。

ら事前の報告聴取を行う必要もある。そして、監査役は取締役会において、必要に応じて意見陳述を行うこと（会383条１項)、もしくは取締役の違法行為が強行されるような事態が生じたならば、取締役の行為差止請求を直接に行使（会385条１項）しなければならない。

取締役会の意見陳述義務については、取締役会での決議事項や報告事項に異議があり、法令・定款違反の疑い等の意見がある場合には取締役会で発言し、かつ、そのことを取締役会議事録に記載しておくことが必要である。取締役会における監査役の意見陳述義務が条文化されて以降、取締役会議長が監査役に対して、意見の有無を確認する会社が増加しているようであるが、これは立法趣旨を理解した取締役会の運営といえる。

また、執行役員制の導入等によって、取締役の人数を減少させ、取締役会を活性化させている会社も増加しているが、監査役の意見をきちんと取締役会議事録にとどめておかなければ、後々に監査役の任務懈怠責任が追及されたときには、取締役会において意見陳述義務を適切に行使しなかったと推定される可能性があるために注意が必要である。

## 取締役の職務執行監査と取締役会

論点解説 第7章

**Q** 取締役の職務執行を監査する中で、特に取締役会で注意すべき点は何か。

**A** 監査役は取締役会に出席し、意見陳述義務がある以上、監査役としても取締役会に付議される議題には注意を払うべきである。具体的には、各社とも、取締役会規則を整備し（仮に整備していなければ、総務部等に対して、規定化を直ちに申し入れるべきである）、取締役会に対する具体的付議基準が定められているはずであるので、まずは、取締役会付議基準に則った取締役会運営がなされているか、あらかじめ確認することが必要である。そのためにも、取締役会の事務局部門（総務部門や秘書部門が多い）と連携して、前もって取締役会の議題を入手しておくべきである。中には、インサイダー取引の問題で議題そのものを極秘としている場合もあると思われるが、監査の一環であるので、監査役としてはそのような議題についても把握しておく必要がある。

また、取締役会に付議されるべき項目が、適切に付議されている点についても、注意を払うことが大切である。例えば、取締役の競業取引や利益相反取引は、取締役会設置会社では、取締役会の承認事項である。すなわち、取締役は、自己または第三者のために会社または会社の事業の部類に属する取引をしようとしたり、会社が取締役の債務を保証したりする利益相反の取引をする際は、取引に関する重要な事実を開示した上で、取締役会の承認を必要とする（会365条１項、なお、取締役会非設置会社は、株主総会の承認が必要）。さらに、競業取引や利益相反取引の承認を得た後も、取締役会に遅滞なく報告しなければならない（会365条２項）。競業取引とは、取締役が自分や第三者の利益のために、会社の事業と同様の商取引を自ら代表取締役に就任している別の会社が行うことであり、取締役としての地位と権力を利用して利益誘導を図ることは許されない（競業避止義務）。例えば、A取締役の同業他社である甲会社の代表取締役への就任は、代表取締役は対外的な業務執行権限があるため、競業避止義務の観点から甲会社でのA取締役の業務権限や範囲を慎重に検討して、その是否を判断しなければならない。仮に、問題がないと判断しても、取引の実態について取締役会での報告が義務付けられている。したがって、取締役が同業他社の代表取締役に就任する場合には、そもそも取締役会の承認を受け競業避止義務に抵触しないか監査するとともに、その後の取引も取締役会で報告されているかフォローする必要がある。

### 2）経営会議等への出席

多くの会社では、取締役会とは別に、経営会議や常務会等（以下「経営会議」という）の名称による経営の意思決定機関が存在する。会社経営において、数多くの案件がある中で、すべての案件を取締役会に付議し審議することは時間的な制約があることから、重要案件の実質的な審議は、経営会議で行う会社も少なくない。すなわち、取締役会に付議または報告する前に経営会議で審議し、実質的な執行決定を行うわけである。すると、取締役会は、執行決定された案件について、必ずしも十分に審議する時間がなかったり、場合によっては、実質的には追認する場となることも無いではない。また、取締役会においては、監査役は議題への決定への賛否を行う議決権は持っていないため、経営会議で実質的に執行決定された後では、取締役会で当該案件を覆すことが事実上困難な場合もある。このために、監査役が経営会議に出席し、取締役会と同様に、意見陳述を行うような態勢とすることが望ましいし、現実に監査役会議長が代表して、経営会議に出席している会社もある。したがって、現状、経営会議に出席が認められていない会社の監査役は執行部門に対して、経営会議への出席を交渉することも一案である。監査役は取締役の職務執行を監査するために、重要会議への出席は重要な権限でもあることから、経営会議への出席は意義があるといえる。

仮に、何らかの事情によって、経営会議への出席ができない場合は、少なくとも経営会議に付議される案件は、事前に当該案件の主管部門が監査役に説明する態勢を日常化する必要があろう。一度執行決定された後にその決定を覆すことは、関係者にとって心理的にも受け入れ難い点も想定される。したがって、執行決定がなされる前に、監査役が説明を受ける機会を設けて、法的に問題ないのか、リスクに対する対応が万全であるのか、きちんとした社内手続を踏襲した案件であるかなどを、事前に監査役として監査することが大切である。このためにも、監査計画において、いかなる案件を事前に監査役に説明することを義務付けるかという点について、あらかじめ監査対象部門に明示しておくとよいだろう。このように、執行決定前に主管部門が監査役に説明し、監査役の監査を受けることが常態化するようになれば、内部統制システムの観点から整備が進んでいるものと考えられ、統制環境の面からも評価されるものと思われる。

経営会議以外でも、各社は様々な重要会議が設定されているはずである。この内、どの会議に監査役が出席するかは、会議の重要度と監査の観点等を総合的に勘案して決定すればよい。各社との情報交換の中で、監査役が出席している場合が多い具体的な会議体は、コンプライアンス委員会・投融資会議・法規会議・懲罰委員会などがあった。

監査役が重要会議に出席する場合は、その具体的会議をあらかじめ決定しておくこと、およびその会議での監査役の役割を明確にしておくことが重要である。すなわち、例えば、海外企業や子会社等への投融資を審議・決定する投融資会議に監査役が出席したとしても、投融資の是非について、経営戦略の観点から監査役がその決定に直接的に係るとしたら、取締役と監査役の任務の境界が曖昧となり、事務方は混乱することになる。監査役は、法令・定款違反がないか、意思決定のプロセスが合理的であるためのデュープロセスを踏んだ案件であるかなどについての意見の陳述を基本とすることが大切である。



COLUMN

## ●適法性監査と妥当性監査●

論点解説 第3章

監査役の監査業務を巡っては、古くから適法性監査論と妥当性監査論があった。適法性監査論とは、監査役の監査業務はあくまで取締役が法令・定款違反行為を行っていないか監査することであり、監査役が執行部門決定の経営事項について、その妥当性まで監査する権限はないとするものである。他方、妥当性監査論は、監査役の監査は適法性監査にとどまらず、経営事項の妥当性まで監査することを通じて、はじめてその職務を全うすることができるとする見解である。適法性監査論と妥当性監査論は、神学論争とまでいわれるほど、古くて新しい問題であるが、通説は、適法性監査に限定するというものであった。しかし、会社法では、監査役(会)の監査報告の内容として、取締役(会)で決定した内部統制システムの相当性や、いわゆる買収防衛策が事業報告の内容となっているときはその意見などを含むものとなっていること、会計監査人の報酬の同意権が付与されていることなどから、監査役は、適法性監査に限られず、相当性（妥当性）監査にも及ぶという学説（前田庸『会社法入門（第12版）』496頁、有斐閣、2009年）が有力になってきている。

もっとも、実務的に見れば業績が悪化し、赤字に陥る局面においては、粉飾決算の可能性が高まる等、経営状況と遵法性とは密接に関連することから、監査役が経営会議や執行決定の会議・委員会に出席したり、経営事項の書類を監査することは勿論のこと、適宜、経営事項について、意見陳述することも問題ないと考える。しかし、監査役の立場を離れて、経営事項の意思決定に自ら積極的に関与するようであると行き過ぎと考えられるであろう。

### 3）重要資料・書類の閲覧

監査役にとって、重要会議への出席とあわせて、重要資料・書類の閲覧も、監査上は大切な手段である。監査役がすべての会議に出席することは時間的にも不可能であることから、会議資料や書類の回覧を受けて、案件内容をチェックしたり、または経営の意思決定のための伺文書・稟議書・契約書等を直接的に監査することが考えられる。資料の閲覧に関しても、重要性の観点から、基本的には回覧資料の範囲をあらかじめ特定しておくこと、伺文書や契約書については、起案部門に対して、監査役に回覧することを意識付けさせ、例えば伺文書であれば、あらかじめ回覧先に監査役を記載するようにさせておくことが必要である。また、取締役会における監査役の発言が正確に記載されているか確認する観点から、取締役会議事録のチェックも忘れずに実施すべきである。

資料・書類に関して、あらゆる種類や範囲に及ぶ資料の閲覧は、監査役や監査役スタッフにとっても負担が大きいこと、リスクアプローチの観点からも、重点的な資料や書類の閲覧に心掛けること、重要会議の出席を補完する視点で文書の選択をすることがポイントとなるものと思われる。取締役の職務執行を監査する監査役の職責の観点からは、取締役の決裁書類は、重要な書類として、閲覧の対象とすることは検討に値する。

なお、重要資料・書類については、その内容に加えて、定められた場所や年数を保存する体制となっているか、内部統制システムの観点からも監査のポイントである（会施規98条1項1号・100条1項1号・110条の4第2項1号・112条2項1号、**第2章．Ⅱ．【図表2－A】備置・閲覧に供すべき主な書類等一覧表**参照）。

## （5）グループ会社の監査

企業集団の内部統制システムが規定されたこと[3)]（会施規98条1項5号・100条1項5号・110条の4第2項5号・112条2項5号）によって、企業集団を構成するグループ会社に対する親会社責任も問われる可能性が高まった。このために、監査役としては、企業集団を構成するグループ会社の不祥事や事件・事故についても、関心を持たざるを得ない。それでは、グループ会社に対する監査をどのように実行したらよいのであろうか。

会社法では、「監査役は、その職務を行うため必要があるときは、監査役設置会社の子会社に対して事業の報告を求め、又はその子会社の業務及び財産の状況の調査をすること

3）平成14年の商法改正において新たに導入された委員会等設置会社では、同時に内部システムに関する規定は条文化されていた（旧商特21条の7第1項2号、旧商施規193条）が、大会社である監査役設置会社にまで、内部統制システムの構築に関する規定を拡大したのは、会社法においてである。

ができる」（会381条３項）と規定されている。いわゆる「子会社事業報告請求権・業務財産調査権」と呼ばれるものである。しかし、同時に、「前項の子会社は、正当な理由があるときは、同項の報告又は調査を拒むことができる」（会381条４項）とも規定され、子会社側には、親会社監査役の子会社事業報告請求権・業務財産調査権に対する拒否権があることとなっている。これは子会社といえども、別の法人格が存在すること、子会社のリスク管理等については、子会社自らが責任を持って対処するべきであることが基本であるとの立法趣旨である。とはいえ、前述のように、企業集団としての内部統制システムの整備が明文化された以上、監査役としてはグループ会社の監査役とも連携をとって、親会社が定めた企業集団の内部統制システムが各子会社で適切に運用されているかについて、以下のような方策によって積極的な役割を果たすべきである。

#### １）主管部門の活用

基本的な方策の第一は、各グループ会社の主管部門（管理責任を負っている部門）を通じて、当該部門の業務監査の際に報告聴取を受けることである。例えば、チェックリストの自主点検の一環で、主管しているグループ会社の法令・定款違反の有無や内部統制システムの整備状況等にまで自主点検を課した上で、その結果報告を、主管部門から直接、報告聴取する方法が考えられる。グループ会社の主管部門は、素材供給と加工のメーカー等、何らかの理由で当該グループ会社との関係が深い部門が管轄しているはずであり、日常の業務の中で、単に業績管理にとどまらず、法令遵守の観点からも、責任を持ってグループ会社を監督する義務を果たさなければならない。監査役は、この点を確認する意味で、業務監査の中で、あわせて当該主管部門によるグループ会社の内部統制システムの運用状況を監査するのである。会社によっては、グループ会社を管理する部門を、例えば「関連会社部」のような機能部門が、集約的に管理しているところもある。この場合は、関連会社部の業務監査の際に、各グループ会社の状況を集中的に聴取することになる。仮に、グループ会社数が多いのにもかかわらず、関連会社部での監督機能が十分でないと監査役が感じたならば、管掌取締役に対して、管理の分散化等の改善の指摘を行うべきである。

また、主管しているグループ会社に事件・事故や不祥事が発生した場合は、速やかに監査役に報告する体制とすることを、監査役としては、各主管部門に対して強く要請するべきである。事件・事故や不祥事に対しては、何よりも迅速な報告が行われることが重要である。事件の隠蔽や、報告遅延によって、かえって事態が悪化したケースは数多い。親会社の知見を活かして事態に対応するためにも、グループから親会社への迅速な報告体制を確立する必要がある。このためにも、監査役としては、定例の業務監査の報告聴取のみならず、主管部門が日常の業務活動の中で、グループ会社のリスクを発見したり、事件・事故・不祥事が発生した場合には、監査役にまたは監査役スタッフを通じて速やかに報告することを業務習慣として定着するように注意を払っておくことが大切である。

### 2）グループ会社監査役との連携

第二は、グループ会社の監査役との連携である。子会社業務財産調査権は、親会社監査役が、子会社の執行部門に対して、直接調査権を発動することである。また、場合によっては、親子会社の関係から、親会社監査役が、子会社の社長や役員から、直接に報告聴取を受ければよいと考えがちである。しかし、各グループ会社には監査役が就任し、監査役としての職責を全うするよう日々活動している。すなわち、親会社の監査役がグループ会社のリスク管理状況等を調査する際には、各グループ会社の監査役が一次対応者であることを認識すべきである。このためにも、親会社監査役とグループ会社の監査役が定期的な会合を持ち、グループ会社の業務監査の結果について、親会社監査役が報告聴取を受けたり、世間で問題となっている事象の対応状況について、意見交換を行う場を設けることは意義がある。すなわち、親会社監査役としては、グループ会社のリスク管理等の状況を把握し、必要に応じてグループ会社の監査役に助言を行うとともに、グループ会社の監査役としても、親会社の監査役が留意している点などを参考にすることが考えられる。また、法令上も親会社監査役は、子会社監査役と意思疎通および情報交換を図るよう努める旨の規定がある（会施規105条４項）。

しかし、親会社監査役とグループ会社の監査役が、意思疎通や情報交換のために、個別に会議や意見交換の場を定例的に設定している会社は、それ程多くないようである。この点については、相互の監査役の連携の観点からは、重要視してよいものである。

会議の議題については、あらかじめ、グループ会社監査役への開催通知の中で、明示しておくとよい（**【様式１－10】**参照）。また、グループ会社は、専任の監査役スタッフを擁していない会社が極めて多いことから、親会社の監査役スタッフは、グループ会社監査役に対するサポートの意味からも、グループ会社監査役との連絡会に積極的に参画することが望ましい。

もっとも、このような各グループ会社との会議は、グループ会社数が多いと、時間的にもすべてのグループ会社監査役と行うことは不可能である。したがって、例えば、連結子会社、持分法適用会社でかつ社長を派遣している会社等のように、重要度に応じて、あらかじ

【様式１－10】グループ会社監査役個別連絡会開催通知案内事例

令和○年○月○日

○○株式会社
△△監査役殿

○○○株式会社
常勤監査役　△△△△

令和○年度中間期　グループ会社監査役との個別連絡会の開催の件

拝啓　時下ますますご清祥のこととお慶び申し上げます。

下記のとおり、各社個別の期中連絡会を開催しますので、ご対応方よろしくお願いいたします。

記

１．出席者

各社：　常勤監査役
当社：　常勤監査役（及び　監査役室スタッフ）

２．議　題

①監査役から見た、各社の経営上のトピックス・課題、子会社（当社からみて孫会社）問題
（例）係争案件（前回の報告以降の新規案件および新たな進展があった継続案件）
　　　中間期監査実績における監査役からの指摘事項

②各社の令和○年度監査計画（特に内部統制システムに対する監査について）

③令和○年度中間決算の概要について
（時間の関係上、決算上のトピックスに限定したご説明をお願い致します。）

当日は、対話方式のスタイルで行います。

３．資料

当日、4部　ご用意の上、ご持参ください。
その他、議題に対する各資料に関しましては前回同様、任意様式です。
（当社各主管部への説明資料等既存資料で可です。）

４．日時・場所

①日時：令和○年○○月○○日　××時～
　　　　１時間程度の予定です。
　　　　議題①を中心に、重点的、効率的な対話をお願い致します。
②場所：当社　３０階　監査役会議室

問い合わせ先　　監査役室：××××

以　上

め個別会議を行う会社を決定しておくことになる。中には、執行部門も社長会のような名称で、親会社社長とグループ会社社長が直接に報告会等を開催している会社もあるようだが、社長会のようなものが存在すれば、その対象会社と平仄を合わせることも考えられる。

### 3）非常勤監査役との連携

第三は、親会社から派遣している非常勤監査役との連携である。重要なグループ会社に対しては、親会社から非常勤の監査役を派遣していることが多い。非常勤といえども、取締役会に出席し意見の陳述等を通じて、当該グループ会社の取締役の職務執行を監査する義務はある。したがって、親会社から派遣されている非常勤監査役から、当該グループ会社のリスク管理等について報告聴取を行うこと、または意見交換をすることも考えられる。あわせて、親会社監査役としては、派遣されている非常勤の監査役の取締役会への出席状況が低い場合等は、出席率向上に向けて適切な助言や勧告を行うことも必要である（**【様式１－11】**・**【様式１－12】**参照）。

## Q&A 子会社調査権と子会社の範囲

**Q　子会社調査権が及ぶ子会社とは、どの範囲をいうのか。**

**A**　子会社の定義は、旧商法の総株主の議決権の過半数とする形式基準から、会社法における実質支配力基準に変更となった（会２条３号）。すなわち、過半数の議決権要件に加え、経営を支配している会社も加わったのである。「経営を支配している」とは、財務および事業の方針の決定を支配している場合である（会施規３条・４条）。具体的には、議決権の40％以上を所有し、かつ出資・人事・技術・取引等の関係を通じて、一定の支配力を行使し得ると認められる場合、その会社の取締役会の構成員の過半数が親会社の役員または使用人である場合、親会社がその会社の資金調達額の過半数を融資・保証等を行っている場合である。この定義は、財務諸表規則における定義に会社法があわせた形となっている。

そして、調査権が及ぶのは、実質支配力基準で定義された子会社に対してであり、子会社以外である関連会社は含まない。

なお、関連会社は、持分法適用会社として投資損益が連結計算書類の中で反映されるものの、子会社調査権の対象外である点は会社法と金商法の間でやや平仄があっていないともいえる。

## 【様式1－11】国内グループ会社の監査項目例

**1．事前準備資料**

①最近時決算資料（営業報告書・附属明細書）
②会社概況書
③組織図
④前回監査調書（監査室監査調書・環境監査調書）

**2．監査基礎資料（事前報告用）**

（1）事業内容・業績関連
①業績推移（過去3期間程度）：売上高・経常利益・純利益・配当・繰越損益・純資産等
②親会社との取引状況：取引内容、金額・借入金・債務保証等
③役員構成：常勤、非常勤・親会社との兼任状況・任期等
④従業員数：社員、臨時別
⑤株主変動の有無（一般株主がいる場合）：株主名・株式数・変動理由等

（2）株主総会・取締役会の運営状況等
①株主総会：定時株主総会＊＊月開催・臨時総会・議事録の有無
②取締役会：開催頻度・招集通知・出席者・議事録の有無
③計算書類の備置状況
④商業登記・公告の実施状況

（3）内部統制の実施状況
①定款・取締役会規則・就業規則・その他規程類の整備、遵守状況
②親会社との競業取引・親子間の取引条件の変化・取締役と会社間の取引の有無
③官公庁の許認可事項
④印章の種類、管理状況
⑤係争その他の法律問題

（4）その他各社固有の問題

**3．視察時ヒアリング事項**

（1）当期の重点監査項目

（2）事前報告事項についての内容確認

（3）その他任意事項
①経営方針、今後の業績予想
②親会社に対する要望事項
③出向者の生活環境

## 【様式１－12】海外グループ会社の監査項目例

**１．事前準備資料**

①最近時決算資料（アニュアルレポート・営業報告書）
②会社概況書
③組織図（含、出向者リスト）
④前回監査調書（監査室監査報告、CPA監査報告、環境監査報告）
⑤現地為替レートの推移

**２．監査基礎資料（事前報告用）**

（１）事業内容・業績関連：
①業績推移（過去３期間程度）：売上高・税引後利益・配当・繰越損益・純資産等
②親会社又はグループ間の取引状況：取引内容、金額、借入金、債務保証等
③役員構成：常勤、非常勤、親会社との兼任状況等
④従業員数：男性、女性、臨時別、日本人出向者及び人件費負担割合
⑤出資割合の変動：変動の有無、変動理由

（２）株主総会・取締役会の運営状況等
①株主総会：定時株主総会＊＊月開催（開催場所）、臨時総会、議事録の有無
②取締役会：開催頻度、招集通知、出席者、議事録の有無
③計算書類備置制度の有無、登録制度の有無、商業登記制度の有無

（３）内部統制の実施状況
①定款、取締役会規則、就業規則、その他規程類の整備、遵守状況
②親会社との競業取引、親子間の取引条件の変化、取締役と会社間の取引の有無
③官公庁の許認可事項
④印章、サイン類の管理状況
⑤現地の弁護士、会計事務所等とのコンタクト状況
⑥係争その他の法律問題

（４）その他、各社、各国における固有の問題

**３．視察時ヒアリング事項：**

（１）当期の重点監査項目
①法令、定款、規定等の遵守状況：独禁法、労働関連法規、為替管理令、贈収賄慣習の有無等
②経営リスクの予防状況
③環境問題への取り組み状況、地域社会との調和、ローカルリスク
④内部統制機能の整備と運用状況

（２）事前報告事項についての内容確認

（３）その他任意事項
①経営方針、今後の業績予想
②雇用環境、転職の実態
③親会社、又はパートナー会社に対する要望事項
④出向者の生活環境

## 3．監査調書　A・B・C・D・E・F・G

### (1) 監査調書の意義

監査対象部門からの監査のための報告・聴取は、監査役が取締役の職務執行を監査する上で、基本となるものである。したがって、その内容を調書として文書化しておくことは、期中監査結果のまとめ、さらには期末の監査報告作成の基礎となる。また、監査調書は、監査役が監査対象部門から報告・聴取を受けた内容に対して、指摘や勧告・助言を行った内容を監査対象部門にフィードバックする意義もある。すなわち、監査役が指摘や勧告・助言をした点を、書面によって監査対象部門に知らしめることによって、監査対象部門の課題認識となり、次回の監査において、改善の状況を監査役としても再確認できることにつながる。

さらに、株主代表訴訟が提起された際には、監査役監査の実態の証拠ともなる。仮に、業務担当取締役が会社に損害を与えたとして、株主から損害賠償請求の訴訟提起が行われた場合、当該取締役の違法行為の有無、違法行為と会社の損害との相当因果関係の有無について、監査役監査の結果を改めて検証することになる。監査役監査の調書が整備され、かつ備置されていれば、株主による提訴請求に対する監査役の考慮期間において、監査役の調査の際にも参考の一つとなる。逆に、監査調書が不存在である場合、また記載内容の信憑性に疑義がある場合には、監査役として改めて適切な調査を実施する必要がある。

### (2) 監査調書の作成の実践

監査調書は、監査役会議事録（監査役会議事録の作成については、**第2章．Ⅳ．監査役会・監査(等)委員会議事録**参照）と異なり、法的に定められたものではない。しかし、監査調書の意義で記載したとおり、監査役監査の実態の証拠となり、また監査対象部門との確認としても役立つことから、適切な記載を心掛ける必要がある。

監査調書の内容としては、①監査日時・場所、②出席者、③報告・聴取の内容、④監査役からの指摘、助言・勧告、⑤監査結果、から構成される様式が一般的である。

①の監査日時・場所、②の出席者の記載は、監査の客観的な事実事項であり、特段、問題はないであろう。出席者は、監査対象部門からの全員の役職と氏名および監査を実施する監査役と、同席する監査役スタッフの氏名を記載する。③の報告・聴取の内容では、監査役が監査対象部門から受けたリスク管理や法令遵守、さらには内部統制システムの整備状況など、あらかじめ監査計画や重点監査事項として提示していた内容に沿った報告内容

の概要を記載する。もっとも、報告内容の概要に代えて、監査対象部門から提出のあった資料については、標目を記載したり、別添として一体化させておくこともよいであろう。④の監査役からの指摘、助言・勧告と⑤の監査結果は、監査調書の中心となるものであり、特に意識して記載しなければならない。監査対象部門からの報告に対して、監査役として、法令遵守やリスク管理等の視点から監査上問題ないと考えるのか、是正勧告すべき事項があったのか、仮に問題があったときの緊急性など、具体的に指摘等を行った点を的確に記載する必要がある。その際、監査役と監査対象部門との質疑なり、監査役からの確認事項もその内容について正確に記載するように心掛ける。

最後に当該監査対象部門に対して、監査の報告・聴取の結果、問題ないと判断したのか改善の必要有りと判断したかについて、まとめとして記載する（**【様式１－13】**・**【様式１－14】**参照）。

【様式１－13】監査調書の様式例

| 監査調書 | | 調書No. | 監査担当 | | |
|---|---|---|---|---|---|
| 被監査部門 | | 監査日　R＊＊.＊＊.＊＊ | | | |
| 出席者 | | 監査場所 | 監査役閲覧印 | | |
| 記録者 | | 作成日　R＊＊.＊＊.＊＊ | | | |
| 監査概要 | | | | | |
| 監査意見 | | | | | |
| 結果 | | | | | |

**【様式1－14】監査調書記載事例**

○○事業所　監査調書

令和○年○○月○○日

| △△監査役 | ▲▲監査役 |
|---|---|
|  |  |

1．監査実施者　　△△監査役
　　　　　　　　　▲▲監査役

補助者　　□□監査役室長

2．監査実施日・場所　令和○年○○月○○日
　　　　　　　　　　大会議室等

3．監査内容

| 項　目 | 内　容 | 説明者 |
|---|---|---|
| 1．業務報告聴取 | 令和○年度監査計画の監査方針に基づき報告聴取<br>①チェックリストの報告、質疑<br>②重点監査ポイントの報告、質疑 | ××取締役<br>××部長 |
| 2．現場実査 | 災害現場<br>環境浄化場所 | ××工場長 |
| 3．総　　括 | 監査上の指摘事項、改善点 |  |

4．監査対象部門の報告資料

別紙参照

5．監査役指摘事項・助言等

△△監査役

① ガス漏れは、大惨事に繋がる危険が大きく、特に注意して欲しい。ガス関連設備の点検は、元々大事な部門であったが、合理化に伴い、携わる人間が少なくなっていないか懸念がある。整備部門と同じように、従事する従業員をきちんとして評価することが大事だ。

② 安全については、数多いヒヤリハットの経験をどのように活かしていくかである。特に協力会社に対しては、安全教育を含め、強く指導する必要がある。

③ ・・・・・

**以下、略**

▲▲監査役

① 事故連絡ルートは、よく纏まっており、また昨年の事故の教訓として、ガス事業法に準拠している点が確認された。このことを、事故の際の連絡として、念頭に置くことが必要である。

② ・・・・・

**以下、略**

6．監査結果

何点か改善すべき点はあったが、法令・定款違反は認められなかった。また、内部統制システムについても、適切に運用できているものと評価できる。

7．次回監査までの改善点（要報告事項）

① 過重労働が大きなテーマになってきているので、個々のスタッフの仕事内容と残業時間数を３～６ヶ月間、チェックすること。

② 廃棄物の立会の結果は、誰がいつどこで処理しているか、きちんと記録しておくこと。

以上

### （3）監査調書の留意点

監査調書は重要な書類ではあるが、一方で、監査役会議事録とは性格が異なる点と留意して整理する。すなわち、監査役監査における説明内容や発言内容を逐一記載するというよりも、監査役が指摘したり、是正勧告等を行った点、次回の監査までの改善点などを中心に、簡潔かつ明瞭な記載が重要である。もっとも、監査役の指摘等については、具体的にどの監査役が行ったものかは記載しておくとよいと思われる。監査役監査では、各監査役は独任制の下で発言等を行っているからである。この点に関しては、独任制ではない委員会型の会社（指名委員会設置会社・監査等委員会設置会社）の監査(等)委員については該当しないが、報告・聴取に対する監査(等)委員の間で、指摘事項等が異なる場合には、各々、誰の発言か記載しておく方が、後々の争点となったときを考えると、望ましいといえるかもしれない。

監査調書は、監査役スタッフが在籍している場合は、監査役スタッフが原案を作成する場合が多いものと思われるが、その場合は、必ず出席監査役に確認を取った上で、当該監査調書に、監査役の署名なり確認済の記名・押印を付しておくと確実である。その上で、監査対象部門に対して、監査結果として送付する。その際、監査調書そのものを送付するか、場合によっては、監査調書の指摘事項や監査結果のみを通知することも考えられる。

なお、監査調書は、監査役会議事録と異なり株主等の社外者が閲覧謄写できない内部文書である。したがって、「関係者限り」とするなど、その取扱いは十分に注意すべきである。もっとも、取締役や監査役等の善管注意義務等を原因とする訴訟が発生したときには、重要な証書となり得ることから、文書の記録としては、表現の適切性も含めて注意を払っておくことに越したことはない。

## 4．期中監査結果報告　A・B・C・D・E・F・G

### （1）期中監査結果報告の意義

監査役は、取締役からの報告・聴取、現場への実査、重要会議への出席、重要資料の閲覧等を通じて、取締役の職務執行を監査するための活動を行っている。監査活動の中では、必要に応じて、各監査役が都度、取締役や執行部門に対して指摘や助言を行っているが、監査役は独任制であることから、複数の監査役が就任している場合には、監査役全員としての監査意見であるか否かなどについて確認しておく必要がある。例えば、内部統制システム上、重要な要件である統制環境や報告体制がきちんと整備されているのか、日常の監査活動の集大成として、最終の監査役(会)監査報告につなげるために、監査役間で意思疎通を図り、意見形成を行うことが重要である。すなわち、事業年度のまとめである監査役(会)監査報告の際に、取締役の職務執行に問題がないとするのか、内部統制システムの整備状況に特段指摘すべき事項がないとするのかなどについて、期中監査の段階から、監査役間で十分な意見交換を行い、意見形成を図っておくことが重要である。確かに、監査役は独任制であることから、監査報告の段階で、異なる意見表明を行うことも可能であるが、だからといって、各監査役が各々独自の見解を持ったまま、監査報告に記載することは望ましいことではない。

したがって、期中監査の節目において監査の状況を報告し、社外監査役を含めた監査役間でその時点における監査状況の情報を共有化しておくことが重要である。期中監査結果の報告を共有化し、意見形成を図っておくことによって、最終的な監査役(会)監査報告作成の際には、円滑な審議を行うことができるはずである。

一方、委員会型の会社の監査(等)委員の場合、監査(等)委員会としての結論を出す必要があることから、必然的に監査(等)委員会での意見交換が行われることになる。

### (2) 期中監査結果報告の場および方法

監査役1人の場合には、監査役として中間的なまとめを都度行うことで足りるが、監査役会設置会社においては、監査役会の場を利用することがベストである。すなわち、監査役会において各監査役からその活動状況の説明を行うとともに、監査役間で情報を共有し、その後の監査活動に活用することである。また、必要に応じて、執行部門に対して監査役として助言や指摘等を行う必要性についても意見交換をする。このような期中監査活動の報告のための監査役会は、取締役会とは異なり、会社法上、開催頻度が規定されていないために、必要に応じて開催することになるが、実務的には、取締役会の開催日にあわせている会社が多いようである。

このような監査役会に加えて、中間期と期末期に期中監査のまとめのための監査役会を開催することが効率的である。3月決算会社の場合であれば、中間期である11月または12月頃に一度、また期末期である翌年の3月または4月に、期中監査結果のまとめを目的とする監査役会の開催を行うことが一般的である。中間期の監査結果報告であれば、その時点までに監査役が監査対象部門に指摘した問題点や期末に向けて特に留意すべき監査ポイントを確認することになり、期末期の監査結果報告であれば、会計監査や株主総会等の期末監査以外の大部分の監査のまとめとしての意味がある。したがって、このような監査役

## 【様式１－15】期中監査結果報告例（総括）

令和○年○○月○日
監査役会

### 令和○年度　期中監査結果（総括）

**１．全体方針**

令和○年度監査方針・計画で掲げた基本監査方針に基づいて、特に予防監査を意識した監査を実施した。

**２．業務監査等実施回数・延べ日数**

報告聴取・実査等　総計××回、延べ日数××日

**３．本年度の監査実施上のポイント**

（１）内部統制システムの整備・運用状況
　①　・・・・・
　②　・・・・・
（２）個別不祥事の未然防止状況
　①　・・・・・
　②　・・・・・

**４．監査結果**

取締役の職務の執行に関する不正の行為又は法令もしくは定款に違反する重大な事実は認められなかった。

また、内部統制システムに関する取締役会決議の内容は相当であること、及び当該内部統制システムの構築及び運用状況については、着実な改善が図られているものと認められる。

当社及びグループ会社の内部統制システムは、取締役会決議以降、計画的な構築・改善が進められているが、個別リスクの対応状況及び金融商品取引法の規定を踏まえ、さらなる整備の向上かつ適切な運用が行われるように、特にリスクアプローチおよびモニタリング機能の強化の視点から推進するよう経営に要請していく。

**５．留意すべき個別リスクへの対応状況**

（１）コンプライアンス
　一部の支社において、顧客データが入力されたパソコンを電車内で紛失した事件があった。幸い、パソコンは乗客経由で届けられ、またセキュリティロックが機能したために、顧客データの流出が防止できたものの、今一度、セキュリティ対策の確認とパソコン等の社内情報のデータが入っている機器類の保管についての意識を徹底する必要がある。
（２）安全管理
　・・・・・・・・
（３）環境保全（特に水質・粉塵）
　・・・・・・・・・
（４）機密情報管理（個人情報含む）
　・・・・・・・・・

以　上

会では、単なる監査の報告にとどまらずに、業務監査の実施回数の整理とともに、監査計画で記載した監査項目について、監査結果の総括的なまとめを行うことが重要である。例えば、当該事業年度の監査計画の監査項目の一つとして、「休業災害の防止・安全の徹底」を掲げたとしたならば、休業災害の発生件数やその原因、監査上の指摘すべき事項等について、総括的に整理し、監査役としての評価を行うことが大切である。監査役スタッフを擁している会社では、監査調書を基にした期中監査結果報告書を監査役スタッフが作成し、その資料に基づいて、常勤監査役が監査役会で説明した上で、監査役間で意見交換をすることが一般的である（**【様式１－15】**参照）。

なお、監査役会非設置会社の中で、監査役が複数就任している会社では、監査役連絡会を設けていると思われるので、この場を活用することが考えられる。

### （３）期中監査結果の取締役等への報告

監査調書と同様に、監査役監査の透明性を高め、その結果について執行部門に対してフィードバックする観点からも、取締役に対する報告は行うべきである。監査調書の場合は、監査対象部門に対して、監査の結果を通知する意味があるが、期中監査結果については、会社の全部門（中間期であれば、その時点で終了した部門）の監査結果である点が異なる。取締役は、担当業務の職務執行のみならず、取締役会の構成員として、他の取締役の監視・監督義務があることから、他部門の監査役監査結果は、重要な情報源である。また、他部門の監査結果を他山の石として、業務担当部門のリスク管理に活かすことも可能である。このために、監査役として、期中監査結果を取締役に報告する意義はあるといえる。

取締役への報告の仕方は、取締役の員数によって、取締役会での一括報告または個別に取締役に報告する方法がある。また、会社の中で、内部統制システムの整備状況のための会議または委員会が存在する場合は、このような会議体において、監査役から報告する場として利用することも考えられる。

期中監査報告については、具体的な不祥事や事件・事故が記載されることから、取締役会等での報告に躊躇する会社もあるようだが、期中監査結果の実態を明らかにし、事件・事故等の再発防止やリスクの未然防止につなげることが重要なのであり、監査の透明化にもなる。したがって、場合によっては、事件・事故等を発生させた部門・部署は伏せる等の工夫をしてでも、期中監査結果報告の意義があると思われるため、取締役会等に報告する体制整備を推奨したい。この点は、監査のPDCA（Plan・Do・Check・Action）を廻し、監査の実効性を確保する意味でも検討に値する。

このような取締役会等での報告を定着させるためにも、資料等の情報管理の徹底（関係者以外の手には安易に渡らないような資料管理等）、事件・事故の発生部門が不利な扱いとならないような工夫が必要である。

### Q&A 支配株主の異動を伴う第三者割当

**Q 支配株主の異動を伴う第三者割当を会社が行うときに、監査役としてしなければならないことは何か。**

**A** 支配株主の異動を伴う第三者割当とは、例えば過半数の株式を保有している株主の持株比率を希釈化させるために、第三者を割当とする新株を発行（募集株式発行）することによって、新たな支配株主（「特定引受人」という）を創出することである。現経営陣の経営支配権の維持のために利用される可能性もあることなどから、この場合、第三者割当について監査役は意見表明をしなければならない。すなわち、監査役は、支配株主の異動を伴う募集株式や募集新株予約権の引受人が総株主の議決権の過半数を有することとなる場合には、当該募集株式の発行に関して意見表明をしなければならない。平成26年改正会社法において、公開会社では、支配株主の異動を伴う第三者割当における会社の株主への通知・公告義務（会206条の２）とあわせて、平成27年改正会社法施行規則で規定された（会施規42条の２第７号）。

# Ⅳ. 期末監査の実践

**要 点**

○期末監査は、事業年度終了後から監査報告作成日までの約２ヶ月弱の間に行われる監査である。

○期末監査の内容は、計算書類・事業報告とその附属明細書の監査、定時株主総会に至るまでの監査日程とその手続関係の監査が中心となる。



**解 説**

## 1．期末監査の内容 A・B・C・D・E・F・G

期中監査に対して、期末監査と呼ばれる監査がある。期中監査が、事業年度を通じて、法令遵守やリスク管理を中心とした日常的な監査が中心であるのに対して、期末監査は、決算関係や定時株主総会関係の監査であり、監査活動を行う時期は、事業年度終了後から、監査報告作成日までの約２ヶ月弱の間である。

期末監査の具体的内容としては、①定時株主総会に至るまでの監査日程とその手続の適法性、②事業報告とその附属明細書の監査（会436条１項・２項２号）、③期末決算の監査（計算書類およびその附属明細書の記載内容の監査等）（会436条１項・２項１号）、があり、会計監査人設置会社の場合は、会計監査人の監査の方法と結果の相当性の判断（会算規127条２号・128条２項２号）が加わる。個別にみれば、以下のとおりとなる。

### （1）定時株主総会に至るまでの監査日程とその手続の適法性

定時株主総会に至るまで、法定で定められた主な日程のとおりとなっているか監査する。通常は、定時株主総会に関する一連の日程に関して、総務部から監査役に対して事前の説明があると思われるので、具体的に設定された日程が適法なものか確認する（【図表１－B】参照）。

なお、期末監査は広義にいえば、定時株主総会招集議案の確認・承認も含むが、この点

## 【図表１－B】期末時期日程確認表例

注１：３月決算会社
注２：大会社かつ公開会社（取締役会設置会社･監査役会設置会社・会計監査人設置会社）

| 日程 | 法定期限 | 設定例 | 内容・手続 | 日程関係の根拠法令 |
|---|---|---|---|---|
| | 3/31 | 3/31 | 事業年度末日・基準日 | 会124条2項 |
| ３ヶ月以内 | | 4/24 | 取締役：事業報告等の作成・提出<br>①事業報告・附属明細書<br>→監査役に提出 | |
| 4週間経過＊ | | 4/24 | ②計算書類・附属明細書<br>→監査役と会計監査人に提出 | |
| | | 4/24 | ③連結計算書類→同上 | |
| 8週間前 | 5/4 | 5/2 | 議案提案権行使及び議案の通知請求の期限 | 会303条2項・<br>会305条1項 |
| 1週間経過＊ | 5/23 | 5/16 | 会計監査人：会計監査報告の通知<br>会計監査人→特定取締役<br>特定監査役 | ＊会計監査報告<br>①計算書類の全部を受領した日から4週間を経過した日<br>②計算書類の附属明細書を受領した日から１週間を経過した日<br>③合意により定めた日<br>①～③のいずれか遅い日までに通知<br>会算規130条1項1号 |
| 4週間経過＊＊ | | 5/22 | 監査役会決議<br>監査役会監査報告の作成 | ＊＊事業報告の監査報告<br>①事業報告を受領した日から4週間を経過した日<br>②事業報告の附属明細書を受領した日から1週間を経過した日<br>③合意により定めた日<br>①～③のいずれか遅い日までに通知<br>会施規132条1項 |
| 1週間経過＊＊ | 5/23 | 5/22 | 監査役会：監査報告の通知<br>①事業報告等の監査報告<br>→特定取締役に通知 | |
| 1週間経過＊＊＊ | 5/29 | 5/22 | ②計算書類等の監査報告<br>→特定取締役、会計監査人に通知 | ＊＊＊計算書類等の監査報告<br>①会計監査報告を受領した日から1週間を経過した日<br>②合意により定めた日<br>①～②のいずれか遅い日までに通知<br>会算規132条1項 |
| | 5/29以降 | 5/24 | 取締役会決議<br>①事業報告・計算書類等の承認<br>②定時株主総会招集の件 | |
| ３週間前まで | 6/8 | 6/6 | 定時株主総会資料の電子提供の措置 | 会325条の3第1項 |
| ２週間前まで | 6/15 | 6/13 | 定時株主総会招集通知の発送 | 会299条1項 |
| ２週間前の日から | 6/15 | 6/13 | 事業報告・計算書類等の備置 | 会442条1項・2項 |
| ３日前まで | 6/26 | 6/24 | 議決権不統一行使通知期限 | 会313条2項 |
| 直前の営業日前まで | 6/29 | 6/27 | 議決権行使書の提出等の期限 | 会311条1項・312条1項<br>会施規69条・70条 |
| | 6/30 | 6/28 | 定時株主総会開催<br>決算公告・有価証券報告書等の提出 | |
| ２週間以内 | | 6/29 | 株主総会決議通知・配当関係書類等の発送 | |
| | | | 議事録･議決権行使書･議決権代理行使書･委任状の備置 | 会310条6項・311条３項・318条２項 |
| | 7/14 | 7/12 | 登記 | 会915条 |

については、第２章の「定時株主総会の対応」で解説する。

### Q&A 決算発表と監査報告

**Q　決算発表の早期化によって、損益計算書や貸借対照表等を会計監査人や監査役監査の証明の前に公表することは問題ないのか。**

**A**　監査役設置会社および会計監査人設置会社においては、計算書類および事業報告ならびにそれらの附属明細書を作成した上で、会計監査人と監査役(会)の監査証明を添付して定時株主総会に提出しなければならない。一方、会計監査人と監査役(会)の証明を受けたこれらの書類は、取締役(会)の承認を受けなければならない（会436条３項)。この流れの中で、例えば３月決算会社の場合は、通常、取締役会の承認を受けるのは、５月中旬以降となる。しかし、投資家や株主への情報開示の観点から、決算発表の早期化の傾向が強まっている中で、４月末から５月初めの連休前後には、決算発表を行う会社が増加している。すると、監査証明前の公表について、手続上問題とならないかという論点がある。

旧商法下では、取締役の承認を受けた後に会計監査人や監査役(会)に提出することになっており（旧商特12条１項・２項・13条１項・14条１項・２項)、社内的には、監査証明を受ける前とはいえ、取締役会の承認手続を踏んでいた。しかし、会社法下では、取締役会の承認を受ける前での公表もあり得るということになる[4)]。

監査役監査の前における決算発表は、執行部門がその責任の下で決算を公表したという整理となる。すなわち、仮に、会計監査人や監査役の監査によって、計算書類等の不備が発見された場合には、その旨を公表するリスクがある前提ということになる。実務的には、このような事態にならないように、執行部門が決算を公表する前に、従来以上に会計監査人と監査役との連携を深め、会計監査の相当性を非公式にでも確認しておくことが望ましい。

4）取締役(会)としての機関決定を行った上で、監査の結果、計算書類の不備が発見され、不適法である場合は、機関決定そのものの妥当性が問題となるからである。もっとも、現実的には、決算発表に先立ち、取締役会の承認をとっている会社が多い。

**COLUMN**

**●「…間経過まで」の計算の仕方●**

「受領日から４週間を経過した日までに通知」とは、上記の設定例で、４月28日が月曜日とすれば、その日に計算書類を受領した会計監査人は、翌日の４月29日（火）を起算日として、４週間の末日である５月26日（月）が４週間が満了することから、その翌日の５月27日（火）までに、会計監査人は特定取締役等に会計監査報告を通知しなければならないことになる。

### （２）事業報告とその附属明細書の監査

事業報告に関する監査としては、事業報告に記載されている内容が法令・定款に従って会社の状況を正しく示していることであり、具体的に確認する項目は下記のとおりである。

①会社の状況に関する重要な事項（会施規118条１号）

②会社業務の適正を確保するための体制の整備についての決議または決定がある場合は、その内容の概要及び当該体制の運用状況の概要（会施規 118条２号）

③株式会社の支配に関する基本方針（会施規118条３号）

④特定完全子会社に関する事項（会施規 118条４号）

⑤親会社等との取引（利益相反取引含む）に関する事項（会施規 118条５号）

（②～⑤）該当すれば記載

⑥株式会社の現況に関する事項（会施規119条１号・120条）

⑦株式会社の会社役員に関する事項（会施規119条２号・121条）

⑧株式会社の役員等賠償責任保険契約に関する事項（会施規119条２号の２・121条の２）

⑨株式会社の株式に関する事項（会施規119条３号・122条）

⑩株式会社の新株予約権等に関する事項（会施規119条４号・123条）

⑪社外役員を設けた株式会社の特則（会施規124条）

（⑥～⑪）公開会社の特則

⑫会計参与の特例（会施規125条）

⑬会計監査人設置会社の特則（会施規126条）

⑭事業報告の附属明細書の内容（会施規128条）

確認の方法としては、取締役会資料をはじめとした書類の閲覧により、一つずつチェックしていく。例えば、株式に関する事項であれば、発行済株式（自己株式を除く）の総数に対するその有する株式の割合が高いことにおいて上位となる10名の株主の氏名又は名称、所有株式数及び当該株主の有する株式に係る当該割合を事業報告に記載することが必要である（会施規122条１号）ことから、規定どおりの記載となっているか確認する。

また、公開会社の場合に社外役員を設けた場合の特則としては、他の会社の兼任状況（会施規124条２号）、取締役会への活動状況（会施規124条４号）など、個別具体的に記載することとなっているために、社外取締役や社外監査役の事業年度における活動状況を振り返るとともに、他の会社の兼務状況等については、執行部門が兼務先会社との連携を密接にとった上で、記載漏れとなっていないか十分に注意する必要がある。



COLUMN

### ●社外役員に関する記載●

会社法下では、社外役員に関して、株主総会参考書類や事業報告に関する記載が詳細にわたるようになったことが、旧商法下ではなかった特色である。社外役員である社外取締役や社外監査役は、外部の目からみた監督・監視または監査機能が期待されている。そのために、株主が社外役員を株主総会で選任する際に、その判断根拠となる事項を開示することによって、株主が社外役員の適性を適切に判断する目的がある。すなわち、条文上の社外役員の社外要件を規定するのではなく、独立性に係ると思われる事項について、会社側に自主的な記載を要請しているものといえる。

しかし、条文に記載されている「重要でないものを除く」の重要性の判断基準や、「当該会社が知っているとき」とは、会社が知らないこと自体の過失性は問われないのかなどについて、実務担当者が準備する際に迷う点も多い。もっとも、株主から見れば、詳細な記載の方が判断しやすくなり、当該会社は開示に積極的であるとの評価となるために、立法者としては開示の程度を会社に競わせることによって、結果として開示の実効性を期待しているのかもしれない。

なお、平成26年改正会社法により、社外役員の独立性を強化するために、親会社関係者、兄弟会社の業務執行者、近親者（配偶者、２親等内の親族）は、社外扱いとはならなくなった（会２条15号・16号）。

## 【様式1－16】事業報告等チェックリストの例

××××年××月××日

| 施行規則条文 | 項 | 号 | 条文内容 | 記載の確認 |
|---|---|---|---|---|
| 【事業報告の内容】 | | | | |
| 第118条 | | 1号 | 当該株式会社の状況に関する重要な事項 | — |
| | | 2号 | 会社法348条3項4号等に規定の体制の整備に関する決定内容の概要及び当該体制の運用状況の概要（内部統制システム） | ○ |
| | | 3号 | 当該株式会社の財務及び事業の方針の決定を支配する者の在り方に関する基本方針 | — |
| | | 4号 | 当該株式会社（完全親会社等があるものを除く）のある完全子会社等の株式の帳簿価額が当該株式会社の貸借対照表の資産の部に計上した額の合計額の1/5を超える場合における当該ある子会社がある場合、名称、住所、株式の帳簿価額の合計額、貸借対照表の資産の部に計上した額の合計額 | — |
| | | 5号 | 当該株式会社とその親会社との間の取引であって、当該株式会社の個別注記表において会社計算規則112条1項に規定する注記を要するものがあるときは、<br>イ）当該取引をするにあたり当該株式会社の利益を害さないように留意した事項<br>ロ）当該取引が当該株式会社の利益を害さないかについて当該株式会社の取締役（取締役会）の判断及びその理由<br>ハ）社外取締役を置く株式会社において、ロの取締役の判断が社外取締役の意見と異なる場合にはその意見 | — |
| 【公開会社の特則】 | | | | |
| 第119条 | | 1号 | 株式会社の現況に関する事項 | ○ |
| | | 2号 | 株式会社の会社役員に関する事項 | △ |
| | | 2号2 | 株式会社の役員等賠償責任保険契約に関する事項 | * |
| | | 3号 | 株式会社の株式に関する事項 | ○ |
| | | 4号 | 株式会社の新株予約権等に関する事項 | — |
| 【株式会社の現況に関する事項】 | | | | |
| 第120条 | | | 第119条1号に規定の「株式会社の現況に関する事項」とは | |
| | | 1号 | 当該事業年度の末日における主要な事業内容 | ○ |
| | | 2号 | 当該事業年度の末日における主要な営業所・工場及び使用人の状況 | ○ |
| | | 3号 | 当該事業年度の末日において主要な借入先があるときは、その借入先及び借入額 | ○ |
| | | 4号 | 当該事業年度における事業の経過及び成果 | ○ |
| | | 5号 | 当該事業年度における次に掲げる事項についての状況<br>イ）資金調達　ロ）設備投資　ハ）事業の譲渡等　ニ）他の会社の事業の譲受<br>ホ）吸収合併等　ヘ）他の会社の株式その他の持分又は新株予約権の取得又は処分 | ○ |
| | | 6号 | 直前3事業年度の財産及び損益の状況 | ○ |
| | | 7号 | 重要な親会社及び子会社の状況（当該親会社と当該株式会社との間に当該株式会社の重要な財務及び事業の方針に関する契約等が存在する場合にはその内容の概要を含む。） | △<br>(*) |
| | | 8号 | 対処すべき課題 | △ |
| | | 9号 | 前各号に掲げるもののほか、当該株式会社の現況に関する重要な事項 | ○ |
| | 2 | | 連結計算書類を作成している場合は、前項各号は企業集団の現況に関する事項とすることができる | ○ |
| | 3 | | 省略 | |
| 【株式会社の会社役員に関する事項】 | | | | |
| 第121条 | | | 第119条2号に規定する「株式会社の役員に関する事項」とは | |
| | | 1号 | 会社役員の氏名 | ○ |
| | | 2号 | 会社役員の地位及び担当 | ○ |
| | | 3号 | 会社役員と当該株式会社との間で責任限定契約（会社法427条1項の）契約をしているときは、当該契約の内容の概要 | ○ |
| | | 3号2 | 会社役員と当該株式会社との間で補償契約を締結しているときは、①当該会社役員の氏名　②当該補償契約の内容の概要 | * |
| | | 3号3 | 当該株式会社が会社役員に対して補償契約に基づき費用を補償した場合において、当該株式会社が、当該事業年度において当該会社役員が職務の執行に関し法令の規定に違反したこと又は責任を負うことを知ったときは、その旨 | * |
| | | 3号4 | 当該株式会社が会社役員に対して補償契約に基づき損失を補償したときは、その旨及び補償した金額 | * |

| 条 | 項 | 号 | 内容 | |
|---|---|---|---|---|
| 第121条 | | 4号 | 会社役員の報酬について区分（略）に応じて記載 | ○ |
| | | 5号 | 当該事業年度において受け、又は受ける見込みの額が明らかとなった役員の報酬等について前号の区分に応じて記載 | ○ |
| | | 5号2 | 会社役員の報酬等の全部又は一部が業績連動報酬等である場合には、当該業績連動報酬の額その他本号で定める事項（略） | * |
| | | 5号3 | 会社役員の報酬等の全部又は一部が非金銭報酬等である場合には、当該非金銭報酬等の内容 | * |
| | | 5号4 | 会社役員の報酬等についての定款の定め又は株主総会の決議による定めに関する事項（当該定めの内容の概要他） | * |
| | | 6号 | 取締役の個人別の報酬等の内容についての決定の方針について　イ）方針の決定の方法　ロ）方針の内容の概要　ハ）当該事業年度に係る取締役（監査等委員である取締役を除く）の個人別の報酬等の内容が当該方針に沿うものであると取締役会が判断した理由 | * |
| | | 6号2 | 各会社役員の報酬等の額又はその算定方法に係わる決定に関する方針を定めているときは、方針の決定の方法等 | — |
| | | 6号3 | 取締役会（指名委員会等設置会社を除く）から委任を受けた取締役等が当該事業年度に係る取締役の個人別の報酬等の内容の全部又は一部を決定したときは、その旨並びに当該委任を受けた者の氏名、地位、委任された権限の内容、権限が適切に行使されるための措置の内容等 | * |
| | | 7号 | 辞任等した会社役員があるときには、氏名、意見の内容、理由 | — |
| | | 8号 | 当該事業年度に係わる会社役員の重要な兼職の状況 | — |
| | | 9号 | 監査役（監査等委員、監査委員）が財務及び会計に関する相当程度の知見を有しているものであるときは、その事実 | ○ |
| | | 10号 | 監査等委員会（指名委員会等）設置会社である場合、常勤の監査等委員（監査委員）の選定の有無及びその理由 | — |
| | | 11号 | その他役員に関する重要な事項 | |
| 【株式会社の役員等賠償責任保険契約に関する事項】 | | | | |
| 第121条の2 | | | 第119条第2号の2に規定する「株式会社の役員等賠償責任保険契約に関する事項」とは | |
| | | 1号 | 当該役員等賠償責任保険契約の被保険者の範囲 | * |
| | | 2号 | 当該役員等賠償責任保険契約の内容の概要 | * |
| 【株式会社の株式に関する事項】 | | | | |
| 第122条 | | | 第119条3号に規定する「株式会社の株式に関する事項」とは | |
| | | 1号 | 当該事業年度の末日において上位10名の株主の氏名等、所有株式数、所有割合 | ○ |
| | | 2号 | 当該事業年度中に会社役員に対して職務の執行の対価として当該株式会社が交付した当該株式会社の株式があるときは、次に掲げる者の区分（取締役（執行役を含む）・社外取締役・監査等委員である取締役・取締役以外の役員）ごとの株式の数及び株式を有する者の人数 | * |
| | | 3号 | その他株式に関する重要な事項 | — |
| 【新株予約権等に関する事項】 | | | | |
| 第123条 | | | 新株予約権等に関する事項（詳細略） | — |
| 【社外役員等に関する特則】 | | | | |
| 第124条 | 1 | 1号 | 社外役員が他の会社における他の会社等の業務執行者であることが第128条8号の重要な兼職に該当する場合、会社と他の法人等との関係 | ○ |
| | | 2号 | 社外役員が他の法人等の社外役員等を兼任し重要な兼職に該当する場合、他の法人等との関係 | ○ |
| | | 3号 | 社外役員が次に掲げる者の配偶者、三親等以内の親族その他これに準ずる者であることを当該株式会社が知っているときは、その事実。（重要でないものを除く）<br>イ）当該株式会社の親会社等<br>ロ）当該株式会社又は当該株式会社の特定関係事業者の業務執行者又は役員 | — |
| | | 4号 | 各社外役員の当該事業年度における主な活動状況<br>イ）取締役会への出席状況、社外監査役の監査役会（監査等委員の監査等委員会、監査委員の監査委員会）への出席状況<br>ロ）取締役会における発言状況<br>ハ）当該社外役員の意見により事業の方針又は事業その他の事項に係る決定が変更されたときは、その内容（重要でないものは除く）<br>ニ）法令又は定款に違反する重要な事実その他不当な業務執行が行われた事実があるときはその概要<br>ホ）当該社外役員が社外取締役であるときは、当該社外役員が果たすことが期待される役割に関して行った職務の概要 | ○<br>* |

| | | | | |
|---|---|---|---|---|
| 第124条 | | 5号 | 社外役員の当該事業年度に係る報酬等について区分に応じ記載 | 該当なし |
| | | 6号 | 当該事業年度において受け、又は受ける見込みの額が明らかとなった社外役員の報酬等について区分に応じ記載 | ○ |
| | | 7号 | 社外役員が次のイ又はロに掲げる場合の区分に応じ、当該イ又はロに定めるものから役員として報酬を受けているときは、<br>当該報酬の総額<br>イ）親会社等がある場合：親会社等又は親会社等の子会社等（当該株式会社を除く）<br>ロ）親会社がない場合：当該株式会社の子会社 | イを採用 |
| | | 8号 | 前各号に掲げる事項の内容に対する意見があるときは、その意見の内容 | ○ |
| 【会計監査人設置会社における事業内容の報告】 | | | | |
| 第126条 | | 1号 | 会計監査人の氏名又は名称 | ○ |
| | | 2号 | 当該事業年度における会計監査人の報酬等の額及び報酬等について監査役(会)(監査等委員会、監査委員会）が会社法399条1項の同意をした理由 | ○ |
| | | 3号 | 非監査業務の対価を払っているときはその内容 | — |
| | | 4号 | 会計監査人の解任又は不再任の決定の方針 | ○ |
| | | 5号 | 会計監査人が現に業務の停止の処分を受け、その停止の期間を経過しない者であるときは、当該処分に係る事項 | ○ |
| | | 6号 | 会計監査人が過去2年間に業務の停止の処分を受けた者である場合における当該処分に係る事項のうち、当該株式会社が事業報告の内容とすることが適切であるものと判断した事項 | — |
| | | 7号 | 責任限定契約があるときは、その内容の概要 | — |
| | | 7号2 | 補償契約を締結しているときは、補償契約の内容の概要 | * |
| | | 7号3 | 補償契約に基づき補償をした場合において、会計監査人が職務の執行に関し法令の規定に違反したこと又は責任を負うことを知ったときはその旨 | * |
| | | 7号4 | 会計監査人に対して補償契約に基づき損失を補償したときは、その旨及び補償した金額 | * |
| | | 8号 | 株式会社が大会社であるときは次に掲げる事項<br>イ）当該株式会社、子会社が会計監査人に支払うべき金銭その他の財産上の利益の合計額<br>ロ）当該株式会社の会計監査人以外の監査法人等が子会社の監査をしているときは、その事実 | — |
| | | 9号 | 当該事業年度中に辞任した会計監査人があるときは次に掲げる事項<br>イ）氏名又は名称　ロ）理由　ハ）意見 | — |
| | | 10号 | 略 | — |
| 【事業報告の附属明細書】 | | | | |
| 第128条 | | 1号 | 事業報告の附属明細書は、事業報告の内容を補足する重要な事項をその内容とするものでなければならない | ○ |
| | | 2号 | 他の会社の業務執行取締役、業務を執行する社員又は法598条1項の職務を行うべきものを兼ねる会社役員の兼職の状況の明細 | — |
| | | 3号 | 当該株式会社とその親会社との間の取引であって、当該株式会社の個別注記表において会社計算規則112条1項に規定する注記を要するものがあるときは、当該取引に係わる118条5号イからハまでに掲げる事項 | — |

注1）本チェックリストは、2021年3月1日から施行される改正会社法施行規則に基づくものです。
本規定は、原則として、施行日以後にその末日が到来する事業年度の事業報告から適用されます。
会社法施行規則の改正に伴い、新たに適用される項目については、「記載の確認」欄に＊印を記入しました。
注2）役員等賠償責任保険契約に関する事項（施規119条2号2）、補償契約に関する事項（施規121条3号2～4）については、施行日後に締結された役員等賠償責任保険契約及び補償契約に適用されます。（改正省令附則2⑩）

**出所：國吉信男＝松永望＝山崎滋＝加藤孝子著『監査役実務入門（3訂版）』国元書房（2021年）図表B19**

### (３) 期末決算の監査

期末決算の監査とは、具体的には計算書類およびその附属明細書の記載内容の監査である（会436条）。

取締役は、事業年度の計算書類（貸借対照表、損益計算書、株主資本等変動計算書、個別注記表）およびその附属明細書（会435条２項、会算規59条１項）ならびに連結計算書類（連結貸借対照表、連結損益計算書、連結株主資本等変動計算書、連結注記表）（会444条１項、会算規61条）を作成した上で（会435条２項・444条１項・３項）、監査役に提出して、監査を受ける必要がある（会436条１項・２項・444条４項）。

会計監査人設置会社では、会計の職業的専門家である会計監査人が詳細な会計監査を行い、会計監査報告として結果が示されるが、監査役としても必要最低限の監査を実施すべきである。具体的には、以下のような点が考えられる。

#### １計算書類の監査

①全般

・会計基準や制度改正等への対応

②貸借対照表

・棚卸資産の実在性

・各種引当金計上の妥当性

・税効果会計の妥当性

・減損会計の妥当性

・ヘッジ会計の妥当性

・オフバランス事項その他重要な会計処理の適正性

・資本取引における重要な契約の妥当性

・重要な資産の取得および処分等の妥当性

・資産運用の妥当性（デリバティブ取引等を含む）

③損益計算書

・売上および原価の実在性と期間配分の適切性

・損益取引における重要な契約の妥当性

④株主資本等変動計算書

・剰余金処分に関する方針の妥当性

⑤個別注記表

・重要な会計方針の変更の妥当性

### 2 計算書類附属明細書の監査

・有形固定資産および無形固定資産の明細

・引当金の明細

・販売費および一般管理費の明細

### 3 連結計算書類の監査

・連結の範囲および持分法適用会社の範囲の妥当性

・連結決算に重要な影響を及ぼす企業集団内の会社に関する適正な会計処理

このような会計関係の監査については、監査役としては決算関連資料の閲覧や、財務部門からの報告・聴取によって確認することになる。

#### Q&A 会計監査報告の受領日と株主総会の承認有無

**Q　会計監査人から、会計監査報告の提出が間に合わないとの通知があったが、何か支障があるのか。**

**A**　会計監査人から、特定監査役（または監査役全員）が会計監査報告を受領した上で、監査役(会)として会計監査人の監査の相当性と結果を判断し監査役(会)監査報告を作成する。実は、会計監査報告の受領と株主総会の承認有無が直接関係しているので、注意が必要である。

計算関係書類については、特定取締役および特定監査役が会計監査報告の内容の通知を受けた日に、会計監査人の監査を受けたものとする規定となっている（会算規130条２項）。そして、仮に会計監査人が法令に定められた日までに会計監査報告の通知をしない場合には、当該通知をすべき日に、計算関係書類について、会計監査人の監査を受けたものとのみなし規定が存在する（会算規130条３項）。すると、仮に監査役(会)が会計監査報告を法定日までに受領しないと、定時株主総会において、計算書類の報告要件である「会計監査報告の無限定適正意見」が担保されなくなるために、株主総会での承認決議要件となってしまう。

このような事態を避けるためにも、期末決算日程を策定する場合に、会計監査人と事前に十分に協議し、監査役(会)として会計監査報告提出日に間違いなく受領できるようにフォローしていくべきである。

COLUMN

**●計算書類の監査と定時株主総会の対応●**

会計監査人設置会社においては、執行部門が作成した計算書類について会計監査人が監査報告を作成した上で、監査役(会)として会計監査人の監査の方法と結果の相当性を監査役(会)監査報告に記載する。

仮に、会計監査人監査報告が無限定適正となっており、かつ監査役(会)監査報告で会計監査人監査が相当である場合は、定時株主総会において、計算書類はその内容を報告するだけで足り、承認決議は不要である（会439条、会算規135条)。

もっとも、監査報告に瑕疵があると考えられる場合（例えば、監査役が法定員数を欠くなど）には、たとえ適正意見が記載されていても、株主総会において計算書類の承認決議が必要となる。

### (4) 会計監査人の監査の方法と結果の相当性の判断 A・B・C・D

会計監査人設置会社の場合は、会計監査人から監査役(会)に対して、会計監査報告の内容の通知が行われたことを受けて、監査役は速やかに、会計監査人が行った監査の方法および結果の相当性を判断し、その内容を監査役(会)監査報告に反映しなければならない（会算規127条２号・128条２項２号)。

会計監査人の監査の方法と結果の相当性に関して、監査役が判断する方法としては、会計監査人からの直接の報告聴取、会計監査人の監査状況の立会のほか、財務部門からの報告聴取や経理資料による確認、会計監査人と財務部門との連携状況などを勘案して相当性を判断する。判断の具体的な視点として、会計監査を実行するにあたり、遺漏なく適切な水準の手段を用いているか、監査役(会)に対して、適時適切に報告がなされていたか、また会計監査人が監査を行うにあたって、監査報酬の制約等によってその独立性が確保されないようなことがなかったかなどについても留意する。また、監査実績日数の妥当性、会計監査人が監査意見を表明するための資料の提供、手続等制約の有無、追記情報（継続企業の前提に係る事項、正当な理由による会計方針の変更、重要な偶発事象や重要な後発事象の内容と決算への影響）の記載の妥当性についても、会計監査人から直接報告を求める中で注意深く確認する。

また、監査結果の相当性については計算関係書類等に重大な虚偽記載の見落としがなく、監査報告が適正に作成されたか、会計監査人の監査意見は妥当であるかなどがポイントとなる。

以上を総合的に勘案し、最終的には会計監査人の監査の方法および結果が相当であるか否か、監査役(会)として判断する。

## Q&A 後発事象

**Q** 事業年度終了後に、重要な後発事象が発生した場合はどのような手続となるのか。

**A** 監査の対象期間は、決算期にあわせてあるので、3月決算の場合は、4月1日から翌年の3月31日までである。しかし、その後、定時株主総会開催日までに、会社の経営に重大な影響を及ぼす重要な後発事象、例えば、企業会計原則では、「貸借対照表日後に発生した事象で、次期以降の財政状態及び経営生成期に影響を及ぼすもの」と定義し、具体的には、下記に掲げる事項を例示し（企業会計原則4、注1－3）、会計監査報告に記載しなければならない。また、会計監査報告提出後に発生した場合には、監査役(会)監査報告に、さらにそれ以降では、定時株主総会において口頭報告を行う。

このように、決算末日以降に発生した重要な後発事象は、その時期により対応が異なってくる。いずれにせよ、会社としては、重要な後発事象を見極め、適切に開示することが大切である。

**[参考1－2] 企業会計原則で例示している重要な後発事象**

イ　火災、出水等による重大な損害の発生
ロ　多額の増資又は減資及び多額の社債の発行又は繰上償還
ハ　会社の合併、重要な営業の譲渡又は譲受
ニ　重要な係争事件の発生又は解決
ホ　主要な取引先の倒産

### (5) 会計監査人非設置会社の監査役の会計監査 E・F・G

会計監査人非設置会社の監査役の場合は、自ら会計監査を行う必要がある。特に期末時期は、会社の計算書類が監査役に通知されてくることから、計算書類の会計監査を含め、最終的に監査の方法とその結果を監査役監査報告には反映させなければならない。

経理・財務出身の監査役の場合は、財務および会計に知見のある監査役として、自ら計算書類の監査をすることにそれほど苦労はないかもしれない。他方、営業等の非経理・財務出身の監査役の場合には、貸借対照表の見方等一定の知識の修得から始めなければならないであろう。監査役に就任した以上、書籍や研修会を利用して財務や会計の知識修得に

努めることは大切であり、その上で、前述した計算書類の監査の要点（**本節1．(3)** 1 参照）について、会計監査を行うことになる。

その際の手段として、①経理・財務部門からの報告聴取による確認、②会計監査チェックリストの利用（**【様式1－17】**参照）[1]、③財務・会計に知見のある外部者（公認会計士、税理士等）の活用がある。③の外部者の活用の場合は、アドバイザリーとして個別契約を締結したり、期末の会計監査に要した時間に応じて報酬を支払うことになるが、これらの費用は監査費用に該当するために、法的には執行部門に請求し支払いを受けることが可能である。会社の規模や会計処理の状況から考えて、会計監査人設置までは必要としていない会社であっても、会計関係のトラブルは会社経営にとっても影響が大きい。したがって、チェックリストなどを活用した上で、期末時期等必要に応じて、会計の専門家に会計監査を依頼することも検討に値すると思われる。



1）**【様式1－17】**以外にも、例えば、日本監査役協会のHPから検索できる電子図書館（http://www.kansa.or.jp/support/library/）に掲載されている「会計監査人非設置会社の監査役の会計監査マニュアル（改訂版）」(2019年11月14日発行）もチェックリスト形式となっているので参考となる。

**【様式１－17】計算書類等チェックリストの例（会計監査人非設置会社）**

××××年××月××日

| 監査項目 | 監査結果 |
| --- | --- |
| Ⅰ．貸借対照表 | |
| 1．継続性……会計方針の変更等について<br>今期より資産除去債務に関する会計基準を適用した。<br>これは、企業会計基準第18号に基づくものであり、適正である。<br>その他については変更なし。<br>資産除去債務の計算結果を確認した。 | 適正 |
| 2．前年同期との科目別比較 | |
| (1) 貸借対照表の全項目について、前期との比較を行い、金額差額の大きいものについて分析するとともに、その理由を確認した。 | 適正 |
| (2) 重要な後発事象はないか。 | 該当なし |
| 3．現預金残高 | |
| (1) 現金残高は経理部担当者が金種表を作成し、管理者が確認のうえ、押印している。 | 適正 |
| (2) 預金残高と金融機関発行の残高証明書を照合した。 | 合致した |
| 4．売掛金 | |
| (1) 滞留債権、不良債権の有無<br>顧客別に回収状況を確認したが、停滞している債権はなかった。 | 異常なし |
| (2) 売掛債権の残高は、直近３ヵ月の売上高（月平均）の×ヵ月前後で推移しており、良好と判断する。 | 良好 |
| 5．前払費用、未収入金 | |
| (1) 前払費用：家賃（翌月分）、サービス費用等の未経過分 | 適正 |
| 6．有形固定資産 | |
| (1) 有形固定資産の属する各科目ごとに減価償却累計額控除形式で表示しているか。 | 適正 |
| (2) 無形固定資産については償却額控除後の残額が記載されているか。 | 適正 |
| (3) 資産の実在性について期末に棚卸しを実施した（立会い）。 | 異常なし |
| 7．保証金等の実在性・・・預り証等を確認した | 異常なし |
| 8．繰延税金資産 | |
| (1) 繰延税金資産の計上は適正か。 | 適正 |
| (2) 回収可能性についての検証 | 適正 |
| 9．固定資産の減損兆候について | 異常なし |
| 10．引当金は適正に計上されているか<br>賞与引当金、貸倒引当金等について調査を行った。 | 適正 |

| 監査項目 | 監査結果 |
| --- | --- |
| Ⅱ．損益計算書 | |
| 1．継続性……会計方針の変更等について<br>今期より資産除去債務に関する会計基準を適用した。<br>これは、企業会計基準第18号に基づくものであり、適正である。<br>資産除去債務の計算結果を確認した。 | 適正 |
| 2．前年同期との科目別比較<br>損益計算書の全科目につき金額の比較を行い、差額の大きいものについて分析、検証した。 | 適正 |

| | |
|---|---|
| 3．売上<br>(1) 当社の売上計上基準は収益認識に関する会計基準と合致しているか<br>(2) 売上の計上は適正か<br>3月度の売上につき、×社（構成比　×%）を抽出し、売上と証憑の突合せを行った。 | <br>適正<br>適正 |
| 4．経費の支払<br>経費の支払は請求書等に基づき支出されているか、異常な支払等はないか。……3月の支払分について、×件・×百万円について<br>請求書と支払いの突合せを実施した。 | 適正 |
| 5．税効果会計<br>法人税等調整額等の科目で適正に処理されたか。 | 適正 |
| Ⅲ．株主資本等変動計算書 | |
| 1．様式、表示内容は法令に準拠しているか。 | 適正 |
| 2．貸借対照表等の前期・当期残高と合致しているか。 | 合致している |
| Ⅳ．個別注記表 | |
| 1．重要な会計方針に係る事項に関する注記<br>必要な記載事項は記載されていた。 | 適正 |
| 2．株主資本等変動計算書に関する注記（発行済株式数の記載）<br>＊記載すべき項目について、漏れなく記載されていた。 | 適正 |
| Ⅴ．計算書類附属明細書 | |
| 1．有形固定資産および無形固定資産の明細<br>附属明細書の数値は貸借対照表、損益計算書、事業報告および株主資本等変動計算書の数値、その他決算数値と合致しているか。 | 合致している |
| 2．引当金の明細<br>附属明細書の数値は貸借対照表、損益計算書、事業報告および株主資本等変動計算書の数値、その他決算数値と合致しているか。 | 合致している |
| 3．販売費および一般管理費の明細<br>附属明細書の数値は貸借対照表、損益計算書、事業報告および株主資本等変動計算書の数値、その他決算数値と合致しているか。 | 合致している |

● 作成日　　　　××××年××月××日
● 監査意見
会社の財産および損益の状況をすべての重要な点において適正に表示しているものと認める。

● 担当監査役
常勤監査役　　　　〇〇　〇〇　　印

出所：國吉信男＝松永望＝山崎滋=加藤孝子著『監査役実務入門（3訂版）』国元書房（2021年）図表B18

## 2．期末監査を行う際の留意点　A・B・C・D・E・F・G

### (1) 総務部や財務部との連携　A・B・C・D・E・F・G

期末監査は、定時株主総会と決算関係が中心となる監査であるために、事業年度終了後から実務的に行われる。この時期は、総務部や財務部等も株主総会や決算対応による繁忙時期であることから、監査役の期末監査を行うに際して、総務部等とよく連携をとることが必要である。

例えば、定時株主総会開催までの一連のスケジュールについては、監査役監査報告の提出時期が関与するために、早い段階から日程的な面について総務部から相談や打診があるはずである。したがって、日程調整の段階から、法定に定められた期限内に事業報告等の提出や監査報告の提出が行われるように監査役会や取締役会が設定されているか留意しておくことである。通常は、総務部門としても、法定期限を強く意識した一連のスケジュールを設定する必要から、あらかじめ法定の日程と実際の日程とを対比した一覧表を作成することが一般的であるので、その一覧表を資料として入手し確認する。仮に総務部門が作成していなければ、監査役監査用として作成しておけば、法令の改正がない限りは、毎年利用できる（**【図表１－C】**参照）。

また、総務部や財務部は、事業報告、計算書類、連結計算書類およびこれらの附属明細書を作成し、監査役や会計監査人に提出（事業報告およびその附属明細書は監査役のみ）し、監査役や会計監査人の監査を受けなければならない。事業報告、（連結）計算書類およびこれらの附属明細書の作成期限については、法令上の定めはないものの、監査役および会計監査人の監査のためには、一定の期間が必要であることから、監査役としては、これらの書類の速やかな提出が行われるように関係部門と連携をとっておくことが必要である。例えば、事業報告の記載では、内容的にはほぼ決定しているものの、最後に文言調整などで時間を要する場合もある。事業報告に関する監査役監査は、法定事項が正しく記載されているか否かがポイントであるので、ドラフトの段階から入手して必要事項が記載されているかチェックを行うなどの工夫もあり得る。このためには、期末時期による繁忙期であることを勘案して、前倒し的な対応を行うことを考えてもよいであろう。もっとも、事業報告や計算書類等の最終版が完成した段階で、正式に総務部と財務部から受領する。

### （2）会計監査人の監査の方法および結果の相当性の判断根拠　A・B・C・D

会計監査人設置会社（大会社および委員会型の会社は必置）では、会計監査人が会計関係の監査を実施する。会計監査は、公認会計士または監査法人が監査を行うことにより、会計の職業的専門家として粉飾決算や会計処理の不正を第三者的立場から監査することが目的である。一方、会社法では、監査役が会計監査人の監査に対して、その方法および結果の相当性を判断し（会算規127条２号・128条２項２号）、その結果を監査役(会)監査報告に記載しなければならない。そこで、必ずしも会計の専門家でない監査役の場合、会計監査人による監査の方法および結果の相当性が判断できるのか、また判断するとしてどのような手法があるのかが問題となる。

会社法の下では、会計監査人設置会社の会計監査は、一次的には会計監査人が責任を持って実施するわけであるから、監査役としては、少なくとも、会計監査人の監査の方法および結果に対して一定の信頼を置いてよいであろう。しかし、無条件に信頼を置くのではなく、会計監査人が監査を実施するにあたって、財務部門等からの必要な資料の入手や報告聴取が適切に行われているか、会計監査人自身が会社の業容・業態に応じたリスクを意識した監査を実施しているかなどについて、監査役自身が自ら確認することが必要であり、監査役スタッフもそれをサポートしなければならない。すなわち、財務部門から、会計監査人の監査が問題なかったとの聴取を受けて済ますのではなく、会計監査人の監査の現場に立ち会ったり、会計監査人と財務部門との具体的な質疑等の状況について、その打合せの場に同席したり、質疑の状況等を記した書類を入手することを通じて確認することも大切なことである。

また、会計監査人の内部統制システムともいえる「会計監査人の職務の遂行が適正に実施されることを確保するための体制に関する事項」(会算規127条4号)の整備状況についても、監査役は会計監査人から報告・聴取することを通じて、十分に確認する必要がある。すなわち、会計監査人が遵守すべき監査基準、品質管理基準、監査実務指針などに準拠した監査体制となっているかなどについて、監査役として的確に状況認識しておく必要がある。具体的には、監査法人内の審査体制や監査の関与社員のローテーションが適切に実施されているか、職業的専門家として品質管理基準等の遵守すべき基準を踏まえて監査を実施しているかに関して十分に把握することである。

また、会計監査が十分な資料等の監査証拠に基づくものではないことに監査役が気づいたならば、監査役は、その旨を会計監査人に遅滞なく報告しなければならない。監査役と会計監査人は、各々の監査で知り得た情報の提供と意見交換を行うことによる相互の連携に努めることによって、監査の実効を上げることができ、監査役としては結果として、会計監査人の監査の方法および結果の相当性について判断する基礎になる。

他方、会社法施行規則では、事業報告の中で、監査役が財務および会計に関する相当程度の知見を有している者であるときは、その事実を記載することになっている(会施規121条8号)。このことは、監査役が直ちに財務および会計に関する知見を有していなければならないことを意味するものではないものの、監査役として、財務および会計に関する監査を、無条件に会計監査人に依拠するべきではないことと解される。監査役と会計監査人の相互の連携は重要であるが、監査役が会計監査人と意見交換をしたり質問をしたりする際に、監査役として、財務や会計の知見があることは有益である。また、監査役監査の中でも、財務上の重要な事項（会計方針の変更の妥当性、オフバランス等の重要な会計処理の適正性、重要な資産の取得・処分等の妥当性）については、経営者と会計監査人の意見交換や調整を確認するような消極的な対応にとどまらず、必要に応じて、監査役が自ら財務部門の監査役監査の際に確認することも重要である。仮に監査役に財務の知見を有する者が存在しない場合は、財務経験のある監査役スタッフが、監査役を全面的にサポートし、会計監査人の監査の相当性について、監査役が自信を持った判断ができるように積極的な役割を果たすべきであろう。

したがって、財務の知見を有する監査役が就任していない場合は、少なくとも監査役スタッフには、財務経験者を配置するように人事部門や財務部門に要請するなどの工夫が必要と思われる。

### Q&A 会計監査報告の透明化

**Q** KAMとは何か。

**A** KAMとは、「Key Audit Matters」の頭文字を取ったものであり、当該事業年度における会計監査上の主要な検討事項のことである。国際監査・保証基準審議会（IAASB）が、国際監査基準の改訂の際に、会計監査人に対して、当該事業年度の監査報告にKAMを記載することを要求した。これを一つの契機として、金融庁が「『監査報告書の透明化』について」（2017年6月）を公表し、企業会計審議会において、具体的な検討を進めていくことになった。

KAMは、監査役や監査(等)委員とのコミュニケーションを行った事項の中から決定されることから、監査役等が会計監査人の監査品質の向上を判断する上でも、重要な内容を含んでいる（**詳細は、第3章．Ⅰ．4．KAMと監査役**参照）。

**[参考1－3] 監査役と会計監査人の連携**

日本監査役協会が「第22回インターネットアンケート集計結果」をまとめた中で、監査役が会計監査人の報酬に関する同意権を行使するにあたり、取締役等の社内経営執行部門と会計監査人とのどちらから情報提供を受けているかについての結果が示されている（日本監査役協会「役員等の構成の変化などに関する第22回インターネットアンケート集計結果」（2022年5月18日公表）月刊監査役736号別冊付録、73～74頁（2022年））。

この集計結果によると、会計監査人の報酬同意に関して担当取締役等から情報提供があったとする会社が93.7%であるのに対して、会計監査人からの情報提供は、79.7%にとどまっている（下記、アンケート結果抜粋参照）。

会計監査人が会計監査を実施するにあたって、その報酬が経営執行部門から不当に抑制されていると十分な監査を実施できない可能性がある。したがって、監査役としては、経営執行部門等からの情報提供にとどまらず、会計監査人からも情報提供を受けた上で意見交換を行い、会計監査人が会計監査を行うにあたり妥当な監査報酬を受けているか検討した上で、最終的に監査役として同意するか否かを判断することが適切なプロセスである。この点からは、監査役と会計監査役との連携をさらに深める余地はあるように思われる。

◎アンケート結果抜粋

問．会計監査人報酬同意に関する担当取締役等からの情報提供の有無（監査役設置会社）

| | 全体 | 内訳 | 上場会社 | | 非上場会社 | |
|---|---|---|---|---|---|---|
| あった | 2,494社 | （93.7%） | 1,293社 | （96.1%） | 1,201社 | （91.1%） |
| なかった | 169社 | （6.3%） | 52社 | （3.9%） | 117社 | （8.9%） |
| 合　計 | 2,663社 | | 1,345社 | | 1,318社 | |

問．会計監査人報酬同意に関する会計監査人からの情報提供の有無

| | 全体 | 内訳 | 上場会社 | | 非上場会社 | |
|---|---|---|---|---|---|---|
| あった | 2,122社 | （79.7%） | 1,089社 | （81.0%） | 1,033社 | （78.4%） |
| なかった | 541社 | （20.3%） | 256社 | （19.0%） | 285社 | （21.6%） |
| 合　計 | 2,663社 | | 1,345社 | | 1,318社 | |

# Ⅴ．監査報告作成

## 要　点

○監査報告は、事業年度における監査の集大成である。

○監査報告の内容は、事業報告や計算関係書類の監査の内容を含む。

○監査役監査報告は、監査役が独任制であることから各監査役が個別に作成することが基本であるが、監査役間で十分に審議し、意見形成を図った上で、一通にまとめることもできる。その上で、監査役会設置会社では、監査役会監査報告を作成する。

○監査役会監査報告において、個別に監査意見がある監査役は、その意見を記載することも可能である。

○委員会型の会社では、監査(等)委員会で十分に意見交換・議論を行った上で、監査(等)委員会監査報告としてまとめる。

## 解　説

監査役は、事業報告や計算関係書類を受領したときは、監査報告を作成しなければならない（会施規129条１項、会算規127条）。その上で、特定監査役は、特定取締役に通知する（会施規132条１項、会算規132条１項）。また監査役会設置会社においては、各監査役が作成した監査役監査報告に基づいて、監査役会監査報告を作成し、監査役会監査報告を特定取締役に通知する。監査報告作成の手順としては、①取締役から監査役に事業報告、取締役から監査役と会計監査人に計算書類およびその附属明細書を提出、②会計監査人から会計監査報告を取締役および監査役に提出、③監査役(会)監査報告を取締役および会計監査人に提出、である（決算手続日程は**【図表１－C】**参照）。なお、監査役会設置会社の場合、各監査役の監査報告は、監査役会監査報告とは異なり、取締役への通知は不要である。

監査役監査報告または監査役会設置会社における監査役会監査報告は、事業年度の監査の集大成の結果ともいうべきものであり、その記載にあたり、期中監査や期末監査活動の結果を振り返って、複数の監査役が就任している場合は、監査役は独任制とはいえ、監査役間で十分に審議・協議した上で、記載しなければならない。

一方、指名委員会等設置会社や監査等委員会設置会社における監査(等)委員会報告は、監査(等)委員は独任制ではないために、監査(等)委員会で十分に議論した上で、決議をする。監査報告の作成手順は、監査役会監査報告と同様である（会施規130条の2・131条)。

## 1．監査役(会)監査報告記載事項　A・D・E・F・G

### (1) 事業報告に対する記載事項　A・D・E・F

会社法では、事業報告と計算書類は別立てとなったため、事業報告の監査は、すべて監査役の監査事項となっている。事業報告に関する監査役監査報告の内容は、

①監査役の監査（計算書類に係るものを除く）の方法およびその内容

②事業報告およびその附属明細書が法令または定款に従い、会社の状況を正しく示しているかどうかについての意見

③取締役の職務の遂行に関し、不正の行為または法令もしくは定款に違反する重大な事実があったときは、その事実

④監査のため必要な調査ができなかったときは、その旨およびその理由

⑤内部統制システムの整備についての決定または決議（監査の範囲に属さないものを除く）の内容の概要および当該体制の運用状況の概要が相当でないと認めるときは、その旨およびその理由

⑥会社の支配に関する基本方針に関する事項、もしくは親子会社間の取引に係る事項が事業報告の内容となっているときは、当該事項についての意見

⑦監査役監査報告を作成した日

の7項目である（会施規129条1項)。

監査役会監査報告の場合は、②～⑥は監査役監査報告の内容と同様であり、①と⑦が若干異なる。すなわち、監査役会監査報告では、

①に対して、監査役および監査役会の監査の方法およびその内容

⑦に対して、監査役会監査報告を作成した日

となる（会施規130条2項)。

### （2）計算関係書類に対する記載事項　A・D

#### 1）会計監査人設置会社　A・D

計算関係書類に関しては、

①監査役の監査の方法およびその内容

②会計監査人の監査の方法または結果を相当でないと認めたときは、その旨およびその理由（期限までに会計監査人の監査報告を受領していない場合は、会計監査人の監査報告を受領していない旨）

③重要な後発事象（会計監査報告の内容となっているものを除く）

④会計監査人の職務の遂行が適正に実施されることを確保するための体制に関する事項

⑤監査のため必要な調査ができなかったときは、その旨およびその理由

⑥監査役監査報告を作成した日

の６項目である（会算規127条）。

事業報告に対する記載事項と同様、監査役会監査報告においては、①の監査役の監査の方法およびその内容に、「監査役会の監査の方法およびその内容」も加わり、監査役会監査報告を作成した日を記載する（会算規128条２項）。

この中では、④の「会計監査人の職務の遂行が適正に実施されることを確保するための体制」がいわゆる会計監査人の内部統制システムである。

#### 2）会計監査人非設置会社　E・F・G

会計監査人設置会社と異なり、監査役が会計監査人の監査報告を代替する機能を持つことになるため、計算関係書類に関する監査役監査報告の内容も異なる（事業報告に関する監査役監査報告は同じである）。具体的には、会計監査人の監査の方法または結果の相当性の代わりに、自らが監査した結果として、計算関係書類が会社の財産および損益の状況をすべての重要な点において適正に表示しているかどうかについての意見と追記情報について記載する必要がある。追記情報の具体的な内容としては、①正当な理由による会計方針の変更、②重要な偶発事象、③重要な後発事象、の事項のうち、監査役の判断に関して説明を付す必要がある事項または計算関係書類の内容のうち強調する必要がある事項のことである（会算規122条２項）。

会計監査人非設置会社における監査役監査報告は、（**【図表１－C】**参照）。

**【図表１－C】会計監査人非設置会社監査報告**

注：日本監査役協会公表のひな型[1)]

＊令和５年１月１日時点のひな型です。日本監査役協会のHPで改正のひな型となっているか確認してください。

# 監　査　報　告　書

平成○年○月○日から平成○年○月○日までの第○○期事業年度の取締役の職務の執行に関して、本監査報告書を作成し、以下のとおり報告いたします。

1．監査の方法及びその内容

私は、取締役及び使用人等と意思疎通を図り、情報の収集及び監査の環境の整備に努めるとともに、取締役会その他重要な会議に出席し、取締役及び使用人等からその職務の執行状況について報告を受け、必要に応じて説明を求め、重要な決裁書類等を閲覧し、本社及び主要な事業所において業務及び財産の状況を調査いたしました。子会社については、子会社の取締役及び監査役等と意思疎通及び情報の交換を図り、必要に応じて子会社から事業の報告を受けました。以上の方法に基づき、当該事業年度に係る事業報告及びその附属明細書について検討いたしました。

さらに、会計帳簿及びこれに関する資料の調査を行い、当該事業年度に係る計算書類（貸借対照表、損益計算書、株主資本等変動計算書及び個別注記表）及びその附属明細書について検討いたしました。

2．監査の結果

(1)　事業報告等の監査結果

①　事業報告及びその附属明細書は、法令及び定款に従い、会社の状況を正しく示しているものと認めます。

②　取締役の職務の執行に関する不正の行為又は法令若しくは定款に違反する重大な事実は認められません。

(2)　計算書類及びその附属明細書の監査結果

計算書類及びその附属明細書は、会社の財産及び損益の状況をすべての重要な点において適正に表示しているものと認めます。

3．追記情報（記載すべき事項がある場合）

平成○年○月○日

○○○○株式会社

常勤監査役　　○○○○㊞

（自　署）

## 2．監査役(会)監査報告作成の手続　A・D・E・F・G

監査役が一人の場合は、その監査役の監査報告が、そのまま最終の監査報告となるが、複数の監査役が就任していたり、監査役会設置会社の場合は、監査役間で十分に審議することが必要である。例えば、監査役会が監査報告を作成する場合は、少なくとも１回以上は、監査役会を開催して審議するか、または情報の送受信により同時に意見交換を行うことができる方法により、監査役会監査報告を作成する義務がある（会施規130条３項、会算規128条３項）。「情報の送受信により同時に意見交換を行うことができる方法」とは、電話会議やテレビ会議のように、その場で意見交換を行う手段を指している。

また、監査役会設置会社ではない複数の監査役が就任している会社においても、監査役監査報告を作成の際は、監査役間で十分に審議し、意見形成を図った上で監査報告の作成を行うことに心掛けるべきである。監査役会設置会社の場合においては、監査役監査報告をベースにして、監査役会監査報告を作成することになろう（【図表１－D】参照）。

なお、監査役監査報告は、監査役の独任制を勘案すると、各々の監査役が作成することが原則であるが、形式的には、連名による一通の監査報告書という形でとりまとめることも可能である。しかし、その場合でも、常勤の社内監査役と非常勤の社外監査役では、監査の範囲や方法・内容が異なることが普通であるため、一通の監査報告書の中でも、この点を明瞭に分けて書面を作成するなどの工夫を凝らすことが望ましい。実務的には、常勤監査役と社外監査役で各々一通を作成する会社が多いようである。また、内容的にも、前述したように事業報告に関する監査報告と計算書類等に関する監査報告に各々記載すべき事項があるが、通常は、一通の監査報告にまとめて記載する様式が一般的である。

さらに、会計監査人の監査報告は、単体と連結を分離した会計監査人監査報告を作成する場合が多いが、その場合であっても、監査役(会)監査報告は、単体と連結の計算書類に関する監査報告を一通の監査報告にまとめることが可能である。作成通数については、法令上特段の規定はないことから、記載の分量や見易さなどを勘案して、決定すればよいものと思われる。

**【図表１－Ｄ】監査役監査報告と監査役会監査報告**

注１：日本監査役協会が公表しているもので比較（令和５年１月１日時点でのひな型）
注２：監査役監査報告に対して、監査役会監査報告の記載で異なる箇所が下線部

| 監査役監査報告 | 監査役会監査報告 |
|---|---|
| 平成○年○月○日から平成○年○月○日までの第○○期事業年度の取締役の職務の執行に関して、本監査報告書を作成し、以下のとおり報告いたします。 | 当監査役会は、平成○年○月○日から平成○年○月○日までの第○○期事業年度の取締役の職務の執行に関して、各監査役が作成した監査報告書に基づき、審議の上、本監査報告書を作成し、以下のとおり報告いたします。 |
| １．監査の方法及びその内容 | １．監査役及び監査役会の監査の方法及びその内容<br>（１）監査役会は、監査の方針、職務の分担等を定め、各監査役から監査の実施状況及び結果について報告を受けるほか、取締役等及び会計監査人からその職務の執行状況について報告を受け、必要に応じて説明を求めました。 |
| 私は、監査役が定めた監査役監査の基準に準拠し、監査の方針、職務の分担等に従い、取締役、内部監査部門その他の使用人等と意思疎通を図り、情報の収集及び監査の環境の整備に努めるとともに、以下の方法で監査を実施しました。<br>① 取締役会その他重要な会議に出席し、取締役及び使用人等からその職務の執行状況について報告を受け、必要に応じて説明を求め、重要な決裁書類等を閲覧し、本社及び主要な事業所において業務及び財産の状況を調査いたしました。また、子会社については、子会社の取締役及び監査役等と意思疎通及び情報の交換を図り、必要に応じて子会社から事業の報告を受けました。<br>② 事業報告に記載されている取締役の職務の執行が法令及び定款に適合することを確保するための体制その他株式会社及びその子会社から成る企業集団の業務の適正を確保するために必要なものとして会社法施行規則第100条第１項及び第３項に定める体制の整備に関する取締役会決議の内容及 | （２）各監査役は、監査役会が定めた監査役監査の基準に準拠し、監査の方針、職務の分担等に従い、取締役、内部監査部門その他の使用人等と意思疎通を図り、情報の収集及び監査の環境の整備に努めるとともに、以下の方法で監査を実施しました。<br>① 取締役会その他重要な会議に出席し、取締役及び使用人等からその職務の執行状況について報告を受け、必要に応じて説明を求め、重要な決裁書類等を閲覧し、本社及び主要な事業所において業務及び財産の状況を調査いたしました。また、子会社については、子会社の取締役及び監査役等と意思疎通及び情報の交換を図り、必要に応じて子会社から事業の報告を受けました。<br>② 事業報告に記載されている取締役の職務の執行が法令及び定款に適合することを確保するための体制その他株式会社及びその子会社から成る企業集団の業務の適正を確保するために必要なものとして会社法施行規則第100条第１項及び第３項に定める体制の整備に関する取締役会決議の内容及 |

び当該決議に基づき整備されている体制（内部統制システム）について、取締役及び使用人等からその構築及び運用の状況について定期的に報告を受け、必要に応じて説明を求め、意見を表明いたしました。

③　事業報告に記載されている会社法施行規則第118条第３号イの基本方針及び同号ロの各取組み並びに会社法施行規則第118条第５号イの留意した事項及び同号ロの判断及び理由については、取締役会その他における審議の状況等を踏まえ、その内容について検討を加えました。

④　会計監査人が独立の立場を保持し、かつ、適正な監査を実施しているかを監視及び検証するとともに、会計監査人からその職務の執行状況について報告を受け、必要に応じて説明を求めました。また、会計監査人から「職務の執行が適正に行われることを確保するための体制」（会社計算規則第131条各号に掲げる事項）を「監査に関する品質管理基準」（平成17年10月28日企業会計審議会）等に従って整備している旨の通知を受け、必要に応じて説明を求めました。

以上の方法に基づき、当該事業年度に係る事業報告及びその附属明細書、計算書類（貸借対照表、損益計算書、株主資本等変動計算書及び個別注記表）及びその附属明細書並びに連結計算書類（連結貸借対照表、連結損益計算書、連結株主等変動計算書及び連結注記表）について検討いたしました。

２．監査の結果

（１）事業報告等の監査結果

①　事業報告及びその附属明細書は、法令及び定款に従い、会社の状況を正しく示しているものと認めます。

②　取締役の職務の執行に関する事業報告の記載内容及び不正の行為又は法令若しくは定款に違反する重大な事実は認められません。

び当該決議に基づき整備されている体制（内部統制システム）について、取締役及び使用人等からその構築及び運用の状況について定期的に報告を受け、必要に応じて説明を求め、意見を表明いたしました。

③　事業報告に記載されている会社法施行規則第118条第３号イの基本方針及び同号ロの各取組み並びに会社法施行規則第118条第５号イの留意した事項及び同号ロの判断及び理由については、取締役会その他における審議の状況等を踏まえ、その内容について検討を加えました。

④　会計監査人が独立の立場を保持し、かつ、適正な監査を実施しているかを監視及び検証するとともに、会計監査人からその職務の執行状況について報告を受け、必要に応じて説明を求めました。また、会計監査人から「職務の遂行が適正に行われることを確保するための体制」（会社計算規則第131条各号に掲げる事項）を「監査に関する品質管理基準」（平成17年10月28日企業会計審議会）等に従って整備している旨の通知を受け、必要に応じて説明を求めました。

以上の方法に基づき、当該事業年度に係る事業報告及びその附属明細書、計算書類（貸借対照表、損益計算書、株主資本等変動計算書及び個別注記表）及びその附属明細書並びに連結計算書類（連結貸借対照表、連結損益計算書、連結株主資本等変動計算書及び連結注記表）について検討いたしました。

２．監査の結果

（１）事業報告等の監査結果

①　事業報告及びその附属明細書は、法令及び定款に従い、会社の状況を正しく示しているものと認めます。

②　取締役の職務の執行に関する事業報告の記載内容及び不正の行為又は法令若しくは定款に違反する重大な事実は認められません。

③　内部統制システムに関する取締役会決議の内容は相当であると認めます。また、当該内部統制システムに関する取締役の職務の執行についても、指摘すべき事項は認められません。

④　事業報告に記載されている会社の財務及び事業方針の決定を支配する者の在り方に関する基本方針については、指摘すべき事項は認められません。事業報告に記載されている会社法施行規則第118条第３号ロの各取組みは、当該基本方針に沿ったものであり、当社の株主共同の利益を損なうものではなく、かつ、当社の会社役員の地位の維持を目的とするものではないと認めます。

⑤　事業報告に記載されている親会社等との取引について、当該取引をするに当たり当社の利益を害さないように留意した事項及び当該取引が当社の利益を害さないかどうかについての取締役会の判断及びその理由について、指摘すべき事項は認められません。

（２）計算書類及びその附属明細書の監査結果
　会計監査人○○○○の監査の方法及び結果は相当であると認めます。

（３）連結計算書類の監査結果
　会計監査人○○○○の監査の方法及び結果は相当であると認めます。

３．後発事象（重要な後発事象がある場合）

平成○年○月○日
○○○株式会社
常勤監査役　○○○○印

③　内部統制システムに関する取締役会決議の内容は相当であると認めます。また、当該内部統制システムに関する取締役の職務の執行についても、指摘すべき事項は認められません。

④　事業報告に記載されている会社の財務及び事業方針の決定を支配する者の在り方に関する基本方針については、指摘すべき事項は認められません。事業報告に記載されている会社法施行規則第118条第３号ロの各取組みは、当該基本方針に沿ったものであり、当社の株主共同の利益を損なうものではなく、かつ、当社の会社役員の地位の維持を目的とするものではないと認めます。

⑤　事業報告に記載されている親会社等との取引について、当該取引をするに当たり当社の利益を害さないように留意した事項及び当該取引が当社の利益を害さないかどうかについての取締役会の判断及びその理由について、指摘すべき事項は認められません。

（２）計算書類及びその附属明細書の監査結果
　会計監査人○○○○の監査の方法及び結果は相当であると認めます。

（３）連結計算書類の監査結果
　会計監査人○○○○の監査の方法及び結果は相当であると認めます。

３．監査役○○○○の意見（異なる監査意見がある場合）

４．後発事象（重要な後発事象がある場合）

平成○年○月○日
○○○株式会社　監査役会
常勤監査役　○○○○印
常勤監査役（社外監査役）　○○○○印
社外監査役　○○○○印
監査役　○○○○印

COLUMN

●監査役監査報告と監査役監査報告書●

旧商法下では、「監査役監査報告書」と呼ばれていたものが、会社法下では、「監査役監査報告」と規定されている。会社法では、監査役監査報告を書面に限定せずに、電磁的方法による作成を認めるようになったために、書面である「監査役監査報告書」ではなく、包括的に「監査役監査報告」としたのである。

もっとも、各社の株主招集通知の参考書類を見る限り、監査役監査報告書を作成し、その謄本を添付している会社が圧倒的である。

## 3．監査役(会)監査報告の作成上の工夫　A・D・E・F・G

監査役(会)監査報告は、事業年度の監査結果の集大成であることから、本来は、各社が法的に記載すべき事項の漏れがない限り、独自の記載方法であるはずのものである。しかし、実際は、日本監査役協会や日本経済団体連合会が提示しているひな型に則って、固有名詞等の必要最低限の変更を行った上で、監査役(会)監査報告としている会社が圧倒的に多い。もちろん、監査役または監査役会において、監査役(会)監査報告を作成するにあたって、十分に審議・協議した結果、ひな型とほぼ同じ記載状況になることはあり得よう。しかし、少なくとも、監査の方法およびその内容は各社によって異なっているなど、独自の記載を行うことを積極的に検討してもよいのではないであろうか。以下、日本経済団体連合会のひな型と日本監査役協会のひな型を参考にしつつ、工夫してもよいと思われる点を検討してみたい（【図表１－E】参照）。

**【図表1－E】監査役会監査報告　ひな型比較**（令和6年3月29日時点のひな型）

注：会社機関設計が、「取締役会＋監査役会＋会計監査人」である会社

| 日本経済団体連合会　ひな型 | 日本監査役協会　ひな型 |
|---|---|
| ○年○月○日<br>監査役会監査報告<br>○○株式会社監査役会<br>監査役　○○<br>監査役　○○<br>監査役　○○ | 監査役会監査報告書 |
| 第○期事業年度の事業報告、計算書類、これらの附属明細書、連結計算書類その他取締役の職務の執行の監査について、次のとおり報告します。 | 当監査役会は、○○○○年○月○日から○○○○年○月○日までの第○○期事業年度における取締役の職務の執行に関して、各監査役が作成した監査報告書に基づき、審議の上、本監査報告書を作成し、以下のとおり報告いたします。 |
| 1　監査役及び監査役会の監査の方法及びその内容<br>監査役会が監査方針、監査基準及び監査計画を定めた上で、各監査役が分担して、必要な調査を行い、その結果を監査役会で報告及び協議して、監査を実施しました。監査にあたっては、監査役室の職員を補助として使用し、内部監査部と連携して調査等を行いました。<br>具体的には、取締役会その他の重要な会議に出席し、重要な決裁文書や報告書を閲覧し、当社の取締役等及び会計監査人から、職務の執行状況等について定期的に報告を受け、また、随時説明を求めるとともに、海外拠点を含む事業所に赴き実地調査を行いました。<br>当社子会社についても、取締役等から報告を受け、説明を求め、また、実地調査を行いました。<br>会計監査人の職務の遂行が適正に実施されることを確保するための体制に関しては、会計監査人より監査に関する品質管理基準（平成17年10月28日企業会計審議会）等にしたがって整備している旨の通知を受けました。<br>なお、監査役○○は常勤監査役であり、監査役○○は社外監査役です。 | 1．監査役及び監査役会の監査の方法及びその内容<br>（1）監査役会は、監査の方針、職務の分担等を定め、各監査役から監査の実施状況及び結果について報告を受けるほか、取締役等及び会計監査人からその職務の執行状況について報告を受け、必要に応じて説明を求めました。<br>（2）各監査役は、監査役会が定めた監査役監査の基準に準拠し、監査の方針、職務の分担等に従い、取締役、内部監査部門その他の使用人等と意思疎通を図り、情報の収集及び監査の環境の整備に努めるとともに、以下の方法で監査を実施いたしました。<br>①　取締役会その他重要な会議に出席し、取締役及び使用人等からその職務の執行状況について報告を受け、必要に応じて説明を求め、重要な決裁書類等を閲覧し、本社及び主要な事業所において業務及び財産の状況を調査いたしました。また、子会社については、子会社の取締役及び監査役等と意思疎通及び情報の交換を図り、必要に応じて子会社から事業の報告を受けました。<br>②　事業報告に記載されている取締役の職務の執行が法令及び定款に適合することを |

2　監査の結果

（１）事業報告及びその附属明細書は法令及び定款に従い当社の状況を正しく表示しています。
（２）取締役の職務の遂行に関し、不正の行

確保するための体制その他株式会社及びその子会社から成る企業集団の業務の適正を確保するために必要なものとして会社法施行規則第100条第１項及び第３項に定める体制の整備に関する取締役会決議の内容及び当該決議に基づき整備されている体制（内部統制システム）について、取締役及び使用人等からその構築及び運用の状況について定期的に報告を受け、必要に応じて説明を求め、意見を表明いたしました。
③　事業報告に記載されている会社法施行規則第118条第３号イの基本方針及び同号ロの各取組み並びに会社法施行規則第118条第５号イの留意した事項及び同号ロの判断及び理由については、取締役会その他における審議の状況等を踏まえ、その内容について検討を加えました。
④　会計監査人が独立の立場を保持し、かつ、適正な監査を実施しているかを監視及び検証するとともに、会計監査人からその職務の執行状況について報告を受け、必要に応じて説明を求めました。また、会計監査人から「職務の遂行が適正に行われることを確保するための体制」（会社計算規則第131条各号に掲げる事項）を「監査に関する品質管理基準」（企業会計審議会）等に従って整備している旨の通知を受け、必要に応じて説明を求めました。
以上の方法に基づき、当該事業年度に係る事業報告及びその附属明細書、計算書類（貸借対照表、損益計算書、株主資本等変動計算書及び個別注記表）及びその附属明細書並びに連結計算書類（連結貸借対照表、連結損益計算書、連結株主資本等変動計算書及び連結注記表）について検討いたしました。

2．監査の結果
（1）事業報告等の監査結果
①　事業報告及びその附属明細書は、法令及び定款に従い、会社の状況を正しく示しているものと認めます。
②　取締役の職務の執行に関する不正の行

| | |
|---|---|
| 為又は法令若しくは定款に違反する重大な事実はありません。 | 為又は法令もしくは定款に違反する重大な事実は認められません。 |
| （3）当社の業務の適正を確保するために必要な体制の整備等についての取締役会の決議の内容は相当であり、当該体制の運用状況につき指摘すべき事項はありません。 | ③　内部統制システムに関する取締役会決議の内容は相当であると認めます。また、当該内部統制システムに関する事業報告の記載内容及び取締役の職務の執行についても、指摘すべき事項は認められません。 |
| （4）当社の財務及び事業の方針の決定を支配する者の在り方に関する基本方針の内容及び当社と当社の親会社等との間の取引にかかる事項等についても、指摘すべき事項はありません。 | ④　事業報告に記載されている会社の財務及び事業方針の決定を支配する者の在り方に関する基本方針については、指摘すべき事項は認められません。事業報告に記載されている会社法施行規則第118条第３号ロの各取組みは、当該基本方針に沿ったものであり、当社の株主共同の利益を損なうものではなく、かつ、当社の会社役員の地位の維持を目的とするものではないと認めます。<br>⑤　事業報告に記載されている親会社等との取引について、当該取引をするに当たり当社の利益を害さないように留意した事項及び当該取引が当社の利益を害さないかどうかについての取締役会の判断及びその理由について、指摘すべき事項は認められません。 |
| | （2）計算書類及びその附属明細書の監査結果<br>会計監査人○○○○の監査の方法及び結果は相当であると認めます。 |
| （5）会計監査人○○監査法人の監査の方法及び結果は相当です。 | （3）連結計算書類の監査結果<br>会計監査人○○○○の監査の方法及び結果は相当であると認めます。 |
| 3　会計監査報告の内容となっていない重要な後発事象 | 3．監査役○○○○の意見（異なる監査意見がある場合） |
| 4　監査役○○の監査報告の内容 | 4．後発事象（重要な後発事象がある場合） |
| | ○○○○年○月○日<br>○○○株式会社　監査役会<br>常勤監査役　○○○○印<br>常勤監査役（社外監査役）○○○○印<br>社外監査役　○○○○印<br>監査役　○○○○印 |

### 1）監査役及び監査役会の監査の方法及びその内容について

旧商法では、「監査の方法の概要」となっていたが、会社法においては、「監査の方法およびその内容」の記載を要請していることから、旧商法下より具体的に監査の方法と内容を記載する必要がある。

例えば、事業年度において、特に重点を置いた監査項目を設定した場合は、「取締役の職務の執行が法令及び定款に適合することを確保するための体制および業務の適正を確保するための体制の構築・運用状況を重点監査項目として設定し」などの文言を挿入することが考えられる。また、各監査役が監査を遂行するにあたり依拠した基準や要綱などを具体的に記載したり、重要会議や重要文書についても、特に重要なものは、その具体名を明示することもあり得る。

さらに、会社法では、会計監査人の監査の方法等の中で、会計監査人の「職務の遂行が適正に行われることを確保するための体制」に関しても、監査役として確認する必要があるが、具体的な確認を行った場合はそれを記載することも考えられる。

### 2）監査の結果について

監査役は、取締役の職務執行を監査することが役割であることから、取締役の職務執行に法令・定款違反がないことの有無が、監査役(会)監査報告の最大の結果報告となる。そのために、事業年度における監査活動を通じ、監査役間で意見形成を行った結果を記載する。会社によっては、監査役(会)監査報告の作成の前に、念のために取締役職務執行確認書の類を提出させている会社もある（**【様式１－18】**参照）。

#### ア）内部統制システム

監査の結果の記載で一番難しいのは、内部統制システムに関する内容である。会社法上は、内部統制システムに関する取締役会決議の内容及び当該体制の運用状況の概要の相当性について、当該事項の内容が相当でないと認めるときは、その旨及びその理由を記載することで足りるが（会施規129条１項５号・130条２項２号)、内部統制システムに関する取締役会決議に沿って、適切に構築・運用されているか確認した上で記載することが重要である。内部統制システムは一度体制を構築すれば足りるということではなく、運用状況の適切性を検証しながら定期的に見直されるはずのものである。したがって、執行部門の構築・運用状況を監査の過程で確認した上で、監査の結果の中で、内部統制システムの運用状況も含めて、「また、当該内部統制システムに関する取締役の職務の執行についても、

## 【様式１－18】取締役の職務執行についての確認書例

取締役職務執行確認書

令和○年○○月○日

取締役各位

監査役会議長

○○○○

**取締役の職務執行についての確認のお願い**

取締役各位におかれましては、日頃、会社法並びに定款に基づき、職務執行にあたって頂いておりますが、会社法は監査役にその取締役の職務執行に関する業務監査をするよう求めております。つきましては、本年も下記記載の各事項についてご確認をお願いします。

**１．取締役の監査役への報告義務についての確認**

監査役に報告していない巨額の損失を生じる恐れのある事実はないこと。

**２．取締役の善管注意義務及び忠実義務、並びに不正の取引についての確認**

善管注意義務・忠実義務違反を含め、不正の行為または法令および定款に違反する行為はなかったこと。

**３．内部統制システムの構築・監視義務についての確認**

不正の取引・支払等の未然防止並びに発見のための内部統制システムが整備されていること、且つそのシステムが有効に作動していること。

**４．下記の取引についての確認**

次の取引はなかったこと。

①取締役の競業取引
②取締役会社間の自己取引、利益相反取引
③無償の利益供与
④株主、子会社との通例でない取引

以上

令和○年○○月○日

監査役会　御中

**取締役業務執行確認書**

上記1～4の各項目について、取締役の義務違反、もしくは該当する行為・事実を確認したところ、私の知る限り、該当する事項がなかったことを通知いたします。

取締役　署名捺印 ＿＿＿＿＿＿＿

**【図表１－Ｆ】内部統制システムに関する監査報告記載事例**

| | 「ひな型」への準拠 | 記載事例 |
|---|---|---|
| A社 | 日本経団連<br>ひな型どおり | 当社の業務の適正を確保するために必要な体制の整備等についての取締役会の決議の内容は相当であり、当該体制の運用状況については、指摘すべき事項はありません。 |
| B社 | 日本監査役協会<br>ひな型どおり | 内部統制システムに関する取締役会決議の内容は相当であると認めます。<br>また、当該内部統制システムに関する事業報告の記載内容及び取締役の職務の執行についても、指摘すべき事項は認められません。 |
| C社 | | 内部統制システムに関する取締役会決議の内容及び運用状況は相当であると認めます。 |
| D社 | | 内部統制システムに関する取締役会決議の内容は相当であると認めます。<br>また、当該内部統制システムに関する取締役の職務の執行についても、指摘すべき事項は認められません。(注）事業報告に記載のとおり、……に関し、課徴金納付命令を受け、・・億円を国庫に納付しております。又、この事態を踏まえ、当社グループの内部統制について再度検討を加えた結果、平成○年○月○日に開催された取締役会において内部統制基本方針の改定を決議しております。 |
| E社 | | 内部統制システムに関する取締役会決議の内容及び運用状況は相当であると認めます。<br>また、当該内部統制システムの整備・運用状況については、継続的な改善が図られているものと認めます。 |
| F社 | 前段、日本監査役協会ひな型どおり | なお、事業報告書に記載の通り、……が判明し多額の損失を計上し内部統制システムが十分に機能しなかったおそれも認められますが、必要な管理の見直しを行うとともに、…、管理体制の一層の強化に努めていきます。 |
| G社 | | 内部統制システムに関する取締役会決議の内容は相当でしたが、内部統制システムの運用については、適正であると認められません。 |
| H社 | 前段、日本監査役協会ひな型どおり | 監査役○○の意見<br>監査役○○は、上記のうち、内部統制システムに関する判断には同意しません。内部統制システムに関する取締役の職務の執行については相当であるとはいえません。…（略)。…について、…の是正を求めましたが、相当日数後も是正されませんでした。…再発防止のための諸施策が有効かつ適切に実施されたとはいえません。したがって、内部統制システムに関する取締役の職務の執行が適切に為されず、相当であるとはいえません。 |

指摘すべき事項は認められません」と記載するか、「当該内部統制システムの構築・運用状況については、指摘すべき事項は認められません」などと記載することが考えられる。

なお、事業年度にマスメディアに報道されるような企業不祥事が発生した場合は、内部統制システムに関係する場合が多いため、記載については工夫を要するであろう。すなわち、軽微ではない企業不祥事が発生した場合に、内部統制システムについて「相当である」とか「指摘事項は無い」旨を記載することは躊躇するはずであり、基本的な考え方としては、企業不祥事の重要性（損害の程度、過失性、社会的な影響等）に基づいて個別に判断した上で相当性について判断することになる。一方で企業不祥事と内部統制システムについて相当の因果関係がないと判断する場合においては、内部統制システムの相当性は問題無い旨を記載した上で、不祥事の内容事実とそれに対する監査役としての今後の対応を簡潔に記載することが一般的である（**【図表１－Ｆ】**参照）。

イ）財務報告に係る内部統制の記載

平成20年４月１日以降の事業年度から適用となった財務報告に係る内部統制システム（**第３章．Ⅱ．２．金融商品取引法と内部統制システム**を参照）について、監査役(会)監査報告でどのように対応するかという論点がある。

監査役(会)監査報告は、会社法上の規定に則って記載するため、金融商品取引法で規定されている内部統制システムに関して、特に記載する必要はない。また、監査役は、取締役の職務執行を監査する観点から、内部統制システムの整備状況を監査することになるが、内部統制システムの中には、財務報告に係る内部統制システムも実際には包含されている。このような点から考えると、内部統制システムに関して、監査の方法とその内容、および監査の結果について、従前通りの記載をすれば足りるということになる。

一方で、財務報告に係る内部統制システムについては、経営者自らが内部統制報告書の形で、事業年度における運用状況を評価することから、帳簿類の整備・保管などをはじめ、多くの会社の執行部門は多大な準備とコストをかけてきた。また、監査役としても、経営者の評価結果や監査人（公認会計士または監査法人）の監査結果は、金融商品取引法上の財務諸表と会社法に規定されている計算書類との重複した記載事項も多々あることから、財務諸表の作成過程に内部統制上の開示すべき重要な不備がある場合は、監査役(会)監査報告における計算書類の監査結果と無関係というわけにはいかない。このために、監査活動の一環として、財務報告に係る内部統制システムの整備状況について監査役として注視し、多くの監査役は、財務部門や監査人との連携を深めている。さらに、有価証券報告書の虚偽記載をめぐる係争がマスメディアで報道されたこともあり、社会的な関心も高くなっている。

このような状況を踏まえると、監査役(会)監査報告の中に、財務報告に係る内部統制システムについて自主的に記載することも考えられる。特に、内部統制システムに開示すべき重要な不備が存在する場合は、株主に対する開示の観点から、積極的に記載すべきであるとの考え方もあり得るところである。

そこで、日本監査役協会では、「財務報告に係る内部統制報告制度の下での監査報告書記載上の取扱いについて」として、文例集を公表した。以下、その文例を参考までに示す。

**[参考1－4] 監査報告書文例集（内部統制報告制度）**

1．監査の方法及びその内容

〈文例1〉

「なお、財務報告に係る内部統制については、取締役等及び○○○○監査法人から当該内部統制の評価及び監査の状況について報告を受け、必要に応じて説明を求めました。」

〈文例2〉

「さらに、財務報告に係る内部統制について、取締役等及び○○○○監査法人から、両者の協議の状況並びに当該内部統制の評価及び監査の状況について報告を受け、必要に応じて説明を求めました。」

2．監査の結果

(1) 開示すべき重要な不備がなかったと経営者も監査人もある程度確定的に判定できている場合

〈文例1〉(下線部分)

「内部統制システムに関する取締役会決議の内容は相当であると認めます。また、当該内部統制システムに関する取締役の職務の執行についても、<u>財務報告に係る内部統制を含め</u>、指摘すべき事項は認められません。」

〈文例2〉

「なお、財務報告に係る内部統制については、本監査報告書の作成時点において有効である旨の報告を取締役等及び○○○○監査法人から受けております。」

(2) 開示すべき重要な不備があったことを経営者も監査人も認識し、かつ事業報告にその旨の何らかの言及がある場合

〈文例１〉

「なお、事業報告に記載のとおり、財務報告に係る内部統制について有効でないおそれがありますが、取締役はその改善に取り組んでおり、また、当期の計算書類及びその附属明細書並びに連結計算書類の適正性に影響が生じておらず、取締役の善管注意義務に違反する重大な事実は認められません。

〈文例２〉（下線部分）

「内部統制システムに関する取締役会決議の内容は相当であると認めます。また、事業報告に記載のとおり、財務報告に係る内部統制について取締役は有効でないおそれがあると評価しておりますが、取締役はその改善に取り組んでおり、また、当期の計算書類及びその附属明細書並びに連結計算書類の適正性に影響が生じておらず、内部統制システムに関する取締役の職務の執行についても、指摘すべき事項は認められません。」

(3) 開示すべき重要な不備があったと経営者も監査人も認識しているが、事業報告には何らの言及もない場合

〈文例〉

「財務報告に係る内部統制について、取締役は○○○○の点で有効でないおそれがあると評価しておりますが、事業報告には当該評価に係る記載はありません。しかし、当該評価に係る事項は事業報告に記載すべき事項であると考えます。（中略）なお、財務報告に係る内部統制に関する上記の事項については、取締役はその改善に取り組んでおり、また、当期の計算書類及び附属明細書並びに連結計算書類の適正性に影響が生じておりません。」

(4) 財務報告に係る内部統制の評価及び監査が未了の場合

〈文例〉（下線部）

「内部統制システムに関する取締役会の決議の内容は相当であると認めます。また、当該内部統制システムに関する取締役の職務の執行についても、指摘すべき事項は認められません。なお、財務報告に係る内部統制の評価及び監査は未了です。」

### 3）親会社等との取引

平成27年改正会社法施行規則により、子会社は、重要な親会社等との取引に関しては、一定事項を事業報告またはその附属明細書に開示することが定められ（会施規118条5号・128条3項)、かつ親会社等との取引に関し、監査役(会)監査報告に事業報告記載内容に対する監査役意見を記載する必要がある（会施規129条1項6号・130条2項2号)。

ここでの事業報告等への一定事項の開示内容とは、①取引にあたり、事業報告作成会社（自社）の利益を害さないように留意した事項（当該事項がない場合にあっては、その旨)、②取引にあたり、事業報告作成会社（自社）の利益を害さないかどうかについての事業報告作成会社の取締役(会)の判断およびその理由、③社外取締役が就任している場合は、②の取締役(会)の判断と異なるときにはその意見である。

記載の対象会社は、会計監査人設置会社、または会計監査人非設置会社かつ公開会社である。改正前においても、計算書類の一部である個別注記表において、「関連当事者取引」の記載がある会社では、取引の内容、取引金額、取引条件等の記載が義務付けられていた（会計監査人非設置会社かつ公開会社では、取引内容等の一部は、計算書類の附属明細書に記載とされていたが、改正事項の事業報告開示においても、取締役の判断およびその理由等については、事業報告の附属明細書に記載となる)。

親会社等との取引が、親会社の支配力によって子会社が不利益を被る取引を強要されることがないように、子会社少数株主の保護の観点から、関連当事者取引から親会社等との取引を取り出して開示することを通じて、取引の透明化を図るという趣旨である。したがって、子会社における事業報告の開示が想定されている。

実務的には、子会社監査役としては、親会社がその支配力を背景に自社（子会社）の利益を定常的・継続的に毀損することとなっていないか注意を払うとともに、今後は、取締役会等の場で議題・議案として審議される項目とすべきである。また、親会社監査役も、親会社等との取引に関して、親会社の取締役等が子会社に対して非通例的な取引を強要していないか、期中段階から監査の対象として意識するとよいであろう。

なお、事業報告での記載としては、例えば、親会社等との取引の対価の適正性、親子会社間の取引は市場価格で行うことを原則とするなどの契約の存在、親会社等との取引が、親会社以外の独立した第三者の間との類似取引と同等の取引条件であること、独立した第三者同士の類似取引と同等の取引条件であることを第三者機関から確認を得ていること（親会社との取引と類似の取引が第三者との取引で存在しない場合）などが考えられる。事業報告の記載を受けて、監査役監査報告では、監査役としての意見を記載する（［**参考1－5**］参照)。

**[参考1－5] 親会社等との取引に関する監査報告記載例**

〈記載例１〉（日本監査役協会ひな型）

事業報告に記載されている親会社等との取引について、当該取引をするに当たり当社の利益を害さないように留意した事項及び当該取引が当社の利益を害さないかどうかについての取締役会の判断及びその理由について、指摘すべき事項は認められません。

〈記載例２〉

事業報告に記載されている当社と親会社との取引に関して、指摘すべき事項は認められません。また、親子会社間取引について、基本的に市場価格で行っていることから、当社の利益を害さないように留意しているものと認めます。

注：利害を及ぼさないように留意している具体的な理由が事業報告で記載されていたら、その文言を利用することも可能（記載例２であれば、「市場価格で行っていること」）。勿論、事業報告に記載されていなくても、監査役の判断として理由づけを記載しても構わない。

〈記載例３〉

事業報告に記載されている親会社との取引に関して、事業報告に記載されている会社法施行規則第118条５号イに留意した事項やロの取締役の判断及びその理由について、指摘すべき事項は認められません。また、ロの取締役の判断は、社外取締役の意見と異なっていないものと認めます。

### ４）その他

監査役会監査報告をまとめる際に、監査役の中で自己の監査報告の内容と相違がある場合は、監査役の独任制の特色から、監査役会監査報告と相違がある部分を付記することができる（会施規130条２項、会算規128条２項）。すなわち、各監査役による監査報告を基礎に監査役会監査報告を作成する過程で、意思疎通を図ったり、意見交換を行ったりすることによって意見形成を行うことは重要ではあるが、他方で各監査役の意見統一を無理に行わなくてもよいのである。この点は、例えば、会計監査人の監査の方法または結果が相当ではないとする監査役の付記がなされた場合は、定時株主総会の承認の省略の特則が適用されないことになる（会439条、会算規135条３号）など、株主総会の運営にも影響がでてくる。したがって、監査役の意見の相違による付記事項の記載を極力回避するために、期中の監査活動時点から各監査役の意思疎通を行っておくことが重要である。

また、事業年度終了後、監査報告の作成日までに生じた事象で、翌事業年度以降の財産または損益に影響を及ぼす重要な後発事象については、監査役監査報告に記載しなければならない（会計監査人の監査報告の内容に含まれないものをいう）。法令上は、監査役(会)監査報告に記載すべき後発事象は、計算関係書類に関するものに限られる。さらに、監査役(会)監査報告作成後に発生した後発事項については、その重要性を勘案して、必要に応じて定時株主総会に報告することになる。

監査役(会)監査報告は、事業報告と関連する部分が多い。したがって、事業報告に記載された具体的な表題（例えば、親会社等との取引の記載）などと平仄をあわせるなど、事前に十分なチェックが必要である（**【図表１－G】**参照）。また、監査役(会)監査報告の記載の前提となる監査活動については、株主総会の想定問答の観点からも重要であるので、あらかじめ整理しておくことが望まれる（**【図表１－H】**参照）。

なお、監査役が監査報告に記載すべき事項を記載しなかったり、虚偽の記載を行うと、100万円以下の過料に処せられる（会976条７号）。また、監査報告に記載すべき重要事項について、虚偽の記載を行ったことによって、善意の第三者が損害を被ったときは、監査役は当該第三者に対して、損害賠償責任を負うことになる（会429条２項３号）。

【図表1－G】主な事業報告と監査報告の記載の関係

| 事業報告記載事項（条文は会社法施行規則） | 事業報告記載主体 | 監査報告への反映 |
|---|---|---|
| ①内部統制システムの構築・運用（118条2号） | 取締役 | 個別記載 |
| ②特定完全子会社（118条4号） | 取締役 | 包括記載 |
| ③親会社等との取引（118条5号） | 取締役 | 個別記載 |
| ④責任限定契約（121条3号） | 取締役 | 包括記載 |
| ⑤補償契約（121条3号の2） | 取締役 | 包括記載 |
| ⑥業績連動報酬（121条5号の2） | 取締役 | 包括記載 |
| ⑦役員報酬の額・決定方針の概要（121条6号の2） | 取締役 | 包括記載 |
| ⑧常勤の監査(等)委員の有無と理由（121条10号） | 監査(等)委員 | 包括記載 |
| ⑨役員等賠償責任保険契約（121条の2） | 取締役 | 包括記載 |
| ⑩株式交付の株式数等（122条1項2号） | 取締役 | 包括記載 |
| ⑪会計監査人の報酬額の同意理由（126条2号） | 監査役・<br>監査(等)委員 | 包括記載 |
| ⑫会計監査人の解任又は不再任の決定の方針（126条4号） | 監査役・<br>監査(等)委員 | 包括記載 |

注1．事業報告記載において、監査役や監査(等)委員が主体となるという意味は、
①自ら文言を作成し執行部門（事業報告取りまとめ部門）に提出する場合
②執行部門が、監査役等にヒアリングしてまとめる場合
③執行部門が一次的に整理した文書を、監査役等が確認・修正する場合
の3つのパターン実務がある。

注2．監査役(会)監査報告における包括記載とは、事業報告に適正な記載が行われていれば、「事業報告及びその附属明細書は、法令及び定款に従い、会社の状況を正しく示しているものと認めます」という文言で対応できるということである。

注3．監査役(会)監査報告における包括記載の箇所について、個別記載が不可という意味ではない。
なお、監査役等が主体となって事業報告を記載している項目の場合には、監査役等が主体となって作成した文言が適切に事業報告に反映されているかの確認ということになり、取締役が主体となって作成した項目については、記載内容が会社法施行規則に則った記載であるか否かの期末監査の一環ということになる。

【図表1－H】監査役会監査報告と監査活動の整理例

| 監査役会監査報告例 | 監査実務・監査活動 |
|---|---|
| 監　査　報　告　書 | |
| (1)当監査役会は、○○○○年○月○日から○○○○年○月○日までの第○○期事業年度における取締役の職務の執行に関して（会381条1項）、 | (1)監査役会→年間○回開催。A監査役○回出席、B監査役○回出席、C監査役○回出席。 |
| (2)各監査役が作成した監査報告書に基づき（会381条1項、会施規130条1項）、審議の上（会施規130条3項、会算規128条3項）、本監査報告書を作成し（会390条2項1号）、以下のとおり報告いたします。 | (2)○月○日監査報告書作成のための監査役会→各監査役から監査報告、審議。 |
| 1．監査役及び監査役会の監査の方法及びその内容 | |
| (1)監査役会は、監査の方針、職務の分担等を定め（会390条2項3号）、 | (1)○月○日監査役会→監査方針、監査計画、各監査役の業務分担を決定。 |
| (2)各監査役から監査の実施状況及び結果について報告を受けるほか（会390条4項）、 | (2)監査役会→年間○回開催。各回ともすべての監査役から監査実施状況報告。 |
| (3)取締役等及び会計監査人からその職務の執行状況について報告を受け、必要に応じて説明を求めました（会381条2項）。 | (3)監査役会→年間○回開催。取締役ヒアリング年間○回（○月○日）、会計監査人ヒアリング年間○回（○月○日）。 |
| (4)各監査役は、監査役会が定めた監査役監査の基準に準拠し、監査の方針、職務の分担等に従い（会390条2項3号）、 | (4)○月○日監査役会→当社監査役監査基準を採択。○月○日監査役会→監査方針、監査計画、各監査役の業務分担を決定。 |
| (5)取締役、内部監査部門その他の使用人等と意思疎通を図り、情報の収集及び監査の環境の整備に努めるとともに（会施規105条2項1号）、以下の方法で監査を実施いたしました。 | (5)内部監査部門とのミーティング年○回、「監査役への報告に関する事項」として定められた事項に関する情報の収集・分析、取締役等との懇親会年○回など。 |
| (6)取締役会その他重要な会議に出席し（会383条1項）、 | (6)取締役会→年15回開催（A常勤監査役全出席、B監査役○回出席、C監査役○回出席）。<br>その他重要会議→常務会年45回（A監査役40回出席）。 |
| (7)取締役及び使用人等からその職務の執行状況について報告を受け、必要に応じて説明を求め（会381条2項）、 | (7)取締役面談→全取締役年2回面談。<br>執行役員面談→全執行役員面談年2回面談。 |
| (8)重要な決裁書類等を閲覧し（会381条2項）、 | (8)稟議書、社長決裁書類、重要契約書、無償の利益供与関係資料等の閲覧。 |
| (9)本社及び主要な事業所において業務及び財産の状況を調査いたしました（会381条2項）。 | (9)実地調査→本社各部門年1回、20支店年1回。 |
| (10)また、子会社については、子会社の取締役及び監査役等と意思疎通及び情報の交換を図り（会施規105条2項2号、4項）、 | (10)グループ監査役連絡会年○回。子会社監査役から監査実施状況報告年2回受領。 |
| (11)必要に応じて子会社から事業の報告を受けました（会381条3項）。 | (11)子会社往査→50社中25社実施。 |
| (12)事業報告に記載されている取締役の職務の執行が法令及び定款に適合することを確保するための体制その他株式会社及びその子会社から成る企業集団の業務の適正を確保するために必要なものとして会社法施行規則第100条第1項及び第3項に定める体制の整備に関する取締役会決議の内容及び | (12)○月○日内部統制システムに係る取締役会決議。全監査役出席。<br>法務担当取締役・部長ヒアリング年○回、内部監査部門から月次監査報告聴取、コンプライアンス委員会陪席年○回。 |

| | |
|---|---|
| 当該決議に基づき整備されている体制（内部統制システム）について、取締役及び使用人等からその構築及び運用の状況について定期的に報告を受け、必要に応じて説明を求め、意見を表明いたしました（会362条４項６号、会施規130条２項２号、129条１項５号、118条２号）。 | |
| ⒀事業報告に記載されている会社法施行規則第118条第３号イの基本方針及び第３号ロの各取組み並びに会社法施行規則第118条第５号イの留意した事項及び同号ロの判断及び理由については、取締役会その他における審議の状況等を踏まえ、その内容について検討を加えました（会施規130条２項２号、129条１項６号）。 | ⒀○月○日買収防衛策に関する基本方針の取締役会決議。○月○日監査役会→当該決議付議内容について審議、監査役会意見書を代表取締役に提出。 |
| ⒁会計監査人が独立の立場を保持し、かつ、適正な監査を実施しているかを監視及び検証するとともに、会計監査人からその職務の執行状況について報告を受け、必要に応じて説明を求めました（会397条２項）。 | ⒁会計監査人との会合・報告受領年○回。<br>往査立会年２回。 |
| ⒂会計監査人から「職務の遂行が適正に行われることを確保するための体制」（会社計算規則第131条各号に掲げる事項）を「監査に関する品質管理基準」（企業会計審議会）等に従って整備している旨の通知を受け、必要に応じて説明を求めました（会算規131条、128条２項２号、127条４号）。 | ⒂○月○日会計監査人より「職務の遂行が適正に行われることを確保するための体制に関する事項の通知」を受領、説明聴取。 |
| ⒃以上の方法に基づき、当該事業年度に係る事業報告及びその附属明細書、計算書類（貸借対照表、損益計算書、株主資本等変動計算書及び個別注記表）及びその附属明細書並びに連結計算書類（連結貸借対照表、連結損益計算書、連結株主資本等変動計算書及び連結注記表）について検討いたしました（会436条２項２号、１号、444条４項、７項、会算規128条２項１号、127条１項２号から５号）。 | ⒃○月○日事業報告及びその附属明細書受領、説明聴取。<br>○月○日監査役会→事業報告及びその附属明細書について審議。<br>○月○日計算書類及びその附属明細書、連結計算書類受領、取締役より説明聴取。<br>○月○日会計監査人より会計監査報告受領、説明聴取。<br>○月○日監査役会→計算関係書類について審議。 |
| **２．監査の結果**<br>⑴事業報告等の監査結果<br>①　事業報告及びその附属明細書は、法令及び定款に従い、会社の状況を正しく示しているものと認めます（会施規130条２項２号、129条１項２号）。 | ①　事業報告について、指摘すべき事項はなかった。 |
| ②　取締役の職務の執行に関する不正の行為又は法令もしくは定款に違反する重大な事実は認められません（会施規130条２項２号、129条１項３号）。 | ②　当該事実は発見できなかった。 |
| ③　内部統制システムに関する取締役会決議の内容は相当であると認めます。また、当該内部統制システムに関する運用状況についても、指摘すべき事項は認められません（会施規130条２項２号、129条１項５号）。 | ③　相当性の根拠<br>整備状況の監査の結果、重大な不備は認められなかった。 |
| ④　事業報告に記載されている会社の財務及び事業の方針の決定を支配する者の在り方に関する基本方針および親子会社間の取引について、指 | ④　特に指摘すべき事項はなかった。 |

| | |
|---|---|
| 摘すべき事項は認められません（会施規130条2項2号、129条1項6号）。<br>⑤　事業報告に記載されている親会社等との取引について、当該取引をするに当たり当社の利益を害さないように留意した事項及び当該取引が当社の利益を害さないかどうかについての取締役会の判断及びその理由について、指摘すべき事項は認められません（会施規118条5号、130条2項2号、129条1項6号、118条5号ハ）。<br>(2)計算書類及びその附属明細書の監査結果<br>会計監査人○○○○の監査の方法及び結果は相当であると認めます（会436条2項1号、会算規128条2項2号、127条2号）。<br>(3)連結計算書類の監査結果<br>会計監査人○○○○の監査の方法及び結果は相当であると認めます（会444条4項、会算規128条2項2号、127条2号）。 | ⑤　特に指摘すべき事項はなかった。<br>(2)(3)会計監査人監査の相当性判断→その根拠＝監査計画聴取、監査実施状況立会ないし同行、独立した監査が行われたと評価。 |
| **3．監査役○○○○の意見**（異なる監査意見がある場合）（会算規128条2項2号、127条2号） | |
| **4．後発事象**（重要な後発事象がある場合）（会算規127条3号、会施規120条1項9号） | |
| ○○○○年○月○日<br>（会施規130条2項3号、会算規128条2項3号）<br>○○○○株式会社　監査役会<br>常勤監査役　○○○○印<br>常勤監査役（社外監査役）　○○○○印<br>社外監査役　○○○○印<br>監査役　○○○○印<br>（自　署） | 自署、押印の規定はない。 |

## 4．監査(等)委員会監査報告　B・C

監査等委員会設置会社と指名委員会等設置会社の監査(等)委員会監査報告については、監査の方法及びその内容をはじめ、記載項目は、監査役会監査報告と基本的には同様である（会施規130条の2第1項・131条1項）（【図表1－Ⅰ】参照）。

他方、監査(等)委員は、監査役と異なり独任制ではないために、監査(等)委員監査報告を別個に作成する必要がない。したがって、監査(等)委員会監査の報告には、監査役会監査報告と異なり、監査(等)委員の監査の方法及びその内容の記載は不要である（監査役会監査報告は、「監査役及び監査役会の監査の方法及びその内容」の記載が必要）。そして、監査報告は、監査(等)委員会で十分に審議・意見交換を行った上で、監査(等)委員会の決議をもって行う。

もっとも、監査(等)委員は、監査報告の内容が他の監査(等)委員の意見と異なる場合には、その意見を監査報告に付記することができる（会施規130条の2第1項後段・131条1項後段）。

【図表１－１】監査等委員会監査報告と監査委員会監査報告

注：いずれも日本監査役協会公表のひな型（令和６年３月29日時点のひな型）

| 監査等委員会監査報告 | 監査委員会監査報告 |
|---|---|
| 監　査　報　告　書 | 監　査　報　告　書 |
| 当監査等委員会は、○○○○年○月○日から○○○○年○月○日までの第○○期事業年度における取締役の職務の執行を監査いたしました。その方法及び結果について以下のとおり報告いたします。 | 当監査委員会は、○○○○年○月○日から○○○○年○月○日までの第○○期事業年度における取締役及び執行役の職務の執行を監査いたしました。その方法及び結果について以下のとおり報告いたします。 |
| １．監査の方法及びその内容<br>監査等委員会は、会社法第399条の13第１項第１号ロ及びハに掲げる事項に関する取締役会決議の内容並びに当該決議に基づき整備されている体制（内部統制システム）について取締役及び使用人等からその構築及び運用の状況について定期的に報告を受け、必要に応じて説明を求め、意見を表明するとともに、下記の方法で監査を実施いたしました。 | １．監査の方法及びその内容<br>監査委員会は、会社法第416条第１項第１号ロ及びホに掲げる事項に関する取締役会決議の内容並びに当該決議に基づき整備されている体制(内部統制システム)について取締役及び執行役並びに使用人等からその構築及び運用の状況について定期的に報告を受け、必要に応じて説明を求め、意見を表明するとともに、下記の方法で監査を実施いたしました。 |
| ①　監査等委員会が定めた監査の方針、職務の分担等に従い、会社の内部統制部門と連携の上、重要な会議に出席し、取締役及び使用人等からその職務の執行に関する事項の報告を受け、必要に応じて説明を求め、重要な決裁書類等を閲覧し、本社及び主要な事業所において業務及び財産の状況を調査いたしました。また、子会社については、子会社の取締役及び監査役等と意思疎通及び情報の交換を図り、必要に応じて子会社から事業の報告を受けました。 | ①　監査委員会が定めた監査の方針、職務の分担等に従い、会社の内部統制部門と連携の上、重要な会議に出席し、取締役及び執行役等からその職務の執行に関する事項の報告を受け、必要に応じて説明を求め、重要な決裁書類等を閲覧し、本社及び主要な事業所において業務及び財産の状況を調査いたしました。また、子会社については、子会社の取締役、執行役及び監査役等と意思疎通及び情報の交換を図り、必要に応じて子会社から事業の報告を受けました。 |
| ②　事業報告に記載されている会社法施行規則第118条第３号イの基本方針及び同号ロの各取組み並びに会社法施行規則第118条第５号イの留意した事項及び同号ロの判断及びその理由については、取締役会その他における審議の状況等を踏まえ、その内容について検討を加えました。 | ②　事業報告に記載されている会社法施行規則第118条第３号イの基本方針及び同号ロの各取組み並びに会社法施行規則第118条第５号イの留意した事項及び同号ロの判断及びその理由については、取締役会その他における審議の状況等を踏まえ、その内容について検討を加えました。 |
| ③　会計監査人が独立の立場を保持し、かつ、適正な監査を実施しているかを監視及び検証するとともに、会計監査人からその | ③　会計監査人が独立の立場を保持し、かつ、適正な監査を実施しているかを監視及び検証するとともに、会計監査人からその |

職務の執行状況について報告を受け、必要に応じて説明を求めました。また、会計監査人から「職務の遂行が適正に行われることを確保するための体制」（会社計算規則第131条各号に掲げる事項）を「監査に関する品質管理基準」（企業会計審議会）等に従って整備している旨の通知を受け、必要に応じて説明を求めました。

以上の方法に基づき、当該事業年度に係る事業報告及びその附属明細書、計算書類（貸借対照表、損益計算書、株主資本等変動計算書及び個別注記表）及びその附属明細書並びに連結計算書類（連結貸借対照表、連結損益計算書、連結株主資本等変動計算書及び連結注記表）について検討いたしました。

2．監査の結果

⑴事業報告等の監査結果

① 事業報告及びその附属明細書は、法令及び定款に従い、会社の状況を正しく示しているものと認めます。

② 取締役の職務の執行に関する不正の行為又は法令若しくは定款に違反する重大な事実は認められません。

③ 内部統制システムに関する取締役会の決議の内容は相当であると認めます。また、当該内部統制システムに関する事業報告の記載内容及び取締役の職務の執行についても、指摘すべき事項は認められません。

④ 事業報告に記載されている会社の財務及び事業の方針の決定を支配する者の在り方に関する基本方針は相当であると認めます。事業報告に記載されている会社法施行規則第118条第３号ロの各取組みは、当該基本方針に沿ったものであり、当社の株主共同の利益を損なうものではなく、かつ、当社の会社役員の地位の維持を目的とするものではないと認めます。

⑤ 事業報告に記載されている親会社等との取引について、当該取引をするに当

職務の執行状況について報告を受け、必要に応じて説明を求めました。また、会計監査人から「職務の遂行が適正に行われることを確保するための体制」（会社計算規則第131条各号に掲げる事項）を「監査に関する品質管理基準」（企業会計審議会）等に従って整備している旨の通知を受け、必要に応じて説明を求めました。

以上の方法に基づき、当該事業年度に係る事業報告及びその附属明細書、計算書類（貸借対照表、損益計算書、株主資本等変動計算書及び個別注記表）及びその附属明細書並びに連結計算書類（連結貸借対照表、連結損益計算書、連結株主資本等変動計算書及び連結注記表）について検討いたしました。

2．監査の結果

⑴事業報告等の監査結果

① 事業報告及びその附属明細書は、法令及び定款に従い、会社の状況を正しく示しているものと認めます。

② 取締役及び執行役の職務の執行に関する不正の行為又は法令若しくは定款に違反する重大な事実は認められません。

③ 内部統制システムに関する取締役会の決議の内容は相当であると認めます。また、当該内部統制システムに関する事業報告の記載内容並びに取締役及び執行役の職務の執行についても、指摘すべき事項は認められません。

④ 事業報告に記載されている会社の財務及び事業の方針の決定を支配する者の在り方に関する基本方針は相当であると認めます。事業報告に記載されている会社法施行規則第118条第３号ロの各取組みは、当該基本方針に沿ったものであり、当社の株主共同の利益を損なうものではなく、かつ、当社の会社役員の地位の維持を目的とするものではないと認めます。

⑤ 事業報告に記載されている親会社等との取引について、当該取引をするに当

| | |
|---|---|
| たり当社の利益を害さないように留意した事項及び当該取引が当社の利益を害さないかどうかについての取締役会の判断及びその理由について、指摘すべき事項は認められません。<br>(2)計算書類及びその附属明細書の監査結果<br>会計監査人○○○○の監査の方法及び結果は相当であると認めます。<br>(3)連結計算書類の監査結果<br>会計監査人○○○○の監査の方法及び結果は相当であると認めます。<br>3．監査等委員○○○○の意見（異なる監査意見がある場合）<br>4．後発事象（重要な後発事象がある場合）<br>○○○○年○月○日<br>○○○○株式会社　監査等委員会<br>監査等委員　○○○○　印<br>監査等委員　○○○○　印<br>監査等委員　○○○○　印<br>（自　署）<br>（注）監査等委員○○○○及び○○○○は、会社法第２条第15号及び第331条第６項に規定する社外取締役であります。 | たり当社の利益を害さないように留意した事項及び当該取引が当社の利益を害さないかどうかについての取締役会の判断及びその理由について、指摘すべき事項は認められません。<br>(2)計算書類及びその附属明細書の監査結果<br>会計監査人○○○○の監査の方法及び結果は相当であると認めます。<br>(3)連結計算書類の監査結果<br>会計監査人○○○○の監査の方法及び結果は相当であると認めます。<br>3．監査委員○○○○の意見（異なる監査意見がある場合）<br>4．後発事象（重要な後発事象がある場合）<br>○○○○年○月○日<br>○○○○株式会社　監査委員会<br>監査委員　○○○○　印<br>監査委員　○○○○　印<br>監査委員　○○○○　印<br>（自　署）<br>（注）監査委員○○○○及び○○○○は、会社法第２条第15号及び第400条第３項に規定する社外取締役であります。 |

第2章

# 監査役監査の実務

## （その2）

# 序

前章では、監査計画をはじめとした監査役監査の主要な活動について、実践的な対応を解説したが、事業年度の監査役の職務においては、監査計画や監査報告の策定以外でも、監査役報酬の協議、株主総会議事録の確認等、定時株主総会終了後から直ちに発生する実務が存在する。また、監査役の選任同意や会計監人の報酬同意などの実務もある。これらは、会社法上明定されているものであり、必要な実務を行っていないとすると、違法行為となるために注意が必要である。同意事項については、仮に同意したとしても、同意した事実を明確に書類として残しておくことなど、手続として行っておくべき留意点も存在する。

さらに、監査役会や監査(等)委員会の議事録（以下、まとめて「監査役会議事録」という）の作成および招集手続についても、監査役会設置会社や委員会型の会社の場合は、重要な実務である。監査役会議事録は、先人の記載に倣って記載をしている会社が多いと思われるが、監査役会議事録の法的位置付けとともに、記載にあたっての注意点、同じ書面であっても監査調書との相違など、留意すべき点も多々ある。

本章の項目の中には、監査役会設置会社や会計監査人設置会社に限って対応を必要とする項目も多い。したがって、監査役会や会計監査人を設定していない会社の監査役および監査役スタッフは、直ちに対応を要するものではないが、現行の会社法では、定款自治の下で、監査役会や会計監査人を任意に設置することが可能となっており、将来的には監査役会等を設置する可能性もある。その際に備えて、監査役会や会計監査人を設置した場合には、いかなる実務的負荷が生じるのか、その概要を把握しておくことは、無駄ではないであろう。また、監査役会を設置していない会社においても、監査役間の意見形成の場として、監査役連絡会を利用している会社も存在する。その場合は、監査役会議事録に準じた記録を残しておくことは有益である。

このような観点から、本章を参考にしていただきたい。

# Ⅰ．定時株主総会の対応

**要　点**

〇株主総会は、会社の最高の意思決定機関であるため、周到な準備が必要である。

〇監査役としては、株主総会提出書類の調査、総会運営および決議方法の適法性、口頭報告、株主からの質問への対応があるため、株主総会の円滑な遂行に向けて、執行部門と緊密に連携することが何よりも大切である。

〇令和元年の改正会社法による株主総会資料の電子提供制度の創設は、株主総会実務に大きな影響を及ぼすことになるため、監査役としてもその制度について一定の理解が必要である。

**解　説**

株主総会は、会社の最高の意思決定かつ必要的機関であるが、取締役会設置会社は、取締役会に業務執行の決定権限の多くを委譲しているため、会社法に規定している事項および定款で定めた事項に限って、株主総会で決議する（会295条２項）。例えば、取締役等の選任・解任、会社の定款変更、合併などの組織再編行為などの重要事項については、取締役会設置会社でも、株主総会で決議しなければならない。

株主総会には、毎事業年度の終了後の一定の時期に招集する必要がある定時株主総会（会296条１項）と、必要に応じて招集することが可能である臨時株主総会（会296条２項）がある。臨時株主総会は、例えば、敵対的買収を仕掛けられたときの対応を株主総会に諮る場合などに開催されるが、大規模公開会社では、株主数が多いこともあり、臨時株主総会を開催することは、手続的な面からも、容易なことではない。したがって、通常は定時株主総会が、会社と株主が直接に対峙し、議案を決議したり会社事業の現況を説明する機会となる。

本章では、定時株主総会に関して、監査役として実務的に準備しなければならない点を解説する。

## Q&A 定時株主総会開催日の基準

**Q 定時株主総会の開催日に関して何か基準があるのか。**

**A** 定時株主総会の開催日について、株主総会に関する会社法の条文では、「毎事業年度の終了後一定の時期に招集しなければならない」（会296条１項）とだけ規定されていて、一定の時期についての言及はない。

しかし、基準日（３月決算会社における３月末日等）の株主が株主総会における議決権を行使できるのは、３ヶ月以内と定められていること（会124条２項）から、この基準日から算定して定時株主総会開催日は３ヶ月を越えることとしていない。したがって、多くの会社では、定款の中で定時株主総会は、毎決算期の基準日の翌日から３ヶ月以内に招集するとの規定をおいている。

もっとも、基準日から３ヶ月以内に開催という要件のために、定時株主総会の集中日が生じるとの問題意識から株主総会の分散開催に向けた基準日の設定の変更の議論も開始されている。

## １．定時株主総会前における監査役の役割 A・B・C・D・E・F・G

### （１）総会招集と取締役会決議の確認

株主総会は、取締役が招集する（総株主の議決権の100分の３以上の議決権を６ヶ月前から引き続き有する株主が、裁判所の許可を得て招集する場合を除く）。その際に、監査役は次の事項を適正に定めているか確認する。なお、取締役会設置会社においては、取締役会の決議事項である（会298条４項）。

**総会招集決議の際の確認事項**

①株主総会の日時および場所（会298条１項１号）

②株主総会の目的である事項があるときは、当該事項（会298条１項２号）

③株主総会に出席しない株主が書面または電磁的方法によって議決権を行使することができるときは、その旨（会298条１項３号・４号）

④代理人による議決権の行使に関する事項を定めているときは、その事項

⑤議決権の不統一行使の事前通知の方法を定めるときは、その事項

⑥書面投票等を採用しない場合の議案の概要

この中で①は、株主総会がいわゆる集中日に開催する予定であること、開催場所が著しく離れた場所である場合では、各々その理由を記載する必要がある（会施規63条1号・2号）。これは、株主が株主総会に出席しやすいことを念頭におくべきとの趣旨と解せられる。

②の「株主総会の目的である事項」とは、株主総会の議題のことであり、取締役や監査役の選任、役員報酬、剰余金配当などのことである。

③は、株主の書面投票・電子投票のことであり、これらの事項を定めたときは、i）株主総会参考書類の記載事項、ii）インターネットによる開示を行う場合はインターネットによる開示の措置をとることによって、株主総会参考書類に記載しないものとする事項（但し、インターネットによる開示の措置をとる旨の定款の定めがある場合に限る）、iii）議決権の行使期間を定めるときのその行使期限、iv）賛否の記載がない場合の取扱いを定めるときの取扱い内容、v）書面投票・電子投票の双方を採用した場合に関する事項、を決定しなければならない（会施規63条3号・4号）。

なお、インターネット開示の措置について、監査役が異議を述べた事項については、たとえ取締役会で決議してもインターネットによる開示はできない（会施規94条1項4号）。したがって、監査役は、取締役がインターネットによる開示の措置を予定している事項について問題がないか、あらかじめ検討した上で、必要に応じて取締役に対して異議を述べる。

④と⑤は、定款に定めがある場合である。

### Q&A インターネット開示（ウェブ開示）

**Q　インターネット開示は便利であるが、参考書類添付書類のすべての内容を開示することが可能なのか。また、インターネット開示を行う上での前提条件はあるのか。**

**A**　事業報告と計算書類の各々において、インターネット開示が可能な範囲は決められている。平成26年の会社法改正で特に事業報告の開示対象範囲が拡大した。

事業報告に関して新たに追加された項目は、①主要な事業内容、②主要な営業所及び工場並びに使用人の状況、③主要な借入先及び借入額、④直前3事業年度の財産及び損益の状況、⑤責任限定契約の内容の概要、⑥監査役が財務会計に関する知見を有すること、⑦常勤監査等委員の有無、理由、⑧株式に関する事項の全部、⑨新株予約権等に関する重要な事項の全部、⑩多重代表訴訟の対象となる子会社に関する事項、⑪親子間の取引に関する事項、また計算書類の中で、①株主資本等変動計算書、である（会算規133条4項・134条4項）。

インターネット開示に際しては、あらかじめその旨の定款の定めが必要である。また、監査役として、インターネットによる開示措置について、問題がある場合は異議を述べることとなるために、事前に執行部より開示対象範囲や開示期間等について説明を受けておくべきであろう。

なお，令和元年の会社法の改正により、上場会社はすべて株主総会資料の電子提供制度に移行することになる。一方非上場会社は、従前の一部資料のウェブ開示のままとするか、資料の電子提供制度に移行するかどちらを選択しても構わない。

## Q&A 株主総会における決議および報告事項

**Q 株主総会で、普通決議事項、特別決議事項、報告事項として主なものは何があるか。**

**A** 普通決議の要件は、議決権を行使できる株主の議決権の過半数にあたる株式を有する株主が出席する定足数（定足数は、定款によって排除することができるため、実務的にはほとんどの会社が定款による排除を行っている）とし、その議決権の過半数である[1)]。普通決議項目は、①剰余金の配当（会454条１項)、②取締役の選任および解任（会329条１項・339条１項)、③監査役の選任（会329条１項)、④会計監査人の選任および解任（会329条１項・339条１項)、⑤取締役および監査役の報酬等の決定（会361条１項・387条１項）である。

一方、特別決議の要件は、定足数は議決権を行使できる株主の議決権の過半数（定款で、３分の１以上にまで引き下げることが可能）の株式を有する株主の出席であり、その議決権の３分の２以上(定款によりこれを上回る割合を定めることも可能)をもって決議される。主な特別決議項目は、①定款の変更、②監査役の解任、③役員等の損害賠償責任等の一部免除、④株式併合、⑤資本金額の減少、⑥合併契約、吸収分割契約、株式交換契約の承認、⑦解散、などである（会309条２項)。

また、定時株主総会での主な報告事項は、①事業報告（会438条３項)、②会計監査人設置会社における計算書類（一定要件に基づく特則の場合、会439条)、③会計監査人設置会社における連結計算書類および連結計算書類の監査の結果（会444条７項)、などである。

1）もっとも、取締役や監査役の選任または解任の決議の定足数は、定款により、総株主の議決権の３分の１未満に引き下げることはできない（会341条)。

## （2）株主総会提出書類・議事運営等の適法性の調査

監査役は、取締役が株主総会に提出しようとする議案、書類その他法務省令で定めるもの（以下「提出議案・書類」という）を調査する必要があり、法令もしくは定款に違反し、または著しく不当な事実があると認めたときは、その調査の結果を株主総会に報告する義務がある（会384条）[2)]。また、議案について、監査役が調査した結果、「株主総会に報告すべき調査の結果」があるときは、その調査の結果の概要を株主総会参考書類に記載する必要もある（会施規73条1項3号）。

株主総会の会議の目的を「議題」というのに対して、「議案」とは、株主総会における決議事項の決議案の内容のことであり、例えば、監査役選任を会議の目的とするときは、この場合の議案は、具体的な監査役候補者のことである。また、「書類その他法務省令で定めるもの」とは、電磁的記録その他の資料であり（会施規106条）、例えば、株主総会参考書類（会施規73条～94条）、損益計算書等の計算書類、事業報告、監査報告等が該当する。

決算取締役会において、計算書類や事業報告等の承認とともに、通常は、日程的にその取締役会の中で、株主総会の招集・議案等の決定を行う。すなわち、取締役会の決議として、株主総会の日時および場所、株主総会の目的である事項（議題）等を定める必要がある（会298条1項・4項、会施規63条）。したがって、監査役は、決算取締役会で決議される株主総会に提出する議案・書類について、その適法性を調査・確認する。計算書類や事業報告等は、期末監査で終了し監査報告にその結果が記載されるので、決算取締役会に決議されるまでは、専ら議案について調査することになる。例えば、定款変更、取締役・監査役の選任等の議案を確認した上で、その議案について必要な手続が行われているか（監査役の選任議案に監査役(会)の同意があることなど）、株主総会招集通知などの書類に、必要とすべき項目が記載されているかについて、調査・確認する。

議案に取締役や監査役の選任議案が含まれるときは、候補者から就任の承諾を得ていない場合は、その旨を議案に記載する必要がある（会施規76条1項3号）ため、この点について確認する。また、監査役は、株主総会において、監査役の選任もしくは解任または辞任および監査役の報酬等について意見陳述を行える旨の規定がある（会345条4項、387条3項）。その際、書面投票制度を採用する会社は、意見陳述を予定している監査役の意見の内容の概要を株主総会参考書類に記載しなければならない（会施規76条1項5号・80条3号・84条1項5号）ため、意見陳述の有無を確認する必要がある。

---

2）監査役の権限を会計監査に限定する旨の定款を定める場合は、会計事項のみとなる（会389条3項）。

### 【様式２－１】株主総会議案・議題チェックリストの例

| 監査対象（実施日） | 第　期 定時株主総会議案・書類監査（令和○年○月○○日実施） |
|---|---|
| 監査部署・担当者 | |

注1. 監査結果　違反無し・適正の場合は「○」
凡例：会＝会社法、施規＝会社法施行規則、数字＝条文番号

<table>
<tr><th>監査項目</th><th>監査結果</th></tr>
<tr><td>１．監査のポイント<br>①　株主総会の招集手続きが法令・定款に違反していない<br>②　株主へ提出する議案・議題等は適正か<br><br>２．株主総会の招集手続きの適法性<br>①　招集手続きは取締役会決議を経ているか<br>・株主総会の開催日時・場所<br>・目的事項（報告事項・決議事項）<br>・書面投票等<br>②　２週間前に招集通知が発送されているか<br><br>３．議案・議題の監査<br>①　報告事項<br>・事業報告は報告事項となっているか<br>・計算書類が報告事項となっている場合、条件を満たしているか<br>（会計監査人の「無限定適正意見」があるか等）<br>②　決議事項<br>各議案は会社法、同施行規則等に定められた内容が記載されているか<br>・計算書類（会438）<br>・定款変更（会466）<br>・剰余金の処分（会452）<br>・取締役の選任議案（施規74）<br>・監査役の選任議案（施規76）<br>・会計監査人の選任議案（施規77）<br>・取締役等の解任議案（施規78～81）<br>・取締役の報酬等議案（施規82）<br>・監査役の報酬等議案（施規84）</td><td></td></tr>
<tr><th colspan="2">監査の方法及び結果</th></tr>
<tr><td colspan="2">１．監査の方法</td></tr>
<tr><td colspan="2">２．監査の結果（監査役会所見）</td></tr>
</table>

出所：國吉信男＝松永望＝山崎滋編著『監査役実務入門（改訂版）』国元書房（2015年）図表W39より

また、定時株主総会に先立ち、監査役は、①株主総会の定足数および議決権の個数、②議事の運営、③決議方法（普通決議または特別決議）などについて、前もって総会担当部門（例えば、総務部）から報告を受け、株主総会の議事運営及び決議方法が法令・定款違反をしていないか確認する（会308条～317条）。

以上の確認手続は、常勤監査役が中心となって監査役スタッフも協力してあらかじめ監査した上で、監査役会設置会社であれば、取締役会に付議される前に、監査役会として確認しておくとよいであろう。中には、監査役会の場で、取締役から直接報告を受ける会社もある。

## 2．定時株主総会における報告と説明義務　A・B・C・D・E・F・G

### （1）株主総会における報告

監査役は、株主総会において、監査役監査報告を直接株主に対して行う義務はないが、多くの会社では、任意に口頭報告を行っている。すなわち、株主総会において、監査役が口頭報告する法的な義務はないものの、事業年度の監査結果報告の重要性に鑑みて、株主に対して招集通知の参考書類として監査役(会)監査報告を添付するだけでなく、直接報告する点に意義がある。

口頭報告を行う場合には、あらかじめ原案を作成した上で、監査役間または監査役会で審議・確認した上で、報告を行う監査役を決定する。通常は、監査役の代表（監査役会設置会社で、監査役会議長を定めている場合はその者）が行うことが一般的である。

株主総会への提出議案・書類を調査した結果、法令もしくは定款に違反し、または著しく不当な事項があると認めるときは、その調査の結果を、株主総会において報告しなければならない（会384条）が、そうではない場合には、株主招集通知に添付した監査役(会)監査報告の内容を簡略化したものを口頭報告とする。口頭報告は、前述したように任意の行為であることから、特に定型の類はないが、監査結果を簡潔に述べれば十分である（**【様式２－２】**参照）。

## 【様式２－２】監査役の株主総会口頭報告例

（１）文例－１

| 報告内容 | 趣旨又は目的 |
|---|---|
| （常勤）監査役の○○○○でございます。<br>監査役会の協議決定に従い、私からご報告申し上げます。 | 報告者の立場を明確にする。（事前の監査役会で報告者と報告内容について決議しておくことが前提。） |
| 第○○期事業年度に係る監査を行いました結果につきまして、各監査役が作成した監査報告書に基づき審議いたしました結果、監査役会としての監査結果は、お手元の招集通知○頁の監査報告書（謄本）に記載のとおりでございます。 | 会社法381条１項に基づき作成し、437条に基づき、招集通知に添付して、株主に提供済み。 |
| すでにご高覧頂いていることと存じますが、<br>・まず、事業報告及びその附属明細書は、法令又は定款に従い会社の状況を正しく示しているものと認めます。<br>・また、取締役の職務の執行に関する不正の行為又は法令定款に違反する重大な事実が認められませんでした。<br>・さらに、内部統制システムに関する取締役会決議の内容は相当であり、内部統制システムに関する取締役の職務の執行についても、指摘すべき事項は認められません。<br>・計算書類及びその附属明細書の監査結果につきましては、会計監査人である○○監査法人の監査の方法と結果は相当であると認めます。 | 施行規則129条１項及び130条２項、計算規則127条、128条に基づく監査報告書の内容。（株主総会の進行に要する時間との兼合いで、報告時間を短縮したいときは、この部分を省略することも可能である。） |
| なお、連結計算書類の監査に関しましては、会計監査人の監査報告書は招集通知の○頁に記載のとおり、会社及び企業集団の財産及び損益の状況をすべての重要な点において適正に表示しているとの報告を受けております。監査役会としては、先ほどの招集通知○頁に記載のとおり、会計監査人の監査の方法と結果は相当であると認めます。 | 会社法444条７項に対応して取締役から委任を受けた報告。（会計監査人の監査報告内容については省略も可能。） |
| 最後に、本総会に提出されております各議案及び書類につきましては、各監査役が調査いたしました結果、いずれも法令及び定款に適合しており、（特に）指摘すべき事項はございません。 | 会社法384条対応。 |
| 以上ご報告申し上げます。 | |

（１）文例－２（「計算書類に関する報告」と「連結計算書類に関する報告」をまとめて報告する文例）

（常勤）監査役の○○○○でございます。
　当社の監査役会は、各監査役が作成した監査報告書に基づき審議をいたしました。
　その結果につきまして、私からご報告申し上げます。
　会計監査人の監査報告書及び監査役会監査報告書につきましては、お手元の招集ご通知の添付書類○頁から○頁のとおりでございますので、ご参照願います。
　まず、事業報告及びその附属明細書は、法令及び定款に従い、会社の状況を正しく示しているものと認めます。
　また、取締役の職務の執行に関する不正の行為又は法令もしくは定款に違反する重大な事実は認められませんでした。
　さらに、内部統制システムに関する取締役会決議の内容は相当であり、内部統制システムに関する取締役の職務の執行についても、指摘すべき事項は認められません。
　次に、計算書類及びその附属明細書並びに連結計算書類については、会計監査人○○○○監査法人から、会社及び企業集団の財産及び損益の状況をすべての重要な点において適正に表示しているとの報告を受け、監査役会において協議のうえ、会計監査人の監査の方法及び結果は相当であると認めました。
　最後に、本総会に提出されている各議案及び書類につきましては、いずれも法令及び定款に適合しており、指摘すべき事項はございません。
　以上、ご報告申し上げます。

出所：（公社）日本監査役協会「監査役監査実施要領」参考資料15（©公益社団法人日本監査役協会）

また、監査役(会)が株主総会において、報告すべき事項として、監査役全員の同意により会計監査人を解任したとき（会340条１項・２項・４項）は、解任後最初に招集される株主総会において、解任の事実とその理由を報告しなければならない（会340条３項・４項)。したがって、該当する事象が発生した場合には、会計監査人の解任に同意した監査役(会)での経緯や理由の内容の概要を報告することになる。

なお、辞任監査役は、辞任後最初に招集される株主総会に出席し、その旨及び理由を述べることが可能であり、また他の監査役も当該監査役の辞任についての意見を述べることができることから、該当する場合には、個々の監査役がその準備を行うことになる。本件は、監査役(会)全体というよりは、監査役個人の事情ではあるが、仮に監査役の辞任の理由が内部統制システムの不備など、会社統治の問題に関連するときは、株主総会で直接に意見陳述するのではなく、監査役(会)監査報告を審議・決定する段階で、監査役間で十分に意思疎通を行うべきものである。もっとも、独任制の観点から、辞任監査役の意見陳述をやめさせることはできないものと解される。

**COLUMN**

**●監査役の株主総会への出席●**

監査役の株主総会への出席義務は、会社法上明定されていない。これは、株主総会の議長を務める取締役を除いて、取締役にもあてはまる。しかし、取締役および監査役は、株主からの質問に対して説明する義務はあるので、やむを得ない事情がある場合を別にして、株主総会に出席すべきであると考えられている。

他方、多数の会社を兼務している社外役員の中には、株主総会が集中する６月下旬の時期には、株主総会を欠席せざるを得ない場合が生じる。仮に社外監査役が株主総会を欠席したとしても、法令違反には該当しない。また、当該社外監査役に株主から質問があった場合も、監査上の一般的な質問であれば、監査役の代表者が代わって説明することで、何ら問題はない。

もっとも、毎年欠席となると、株主から、「株主総会に毎年欠席しているが、監査役の役割を果たしているのか」という質問が出る可能性はある。

## （2）株主総会における説明義務

### 1）想定質問とその範囲

株主総会で、株主から監査報告の内容について質問があれば、監査役は説明の義務がある（会314条）。但し、株主からの質問の内、会社の業務執行に係る部分は、取締役が回答することになるため、監査役が回答すべき質問は、監査報告の結果と株主総会の議題に関係する内容に関してである。例えば、監査の方法や監査結果の根拠などが考えられる。

一方において、①株主の質問事項が株主総会の目的事項（議題）とは無関係な場合（会314条１項但書）、②株主共同の利益を著しく害する場合（会314条１項但書）、③質問に対して、時間的な理由等で調査が必要な場合（会施規71条１号）、④会社その他の者の権利を侵害することとなる場合（会施規71条２号）、⑤実質的に、同一事項についての反復的な質問の場合（会施規71条３号）、⑥その他、説明をしないことに対して正当な事由があると考えられる場合（会施規71条４号）、においては、回答を拒否することは不当ではない。⑥は、例えば、係争中の事案に対する質問などが該当する。回答を拒否する事由にあたらないのにもかかわらず、説明義務を果たさなかったときは、監査役は取締役等他の役員と同様に、100万円以下の過料に処せられる（会976条９号）。もっとも、説明義務違反は、そのこと自体が株主総会の決議取消事由ではなく、決議の方法が著しく不公正と認められる場合に該当する（会831条１項１号）。

なお、株主から、監査役(会)監査報告の内容に関連した質問があれば、監査報告に記載された内容に敷衍する範囲の説明で足りるが、開かれた株主総会の観点からは、状況に応じて、周辺事項についても丁寧に説明することに心掛ける姿勢が重要である。

### 2）株主からの質問への対応

株主からの質問に対して、大きくは、回答者と説明内容の２点をあらかじめ監査役間で決めておく必要がある。

回答者に関しては、質問の中には、特定の監査役を名指しして説明を求める場合が存在するが、監査役間の意見が一致していることが明確である場合は、指名された監査役以外の監査役（例えば、監査役会議長）が代表して説明することで問題はない。また、監査役会議長等、特定の監査役への負担を軽減するために、あらかじめ決められた分担に沿って、各々の監査役が説明することも可能である。

想定質問に関しては、監査役自ら回答すべき内容に関わるものと、執行部門の想定問答に関わるものがある。執行部門の想定問答には、各部門の懸念事項や課題を想定質問として準備していることが通常であるため、当該事項について、監査役としてすでに報告があった事項なのか、仮にあったとして、その内容が、監査役に報告されたものと同一の内容なのか、あらかじめ確認しておくことは必要である。例えば、監査役に報告がなかった事項について、株主から監査役の監査の状況について質されても、とっさには回答が困難なものである。このような事態を回避するために、監査役としてもあらかじめ執行部門の想定問答を入手し目を通した上で、必要に応じて監査役の想定問答の作成の参考としておくことは実施しておきたい。

監査役に対する想定質問を分類すると、①監査役(会)監査報告の記載に関連する事項、②事件・事故に関連する事項、③内部統制システムの整備状況の評価など会社の体制に関する事項、④個別事項、が考えられる。

監査役(会)監査報告の関連事項とは、記載された内容について、その根拠についての具体的な質問である。例えば、「重要な会議の出席の具体的会議名を述べよ」とか、「監査役会は何回開催したのか」など、監査役(会)監査報告の記載の具体的活動状況を確認する目的のものである。これらに対しては、あらかじめ、監査役(会)監査報告に特化した整理表を作成し準備を行っておくことが大切である（**第1章. V.【図表1－I】**参照)。

事件・事故に関連する事項については、特に、マスメディアに報道された事案について要注意である。これらについては、関係する部門が必ず想定問答を作成するため、その回答を確認し、仮に作成していなければ作成を促すべきであろう。

その上で、監査役に対して、「当該事件の発生について、監査役は監査したのか。監査役の意見を聞きたい」との質問に対する回答を準備しておく。なお、マスメディアに報道されない事件・事故についても、内部情報が漏れて一部の株主が認識していることもあり得るので、事業年度に発生した事件・事故については、今一度、監査状況を振り返るとともに、内部監査部門等の執行部門とも情報交換を行って、確認しておくことが重要である。

内部統制システムの整備状況等、会社の体制に関わる事項については、一次的には、取締役が回答すべきものである。しかし、例えば、「当社の内部統制システムの整備状況について、監査役の評価を聞きたい」等の質問もあり得るところである。この種の質問に対しては、「指摘すべき事項はなかった」とするのか、「改善事項があったが、事業年度内に改善を終了した」とするのか、監査活動の結果報告に基づいて、回答すれば問題はないであろう。但し、監査調書や監査役監査報告との整合性には、気をつける必要がある。

個別事項とは、「監査費用として、いくらかかっているのか」「補欠監査役を選任していないのは、なぜか」「社外監査役が取締役会で具体的に発言した点はあるか」などである。

個別事項については、回答すべきものと守秘義務等の理由から回答を避けるべきものとを一次的に判断した上で、仮に回答をすると判断したものも、回答の程度についても決めておく。基本的な考え方としては、議案に関係するものは、根拠も含めて丁寧な回答を心がけ、議案に直接関係のない個別質問については、概略を回答すれば十分である。

**［参考2－1］ 定時株主総会における監査役に関する代表的想定問答30問（巻末参照）**

株主からの代表的想定質問に対する回答例と若干のポイントを解説した。本想定問答を参考にした上で、適宜、各社で対応を図っていただきたい。

### Q&A 株主総会と事前の書面質問

**Q 株主総会開催日の事前に監査役に対して書面による質問があったときは、株主総会の場で応答する義務があるのか。**

**A** 株主総会の場で、株主から質問があるときは、取締役や監査役は、説明義務がある。それでは、株主が株主総会に出席できないために、あらかじめ書面による質問状を送付してきたときは、取締役や監査役等は株主総会で回答する義務があるのだろうか。

株主総会で質問権を有するのは、株主総会に出席している株主に限られる。この点は、会社法の中で、「取締役、会計参与、監査役及び執行役は、株主総会において、株主から特定の事項について説明を求められた場合には、当該事項について必要な説明をしなければならない」（会314条）と定められている。すなわち、「株主総会において」と規定されていることから、株主は、実際に株主総会に出席しなければ、質問権は有しないと解せられる。したがって、事前に質問状を送付しても、株主が株主総会に出席しかつ実際に質問をしてはじめて、取締役らは説明する義務がある。この点から、事前の質問書面は、厳密にいえば、株主総会の正式な質問とはいえず、非公式な会社への問い合わせ（あるいは、質問の予告）の書簡ともいうべきものである。

もっとも、実務的には当該書簡に記載された問い合わせ（質問の予告）や質問事項に関連して、当該株主の出席の有無にもかかわらず、株主総会の場で株主からの質問を受けつける前に、出席している株主にも意味があると考える内容については、自主的に概略の説明（回答）を行っている会社が多い。

## 3．株主総会資料の電子提供制度

### （1）制度の概要

電子提供とは、いわゆる電磁的方法（インターネット利用）による提供のことであり、令和元年改正会社法で創設された株主総会資料の電子提供制度は、株主総会資料の電子提供措置のことである。具体的には、株主総会参考書類、議決権行使書面、計算書類・事業報告・監査報告等、株主総会招集通知とともに提供しなければならない資料を、自社のホームページの電子ファイル等で掲載し、かつそのアドレスを書面で通知した場合には、株主の個別の同意無しで株主総会資料を適法に提供したものとする制度である（会325条の2～7）。株主総会資料の電子提供制度により、会社は資料の印刷代や郵送費用が削減でき、かつ時間の節約になるとともに、株主にとっても情報量の増大や資料開示の早期化のメリットがある。

自社のホームページに株主総会資料を掲載する電子公告を採用する場合には、株主以外の第三者も閲覧することが可能となるために、株主にIDやパスワードを付与したり、株主総会資料のみを掲載するプラットフォームを作成することもあり得る。また、電子情報開示システムであるEDINET（有価証券報告書等を開示する開示用電子情報処理組織）によって、金商法に基づいて電子提供措置事項を含む有価証券報告書を株主総会前に開示する場合には、当該開示をもって電子提供措置制度を採用したものとみなすことができる（会325条の3第3項）。

株主総会資料の電子提供制度を利用する場合には、定款の定めが必要である（会325条の2）。但し、振替株式（振替法128条）を発行する会社（主に上場会社）は、会社法改正の施行日に定款変更をしたものとみなされるために、改めて定款変更議案を株主総会に提出する必要は無い（整備法10条2項）。振替株式を発行する上場会社は、電子提供措置を採用する旨を定款で定めることが義務付けられることから（振替法159条の2第1項）、みなし定款変更を認める制度設計にしたものと解される。他方、株式譲渡制限会社の場合は、定款変更手続が必要である。電子提供措置期間は、株主総会日の3週間前の日または株主総会招集通知の発送日のいずれか早い日から、株主総会の日後3ヶ月を経過する日までの間である（会325条の3第1項）。

株主総会招集通知は、株主総会資料が電子提供されたものと認識し、ウェブサイトにアクセスすることを促すためのものと位置付けられる。すなわち、従来の記載事項（会298条1項）に加え、電子提供措置制度を利用しているときはその旨、および有価証券報告書の手続をEDINETで使用したときはその旨も記載する（会325条の４第２項）。株主総会の招集通知の発送期限については、公開会社の場合は、従前通り株主総会の日の２週間前までとされているが、非公開会社で電子提供措置制度を採用する場合には、１週間前までの発送から２週間前までへの前倒しが必要となる（会325条の４第１項）。

他方、電子提供措置制度を利用することが困難な株主等、電子提供措置事項記載書面（以下「書面」）の交付を希望する株主は、ウェブサイトに掲載された資料を書面で交付を受けることを会社に請求できるものとする（会325条の５）。その際、会社は、基準日までに書面交付を請求した株主のみに交付すればよく、振替株式の株主の場合は、振替機関（証券会社等）を経由して請求する。書面交付請求した株主は、別途その株主が書面交付請求の撤回を行わない限り、その後のすべての株主総会において有効に機能する。このために、会社は、書面交付請求株主に対して、１年経過後、書面交付を終了する旨を当該株主に通知し、その通知に対して１ヶ月以内に異議を述べる株主のみ継続して書面交付をすることができる催告制度が用意されている。

なお、令和４年12月26日に公布・施行された令和４年会社法施行規則により、定款で定めれば書面交付請求をした株主に交付する書面に記載することを要しない事項を拡大した。すなわち、事業報告に記載または記録すべき事項のうち、「役員の責任限定契約に関する事項」、「事業の経過及びその成果」、「対処すべき課題」、「補償契約に関する事項」、および「役員等賠償責任保険契約に関する事項」、「貸借対照表及び損益計算書に記載又は記録すべき事項」ならびに「連結貸借対照表及び連結損益計算書に記載又は記録すべき事項」「監査報告」等が記載しなくてもよい事項となった（会施規95条の４第１項２号・３号・４号）。もっとも、「書面」に関して、監査役・監査(等)委員会が異議を述べている場合には、当該書面に記載しなければならない（会施規95条の４第１項２号ロ）。

また、電子提供制度を行ったものの、不正アクセスやサーバーのダウンなどの理由で電子提供制度の利用が不可能となる電子提供措置制度の中断の場合は、①中断に対して、会社に善意かつ重過失が無いこと、または会社に正当な理由があること、②電子提供措置の中断時間の合計が電子提供措置期間の合計の１割以下のこと（電子提供措置期間中全体の場合および開始日から株主総会日までの期間中の場合）、③会社が電子提供措置の中断を知った後速やかにその旨や中断時間・内容を電子提供措置にて行ったこと、のすべての要件を満たせば、電子提供された資料の法的効力は維持することができる（会325条の６）。

### (2) 監査役としての対応

株主総会資料の電子提供措置制度は、従前の紙ベースと比較して株主総会の実務を大きく変えることになる。株主総会対応は総務部門等の執行部門であることから、令和元年改正会社法対応も総務部門等が中心となって進められ、令和5年3月以降の株主総会から適用になった。一方、株主総会は会社の最高の意思決定機関であり、株主と会社役員が対峙する重要な位置付けであることを考えると、新制度が適用となる暫くの間は、総務部門等の対応が法令違反となっていないか、監査の観点から注意を払うべきである。

具体的には、電子提供措置制度を採用するために、定款変更手続が適正に行われていること、特に振替株式を発行する上場会社にはみなし定款変更制度があるとはいえ、定款の原本に電子提供措置制度を採用する旨の変更を行うとともに、定款変更の登記申請をしていること、書面交付制度の手続の適法性や電子提供制度の中断へのリスク管理状況について確認すべきである。

## 4. 株主提案権の濫用的な行使の制限

近年、1人の株主により膨大な数の議案が提案されることにより、株主提出義務通知請求権（会305条1項）が濫用的に行使されることがあり、株主総会の円滑な運営に支障を来したり、招集通知の印刷等に要するコストが増加する弊害が存在した事例があった。これに対して、このような株主提案権の濫用的な行使を制限するための措置が整備された（会305条4項・5項）。

具体的には、株主が同一の株主総会において提案することができる議案の数を10までに制限するものである。その際、役員等の選解任については、議案の数にかかわらず、1つの議案とみなす。例えば、1人の株主が取締役の候補者を3人提案したとしても、別個の議案とせずに、1つの議案として処理する。また、複数の事項に関する定款変更議案の数については、複数の議案について異なる議決がされたとすれば、当該議決の内容が相互に矛盾するような場合はまとめて1つの議案とみなし、それ以外は定款の一事項ごとに一議案と数える。例えば、1人の株主が、監査等委員会設置会社への移行と常勤監査等委員を義務付けるべきとの定款変更議案を提案した場合、前者の移行議案が否決されれば、必然的に後者の議案の意味はなくなるので、あわせて1つの議案として扱うとするものである。

# Ⅱ．定時株主総会終了後の実務

**要　点**

○定時株主総会終了後の実務として、監査役の報酬協議がある。
○監査役会設置会社の場合は、監査役会議長の選定（任意）と常勤監査役の選定を行う。
○その他、株主総会議事録や財務関係に係る諸手続の監査がある。

**解　説**

## 1．監査役等の報酬　A・B・C・D・E・F・G

論点解説 第14章 第20章

### （1）監査役の報酬　A・D・E・F・G

監査役は、経営からは独立した会社機関であるために、代表取締役が監査役の報酬を決定することとなると、取締役の職務執行を監査する責務を十分に果たせない可能性が高くなる。このために、監査役の報酬等（以下「報酬」という）は、取締役の報酬とは別に定款にその額を定めるか、株主総会の決議によって定めることになっている（会387条１項）。仮に監査役が複数就任している場合には、各監査役の報酬を個別に定める必要はなく、報酬総額を定めることで足りる。すると、各監査役の個別報酬額は、定款の定めまたは株主総会で決議された報酬総額の範囲内において、監査役の協議によって定めることになる（会387条２項）。監査役の協議によって定めるとは、監査役全員で協議した上で、監査役全員の一致によって定めることを意味することから、監査役会を開催せずに、各監査役が個別に協議して、結果として監査役全員が協議したことにする運用も可能である。

しかし、実務的には、定時株主総会は基本的にはすべての監査役が出席することが通例であることから、監査役会設置会社においては、総会終了後の監査役会において協議した上で、全員一致によって定めるようにしている会社も多い。また、監査役会として定めた場合には、監査役会議事録の記載が必須であることから、株主総会終了後の監査役会で決議しなければならない監査役会議長の選定や常勤監査役の選定（後述）を監査役会で行った後、一度、監査役会を終了した上で、各監査役の報酬については、監査役間で協議・決定するという方法を採用している会社も存在する。もっとも、監査役会として報酬を協議・決定しない場合でも、監査役間の協議の結果は、通常、協議書等の書面によって残しておく（**【様式2－3】**参照）。

また、監査役の報酬に関して、会社の中には、各監査役の報酬額を個別に決定するのではなく、報酬制定の考え方（役位別算定額、功労加算倍率、役位別在任年数等）を確認した上で、報酬総額の範囲内で具体的な額の配分は監査役会議長に一任とするスタイルを採用している会社もある。実際の報酬額の決定にあたっては、常勤か非常勤か、監査役の就任前の職位などが勘案される。また、監査役の報酬に関する内規が定められている場合は、内規によって算出された金額となる。

賞与も報酬に含まれるものなので、同じように決定することになるが、最近、多くの会社で見られる業績連動による賞与支給の場合には、最初に業績連動方式を協議した後は、各事業年度に支給するランクを確認すれば足りる。

もっとも、賞与も含めた報酬を業績連動にしたり、またストック・オプションの付与は、経営の意思決定に直接関与しない監査役の報酬として相応しくないという議論がある一方で、会社不祥事防止等への役割は業績にも影響しているとの考えから、何らかの業績連動の報酬を一部採用している会社もある。

なお、退任監査役に退職慰労金を支給する場合においても、手続そのものは、報酬支給の場合と同様である。

### （2）監査等委員の報酬　B

監査等委員会設置会社の監査等委員は、会社法上は取締役である。しかし、監査等委員は、監査役と同様に取締役の職務執行を監査する職務であり（会399条の2第3項1号）、法的には執行部門から独立しているために、監査等委員の報酬は、他の取締役とは区別して、定款または株主総会の決議によって定める必要がある（会361条1項・2項）。その上で、監査役と同様に、監査等委員の報酬については、株主総会において承認された金額の範囲内で、監査等委員の協議によって定めることになる（会361条3項）。したがって、監査等委員の報酬についての実務は、監査役の場合と同様となる。

### （3）監査委員の報酬　C

指名委員会等設置会社の監査委員は、他の取締役と同様に、報酬委員会において、報酬が決定されることになる（会404条３項・409条３項)。すなわち、監査等委員会設置会社の取締役監査等委員の報酬は、他の取締役と区別して監査等委員の協議によって定める点とは異なった規定となっている。

監査委員の場合も、監査役や監査等委員と同様に、業務執行取締役から法的に独立していることが重要であるため、業務執行取締役が監査委員の報酬を一方的に決定するのではなく、過半数の社外取締役から構成される報酬委員会において決定することによって、監査委員の法的独立性を担保した形となっている。

なお、非常勤社外取締役監査委員は、他の非常勤社外取締役と異なり、監査委員会の出席等も含めた実務的負荷が大きいことを鑑みて、報酬委員会において、監査委員会出席手当的な別途の報酬を支払うことを決定している会社もある。

COLUMN

**●報酬等●**

会社法上、「報酬等」とあるがこの「等」には、何が含まれるのであろうか。会社法では、「報酬等」を「取締役の報酬、賞与その他の職務執行の対価として株式会社から受ける財産上の利益」（会361条１項本文）とし、監査役の報酬等にも準用している（会387条)。「職務執行の対価として株式会社から受ける財産上の利益」の具体的内容について明示されていないが、主なものとして、退職慰労金、新株予約権の付与（ストック・オプション)、現物給付、退職年金が該当する。そして、報酬等は、必ずしも金銭としての額が確定しているものに限定されるのではなく、その性格から具体的な算定によるもの（業績連動型報酬)、金銭でないもの（現物支給）が含まれる（会361条１項１号～３号)。

【様式２－３】報酬協議書の事例

## 報酬協議書

各監査役の報酬額について、会社法第387条第２項の規定に基づいて、監査役間で協議した結果、下記のとおりに決定いたしました。

記

１．協議者：　A監査役
　　　　　　　B監査役
　　　　　　　C監査役
　　　　　　　D監査役
　　　　　　　E監査役

２．報酬総額：　○○○○　円以内（第△△回定時株主総会で決議）

３．各監査役の報酬額

| | | |
|---|---|---|
| A監査役 | 月額 | 円 |
| B監査役 | 月額 | 円 |
| C監査役（社外） | 月額 | 円 |
| D監査役（社外） | 月額 | 円 |
| E監査役（社外） | 月額 | 円 |

４．実施：　令和×年×月分より実施

令和×年×月×日

○○○○株式会社
A監査役　○○○○　押印
B監査役　○○○○　押印
C監査役　○○○○　押印
D監査役　○○○○　押印
E監査役　○○○○　押印

以　上

## 2．監査役会議長・特定監査役の選定 A

監査役会設置会社の場合は、監査役会議長を選定するのが通常である。監査役会議長は、会社法上、必ず選定する義務はないが、「監査役会を招集し運営するほか、監査役会の委嘱を受けた職務を遂行する」（(公社) 日本監査役協会「監査役監査基準８条２項」）役割を担うものとして選定している会社が多い。

具体的には、監査役会の招集に限定せずに、監査調書を監査対象部門に通知したり、監査役の選任同意（後述）などの際に、執行部門が同意依頼書を提出する宛先を監査役会議長としたり、同意回答書を監査役会議長名で提出するなど、監査役会の代表者的位置付けを持たせている。監査役は、独任制を特色としているため、仮に監査役会議長を選定していない場合は、執行部門は監査役全員を宛先とした同意依頼書を作成しなければならないが、監査役会議長を選定していれば、あらかじめ、監査役会議長が監査役を代表していることになるため、監査役会議長宛の依頼書は、各監査役宛と同義となる（**【様式２－４】**参照)。もっとも、会社法上は、監査役会の招集を各監査役が行うことも可能である。

また、会社法上は、監査役会が監査役会監査報告の内容の通知をすべき監査役を定めた場合、または会計監査報告の内容通知を受けるものとして定めた当該監査役を「特定監査役」（会施規132条５項、会算規130条５項）とする規定が存在するが、監査役会設置会社で監査役会議長を定めている場合には、監査役会議長を特定監査役としている会社も多い。監査役会議長を定めない場合、または監査役会議長とは別に特定監査役を定める場合には、特定監査役の選定を行う。この場合の手続は、監査役会議長を選ぶ場合と同様である。

なお、特定監査役を定めない場合は、すべての監査役が監査報告の内容の通知を行うことになるため（会施規132条５項２号ロ、会算規130条５項２号ロ)、監査役連名で監査役会監査報告を取締役会に提出したり、会計監査報告の受領を受ける。

定時株主総会終了後の最初に開催される監査役会では、監査役会議長は未定であるため、監査役会の議事進行としては、あらかじめ監査役を代表した仮の議長を決めておき、議長を選定するまでは仮の議長が監査役会議長の代行を務める（**【様式２－５】**参照)。また、あわせて、監査役会議長に事故があるときに備えて、代行となる監査役も決めておくことが望ましいであろう。

【様式2－4】監査役会議長選定書の例

代表取締役社長　○　○　○　○殿

## 監査役会議長選定書

当社定款○条に基づき、監査役会において、下記のとおり監査役会議長を選定いたしました。今後、監査方針・計画、重点監査ポイント、監査結果などについては、監査役会議長名で通知いたします。

記

1．監査役会議長　　○　○　○　○

2．就　任　日　　令和○年○月○日

令和△年△月△日

○○○○　株式会社　監査役会

常勤監査役　○　○　○　○
常勤監査役　○　○　○　○
監　査　役　○　○　○　○
監　査　役　○　○　○　○

以上

## 3．常勤監査役の選定 A

常勤監査役とは、「他の常勤の仕事がなく、会社の営業時間中原則としてその会社の監査役の職務に専念する者」（**第1章．Ⅱ．COLUMN 常勤監査役**を参照）である。もっとも、週の出勤日数とか営業時間中の勤務時間を厳密に定めているわけではない。したがって、例えば、週に3日勤務する監査役は常勤監査役にカウントできるのか否かという議論もあり得る。しかし、監査役会設置会社において、常勤監査役の選定を義務付けている（会390条2項2号・3項）趣旨は、監査役は自ら監査することを基本とした制度設計となっているため、監査役会が必置の大会社かつ公開会社の業務量を考えると、監査役の職務に専念する者が必要ということである。このために、実際には、常勤監査役の出勤日数や営業時間中の勤務時間が重要なのではなく、監査役の役割である取締役の職務執行を監査する業務に支障のない勤務形態が要請されているといえよう。一方で、仮に会社不祥事が発生し、その要因が監査役の監査業務の任務懈怠が問題となる場合、常勤監査役の勤務日数や勤務時間の妥当性については、直ちに問題となってこよう。

常勤監査役の選定は、監査役会の決議事項であるが、旧商法では「監査役の互選」とされ、協議事項として扱われていた。しかし、監査役会決議を明確にするために、会社法では監査役会で選定するという規定となった（**【様式2－5】**参照）。

なお、指名委員会等設置会社・監査等委員会設置会社における監査(等)委員は、内部監査部門を活用することを前提とした制度設計となっているために、常勤である必要はない。

もっとも、監査(等)委員が常勤であるか否かは、各々の個別理由があることから、平成27年会社法施行規則では、指名委員会等設置会社または監査等委員会設置会社は、常勤の監査(等)委員の選定の有無およびその理由を事業報告に開示することを定めた（会施規121条10号）。

特に、監査等委員会設置会社の場合には、監査役会設置会社からの移行が多く、常勤監査役が常勤の監査等委員となる場合は、常勤監査役としての役割を再確認した上で、常勤監査等委員とするか否かの判断を行っておくことが大切である（**［参考2－2］**参照）。

**【様式２－５】株主総会終了直後の監査役会シナリオの事例**

第○○回監査役会

（Ａ監査役）　第○○回監査役会を開催いたします。
議長選任までの間、私が司会進行役を務めさせて頂きます。

（Ａ監査役）　本日の第一議題は、「**監査役会議長かつ特定監査役の選定の件**」であります。
Ｂ監査役にお願いしたいと思いますが、いかがでしょうか。

（全　　員）　異議なし。

（Ｂ監査役）　それでは、私が正式に議長を務めさせて頂きます。
第二議題は「**議長かつ特定監査役に事故あるときの代行者の選定に関する件**」であります。
代行者はＡ監査役にお願いしたいと思いますが、いかがでしょうか。

（全　　員）　異議なし。

（Ｂ監査役）　ありがとうございます。
第三の議題は「**常勤監査役選定の件**」であります。

（Ａ監査役）　常勤監査役は、Ｂ監査役、Ｃ監査役に加え、私が務めさせて頂くことでいかがでしょうか。

（全　　員）　異議なし。

（Ｂ監査役）　以上で第○○回監査役会を終了いたします。

### [参考2－2] 常勤監査等委員の有無と理由の事業報告記載例

○常勤監査等委員が就任している場合

当社は、３人の監査等委員の内１人が常勤等監査委員に就任しております。常勤監査等委員は、その職務として日常的な情報収集、執行部門からの定期的な業務報告聴取、現場の実査等を行い、これらの情報を監査等委員全員で共有化することを通じて、監査等委員会の実効的な審議が可能となっています。

○常勤監査等委員が就任していない場合

当社は、常勤の監査等委員を置いておりませんが、内部監査部門からの定期的な報告を受けること、監査等委員をサポートするスタッフを配置し、情報収集に努めることなどを通じて、十分に監査等委員としての職責を果たせるものと考えております。

COLUMN

**●互選、選任と選定●**

常勤の監査役について、旧商法特例法では、会社は、監査役の互選をもって常勤の監査役を定めなければならない（旧商特18条2項）と法定されていたが、会社法では、監査役会は、監査役の中から常勤の監査役を選定しなければならないと規定している（会390条3項）。

互選とは、お互いの中から選ぶことであり、旧商法の規定では、監査役が一堂に会して常勤の監査役を定める必要はなかった。しかし、会社法上では、監査役会の中で選ぶ必要が明定され決議事項となったことから、常勤監査役の選ばれ方が明確になったといえよう。

「常勤監査役の選定」としているのは、「選任」が取締役や監査役のように「会社法上の一定の地位を有しない者に付与」する言葉であるのに対し、選定は代表取締役のように「会社法上の一定の地位を有する者に付与」する（相澤哲他編『論点解説新・会社法 千問の道標』38頁、商事法務、2006年）使い分けから、常勤の監査役は、監査役の中から一定の地位を有したものとの位置付けとしている。

なお、「選任」に対しては「解任」、「選定」に対しては「解職」が相対する語句である。

## Q&A 常勤監査役の選定

**Q 常勤監査役が退任しない場合は、株主総会終了後の監査役会で改めて常勤監査役として選定する必要はあるのか。**

**A** 監査役会設置会社では、常勤の監査役を置かなければならないため、常勤監査役が退任し、不在となる場合は、速やかに常勤監査役を選定しなければならない。一方、常勤監査役に異動がなければ、改めて選定の手続を行う必要はない。しかし、株主総会終了の最初の監査役会では、新たな監査役会構成メンバーによる新体制となることから、仮に常勤監査役に異動がなくても、確認の意味から常勤監査役の選定の手続を行っている会社が多い。

## Q&A 特定取締役と特定監査役

**Q** **特定取締役、特定監査役とは何か。監査役会議長と兼務は可能か。**

**A** 特定取締役とは、事業報告およびその附属明細書に係る監査役(会)監査報告、ならびに計算関係書類に係る会計監査人の会計監査報告および監査役(会)監査報告の通知を受ける者として定められた者である（会施規132条４項・会算規124条４項・130条４項)。

他方、特定監査役は、事業報告およびその附属明細書に係る内容、計算関係書類に係る監査報告の内容を特定取締役および会計監査人に対して通知する者、会計監査人から会計監査報告の内容の通知を受け、当該監査報告の内容を他の監査役に通知する者のことである（会施規132条５項、会算規124条５項・130条５項)。

例えば、事業報告およびその附属明細書ならびに計算関係書類は、特定取締役から特定監査役に通知した上で、特定監査役から各監査役に送付する手順となる。特定取締役や特定監査役を必ずしも選定する必要はないので、仮に特定監査役を選定しなければ、事業報告は監査役すべての連名で代表取締役から受領する。

なお、監査役会設置会社においては、監査役会議長が特定監査役を兼任することも可能であるが、その場合は、監査役会議長選定時と同時に、特定監査役を選定することになる（**【様式２－６】**参照)。

ちなみに、委員会型の会社である監査(等)委員の場合は、特に定められた者がいないときは、監査(等)委員のうちいずれかの者となる（会施規132条５項３号ロ・４号ロ、会算規130条３号ロ・４号ロ)

**【様式２－６】特定監査役選定書例**

取締役会議長　　○　○　○　○殿

## 特定監査役選定書

会社計算規則第130条第１項及び第５項２号イ並びに当社定款○条に基づき、第○○回監査役会において、下記のとおり特定監査役を選定いたしましたので、通知いたします。

記

１．特定監査役　　　　○　○　○　○（監査役会議長）

２．就　任　日　　　　令和□年□月□日

令和△年△月△日

○○○○　株式会社　監査役会

常勤監査役　○　○　○　○
常勤監査役　○　○　○　○
監　査　役　○　○　○　○
監　査　役　○　○　○　○

以上

## 4．株主総会議事録等の確認　A・B・C・D・E・F・G

### （1）株主総会議事録の作成時期

株主総会終了後は、会社は、株主総会議事録を作成しなければならない（会318条1項）。会社は、株主総会の日から10年間、支店においては5年間は、株主総会議事録を備置しなければならない（会318条2項・3項）が、作成期限は特に定められているわけではない。しかし、株主および債権者は、会社の営業時間内に常時、株主総会議事録を閲覧・謄写することが可能なため、株主総会終了後に相当の期間、作成を放置しておくことは望ましいことではない。その理由の大きな点として、取締役会議事録および監査役会議事録は、株主等が閲覧・謄写請求をする際には、あらかじめ裁判所の許可を必要とするのに対し、株主総会議事録は、裁判所の許可を必要としない点にある。すなわち、取締役会議事録および監査役会議事録は、株主等による裁判所の閲覧・謄写の許可申立に対して会社は抗弁をする機会があり、裁判所の審理を経て許可決定がなされてはじめて株主等は閲覧・謄写ができるために、閲覧・謄写までに一定の期間を要するのに対して、株主総会議事録は、このようなハードルがないからである。このために、会社として株主総会終了後は、速やかに株主総会議事録を作成するように努めるべきであり、通常は遅くとも2週間以内には、作成を完了しているのが一般的である。なぜならば、取締役や監査役等の役員の登記（就任登記および重任登記）は、その就任の日から2週間以内に本店の所在地で行わなければならない規定（会911条3項・915条1項）から、この期間内に株主総会議事録の作成と監査を終了しておくことが目安となるからである。言い換えると、株主から株主総会議事録の閲覧・謄写請求があったとしても、株主総会開催日から2週間以内であれば、その期間を経過するまで待ってもらうことは問題ないと考えられる。

### （2）株主総会議事録の記載事項と監査

監査役としては、会社が作成した株主総会議事録の記載内容について、株主等が閲覧・謄写の申し入れをする前に、確認をする。

株主総会議事録の記載事項は、開催日時・場所、出席した役員や議長の氏名等のほか、議事の経過の要領およびその結果（株主からの質問や動議、役員からの説明内容や質問に対する回答等）などである（会施規72条、**［参考2－3］**参照）。

**［参考2－3］ 株主総会議事録の記載事項（会318条１項、会施規72条）**

①株主総会開催の日時および場所（開催場所に欠席の取締役、監査役、会計監査人、株主が株主総会に出席した場合の出席方法を含む）

②株主総会の議事の経過の要領およびその結果

③監査役の法定の事項に係る株主総会への報告、監査役の報酬等についての意見または発言の内容の概要

④出席した取締役、監査役または会計監査人等の氏名または名称

⑤議長の氏名

⑥議事録の作成に係る職務を行った取締役の氏名

実務的には、役員からの説明内容が、株主総会参考書類等の内容と重複している場合は、これらを添付することにより、個別に記載することと代替させる方法もあり得る。そして、監査役は、株主総会議事録がこれらの記載内容を適法に記載しているか会社が備置する前に監査を行い、仮に不十分であったり不適切な記載であった場合には、株主総会議事録作成部門（総務部が通例）に対して、指摘する。

なお、株主総会議事録は、取締役会や監査役会議事録と異なり、出席取締役および監査役の署名または記名押印は要請されていない。

### （３）議決権行使書や委任状等の法的備置書類の監査

会社は、株主総会の日から３ヶ月間は、株主から提出された議決権行使書面を会社の本店に備え置かなければならない（会311条３項）。このため、この３ヶ月間における会社の営業時間内は、株主は会社に対して、常時、閲覧・謄写を請求することが可能である（会311条４項）。

また、株主の代理人が議決権を行使した場合は、行使の際に提出された委任状等の代理権を証明する書面を、株主総会の日から３ヶ月間、本店に備え置く必要があり（会310条６項）、この委任状についても、株主は、議決権行使書と同様に営業時間内は常時、閲覧・謄写することができる。そのほか、株主総会議事録は、本店に株主総会の日から10年間備置が義務付けられている（会318条２項）。したがって、監査役は、これらの法定備置書類が、適切に備置されているか確認する必要がある（**【図表２－Ａ】**参照）。

**【図表２－A】備置・閲覧に供すべき主な書類等一覧表**

| 項　目 | 書　類　名 | 備　置 | 閲 覧・謄 写・交 付 |
|---|---|---|---|
| 計算書類・附属明細書（注１） | 貸借対照表<br>損益計算書<br>株主資本等変動計算書<br>個別注記表 | 定時総会の日の２週間前から<br>本店　5年間<br>支店（写し）　3年間<br>（会442①②） | 株主・債権者・親会社社員（裁判所の許可を得て）<br>（営業時間内の閲覧・交付 会442③④）（注２） |
| 事業報告・附属明細書 | | | |
| 監査報告書 | 監査役監査報告書<br>監査役会監査報告書<br>会計監査人監査報告書 | | |
| 会計帳簿・資料 | 仕訳帳　総勘定元帳　補助簿　伝票　受取証ほか | 会計帳簿の閉鎖の時から10年間<br>会社で保存<br>（会432②） | 総株主の議決権または発行済株式の３％以上保有の株主・親会社社員<br>（裁判所の許可を得て）<br>（営業時間内の閲覧・交付 会433①③）（注３） |
| 株主総会議事録その他の備置書類 | 定　　款 | 本店・支店（会31①） | 株主・債権者・新株予約権者・親会社社員（裁判所の許可を得て）<br>（営業時間内の閲覧・交付 会31②③）（注２） |
| | 株式取扱規則 | 本店・支店、株主名簿管理人の営業所<br>（会31①の準用） | 株主・債権者・親会社社員（裁判所の許可を得て）<br>（営業時間内の閲覧・交付　会31②③の準用）（注４） |
| | 株主名簿（含　実質株主名簿）<br>新株予約権原簿及び社債原簿<br>端株原簿及び株券喪失登録簿 | 本店<br>株主名簿管理人の営業所<br>（会125①、会252①）<br>社債名簿管理人の営業所<br>（会684①、施規167）<br>（会231） | 株主・債権者・親会社社員（裁判所の許可を得て）<br>（営業時間内の閲覧・謄写　会125②④、社債権者（会684②④）、端株主（端株原簿のみ　整備法86）、新株予約権者（新株予約権原簿のみ　会252②④）、何人も可（株券喪失登録簿の閲覧・謄写　会231②） |
| | 代理権を証明する書面 | 株主総会の日から<br>本店　３か月（会310⑥） | 議決権のある株主<br>（営業時間内の閲覧・謄写　会310⑦） |
| | 議決権行使書〔株式総会に出席しない株主が書面による議決権を行使することができることとしている会社〕 | 株主総会の日から<br>本店　３か月（会311③） | 議決権のある株主<br>（営業時間内の閲覧・謄写　会311④） |
| | 株主総会議事録<br>（含　書面決議・書面報告総会） | 定時総会の日から<br>本店　10年間<br>支店（写し）　５年間<br>（会318②③、施規72） | 株主・債権者・親会社社員（裁判所の許可を得て）<br>（営業時間内の閲覧・謄写　会318④⑤） |
| | 株主総会書面決議同意書面 | みなし決議の日から<br>本店　10年間（会319②） | 株主・親会社社員（裁判所の許可を得て）<br>（営業時間内の閲覧・謄写　会319③④） |

| | | | |
|---|---|---|---|
| | 取締役会議事録<br>（含　書面決議・書面報告） | 取締役会の日から<br>本店　10年間（会371①） | 株主及び親会社社員（権利行使のため）、債権者（責任追及のため）、裁判所の許可を得て閲覧・謄写（会371②③④⑤） |
| | 監査役会議事録<br>（含　書面報告） | 監査役会の日から<br>本店 10年間（会394①） | 株主及び親会社社員（権利行使のため）、債権者（責任追及のため）、裁判所の許可を得て閲覧・謄写（会394②③） |
| | 社債権者集会議事録 | 社債権者集会の日から<br>本店 10年間（会731②） | 社債管理者・社債権者<br>閲覧・謄写（会731③） |
| | 役員退職慰労金支給基準 | 本店（施規82②、施規83②、施規84②）（注５） | 議決権のある株主<br>閲覧（施規82②、施規83②、施規84②） |
| 有価証券報告書等 | 有価証券届出書、<br>有価証券報告書、<br>半期報告書、<br>臨時報告書<br>ほか | 本店・主要支店・事務所<br>財務局<br>金融商品取引所<br>日本証券業協会<br>５年間ほか（金商法25①②③） | 公衆縦覧（金商法25①②③） |
| | 有価証券報告書等の記載内容に関する確認書 | ５年間（金商法25①五） | 公衆縦覧（金商法25①五） |
| | 内部統制報告書 | ５年間（金商法25①六） | 公衆縦覧（金商法25①六） |
| | 四半期報告書 | ３年間（金商法25①七） | 公衆縦覧（金商法25①七） |
| 組織再編に必要な書類 | 吸収合併契約書<br>吸収分割契約書<br>株式交換契約書<br>ほか | 吸収合併消滅株式会社本店<br>吸収分割株式会社本店<br>株式交換完全子会社本店<br><br>事前開示の開始日から効力発生日まで<br>事前開示の開始日から効力発生日後６か月まで<br>ほか<br>（会782①、会791②、会794①ほか） | 株主、債権者、新株予約権者、その他の利害関係人ほか<br>（営業時間内の閲覧・交付　会782③、会791③、会794③、ほか） |

（注１）　連結計算書類については備置は不要。

（注２）　ただし、閲覧・交付には会社の定めた費用の支払いが必要。

（注３）　ただし、閲覧・交付には請求理由を明らかにしなければならない。

（注４）　株式取扱規則は法定の規則ではなく、定款により委任された規則であるため、備置は義務付けられていないが、定款の備置規定を準用。（東証の有価証券上場規程施行規則418条（18）により変更があった場合に東証への提出は必要。）

（注５）　退職慰労金に関する議案があるとき、議案が一定の基準に従い取締役、監査役等の第三者に一任するものであるときは、その基準の内容を株主総会参考書類に記載するか、招集通知発送の日から総会の決議終了まで備置しておくことが必要。

**出所：（公社）日本監査役協会「監査役監査実施要領」参考資料16（©公益社団法人日本監査役協会）**

### (4) 登記事項の変更

株主総会において、定款（目的、商号、発行可能株式総数、株式の種類等）を変更する場合、取締役等の役員を選任・解任する場合、代表取締役を選定した場合には、登記事項（会911条3項）の変更に該当する。このような登記事項の変更が生じた場合には、会社は本店において2週間以内に変更登記を行わなければならない。この点について、法定された期間内に登記事項が変更されているか、監査役として確認する。



## 5. 財務に関わる諸手続の監査 A・B・C・D・E・F・G

### (1) 決算公告 A・B・C・D・E・F・G

会社は、有価証券報告書提出会社を除いて、定時株主総会の終結後、遅滞なく、貸借対照表（大会社にあっては損益計算書も含む）を公告しなければならない（会440条1項）。公告においては、個別注記も明らかにしなければならない（会算規136条1項・2項）。もっとも、公告方法が官報または時事日刊新聞紙に掲載する方法である会社は、貸借対照表（および損益計算書）の要旨を公告することで足りる（会440条2項、会算規137条～146条）。また、会計監査人設置会社において、当該公告に係る計算書類について不適正意見がある場合は、その旨も公告しなければならない（会算規148条3号）。なお、決算公告に限っては、官報公告等によらず、会社のホームページを利用する等の電磁的方法によっても提供することが可能であるため、実務的には、会社のホームページを利用する会社が増加してきている。

監査役としては、決算に関して公告が遅滞なく行われている点について、事前に担当部門より公告スケジュールの状況を把握するとともに、公告の実物を確認することが望ましいであろう。

### (2) 有価証券報告書等の提出 A・B・C・E（その他上場会社）

金融商品取引法の関連で、有価証券報告書提出会社は、取締役会の承認を経た後は、各事業年度の経過後3ヶ月以内に、企業の概況、事業の概況、設備の状況、会社の状況、経理の状況、株式事務の概要、参考書類を記載した有価証券報告書を、内閣総理大臣に提出しなければならない（金商24条、開示府令15条）。3月決算会社の場合は、定時株主総会の開催が6月下旬に多いことから、定時株主総会が終了した後速やかに各事業年度の経過後3ヶ月以内である6月末日までに、有価証券報告書を提出することになる。したがって、監査上は、有価証券報告書の内容とあわせ、期限内に提出していることも注意する必要がある。

また、平成20年４月１日以降に開始された事業年度において、上場会社等は有価証券報告書の提出とあわせて、有価証券報告書の記載内容が適正であることを確認した旨を記載した確認書の提出（金商24条の４の２）および財務計算に関する書類その他の情報の適正性を確保するために必要な体制について評価した内部統制報告書を提出しなければならなくなった（金商24条の４の４）。確認書や財務報告に係る内部統制報告書の提出の立法趣旨は、有価証券報告書の虚偽記載や粉飾決算が一部企業で発生した事実を踏まえて、財務報告の信頼性の確保を目的としたものである。確認書の記載事項としては、代表者の役職氏名、最高財務責任者を定めている場合は当該者の役職氏名を記載する必要があり（開示府令17条の５）、内部統制報告書は、代表者の役職氏名等（会社が財務報告に関し、代表者に準じる責任を有する者として、最高財務責任者を定めている場合には、当該者の役職氏名等）、財務報告に係る内部統制の基本的枠組み、内部統制の評価の範囲、基準日及び評価手続、評価結果、付記事項（期末日後に、重要な欠陥を是正するために実施した措置がある場合には、その内容等）を内容とする記載をしなければならない（内部統制府令４条）。したがって、これらの提出書類が、法に定められた内容や様式になっているか、監査役としても監査の対象となる。

# Ⅲ．監査役(会)の同意事項・決定事項

**要　点**

○監査役(会)として法令で定められている同意事項には、監査役の選任議案、会計監査人の報酬がある。

○いずれも、監査役が経営者から独立した会社機関であることから、規定されたものである。

○会計監査人の報酬同意は、会社法で新たに規定された項目であるが、さらに進めて、会計監査人の報酬については、同意事項ではなく、監査役が決定権を持つべきであるとの意見もあった。このために、平成22年４月から開始された会社法改正の審議項目となったが、最終的には見送られた。

○会計監査人の選任・解任並びに不再任に関する株主総会提出議案については、平成26年改正会社法において、監査役は同意権から決定権に変更となった。



**解　説**

監査役(会)の同意事項として、監査役の選任同意、会計監査人の報酬同意がある。また、決定事項として会計監査人の選解任・不再任議案の内容の決定がある。以下、順にその手続と運用上の留意点を解説する。

## 1．監査役の選任同意　A・C・D・E・F・G

取締役は、監査役の選任に関する議案を株主総会に提出するには、監査役（監査役が二人以上ある場合にあってはその過半数、監査役会設置会社である場合には監査役会）の同意を得なければならない（会343条１項・３項)。監査等委員の選任に関する議案を株主総会に提出する際にも、監査等委員会の事前の同意が必要である（会344条の２第１項)。他方、指名委員会等設置会社の監査委員は、監査委員会としての同意要件は存在しない（後述)。

監査役会の同意とは、会議体としての意思決定であることから、実質的には監査役の過半数の決議と同様の法的効果が生ずる。監査役が再任される場合は、当該監査役は特別利害関係人と考えれば、当該監査役を除いたところで過半数の同意を行うことが基本であるが、再任の場合は、解任の場合と異なり特別利害関係に当たらないとするのが通説であり、また全員が再任の場合も実務的にあり得ることから、除外しないとする運用が定着している。

本規定の立法趣旨は、取締役の職務の執行を監査する監査役を、取締役がお手盛り的に選任することを防止することである。すなわち、取締役が自己に都合のよい監査役を選任するための議案を株主総会に提出する際に、監査役(会)として拒否権を持っていることを意味する。言い換えれば、監査役の独立性が人事面から担保されることを法的に保証した点で重要であり、平成13年の商法改正で監査役の権限強化の一環として新たに定められた。

また、監査役（監査役会設置会社である場合には、監査役会）は、取締役に対し、監査役の選任を株主総会の目的とすること、または監査役の選任に関する議案を株主総会に提出することを請求することができる（会343条２項・３項)。本規定は、監査役の選任にあたって、取締役が選任する候補者について監査役(会)として同意の有無を判断することに限定されず、自らが監査役候補者を探し、提案することも可能であることを意味している。

さらには、監査役は株主総会において、監査役の選任について意見を述べることができる（会345条４項・１項)。このような株主総会における監査役の意見陳述権は、監査役(会)の選任に関する同意権等と相俟って、監査役の意向を無視した監査役の選任が行われることを防止する機能がある。

以上の規定やその趣旨を活かす意味でも、監査役の選任議案については、監査役候補者の職歴・適性等を十分に見極め、同意の有無を判断するように努める必要がある。具体的には、会社やその子会社の取締役もしくは支配人その他の使用人または子会社の会計参与もしくは執行役を兼務できない(会335条２項)との監査役の資格要件を満たしていることの確認は当然である。さらには、監査役が複数就任している場合や監査役会設置会社においては、営業出身の監査役のみで構成されているようなことがないかなどの全体のバランス面、健康上の問題等から任期を全うできないような懸念がないか、職歴や業務のこれまでの執行状況から、監査役として相応しい人物かなどについて、常勤監査役を中心に、十分に検討することが望ましい。特に、監査役の内、１名は、財務および会計に関して十分な知見を有する者を配置することも考慮に値する。また、社外監査役については、その独立性について問題がないかという視点や、取締役会や監査役会の出席の可能性の観点も検

【様式２－７】新任監査役候補者の同意依頼書例

総務　△△号
令和○年○月○日

○○株式会社
監査役会議長
監査役　○○○○殿

○○株式会社
代表取締役社長　○○○○

**監査役の選任に関する監査役会の同意についての依頼**

第○○回定時株主総会の終結の時をもって、○○○○監査役は、任期満了となりますので、来る○月○日開催予定の取締役会において、「第○○回定時株主総会に付議する監査役候補者」を付議する予定としておりますが、同取締役会に別紙の候補者を付議するにあたり、監査役会の同意を得ることといたしたく、よろしくお取り計らいくださるようお願い申し上げます。

以　上

別紙：新任監査役候補者　略歴書

【様式２－８】新任監査役候補者の同意書例

監査　△△号
令和○年○月○日

○○株式会社
代表取締役社長　○○○○殿

○○○○株式会社
監査役会議長
監査役　○○○○

**第○○回定時株主総会に提出する監査役の選任に関する議案の同意**

標記の件につき、監査役会規則第○○条に基づき、第○○回監査役会において審議した結果、企業経営者としての知見・経験も踏まえ○○○○氏を新任監査役候補者とする議案の提出に関して、監査役会として同意することを決議いたしましたのでご連絡いたします。

以　上

討項目の一つである。なお、平成26年改正会社法で、社外性要件が厳格化された（後述）。

新任監査役候補者の場合は、執行部門からは少なくとも職歴を記載した選任理由書を新任監査役候補者同意依頼書（同意依頼書と選任理由書が一体化したものでも可、**【様式２－７】**参照）とともに提出させた上で、同意の有無を正式に判断すべきである。また、同意した場合には、新任監査役候補者同意書（**【様式２－８】**参照）を、仮に不同意の場合はその理由を文書で残すように心掛ける方がよいと思われる。

同意依頼書や同意書は、代表取締役会長または社長（取締役会設置会社では、取締役会議長）と特定監査役または監査役全員（監査役会設置会社では、監査役会議長とすることも可）との間で取り交わすことが一般的である。

なお、監査役会設置会社においては、監査役会議事録の中で、同意した旨を決議事項として記載する。その際、同意理由書等を作成している場合は、それら書類を監査役会議事録の添付資料とすればよいが、仮に、特段にそれら書類を作成しない場合においては、新任監査役候補者の氏名のみならず、同意理由まで記載すると丁寧な対応である。

監査役の選任は株主総会事項であることから、株主総会の監査役候補者としての議案が株主に通知される前に、選任同意の手続をとらなければならない。多くの会社では、４月または５月に、株主総会招集通知等の承認・決議を行う取締役会の前に監査役の選任議案の同意を実施している。ちなみに、指名委員会等設置会社の各委員は取締役会で選定される（会400条２項）ために、手続的には、監査役設置会社とは異なる。すなわち、監査委員会で監査委員の同意という手続は存在しない。

## ２．会計監査人の報酬同意　A・B・C・D

会計監査人の監査報酬[3]に対して、監査役(会)の同意事項としたのは、旧商法にはなかった会社法の新たな規定である。すなわち、取締役は会計監査人（または一時会計監査人）の職務を行うべき者の報酬等を定める場合には、監査役（監査役が二人以上ある場合にあっては、その過半数、監査役会設置会社である場合は監査役会）の同意を得なければならないとしている（会399条１項・２項）。本規定は会計監査人がその職務を遂行する際に、監査報酬の面から制約を受けて十分な監査ができないようなことがないように、会計

３）報酬は、計算関係書類の監査に係る報酬等が該当し、会計監査人が会社に対して非監査サービスを提供した場合の対価は含まれない。

監査人の独立性の観点から定められた規定である。また、会計監査人の報酬が不当に抑制されることを回避することにより、会計監査品質の維持・向上の目的も存在する。

そこで、監査役(会)としては、会計監査人の報酬金額の妥当性に関して、何らかの根拠に基づいて判断することになる。通常は、会計監査人と日常的に接している財務部門が報酬金額案とその根拠を提示するが、監査役としてはその妥当性を判断するにあたり、前年度の会計監査の実施状況とその評価および本年度の監査計画を勘案して最終的に会計監査人の報酬の同意の有無を判断する。報酬金額は、通常、報酬単価に監査計画の延べ日数を乗じて計算するために、報酬単価の水準を前年度の会計監査人の評価や他社の水準の比較等から、監査計画日数については、前年度の監査実績と当該事業年度の監査活動の予定等を勘案して同意の有無を決定する。監査計画日数については、監査対象範囲とその内容およびどのレベルの会計士（パートナークラスから経験の浅い会計士まで）が監査をするのか、具体的内容を十分に聴取すべきであろう。例えば、会計監査の経験が浅い会計士が担当すれば、それだけ監査時間を要するわけであるから、監査効率と実効性との兼ね合いをよく見極めて判断することが大切である。比較的精緻に報酬金額を計算するためには、レベル別の会計士の単価と各々の日数を乗じた合計金額で行うことになるが、現実的には、単価に監査計画の延べ日数を乗じたもので決定している場合が多い。監査報酬については、金額を抑制することを目的とせず、必要な報酬は支払うとのスタンスを持ちつつ、無駄や非効率な点がないかについても留意して、報酬金額の妥当性を判断する。このためにも、日常の監査活動から、会計監査人との連携を深め、お互いの信頼関係を醸成しておくことが肝要である。

会計監査人の報酬同意に関する具体的な手続は、監査役の選任同意と同様に、執行部門より会計監査人報酬同意依頼書と根拠説明書の提出（**【様式２－９】**参照）を受け、監査役(会)で過半数の同意を得た後には、会計監査人報酬同意書（**【様式２－10】**参照）を執行部門（代表取締役社長または取締役会議長宛等）に返信すると確実である。また、監査役会設置会社の場合は、監査役会としての同意事項に相当するために、監査役会議事録にその内容と結果をとどめておくことは、監査役の選任同意と同じである。

会計監査人の報酬同意を行う時期であるが、会計監査人の監査計画で示される監査日数や監査内容と深く関係することから、会計監査人の監査計画と同時期かまたはその直後で行う会社が多いようである（７月等)。もっとも、中には、監査実績見込みを基に議論した上で、翌事業年度の監査報酬の同意を３月頃に実施する会社もある。

また、指名委員会等設置会社・監査等委員会設置会社においては、会計監査人の監査報酬の同意手続は、監査役設置会社と同様である（会399条３項・４項）。

なお、平成27年改正会社法施行規則においては、公開会社においては、監査役(会)や監査(等)委員会としての会計監査人の報酬同意理由を事業報告に記載しなければならなくなった（会施規126条２号）。事業報告に開示するということは、監査役等による会計監査人の報酬同意理由がすべての株主に開示されることを意味する。したがって、適正な会計監査報酬の水準について、監査等は従前以上に注意を払って判断する必要がある。

もっとも、事業報告に記載されることとなったことから、監査役等が同意理由のための情報収集をすべて自らが行わなければならないということではない。執行部門が提示してくる会計監査人の報酬額の根拠をしっかりとヒアリングした上で、会計監査人の意見や監査役として確認する会計監査の相当性等を考慮に入れながら同意の有無を判断すればよい。

実務的には、監査役が事業報告記載文を作成して執行部門に通知するか、執行部門が作成した文案を監査役がチェックするかどちらかである。上述したように、執行部門からの同意依頼書と監査役の同意書の通知行為がある場合は、同意書に同意理由を記載することによって、期末時期に改めて同意理由を確認する手間はなくなる（**［参考２－４］**参照）。

**［参考2－4］ 会計監査人の報酬同意理由の事業報告記載例**

○報酬金額が例年通りの水準の場合

監査役会は、会計監査人から説明を受けた当事業年度の会計監査計画の監査日数や人員配置などの内容、前年度の監査実績の検証と評価、会計監査人の監査の遂行状況の相当性、報酬の前提となる見積もりの算出根拠を精査した結果、会計監査人の報酬等の額について同意いたしました。

○報酬金額が例年と異なる場合

令和元年度における○○監査法人の会計監査人報酬につきましては、前年度比較で、□□万円の増加の□□□□万円となりました。これは、本年度、当社の購買システムのシステム監査を重点的に実施した結果であり、その他の事業部門については、概ね前年度と同様の会計監査の実施が妥当であると考え、監査役会として同意いたしました。

【様式２－９】会計監査人報酬の同意依頼書例

財務　△△号
令和○年○月○日

監査役会議長
監査役　○○○○殿

取締役財務部長　○○○○

**第○○期会計監査人の監査報酬の同意についての依頼**

第○○期（令和○年度）会計監査人に関する監査報酬について、××××円の支払いを計画しております。

つきましては、本件報酬について、監査役会の同意を得ることといたしたく、よろしくお取り計らいくださるようお願い申し上げます。

以　上

別紙：会計監査人報酬支払根拠説明書
・前提となる監査計画日数（事業所別、前年度比較）
・前提となる単価（算出根拠）
・他社比較（参考）

【様式２－10】会計監査人報酬の同意書例

監査　△△号
令和○年○月○日

取締役財務部長　○○○○殿

監査役会議長
監査役　○○○○

会計監査人の報酬に関する同意について

第○○期（令和○年度）会計監査人に関する監査報酬について、監査役会規則第○○条に基づき、第○○回監査役会において審議した結果、会計監査計画の監査日数及び昨年の監査実績の検証と評価、会計監査人の監査の遂行状況の相当性、報酬の前提となる見積もりの算出根拠を精査した結果、監査役会として同意することといたしましたのでご連絡いたします。

以　上

COLUMN

**●会計監査人の監査報酬同意と決定権●**

会計監査人の監査報酬に関して、監査を受ける会社経営者（または執行部門）が監査報酬を決定することは、会計監査人の監査上の独立性の観点からは、問題であるとの議論がある（「インセンティブのねじれ」ともいう）。このために、監査役が会計監査人の監査報酬を決定する権限を持つようにすべきとの意見がある。監査役が会計監査人の監査報酬を決定することになれば、会計監査人としては、監査対象者である会社執行部門に対する遠慮はなくなり、監査の実効が期待できるからである。

このような背景から、平成22年４月から審議が開始された会社法制の見直しに関する法制審議会会社法制部会では、会計監査人の報酬について、監査役の同意権から決定権に改正するか否かについて審議の対象となった。結果的には、会計監査人の選・解任と不再任の議案は監査役に決定権が付与されたが、報酬については見直しは行われなかった。

会計監査人の監査報酬について、まずは、監査役の同意権を十分に活用することが重要であるとの意見が強かったことが見直しが行われなかった理由の一つである。監査役としては、執行部門が提示してきた会計監査人の報酬額が不十分であり、会計監査の実効性を上げるためには、監査日数を要し監査報酬が上がることは必然であると判断すれば、執行部門側に見直しを要求することも必要であろう。このためには、監査役と会計監査人の日常的な連携が不可欠であり、会計監査人の監査の相当性判断の実態の裏付けが重要となる。

## ３．会計監査人の選解任・不再任の議案の決定　A・B・C・D

会計監査人は、会社の計算書類等を監査する役割を担っており、大会社および指名委員会等設置会社・監査等委員会設置会社では必置である（会328条・327条５項）。また、大会社や指名委員会等設置会社・監査等委員会設置会社に限らず、定款で定めれば、すべての会社に会計監査人を設置することが可能である（会326条２項）。但し、会計監査人を設置する場合には、１名以上の監査役を置かなければならない（会327条３項）。

会計監査人の任期は１年（会338条１項）であり、株主総会の普通決議によって選任される（会329条１項）。平成26年改正会社法により、株主総会に提出する会計監査人の選解任・不再任の議案の内容を決定する権限は、取締役(会)から監査役(会)に移った（会344条１項・３項）。したがって、今までの会計監査人の代わりに、新たな会計監査人を選任する場合、あるいは会計監査人設置会社となるために初めて会計監査人を選任する際には、監査法人等に関する情報を収集した上で、監査役(会)として決定する必要がある。もっとも、監査役と監査役スタッフが情報収集から決定に至るまですべて行うことが要求されているのではなく、財務部門を中心とした執行部門から監査法人や公認会計士に関する情報を収集した上で最終的に決定すればよい。判断の具体的ポイントとしては、監査法人であれば、会計監査を担当している会社数や業界、所属公認会計士の数、会計監査についての監査法人内の審査体制、会計監査人への報酬のレベル感、行政当局からの業務停止処分の有無などについて十分な検討を行った上で、監査役(会)として決定し、取締役(会)に通知する（**【様式２－11】**参照）。

また、前年度から引き続き同じ会計監査人を起用（再任）する場合には、定時株主総会において、別段の決議がなされなかったときは、会計監査人は当該株主総会において、再任されたものとみなされる（会338条２項）との規定があるために、多くの会社では、定時株主総会に会計監査人再任議案を提出することは行っていない。しかし、実務的には、定時株主総会の目的事項としないことを監査役(会)として決定しておくことが丁寧な手続きである。そして、監査役(会)で決定した後で、定時株主総会の招集通知等を確認する決算取締役会の開催日までに、代表取締役や取締役会議長宛てに、その旨通知する（**【様式２－12】**参照）。

会計監査人の再任については、監査役の期末監査において、会計監査人の相当性の判断を行った上で監査役(会)監査報告に記載する（**第１章．Ⅳ．期末監査の実践**を参照）ことから、監査役(会)監査報告の作成の決定・決議を行うタイミングで、会計監査人の再任および株主総会の目的事項としないことを決定するとよいであろう。

会計監査人に関する選解任・不再任の決定権を監査役(会)が持つということは、会計監査人の人事権を持つことと同視できる。したがって、会計監査人の会計監査が不十分であったことが原因で粉飾決算が発生し、しかも会計監査人に重大な帰責性があったときには、そのような会計監査人を選任した監査役の責任につながる可能性もあるので、慎重な対応が必要である。

**【様式２－11】会計監査人選任議案決定通知書例（監査役会設置会社の場合）**

監査　△△号<br>令和○年○月○日

代表取締役社長
　　○○○○殿

監査役会議長<br>監査役　○○○○

**会計監査人の選任に関する監査役会の決定についての通知について**

第○○回定時株主総会において、新たに会計監査人として選任する議案を提出するにあたり、監査役会規則第○○条に基づき、第○○回監査役会において審議した結果、監査に関する品質管理基準にもとづき監査体制が整備されていることなどから、○○○○を会計監査人候補とすることを監査役会として決議いたしましたので、ご連絡いたします。

以　上

別紙：会計監査人候補者案（概要説明書）

【様式２－12】会計監査人再任決定通知書例（監査役会設置会社の場合）

監査　△△号
令和○年○月○日

代表取締役社長
　　○○○○殿

監査役会議長
監査役　○○○○

**会計監査人の再任に関する決定通知について**

第○○期事業年度の会計監査人として、○○○○監査法人を再任すること、及び本再任については、第○○回定時株主総会の会議の目的事項とはしないことに関して、監査役会規則第○○条に基づき、第○○回監査役会において審議した結果、監査役会として決議致しましたのでご連絡いたします。

以　上

なお、会計監査人の解任・不再任の決定の方針は事業報告の記載事項である（会施規126条４号)。平成26年改正会社法において、監査役(会)が株主総会に提出する会計監査人の選任・解任・不再任に関する議案の内容を決定することになったことから、会計監査人の解任・不再任の決定の方針も監査役(会)が主体となって記載することになる。したがって、実務的には、会計監査人の人事権が監査役(会)に移行したのに伴って、監査役(会)において、会計監査人の解任・不再任の決定方針を改めて決定・決議しておくと丁寧な手続となる。その上、事業報告に記載文を執行部門に通知するのが実務の流れとなる（**[参考２－５]** 参照)。

**[参考2－5] 会計監査人解任・不再任の方針の事業報告記載例**

当社監査役会は、法令の定めに基づき相当の事由が生じた場合には、監査役全員の同意により会計監査人を解任し、また、会計監査人の監査の継続について著しい支障が生じた場合等には、監査役会が当該会計監査人の解任又は不再任に関する議案の内容を決定し、これを株主総会に提出いたします。

注１．「法令の定めに基づき相当の事由が生じた場合」とは、会社法340条１項各号の下記のことを指す。

①職務上の義務に違反し、又は職務を怠ったとき

②会計監査人としてふさわしくない非行があったとき

③心身の故障のため、職務の執行に支障があり又はこれに堪えないとき

注２．「会計監査人の監査の継続について著しい支障が生じた場合」とは、監査品質、会計監査人としての内部統制に問題があり、監査の相当性に大きな疑義が生じた場合が考えられる。

## Q&A 会計監査人再任の監査役実務

**Q　平成26年改正会社法において、会計監査人の選解任・不再任議案の内容の決定権が執行部門から監査役に変更になったが、これに伴って会計監査人を再任する場合の監査役実務として、何か変更があるのか。**

**A**　会計監査人は任期が１年（会社法338条１項）であるため、本来は、定時株主総会で毎年、会計監査人候補者の議案が提出された上で決議される手続きを踏むはずである。しかし、会計監査人は、株主総会で別段の決議がなされない場合は、株主総会で再任されたものとのみなし規定（会社法338条２項）があるために、実務上は、ほとんどの会社では、株主総会で会計監査人の再任議案を株主に提出していない。したがって、株主総会で議案として提出していない以上、会計監査人の再任について、監査役実務として、法的には新たに発生することはない。

もっとも、従前、執行部門が会計監査人の再任について、確認の意味から、毎年取締役会で決議する実務を行っていたならば、会社法改正の施行日である平成27年５月１日以降は、毎年監査役会で決議する実務が平仄を合わせたことになろう。

なお、平成27年５月１日以降に開催される株主総会で会計監査人の再任していることについて株主からその理由の質問があったときには、監査役が回答する義務となる。

# Ⅳ．監査役会・監査(等)委員会議事録

**要　点**

○監査役会設置会社は、監査役会議事録の作成が義務付けられている。
○監査役会議事録は、法令で定められた決議事項等を監査役会で実施している証拠となるだけでなく、監査役としての職務の遂行に対する任務懈怠責任を問われないための書証ともなり得るものである。
○監査役会議事録は、過料の制裁に問われないように、監査役会の議事の経過の要領およびその結果について簡潔かつ的確に記載することが大切である。
○監査役会議事録は、株主等による閲覧・謄写の対象書類であるので、監査役会議事録と一体と見なされる添付資料の内容については、企業機密情報の有無などを十分に検討した上で、別紙として添付するか否かを慎重に判断すべきである。

**解　説**

## 1．監査役会・監査(等)委員会議事録作成の必要性　A・B・C

監査役会設置会社・監査等委員会設置会社・指名委員会設置会社は、監査役会・監査等委員会・監査委員会（以下、まとめて「監査役会」という）の議事について議事録を作成し、議事録が書面をもって作成されているときは、出席した監査役は、署名または記名押印しなければならない（会393条２項）。この立法趣旨は、監査役会設置会社が、監査役会を適切に運営していることの証明となることである。公開会社かつ大会社では監査役会は必置である（会328条１項）が、公開会社でない会社（すべての株式に譲渡制限がある会社）や中小会社においても、取締役会を設置しており、かつ監査役が３人以上（半数は社外監査役）就任していれば、定款の定めによって監査役会を設置することができる（会326条２項・327条１項２号・335条３項）。監査役会は、監査役の間で情報を共有化したり、意見交換を行うことなどによって、監査の実効性を高めることが期待されている。しかし、

外観上は監査役会を設置していても、監査役間の審議・協議が行われ、監査役会設置の趣旨に基づく監査の実効性につながっているものでなければ、監査役会を設置した意味はない。したがって、監査役会が開催され、必要な項目が決議されたり報告されたことを確認する点から、監査役会議事録の作成は不可欠であり、会社法上も義務化しているのである。

他方、監査役の視点でみると、監査役会として決議すべき事項について、監査役会議事録は監査役の過失責任（任務懈怠責任）を回避するための証拠となる。例えば、会計監査人の選任決議を行う監査役会において、仮に当該会計監査人に問題があり、選任に反対する監査役であっても、監査役会でその旨を監査役会議事録にとどめなければ、監査役会の決議に参加した監査役は、その決議に賛成したものと推定される（会393条４項）。このために、後日、当該会計監査人の選任の妥当性について、監査役の責任問題に発展した場合には、監査役会で反対の意思表示をした監査役の責任も追及されることになる。したがって、監査役としては、監査役会全体としての適切な運用に対する連帯責任の有無とあわせ、個人にとっても、自らの任務懈怠責任について関係することから、監査役会議事録は、重要な意味を持っている。

なお、監査役会設置会社以外では、監査役会議事録の作成は不要であるが、監査役個人の任務懈怠による過失責任を回避する証明の観点からは、監査役会議事録に準じた記録を残しておく方が無難である。例えば、会計監査人の選任議案の提出について、過半数の監査役の賛成が必要（会344条２項）であるが、賛成をしない監査役はその事実と理由を記載した文書を記録し残しておくことが、責任追及に対する抗弁を行うための立証となる。

## ２．監査役会・監査（等）委員会議事録が不適切な場合のリスク　A・B・C

監査役会議事録の記載が不適切な場合は、次のようなリスクが生じる。

第一は、過料の制裁である。すなわち、監査役会設置会社であるのにもかかわらず、監査役会議事録を作成していない場合、記載すべき事項を記載していない場合には、会社法上は、100万円以下の過料の制裁がある（会976条７号）。過料とは、法令違反行為に対して科せられる金銭罰のことであり、手続一般法としての非訟事件手続法（119条～122条）によっている。通常は、株主による監査役会議事録の閲覧・謄写請求の申立てによって、その事実が判明することが圧倒的に多い。過料の制裁の有無については、裁判所が過料の申立人からの申立てに基づいて審理し、決定する。

第二は、記載事項の開示リスクである。株主は、その権利を行使するため必要があるとき、また債権者が監査役の責任追及のために必要があるときおよび親会社社員が権利を行使するために必要があるときは、取締役会議事録と同様に、裁判所の許可を前提として、監査役会議事録の閲覧・謄写が可能である（会394条２項・３項）。備置をしている本店に直接訪問し監査役会議事録を閲覧・謄写するか、備置議事録を管理している部署（例えば、総務部）に対して、郵送の依頼をすることもできる。謄写のためのコピー代や郵送などの経費は請求申立株主等が支払う。このように、裁判所の許可が前提とはいえ、株主等が自由に監査役会議事録を閲覧･謄写できることから、監査役会議事録に不用意に企業機密を記載すると、開示によるリスクが高まる。法的には、別紙資料等の開示により、会社に著しい損害を及ぼすおそれがあることを会社が個別に主張・立証することによって、裁判所が閲覧・謄写を認めない判断を行う（会394条４項）。確かに、M&Aや知財関係は「著しい損害」に該当することは異論はないであろうが、「著しい」は相対的な概念でもあるため、あらかじめ十分に注意を払っておく意味がある。また、裁判所の許可が前提となるために、例えば株主が監査役会議事録の閲覧・謄写請求の申立を裁判所に申し立てた際には、会社としては、株主の申立て理由に対して、その理由が不当なものであることを主張・立証することによって、却下申立は可能である。しかし、監査役会議事録の閲覧・謄写請求が、特定の事実や会社の決定に対する違法性の有無を確認する旨を理由としている場合には、閲覧・謄写が許可される可能性が高く、結果として、監査役会議事録の記載内容が開示されることを覚悟しなければならない。監査役会において、各監査役の報酬金額を協議し、議事録に個別報酬を記載した場合には、株主の閲覧・謄写請求の申立てに対して妥当性があると裁判所が判断すれば、監査役会議事録を通じて、監査役の個別報酬が開示されることになる。

第三は、訴訟上のリスクである。係争案件の審理中に、監査役会議事録の閲覧・謄写請求申立の許可決定が下されれば、会社としては提出せざるを得ない。例えば、株主代表訴訟において、原告株主が取締役の善管注意義務違反による損害賠償請求を行っている場合に、監査役会議事録上、取締役の任務懈怠責任が明確であるとの記述があれば、訴訟の帰趨に決定的な影響を及ぼす可能性もある。あるいは、監査役会議事録の記載で、内部統制システムの構築義務の適切な運用を取締役に勧告している事実が明示しているにもかかわらず、取締役が特段の対応を行わず、内部統制システムの構築・運用の点から過失があることが判明されれば、取締役に関する訴訟においても、重要な証拠となる可能性もある。このように、監査役自身のみならず、取締役または会社全体に係る訴訟に対して、監査役会議事録の記載内容によっては、その帰趨に影響を及ぼすことにもなり得る点は注意すべきである。

## 3．監査役会・監査(等)委員会議事録の記載要領　A・B・C

### (1) 記載事項と署名等

それでは、監査役会議事録の記載事項と留意点としては、何があるのであろうか。

会社法上、監査役会議事録で記載すべきことは以下の点である（会施規109条３項）。

①開催の日時・場所

②監査役会の議事の経過の要領及びその結果

③監査役会に出席した取締役や会計監査人・会計参与が意見・発言したときは、その内容の概要と出席者

④監査役会議長名（定めている場合）

※監査(等)委員会は、①～④に加えて、決議を要する事項について、特別の利害関係を有する監査(等)委員があるときは、その氏名も記載する必要がある（会施規110条の３第３項３号・111条の４第３項３号）

その上で、出席した監査役は署名または記名押印をしなければならない（会393条２項）。押印は認印でよく、監査役会議事録は、電磁的記録による作成でも構わないが、その際は電子署名を使用しなければならない（会393条３項、会施規225条１項７号、電子署名及び認証業務に関する法律２条１項）。

なお、監査役会議事録は、取締役会議事録と同様に、10年間本店に備置が必要である（会394条１項）。これは、株主等に閲覧・謄写請求権があるためである。備置義務者は、会社文書であるとの位置付けから、取締役会議事録と同様に代表取締役であると考えられている。実務的には、代表取締役から委任されている社内文書管理保管部門（総務部等）が備置をしている。したがって、監査役会議事録を作成した後に、その原本は総務部等に提出され、管理・保存している会社が多いようであるが、中には監査役室が管理・保存している会社も存在する。いずれにせよ、監査役会議事録を管理・保存している部門が株主等からの閲覧・謄写請求があった際の対応窓口となる。また、監査役会議事録の作成期限に関する明文はないが、備置期間の起点は、監査役会議事録の作成日ではなく、「監査役会の日」であることから、監査役会が開催された後、遅滞なく作成することに心掛けるべきであろう。

監査役会議事録を備置しなかったとき、または正当な理由なく監査役会議事録の閲覧・

謄写請求を拒否したときは、各々100万円以下の過料に処せられる（会976条８号・４号）。

### （２）監査役会議事録作成の基本的考え方

監査役会議事録の作成義務者について、会社法上は特に定められていないが、監査役会議長が作成責任者と考えてよいであろう。もっとも、実務的には、監査役スタッフがいる会社では、ほとんどの会社において、スタッフに任され、スタッフの重要な業務の一つである。監査役会議事録の作成要領については、必ずしもきちんとした整理がなされていないとの声が多いので、以下、ポイントとなる点を解説する。

#### １）記載項目の特定化

最も重要な点は、監査役会議事録の記載項目の中で、決議事項、同意事項、審議事項、報告事項、その他を明確に区別することである。会社法の条文上は、決議事項のみならず同意事項や審議事項もあり、また、条文も分散しているためわかりにくいが、監査役会での適切な運用を示す点からも各々を区別した記載に留意する必要がある。

決議事項は、いずれも法令で定められたものであることから、決議事項を決議しなければ、記載の内容以前の問題となる。法令に基づいて決議をしたならば、自社の監査役会議事録において、記載漏れがないか確認することが大切である。

同意事項は、監査役会設置会社が監査役会として行う必要がある同意事項と、監査役会での同意事項ではないが監査全員の同意が必要なことから、監査役全員が出席した監査役会で同意することとした２つのケースが考えられる。

審議事項は、期末時点における監査役会監査報告作成に関係する項目である。

他方、監査役会での報告事項は、法令上の定めはない。しかし、監査役会が監査役間の意見交換や意見形成の重要な場であることから、その前提となる報告が行われているはずである。監査役会で報告がなされたり、意見交換されたりする事項を、議事録としてとどめることは重要である。また、非定例事項としては、取締役から違法行為のおそれがある事項について報告があったり、株主代表訴訟の提訴請求について意見交換をするような項目も該当する。

監査役に関して、唯一の協議事項として法定化されている項目として、監査役の報酬がある（会387条）。すでに解説したように（**本章．Ⅱ．１．監査役の報酬**を参照）、監査役の報酬は、監査役会で協議する必要はないが、仮に監査役会で協議した場合には、監査役会議事録に記載する必要がある。

以上を項目別に整理すると下記のとおりである（監査役会議事録記載事項の体系図は**【図表２－D】**参照)。

**【監査役会・監査(等)委員会記載項目の特定の整理】**

注：監査等委員会は＊、監査委員会は＊＊

①法定決議事項

ｉ）監査報告の作成（会390条２項１号）

＊(会399条の２第３項１号)、＊＊(会404条２項１号)

ⅱ）常勤監査役の選定及び解職（同項２号）

ⅲ）監査方針・実施要領（監査計画）（同項３号）

ⅳ）会計監査人の選任・解任並びに不再任に関する株主総会提出議案内容の決定(会344条３項）　＊(会399条の２第３項２号)、＊＊（会404条２項２号）

ｖ）取締役の選任や報酬に関する意見陳述＊（会399条の２第３項３号）

②監査役会の同意事項

ｉ）監査役の選任に係る株主総会への議案の提出(会343条３項)＊(会344条の２第２項)

ⅱ）会計監査人の報酬に係る同意（会399条２項)＊(会399条３項)、＊＊(会399条４項)

③監査役全員の同意事項（監査役会での同意は不要であるが、実質的に監査役会で同意することも可能と考えられるもの）

ｉ）会計監査人等の解任（会340条２項・４項）＊(会340条５項)、＊＊(会340条６項)

ⅱ）取締役の責任免除に関する議案への同意（会425条３項１号）

＊(同２号)、＊＊(同３号)

ⅲ）取締役の責任免除に関する定款変更議案への同意（会426条２項）

＊(同２号)、＊＊(同３号)

ⅳ）代表訴訟における会社の取締役への補助参加（会849条３項１号）

＊(同２号)、＊＊(同３号)

ｖ）代表訴訟における訴訟上の和解（会849条の２第１項１号）

＊(同２号)、＊＊(同３号)

④監査役会の審議事項

ｉ）各監査役の監査報告に基づく監査役会監査報告作成（会施規130条３項、会算規123条３項）

⑤報告事項

・会社法上、特別な定めは無い。

・しかし、会社法上の正式書類である監査役会議事録に監査役の活動状況を記すことは、保存の観点からも重要（例：期中監査活動内容、監査結果、会計監査人監査計画及び監査結果　等）

⑥協議事項（監査役会での協議は不要であるが、監査役会で協議すれば議事録に記載のこと）

ｉ）監査役の報酬（会387条２項）監査等委員の報酬　＊（会361条３項）

★会社法上の項目以外については、各社の監査役会規程で独自に定めてもよい（例：株主総会の想定問答を協議）。

### ２）議事の経過の要領およびその結果

監査役会議事録で、実務的に監査役が一番悩む点は、監査役会の議事の経過の要領およびその結果（会施規109条３項２号）である。「結果」はともかく、「議事の経過の要領」については、どの程度記載すればよいかについては、実務上の基準がなく、各社の監査役の裁量に任されている。その中で、留意点としては、以下のようなことがある。

#### ア）基本的考え方

第一は、決議および報告事項について、その内容の概要を簡潔・明瞭に記載することである。監査役会議事録は、議事メモと異なるわけであり、また、法令上も、明確に「要領」と明記していることから、出席した監査役の発言内容を、逐一詳細に記載する必要はないし、かえって、監査役会の自由な意見交換を阻害することにもなりかねない。政府の一部の審議会等のように、公開審議であればともかく、監査役会自体は非公開の会議体であることから考えれば、当然であろう。また、発言内容を逐一記録するまでには至らないものの、詳細な記載をした場合には、将来において、株主等から閲覧・謄写請求の申立てがあり得るとの前提で、そのリスクを十分に勘案した記載をする必要がある。

#### イ）記載の程度

記載の程度として、余りに簡潔過ぎる記載も問題である。具体的には少なくとも、決議内容や報告事項の項目（標目）のみでは、経過の要領を記載したとは判断されにくいため、実際に決議した内容の概要については、記載した方がよいと思われる。

一方で、詳細過ぎる記載もリスクがあることに留意すべきである。すなわち、決議内容や報告内容、監査役の発言内容を逐一記録することにより、会社の機密漏洩につながったり、訴訟リスクの危険性も高まることにもなる。したがって、決議や報告の内容等について、その概要のポイントを絞って記載することに心掛けるべきである。

### ウ）監査役会における資料の取扱い

監査役会において、資料に基づいて説明や報告がなされることが多いと思われるが、議事録に添付する資料は、議事録と一体のものであり、仮に議事録の閲覧・謄写請求がなされた場合には、開示対象となる点に注意が必要である。すなわち、監査役会議事録の本文の中で、「別紙」とした場合においては、議事録に添付する必要があり、別紙とされた資料は、監査役会議事録の一部を構成するものとなる。監査役会議事録の本文については、作成段階で文面を具体的に考え、そのリスクを念頭において記載するものの、別紙資料には、往々にして、詳細な数字や記述が記載したままであり、注意が及ばないことがあるので十分に留意すべきである。別紙資料の有無については、あらかじめ慎重に判断し、仮に資料を監査役会議事録の別紙とするならば、資料の内容まで確認すべきである。

このようなリスクを回避するための一つの方策としては、監査役会議事録の本文中は、監査役会で使用した資料を要約して記載するか、「配付資料により」とすれば、監査役会議事録に添付する必要はなくなり、その資料と監査役会議事録とは一体化したものではなくなると解せられる。

### エ）監査役会における監査役の発言、その他の留意点

もっとも、監査役の発言の中で、「議事の経過の要領や結果」に重大な影響を及ぼすと判断するものは、議事録に記載すべきである。特に、決議事項の中で、決議結果に反対の意見を表明した監査役の発言や、条件付で賛成した監査役の発言については、その旨を記載する必要がある。なぜなら、監査役会に出席し、監査役会決議に異議を唱えたものの監査役会議事録にその記録をとどめない場合には、その決議に賛成したものと推定されるからである（会393条４項）。このように、監査役会議事録は、同時に、各監査役の職務執行状況の証明となるべき証拠書類としての性格を持っている点に留意すべきである。

さらに、監査役会開催後は、監査役または監査役スタッフとして遅滞なく監査役会議事録を作成した上で、必要に応じて法務部門や弁護士による文言等の確認を受けることも考慮に値する。例えば、株主から株主代表訴訟の提訴請求が行われた場合に、監査役として

の調査結果を審議した際の監査役会議事録は、そのまま、裁判の審理が開始された後の書証の一つとなる可能性がある（**【図表２－Ｂ】**参照）。

なお、最終的には出席監査役の確認を最終的に得た後に、署名または記名押印をし、遅滞なく備置する業務習慣を定着化することが大事である（**【様式２－13】**・**【様式２－14】**参照）。

**【図表２－Ｂ】監査役会議事録と監査調書の比較**

| | 監査役会議事録 | 監査調書 |
|---|---|---|
| 作成義務（法定上） | 有 | 無 |
| 開示義務 | 有※ | 無 |
| 監査役が関係する責任 | 作成責任（過料）<br>任務懈怠責任 | 任務懈怠責任 |

※株主や債権者（債権者の場合は、役員の責任を追及するために必要なときに限る）は、事前に裁判所の許可が必要

【様式２－13】監査役会議事録例①（監査役監査計画）

## 第○回監査役会議事録

1．日時　　：令和×年××月××日、××時～××時
2．場所　　：会議室Ａ
3．出席者　：Ａ監査役、Ｂ監査役、Ｃ監査役、Ｄ監査役、Ｅ監査役
4．決議事項：

（１）令和○年度監査計画承認の件

Ａ監査役から、標記の件につき、以下のとおり説明がなされ、監査役全員一致により承認・決議された。

①監査方針

令和○年度の監査方針として、昨年度の監査結果を踏まえて、・・・・・・・に重点を置いて、監査を実施することとする。

②監査日程

令和○年度の監査日程は、営業部門、購買部門と工場監査は１２月までに終了し、本社部門の監査を１月～３月に実施する。なお、本年度の海外監査は、１０月と翌年の２月に実施する（詳細は、別紙のとおり）。

③具体的監査の進め方

・令和○年度は、全社共通のチェックリストによる自主点検の結果報告に加えて、事業部別に策定した重点監査項目について、報告・聴取する。
・資料は、３日前までに提出された資料を基に、主に内部統制の整備状況に特に力点を置いて、監査を行う。
・特に、昨年度、監査役監査で指摘した点、内部監査部門や会計監査人が改善を指示した点については、重点的に監査する。

（２）略

令和○年○○月○日
・・・・・・株式会社

監査役（議長）　Ａ
監査役　Ｂ
監査役　Ｃ
監査役　Ｄ
監査役　Ｅ

以　上

【様式２－14】監査役会議事録例②（会計監査人中間監査結果）

## 第○回監査役会議事録

１．日時　　：令和×年××月××日、××時～××時
２．場所　　：会議室Ａ
３．出席者　：Ａ監査役、Ｂ監査役、Ｃ監査役、Ｄ監査役、Ｅ監査役
　　　　　　　ａ会計監査人、ｂ会計監査人、ｃ会計監査人
４．報告事項：
（１）令和○年度会計監査人中間監査結果の件
　ａ会計監査人から、標記の件につき、以下のとおり説明がなされた。
　①中間監査の種類と対象：中間財務諸表、中間連結財務諸表
　②中間監査の活動の概要：
　・令和○年度４月から９月の間、往査実績は、延べ○○日であり、対計画は、○○日の増加であった。
　・監査実施者は、サイナーの３名以外に、補助者として○人が行った。
　・実施した主要な監査手続としては、実査、立会、確認の実証手続、内部統制の整備状況の評価手続、顧問弁護士の確認書、経営者確認書である。
　・取締役とは１回、監査役とは３回の打ち合わせを行い、相互の連携を図った。
　③中間監査結果
　・中間財務諸表及び中間連結財務諸表は、一般に公正妥当と認められる。
　・中間財務諸表の作成基準に準拠して、有用な情報を表示している。
　・追記情報は、特段に記載すべき事項は無い。
（２）略

令和○年○○月○日
・・・・・・株式会社

監査役（議長）　Ａ
監査役　Ｂ
監査役　Ｃ
監査役　Ｄ
監査役　Ｅ

以　上

# V．監査役会・監査（等）委員会の開催・運営

**要　点**

○監査役会の招集通知は、監査役会の日の一週間前までに発送しなければならないが、監査役会規程などで定めた場合には、短縮が可能である。
○取締役会の場合と異なり、書面決議はできないが、報告事項は、監査役全員の同意があった場合は、書面による通知で足りる。
○監査役会の趣旨は、監査役間の審議・協議等を通じた監査役としての意見形成であり、監査の実効性を上げるためには、社外監査役が出席可能な日程調整を行ったり、必要に応じて案件の事前説明を実施するなど、運営上工夫する必要がある。

**解　説**

監査役会設置会社・指名委員会等設置会社・監査等委員会設置会社では、議事録の記載と併せて、会議の運営も実務的には重要である。以下、その運営面に焦点を当てて、解説をする。

## 1．監査役会・監査（等）委員会の招集手続　A・B・C

監査役会・監査(等)委員会（以下、まとめて「監査役会」という）の招集は、監査役が監査役会の日の1週間前（これを下回る期間を定めた場合にあっては、その期間。通常は3日前としている会社が多い）までに、他の各監査役に対して招集通知を発送しなければならない（会392条1項）。会社法上は、取締役会と異なり招集権者の特定はない（取締役会は、会366条1項）。しかし、通常は、監査役会規程において、監査役会議長を招集権者として定めておくことが一般的であるため、定例の監査役会（監査方針や計画の決議、監査結果報告等）は、あらかじめ常勤監査役または監査役スタッフもしくは監査役秘書が各監査役の日程調整を行った上で、一定の期間前までに、監査役会議長名で招集通知を発送する。しかし、非定例事項の監査役会の場合は、各監査役が必要に応じて、監査役会を招集することができる。

実務的には、仮に一人の監査役が監査役会を招集する必要があると考えたときは、監査役スタッフのサポート体制が整備されている場合は、監査役スタッフを通じて監査役会議長と相談し、正式には監査役会議長名で招集通知を発送する。また、緊急を要する場合は、一人の監査役の発案で特に事前の調整を行わずに、監査役会の招集を行うことも可能である。招集通知は、必ず文書で行うものとは定められていないために、e-mailも可能であり、また緊急の場合は、口頭による伝達で行う場合も多い。また、監査役の全員の同意があるときは、招集の手続を行わずに監査役会を開催することも可能である（会392条２項）。その際は、監査役会議事録にも、監査役全員の同意により、招集の手続を経ないで開催した旨を明記する。しかし、やむを得ない場合は別にして、監査役会の開催を明確にするためにも、文書による招集通知を作成し、発送する事務処理を行うべきである（**【様式２－15】**参照）。

招集通知には、監査役会の日時、場所および議題を記載すれば、必要事項はすべて網羅しているが、監査役会の直前まで議題の追加や変更がおこり得るために、議題の記載を省略している招集通知もある。なお、監査役会は、取締役会のように３ヶ月に１回以上開催する義務はなく、必要に応じて適宜開催すれば足りる。しかし、監査役会の中での監査役間の意見形成としての重要な役割を考えると、余り間をおかずに開催することを念頭におくべきである。

### Q&A　招集通知発送の起算日

**Q　監査役会の招集通知を「１週間前までに通知」とは、具体的に招集通知発送の起算日はいつになるのか。**

**A**　「１週間前までに通知」とは、監査役会招集通知を発した翌日から起算して監査役会の開催日までに一週間が必要ということである。例えば、監査役会を９月20日に開催予定であれば、９月12日付で招集通知を発すれば、翌日の９日13日が起算日となり、開催予定日の９月20日までに１週間が確保されていることになる4)。計算上は、休日や祝祭日も含む。

なお、実務上は本文でも解説したように、定款などで「３日前」などと定めているが、起算日の考え方等は同様である。

4）期間の起算点の考え方について体系的に解説したものとして、橋本副孝＝吾妻望＝菊地祐司＝笠浩久＝中山雄太郎＝高橋均編『第３版・会社法実務スケジュール』新日本法規出版（2023年）１～４頁参照。

【様式２－15】監査役会招集通知例

監査役各位

令和○年○月○日
監査役会議長
○○○○

**第○回監査役会開催通知の件**

監査役会を下記のとおり、開催いたしますので、お知らせします。
なお、資料は、当日席上配付いたします。

記

1．日時　：　令和○年○月○日（○曜日）　△時～△時
2．場所　：　監査役会会議室
3．議題　：　期中監査結果報告

以上

## 2．監査役会の運営 A

監査役会の招集通知に沿って、監査役会が開催される。招集通知では、議題が省略されていたり、議題の追加・変更もあり得ることから、念のため当日の監査役会の議題表を、机上に配付する（**【様式２－16】**参照）。

監査役会には、取締役会と異なり定足数の規定はないため、監査役会の決議は、監査役会に出席した監査役の過半数ではなく、全監査役の過半数をもって行う（会393条１項）。例えば、監査方針･計画の決議については、６人の監査役が就任しているものの、やむを得ない事情により出席監査役が５人の場合、その内の３人が賛成しても決議されず、４人が賛成しなければならないことになる。

監査役会は、監査役会議長の司会によって会議が進行され、あらかじめ監査役会議長が指名した監査役より、決議事項や報告事項の説明を行った上で、適宜、他の監査役との質疑を行う。監査役会の趣旨は、監査役間の意見形成の場であることが最大の目的であることから、形式的な監査役会とするのではなく、活発な意見交換がなされる監査役会の運営が図られることが望ましい。そのためには、特に社外監査役に対して、必要に応じて事前に決議事項や報告事項について資料の配付を行い、監査役会の場では、専ら意見交換を行うような工夫をしている会社もある。

監査役スタッフも、監査役会議事録の作成の観点からも、監査役会に陪席するべきである。中には、監査役と一緒に議論に参加している会社も存在する。いずれにせよ、監査役スタッフが監査役をサポートする観点から、監査役会との関わりは重視すべきである。そして、監査役会が終了したら、遅滞なく監査役会議事録の原案を作成した上で、必要に応じて弁護士等の専門家から確認を得た上で、出席監査役の署名または記名押印した後、原本の備置を文書保管部門である総務部等に依頼する（監査役会議事録については、**本章．Ⅳ．監査役会議事録**を参照）。

【様式２－16】監査役会議題表例

**第○回監査役会議題**

1．日時　：　令和○年○月○日　△時～△時

2．場所　：　監査役会会議室

3．議題　：

（1）決議事項
①常勤監査役選定の件

②令和○年度監査方針・計画に関する件

（2）報告事項
①会計監査人との年間定例会議日程の件

②内部通報制度による内部通報内容の件

以　上

## 3．監査(等)委員会の運営　B･C

監査(等)委員会の招集手続や運営は、ほぼ監査役会と同様である。しかし、監査(等)委員は取締役であり、監査役と異なり独任制ではないため、監査(等)委員会での組織監査が前提となっている。このために、監査(等)委員会は、取締役会と同じく、議決に加わることができる監査(等)委員の過半数が出席し、その過半数をもって行う（会399条の10第1項・412条1項）との定足数がある。

なお、監査委員会の場合は、過半数の定足数要件を上回る割合を定めた場合には、その割合以上が定足数となる。ハードルを上げる場合は、問題ないとの趣旨である。

**［参考2－6］監査役会規則（規程）のモデル**（巻末資料3．参照）

監査役会設置会社は、監査役会規則を制定することになるが、そのモデルを日本監査役協会が示している。

なお、会社法で定められている決議事項や協議事項以外で、独自に監査役会で決議事項等を制定する際には、自社の監査役会規則に記載しておくことが重要である。

**COLUMN**

**●非常勤社外監査役と日程調整●**

監査役会設置会社においては、社外監査役が半数以上を構成しなければならないが、社外監査役の多くは、本業のほか、他社の社外役員も兼務している場合がある。一方で、社外役員の活動状況として、取締役会や監査役会への出席状況について、事業報告等を通じて開示する必要があるために、取締役会等にあまりにも低い出席率であると、監査役としての任務を果たしていないとの評価を受ける可能性もある。したがって、監査役スタッフの大きな業務の一つに、すべての社外監査役の日程が揃う監査役会の設定がある。

特に、定例の監査役会は、年間スケジュールに沿って、早めに日程調整を行い、社外監査役の日程を確保しておくことが必要である。また、取締役会と監査役会を同日に行ったり、昼食をはさんで監査役会を行うなどの工夫をしている会社もある。

また、新型コロナ感染症の環境下では、オンライン会議が一般化したことから、対面での出席が困難な社外監査役がオンラインで参加することにより出席扱いとなった。もっとも、オンライン出席の場合は、その旨を監査役会議事録に記載しておく。

## 4．書面決議の可否　A・B・C

論点解説 第７章

取締役会は、定款にその旨を定めている場合には、取締役が取締役会の決議の目的である事項について提案した際には、当該提案に関して、取締役の全員が書面または電磁的方法により同意し、かつ各監査役が異議を述べないときは、取締役会の決議があったものとみなすことが可能である（会370条）。この規定の趣旨は、企業買収（M&A）などの緊急案件が発生した際に、取締役が海外出張などで招集できず、定足数に満たない場合があり得ることから、機動的な経営を推進するために、会社法でいわゆる取締役会の書面決議を新たに認めたものである。

しかし、監査役会においては、取締役会のような書面決議は認められていない。監査役会には、定足数が存在しないこと、監査役会の決議事項は、一刻を争う緊急事項がないことがその理由と思われる。もっとも、監査役会への報告事項については、取締役、会計参与、監査役または会計監査人が監査役の全員に対して、監査役会に報告すべき事項を通知したときは、当該事項を監査役会に報告することを省略できる（会395条）。すなわち、監査役会に取締役らが自ら出席して監査役に説明しなくても、報告内容を監査役全員に通知（通常は、書面）したときは、実質的には、監査役全員に対して報告内容が伝達されたことになることから、監査役会での説明が省略できるというものである（**【図表２－C】**参照）。

なお、書面報告の場合でも監査役会議事録は作成しなければならない（会施規109条4項）。記載内容は、①監査役会への報告を要しないものとされた事項の内容、②監査役会への報告を要しないものとされた日、③議事録の作成に係る職務を行った監査役の氏名である（**【様式２-17】**参照）。

**【図表２－C】書面決議・書面報告比較**

| | 取締役会 | 監査役会 | 株主総会 |
|---|---|---|---|
| **書面決議** | 可（会370条）<br>（取締役全員の同意、監査役が異議を述べないこと、定款の定め） | 不可 | 可（会319条）<br>（株主全員が書面で同意の意思表示） |
| **書面報告** | 可（会372条）<br>（取締役・監査役全員に対して、報告すべき事項を通知した場合。但し、３ヶ月に１回の業務報告は必要） | 可（会395条）※<br>（監査役全員に報告すべき事項を通知した場合） | 可（会320条）<br>（株主全員が書面で同意の意思表示） |

※監査(等)委員会の場合も、監査役会と同様（会399条の12・414条）

【様式２－17】監査役会議事録例③（海外監査書面報告）

**第○回監査役会議事録**

下記のとおり、会社法第395条の規定に則り、監査役会の報告があったものとみなされたので、これを証するために本議事録を作成する。

1．監査役会の報告があったものとみなされた事項
　中国上海郊外の子会社監査報告（別紙「監査の目的及び監査調書」）

2．報告事項を提案した監査役
　常勤監査役Ｂ

3．監査役会の報告があったものとみなされた日
　令和○年○○月○○日

4．議事録作成者
　常勤監査役Ｂ

令和○年○○月○○日
・・・・株式会社　監査役会
常勤監査役　Ｂ　　　㊞

以　上

## 【図表２－D】監査役会議事録記載事項の体系図

<table>
<tr><th rowspan="2"></th><th colspan="4">監査役会</th><th>監査役会以外</th></tr>
<tr><th>決議事項・同意事項</th><th>報告事項</th><th>審議事項</th><th>監査役全員の<br>同意事項</th><th>協議事項</th></tr>
<tr><th>内容</th><td>1.「監査役会」としての決議事項<br>2.「監査役会」の過半数の同意事項<br>3.会社法上の定めは無いが、重要事項であることから、「監査役会規程」により決議事項としたもの</td><td>1.会計監査人による報告<br>2.監査役による報告<br>3.取締役による報告<br>4.その他</td><td>1．審議すべき事項とは、監査役間で意見交換し結論を導くことを意味していると考えられるため、監査役会で行うことが一般的である。</td><td>1.会社法上「監査役全員の同意」として規定されている事項<br>※必ずしも監査役会の開催が必須ではないが、日程上可能な限り、監査役会で同意を行うことがあり得るとしたもの</td><td>監査役会以外で監査役間で協議した事項の記録<br>1．会社法上の規定に基づくもの<br>2．その他</td></tr>
<tr><th rowspan="4">議事録</th><td>1-1. 監査報告の作成（会390条２項１号）<br>1-2. 常勤の監査役の選定及び解職（会390条２項２号）<br>1-3. 年度監査計画（会390条２項３号）<br>1-4. 会計監査人の選任、解任、不再任に関する株主総会議案の内容（会344条３項）</td><td>1-1. 会計監査人からの監査計画・監査結果（「会計監査人による任意の報告」と整理）<br>1-2. 取締役の職務の執行に関し不正の行為又は法令若しくは定款に違反する重大な事実があることを発見したとき（会397条１項）</td><td rowspan="4">1. 各監査役監査報告に基づく監査役会監査報告作成（会施規130条３項、会算規123条３項）</td><td rowspan="4">1-1. 会計監査人又は一時会計監査人の職務を行うべき者の解任（会340条４項）<br>1-2. 取締役が株主総会に提出する取締役の責任免除に関する議案に対する同意（会425条３項）<br>1-3. 取締役が株主総会に提出する取締役の責任免除に関する定款変更議案への同意（会426条２項）<br>1-4. 会社が取締役・執行役を補助するために株主代表訴訟に参加する旨の申し出に対する同意（会849条３項）<br>1-5. 会社が取締役・執行役の責任追及をする訴えに係る訴訟上の和解をする場合の同意（会849条の２）</td><td rowspan="4">1．監査役の報酬配分に関する協議内容（会387条２項）<br>2．株主総会での監査役答弁関連</td></tr>
<tr><td rowspan="2">2-1. 監査役の選任に関する株主総会議案等に係る同意・請求（会343条３項）<br>2-2. 会計監査人の報酬に係る同意（会399条２項）</td><td>2. 監査役からの報告（会390条４項）</td></tr>
<tr><td>3. 監査役が「職務を行うために必要である」として取締役に対して報告を求めた場合（会381条２項）</td></tr>
<tr><td>3. 監査役会議長の選定（監査役会規程○条）</td><td>4. 監査役が「職務を行うために必要である」として子会社取締役に対して報告を求めた場合（会381条３項）</td></tr>
</table>

COLUMN

### ●監査役会の全員の一致と監査役全員の同意●

株主代表訴訟が提起され、会社が取締役に補助参加するときは、会社法では、監査役全員の同意が必要である（会849条３項１号）。しかし、この規定は旧商法では、監査役会の全員一致の決議とされていた（旧商特18の３第１項、旧商法268条８項）。監査役会の全員一致の決議の場合は、文字どおり、監査役会を構成する監査役が全員出席して決議しなければならなかったが、会社法では、監査役全員の同意であることから、必ずしも監査役会を開催せずに、監査役全員から、個別に同意を取り付ける運用が可能となった。

監査役会では、取締役会のように書面決議ができない一方で、社外監査役の半数要件があることから、株主代表訴訟のように、非定例事項でかつ急を要する際に、監査役会の開催が困難な場合を想定して監査役全員の個別同意でも可とすることは、法が配慮したものと考えられる。

このように、法規定では、同じような非定例事項に関して、取締役会と監査役会との間で微妙な運用の差を設けていることを理解した上で、その対応に心掛けるべきである。法規定の表面的な内容のみならず、その立法趣旨をきちんと理解することが、実務担当者にとっては不可欠である

# 第3章

# 監査役監査を巡る重要論点と実践

# 序

前章までに、監査役監査業務において、具体的な実践対応と留意点などについて解説した。監査役監査業務の関連項目は会社法によって定められているが、金融商品取引法やその関連法令とは異なり、個別・具体的に様式や記載事項が詳細に規定されているわけではない。会社法は、その特色として定款自治の色彩が強く、各社の自主的な企業活動を尊重した上で、事業報告等の開示によって株主の判断に委ねている部分が大きいからである。

しかし、法定化された実務が漏れていたり、監査役会として決議すべき点が行われていなければ、法令違反となるだけに、実務を司る監査役スタッフはもちろんのこと、スタッフを指揮・命令する監査役にとっても、実務的なポイントを押さえておくことは大切なことである。

本章では意思疎通を図るべき者として、代表取締役・内部監査部門・会計監査人との連携、監査役と内部統制システム、株主代表訴訟への対応、監査役の責任問題を取り上げる。代表取締役をはじめとした執行部門との連携については、特に会社法上義務付けているわけではないが、監査役監査を遂行する上で、その実効性を高めるためには、重要な論点である。また、内部統制システムの整備に関しては、監査役の監査項目としても重要な項目であり、監査役および監査役スタッフとしての役割も大きいものがある。

株主代表訴訟は、定例的に発生するものではないものの、平成５年の商法改正以降、株主代表訴訟による取締役の責任追及が増加している中で、株主からの提訴請求を受けて、調査・判断するのは監査役である。したがって、株主代表訴訟への対応は監査役として、あらかじめ十分に理解をしておく必要がある。さらには、株主代表訴訟と関連して、監査役の責任と責任軽減制度についても解説する。

論点解説 第4章



# I．意思疎通を図るべき者との連携

**要　点**

○監査役は独任制の下で、自ら監査することが要請されているが、一方で、円滑な監査を進めるためにも、代表取締役や内部監査部門、会計監査人等意思疎通を図るべき者との連携が欠かせない。
○このために、意思疎通を図るべき者との定期的な会合をあらかじめ設定しておき、意見交換を行うことは意味がある。

**解　説**

監査役は、その職務を適切に遂行するため、当該株式会社の取締役や子会社の取締役等と意思疎通を図り、情報の収集および監査環境の整備に努めなければならない（会施規105条２項１号・２号)。その他、監査役が適切に職務を遂行するにあたり意思疎通を図るべき者とも同様である（会施規105条２項３号)。具体的には、会計監査人が該当する。

監査役は取締役とは異なり、職制として自動的に情報が集まるわけではないので、監査役自ら、または監査役スタッフとともに、情報収集を図ったり、取締役等との意思疎通に努めることは、監査の実効を上げる点からも重要である。

そこで、本項では代表取締役・内部監査部門・会計監査人との連携について、解説を行う。

なお、監査役監査・内部監査部門監査・会計監査人監査を通常、三様監査という（**序章．１．三様監査**参照)。

## １．代表取締役との連携　A・B・C・D・E・F・G

### （1）代表取締役との連携の意義

企業不祥事防止のために、内部統制システムの構築・運用に努めるなど、組織的な仕組みとして取り組んでいる会社が多い。しかし、いかに完璧を目指した体制を整備したとしても、経営トップによる法令遵守をはじめとした不祥事防止に向けた強い意思表示が不可欠である。また、企業不祥事の中には、経営トップ自らが関与していたり、あるいは認知していたのにもかかわらず何ら対応を行わない、いわゆる不作為の行為の場合も存在する。

代表取締役は、対内的にとどまらず、対外的にも業務執行の実行行為を行うとともに、経営上の一切の権限を有する。したがって、代表権を持っている取締役は社長であり、会社によっては、会長や副社長にも代表権が付与されている。このように、代表取締役は、代表取締役社長をはじめ、経営のトップまたはそれに準ずる役職・地位の者が就任しているため、代表取締役の権限は、会社経営の中でも大きいものがある。

このような点から、監査役は代表取締役と日頃から監査を通じて得た会社のリスクや、内部統制システム上の課題などの意見交換等により意思疎通を図り、信頼関係を醸成しておくことは極めて重要である。

### (2) 具体的な意思疎通の方法

日頃から、何かお互いに意見交換の必要があった場合には、相互に連絡を取り合う関係であればそれに越したことはないが、現実的には各々に固有の業務もあり、時間的制約の面から必ずしも十分に実施されるとは言い難い面もある。このためには、あらかじめ、定期的に意思疎通の場を設定し、相互の年間スケジュールに組み込んでおくことが考慮に値する（**【様式3－1】**参照）。

具体的には、監査計画の策定時期や監査結果がまとまった段階で、代表取締役に説明・報告・意見交換をすることが考えられる。監査計画については、前年度の監査結果を踏まえて、監査方針や重点監査ポイントを説明し、代表取締役に十分に理解を求めることが必要である。また、監査結果の報告に対しては、最終的な監査報告上、特段問題が無かった旨を報告の主目的とするのではなく、今後のリスク管理上注意を要する点、内部統制上の懸念事項などを率直に報告すべきであろう。各々の問題の指摘や意見具申こそが、次の事業年度に向けたリスクの未然防止につながるものである。

このように、監査方針・計画や監査結果報告は、代表取締役に個別に説明し、意見交換をすることであり、通常は、監査役(会)での決議や意見形成を経た後であることから、監査役(会)を代表して、監査役会議長が行う会社が多いようである。しかし、常勤監査役全員や監査役スタッフが意見交換に加わったり議事メモ作成等のために同席する会社もある。仮に、監査役会議長が代表して、代表取締役との意見交換を行った場合も、他の監査役や監査役スタッフにその内容を開示して、今後の監査活動につなげることも必要である。

また、非常勤社外監査役と代表取締役との定期的な会合の設定も考えられる。代表取締役と社内常勤監査役との会合は、多くの常勤監査役が社内出身者であるために、社内会議の延長の意識が強く働き、場合によっては、本来あるべき経営者と監査役との間のよい意味での緊張感が希薄になる可能性がある。他方、社外監査役と代表取締役との間では、社内監査役とは異なる視点からの意見交換が期待できる。すなわち、社外監査役は、社外の目からみて、社内の常識と思われている事項が、世間一般からは非常識と思われるような点を指摘するなど、大所高所から代表取締役に対して、意見等を表明する点に意義がある。

具体的には、年に数回、代表取締役と社外監査役との定期的な会合の場を設定する方法がある。例えば、代表取締役会長および社長と社外監査役とが、四半期に1回程度、意見交換を行う。この場に社内の常勤監査役も出席してもよいと思われるが、あくまでも代表取締役と社外監査役との間の自由な意見交換が目的である点は留意すべきである。このためには、会議の開始にあたり、事前に発言内容を通知したり、詳細な資料説明に終始するようなシナリオではなく、自由に発言しあう会議運営が重要である。したがって、場合によっては、議事録や議事メモなどをとらずに、意見交換の結果、今後の方向性や対応上重要な要点のみを備忘録的に残しておけば十分であると思われる。

【様式３－１】代表取締役社長との懇談会要領例

## 代表取締役社長との懇談会要領

**１．趣旨**

社外監査役と代表取締役との意見交換を通じて、社外の目を通したコーポレート・ガバナンスの強化を目指す。

**２．実施要領**

（１）定例会議として、年に４回（四半期に１回）、２時間を目処に実施する（昼食時間含む）。

（２）説明・報告を極力少なくし、フリーな意見交換を主眼とする。

**３．出席者**

代表取締役社長、監査役全員、監査役室長（事務局）

**４．主な懇談会テーマ**

原則として、特に定例的なテーマは定めずに、懇談会形式で実施することとするが、必要に応じて、下記のテーマについて、冒頭、説明を行うこともある。

（１）社長より

・中期計画

・年度経営方針

・直近の経営課題　等

（２）監査役より

・監査を通じた個別指摘事項

・内部統制上の課題　　等

**５．開催場所**

役員階　第一会議室

以　上

## 2．内部監査部門との連携　A・B・C・(D～Gで内部監査部門が存在する会社)

### (1) 内部統制システム関連規定と内部監査部門

会社法および金融商品取引法において、内部統制システム関連規定が明文化されたことにより、会社としては、法令遵守やリスク管理に対して、組織的な対応が要請されることとなった（**本章．Ⅱ．監査役と内部統制システム**を参照)。

会社法および金融商品取引法において内部統制関連の規定が明文化された以上、大会社や指名委員会等設置会社・監査等委員会設置会社、あるいは上場会社の取締役は、これら内部統制システムを構成する体制の整備を具体的に実行し、その運用状況をみた上で、必要に応じて改善を加える義務がある。その際、取締役は、内部統制システムの構築および運用について具体的に使用人に対して指示する一方で、全体を統括する部門である総務部が取締役の代替的な実行部門として行う会社が多い。また、会社法の施行以降は、大企業を中心に内部監査部門を独立した組織としている会社も増加している（以下、内部統制的な業務も行っている総務部や財務部等の機能部門も含めて、「内部監査部門」と総称する)。すなわち、内部監査部門は取締役の指揮下にあって、かつ業務執行部門との独立性も意識しながら、内部統制システムが構築され、適切に運用が行われていることを監査する部門である。したがって、内部監査部門が有効かつ実効的に機能していることは、監査役監査と補完関係にもなることから、監査役としても、内部監査部門との連携は、監査を遂行する上で重要となってくる。

### (2) 内部監査部門との連携上の留意点

内部監査部門は会社執行部門として、取締役の命を受けて内部統制システムの構築・運用状況を個別・具体的に監査する業務を負っている。このために、個別の事業部門に対して、法令・定款違反等の業務全般を監査する点では、監査役の業務監査と同じである。このため、ややもすると監査役監査と内部監査部門の監査が類似したものとなり、監査対象部門（被監査部門）にとっては重複感が生じる懸念もある。内部統制システムの整備については、「取締役の職務の執行が効率的に行われることを確保するための体制」(会施規100条１項３号)と規定されているように、効率性も重要な要素となっていることにも留意する必要がある。それでは、内部監査部門との連携において、特に留意すべき点として、何があるであろうか。

第一は、監査の視点の差異である。監査役監査は、経営（執行部門）から独立した立場で、取締役の職務執行を監査するのに対して、内部監査部門による監査は、あくまで、取締役の下命に基づいて監査する立場である。すなわち、監査の視点としては、監査役監査は取締役に焦点が当たっているのに対して、内部監査部門は、使用人の業務に注視しているといえる。

内部監査部門は、各部門において、規程類が必要不可欠に整理し適宜更新され、また社員教育が必要に応じて実施されているかなどの統制環境、業種・業態によるリスクアプローチに基づくリスクの把握と評価、悪い情報も適切に報告される体制となっているかなどの情報・伝達体制、モニタリングを含めた定期的な監視について、日常的な監査活動を行う。そして、何か問題がある場合または改善が必要と判断すれば、執行部門として取締役の指示を受けて適宜・適切な対応を他の執行部門に行わせる。

これに対して、監査役監査は、取締役自らが違法行為を行っていないか、またほかの取締役の違法行為を見逃していないか等の取締役としての善管注意義務違反の有無を監査することが最大の責務である。したがって、取締役または取締役の指示を受けた各執行部門が内部統制システムに基づいて業務執行を行っているか否かを、監査役監査として確認することは大きな重点監査ポイントである。

第二は、監査役監査と内部監査部門監査との重複の回避である。内部監査部門の監査活動では、規程類の整備状況や、業法上、当局に定期的に提出する書類を個別・具体的に確認することなどが必要となる。例えば、従業員に対する健康診断の受診は、労働安全衛生法で定められていることから、各部門が配下の従業員に健診を履行しているか確認することも、内部統制システム上の問題である。これら確認作業は、膨大かつ広範囲にわたるため、内部監査部門がすべて行うことは困難なことから、内部監査部門はチェックリストの活用などによって、各部門に自主点検させたり、業務分野によって各機能部門（財務、人事、環境、知的財産、労務等）に必要な監査を行わせ、各機能部門からその状況報告の聴取を受ける方法を行っている。

一方で、監査役監査が詳細なチェックリストによる同様な監査を行うと、監査対象部門では重複感が増し、本来業務に支障をきたす懸念が生じる。したがって、監査役監査と内部監査部門の監査との重複感を避けるための相互の連携は不可欠である。

第三は、監査役監査と内部監査部門の監査との補完関係の構築である。会社によっては、内部監査部門（金融機関や商社では、検査部門とも呼称されている）の員数は多く、監査体制が整備されているために、監査役監査は、内部監査部門の監査結果を聴取して、監査役監査の役割を果たしたと考えているところもあるようである。しかし、監査役として、内部監査部門の監査結果を鵜呑みにして満足していては、監査役監査の機能を十分に果たしたとはいえない。すでに述べたように、内部監査部門の監査と監査役監査とは監査の視点が異なることを十分に留意しつつ、相互に補完する体制を構築することが大切である。例えば、内部監査部門の監査について、その結果を聴取することにとどまらず、監査役は、監査役監査の一連の中で、内部監査部門の監査が３線（１線は現場、２線はコーポレート部門によるリスク管理）のラインとして適切に実行されているか確認・検証することも必要である。特に、金融商品取引法で規定された財務報告に係る内部統制システムにおいては、外部監査人である公認会計士または監査法人が、監査役の監査も含めて内部統制システムの整備状況を評価する仕組みとなっていることにも留意すべきである。

すなわち、内部監査部門の監査と監査役監査が十分に補完しあい、実効性を高める方向で協力しあう姿勢が何よりも重要であると考える。

なお、監査役が業務監査の一環として、内部監査部門から業務報告請求権や業務・財産調査権を行使することはあっても、内部監査部門が監査役を監査することはあり得ない。監査役は執行部門から法的に独立しているからである。

### (3) 内部監査部門との具体的連携方法

監査役と内部監査部門の管掌役員や担当者とが密接な連携をとることは重要であるが、その具体的方法については以下のようなことが考えられる。

#### 1）監査計画段階での調整

監査役監査も内部監査も、事前に事業年度の監査計画を策定した上で、監査を開始する。したがって、監査計画を双方が策定する段階で、監査の重複感がないか相互に調整することには意味がある。例えば、同じような項目のチェックリストを作成するのではなく、相互が補完しあうような監査、例えば、内部監査部門が個別・具体的な監査を実施する一方で、監査役監査では、内部監査の個別・具体的な監査の実施方法や状況を踏まえて重点を絞る監査が考えられる。

また、監査の実施時期についても注意が必要である。監査対象部門としては、通常の業務とは別に、監査を受けるための準備が必要である。また、会計監査人の監査のみならず、国税庁や労働基準監督署による調査、あるいは、銀行では金融庁による検査などもあることから、監査時期について、少なくとも監査役監査と内部監査に関して、事前に調整して監査対象部門に配慮することが大切である。監査の内容の相違を勘案すると、個別・具体的監査を実施する内部監査部門の監査を終えた後、一定の期間を経過した後に監査役監査を実施するような実施要領とすることも考えられる。

なお、監査役が内部監査部門と一緒に実査を行うことも考えられることから、同行対象とする現場を特定した上で、監査の日程調整を期初の段階で行っておくと良い。

### 2）期中時点での調整

具体的監査活動中においても、相互の連携を継続して行うことは効率的であり、かつ実効的でもある。

第一の留意点は、内部監査部門の監査をフォローする意味で、監査役は、各部門を監査する際に、内部監査部門が指摘した事項の改善状況を監査聴取項目とする。例えば、独占禁止法の遵守のために、内部監査部門が、営業部門に対してカルテル行為などは発生しないか、受注状況や同業他社との会合などについて、個別・具体的に監査している場合には、監査役監査では、当該部門から、その結果と結果の裏付けとなる調査の方法を確認するとともに、仮に何らかの改善点を内部監査部門から指摘された監査対象部門に対しては、その後の改善状況もフォローすることが大切である。このためにも、監査役は監査に先立ち、内部監査部門から各部門の監査結果と内部監査部門からの指摘事項の情報をあらかじめ入手しておくことは、相互連携のための重要な方法である。このような事前の準備によって、監査役監査としては、内部統制システムの観点から、改善点に対する迅速な対応状況を確認し、内部統制システムの運用状況に対する評価も可能となる。

第二は、内部監査部門は、監査上、不正や違法行為等を発見したら、速やかに、内部監査担当役員に報告するはずであるが、その際に監査役にも報告を行うことを業務習慣として定着させる。なぜならば、取締役が会社に著しい損害を及ぼすおそれのある事実を発見したときは、直ちに当該事実を監査役(会)に報告しなければならないという取締役の報告義務（会357条）があるからである。この場合の「会社に著しい損害」とは、必ずしも金銭的な損害にとどまらず、違法行為による会社の信用の失墜なども含まれると解すべきである。立法上の趣旨に則れば、取締役（内部監査管掌役員、または事業部門を担当する直接の役員）が事実の概要と当面の対応について、監査役に説明を行う必要があるが、場合によっては、第一報として、内部監査部門のスタッフが、監査役（スタッフ）に対して、報告する体制、例えば内部監査部門の職務規程に監査役へのダイレクトレポートを明記するなどの整備をしておくことも大切である。多くの事件・事故は、初期対応が重要であることから、監査役としても事件・事故の推移を単に見守るだけではなく、必要に応じて事故調査委員会の立ち上げや危機管理委員会の開催などを要請することもある。

第三は、内部監査部門が主催する会議には、監査役も極力、参加することである。監査役は、重要会議に出席することも監査上大切であるが、内部監査部門が主催する会議は、当該事業年度の監査結果の報告、次の事業年度に向けた内部統制システム上の改善点などが報告されることが多い。また、事件・事故が発生した際に、その初期対応のために、内部監査部門が調査委員会や事故対応委員会等を主導して開催することもある。このような会議にも、監査役が出席することにより、内部統制システムの構築・運用状況について、評価することが可能である。監査役スタッフがいれば、監査役と同時に監査役スタッフも出席することを内部監査部門と交渉すべきであるし、少なくとも監査役が欠席の場合には、監査役スタッフが代理出席することは必要である。

会議によっては、内部統制システムの構築に関連して、具体的な意思決定を行うものもある。したがって、監査役はオブザーバーとして参加する方が相応しい会議体もあるが、あまり厳密に限定せずに、重要会議の一環として出席すればよいであろう。このためにも、監査役が出席する会議や委員会をあらかじめ執行部門と協議の上、決定しておくことが重要である。

### 3）監査結果時点の連携

内部監査部門として、期末時期には監査結果をまとめることが通常である。内部監査部門の監査報告は、監査役監査の報告と異なり、法令上開示が定められたものではないため、時期やまとめ方は各社各様である。それだけに、監査役監査報告が、株主等社外の目を気にして、ひな型と大同小異となる傾向が強いのに対して、内部監査部門の監査報告は、率直に監査結果の評価が記載される傾向にある。したがって、監査役は、内部監査部門の監査結果と監査役監査結果に齟齬がないか、監査役(会)監査報告を監査役(会)で審議・協議する前に、十分に内部監査部門と意見交換を行うことが重要である。例えば、内部監査および監査役監査として指摘したり当該部門に改善を要求した内容が改善しているか、相互に確認する。

監査結果について意見交換を行う時期であるが、一つの方法として、業務監査の対象部門の最後を内部監査部門とし、監査役監査の一環として行うことが考えられる。すなわち、監査役は、内部監査部門から、当該事業年度の全社の監査結果を聴取するとともに、指摘事項の改善状況、次年度に向けた内部統制上の対応の方向性等について、業務監査として行う。

また、監査役(会)監査結果についても、定時株主総会の参考書類として添付する監査報告では簡潔すぎるので、監査役監査のまとめについては、内部監査部門に対しては、個別に説明するべきである。監査役監査による各部門への個別的な指摘事項は、次年度の内部監査部門の監査にも参考となるはずである。時期的には、内部監査部門の監査計画時期に間に合うように考慮し、日程調整をする。

COLUMN

**●会社法と金融商品取引法の呼称の違い●**

会社の計算関係書類（貸借対照表・計算書類及びその附属明細書・臨時計算書類・連結計算書類、会算規2条3項3号）に対して、会社との委任契約によって監査を行う職業的専門家を会社法では、「会計監査人」と呼称している。そして、会計監査人は、公認会計士または監査法人でなければならないとされている（会337条1項）。会計監査人として、監査法人を選任した場合は、その社員の中から監査法人が会計監査の職務を行うべき者を選定し、会社に通知する（会337条2項）。

他方、金融商品取引法においては、会計監査人という用語は使用せずに、財務計算に関する書類は、「公認会計士」または「監査法人」による監査証明を受けるものとし（金商193条の2）、あわせて「監査人」としている。法令上は、会社法上の会計監査人と、金融商品取引法上の監査人とは別人でも構わないが、実務上は同一人であるのが普通である。

## 3．会計監査人との連携

A・B・C・D・（E～Gで会計監査人設置会社）

論点解説 第9章

会計監査人は、大会社（資本金5億円または負債総額200億円以上）および指名委員会等設置会社・監査等委員会設置会社では必置であるが、定款に定めれば、大会社・指名委員会等設置会社・監査等委員会設置会社以外の会社でも設置が可能である（会328条・327条5項・326条2項）。会計監査人の資格は、公認会計士または監査法人でなければならない（会337条1項）。会計監査人設置会社は計算書類等（貸借対照表等の計算書類およびその附属明細書、連結計算書類、臨時計算書類）について、会計監査人の監査を受けなければならない（会436条2項1号・441条2項・444条4項）。

このように、会計監査人設置会社は、会計監査人が会計監査を担った上で、監査役が会計監査の相当性と自らが直接監査した業務監査をあわせて、監査役(会)監査報告としてまとめる。したがって、会計監査人設置会社においては、監査役が会計監査人とまったく同様の会計監査をする必要はないが、監査役としては監査報告の一端に会計監査の相当性も含まれるため、会計監査人との連携は不可欠である。特に、粉飾決算等の会計不祥事防止のためには、相互の連携は必須といってもよいであろう。それでは、具体的にどのような場面で具体的連携が求められるのか考えてみたい。

### (1) 会計監査計画時点での連携

会計監査人は、監査役に対して会計監査報告を通知しなければならないが、会計監査人としての会計監査計画を監査役に説明する義務はない。しかし、監査役としては、会計監査人の相当性を最終的に判断する上でも、また会計監査人の監査報酬の同意を行う上でも、会計監査計画を理解しておくことは重要である。

会計監査人の監査計画の報告を受けるときは、株主総会後の新体制になった時期が一般的である。具体的には、会計監査計画書の説明を受けるとともに、監査役としてその内容について聴取する。例えば、当該事業年度において、具体的な監査の方法と対象、日程および会計監査上の重要ポイントについて、前年度と異なる点があるのか、あるとすればその理由等について、詳細に確認する。特に、金融商品取引法においては、財務報告に係る内部統制報告書に対して、公認会計士または監査法人として監査証明を付す必要があることから、公認会計士等が内部統制面で重点的に監査する予定のポイントについては、監査役監査とも連動するので、監査役は重点的に報告を受けるべきである。

会計監査人から報告を受ける形態としては、常勤監査役または監査役スタッフが事前に報告を受けた上で、監査役会や監査役連絡会で説明する方法と、会計監査人が直接、監査役会で説明する方法がある。

いずれにしても、監査役と会計監査人との連携の観点からは、会計監査人から一方的に監査計画の説明を受けるのではなく、相互の意思疎通を図る上でも、監査を進めていく上での要望や要請、意見交換を率直に行うことが必要である。特に、前年の監査役監査の中で、会計に関して監査上指摘した点や改善を要望した部門に対しては、監査役としても会計監査人に対して重点的に監査を要請するなどが考えられる。

### (2) 期中監査時の連携

期中の監査活動を通じて、会計監査人は、取締役の職務執行上の不正の行為または法令・定款に違反する重大な事実を発見したときには、遅滞なく監査役(会)に報告する義務がある(会397条1項・3項)。また、監査役は、その職務を行うために必要があるときは、会計監査人に対し、その監査に関する報告を求めることができる(会397条2項)。これらの点からいえることは、取締役の不正の行為等の疑いに対して、日常的に監査役スタッフを含めた監査役と会計監査人が意思疎通を密にし、報告体制を確立しておくことである。

このためには、年間スケジュールの策定の際に、監査役と会計監査人が意見交換を行う場を監査役としては定例業務として設定をしておくとともに、非定例な場合には、相互に連絡できる体制を整備しておくことが大切である。定例では中間期と期末期に、各々の監査活動を報告するとともに、意見交換を実施する。中には、毎月１回は、監査役と会計監査人とが直接、意見交換を行う場を設けている会社もあるが、相互に時間が許すようであれば、会合の頻度を上げておくことも一計である。重要なことは、日頃から率直に話し合いができる信頼関係を構築しておくことであり、この点が担保されていれば、仮に会計に関する取締役の不祥事の懸念があったときも、迅速に連絡を取り合い対処できるであろう。この意味で、監査役と会計監査人の間に入って、両者の関係を円滑に取り持つ監査役スタッフの役割は大きい。

また、会計監査人の監査の相当性を判断するためには、会計監査人の監査の実査や棚卸の際に監査役が立会することや、会計監査人によるシステム監査などの特別監査にも監査役が同席するなど、会計監査人の監査活動に対して、監査役および監査役スタッフとしても十分に理解をしておくことも必要である。

### （３）期末監査時の連携

期末監査時は、会計監査報告を監査役として受領して自身の監査役監査報告に反映させる点が最大のポイントである（会計監査人の相当性の判断については、**第１章．Ⅳ．期末監査の実践**を参照）。基本的には、それまでの活動の集大成であり、日頃からの意思疎通が発揮されるところであるが、会計監査報告の文言や内容、後発事象の扱いなどを巡って、最後まで連携を深めておく必要がある。特に、注記事項を記載する予定の場合は、極力早めに、監査役と会計監査人との間で意見調整を行っておく必要がある。

### （４）その他

会計監査人の監査報酬については、監査役の同意要件である（**第２章．Ⅲ．２．会計監査人の報酬同意**を参照）。会計監査人の監査報酬について、同意の有無を判断するためにも、監査役は、会計監査人の会計監査の業務実態を十分に理解しておくことが不可欠である。

また、会計監査人と執行部門（財務部、経理部等）は、毎年、監査契約を締結している。監査役としても、この契約書の内容についても、きちんと把握しておくことは必要である。契約締結前に、同意した内容と同じであるとの確認のために、少なくとも事前に契約書案の写しは監査役が受領することを業務習慣とすべきである。

さらに、会計監査人は、独立の立場から外部監査人として会計監査業務を行う。会計監査人が経営執行部門から、何らかの制約を受けることなく業務を遂行することを後押しすることも監査役の役割である。会計監査人がその監査の過程で、取締役等の不当な行為や違法行為のおそれがあることを察知したときには、監査役に遅滞なく報告や相談があること、また監査役として会計監査人の内部統制に課題があるようなら、率直に指摘できるような信頼関係の醸成が重要であり、そのために監査役スタッフ自身も会計監査人との連携を深めておくように心掛けるべきである[1]。

### Q&A 会計監査人の内部統制システムの整備状況の確認

**Q　会計監査人の職務の遂行が適正に行われることを確保するための体制とは、会計監査人の内部統制システムのことと思われるが、監査役あるいは監査役スタッフとして、どのように確認したらよいか。**

**A**　会計監査人の内部統制システムは、会計監査人が会計監査報告を監査役に通知する際の通知事項である（会算規131条）。会社法の立案担当者によれば、会計監査人が監査法人の場合には、

①監査に従事する者の選任その他の人事の方針に関する事項
②審査体制その他の業務の実施に関する事項
③それらの体制を維持するための日常的な監視活動の方針に関する事項
④それらの事項についての責任者に関する事項等

がその内容とのことである（相澤哲＝葉玉匡美＝郡谷大輔編著『論点解説新・会社法 千問の道標』466頁、商事法務、2006年）。

監査役スタッフ実務部会のメンバー会社の中には、上記を確認するために、監査法人の事務所を訪問して確認しているところもあったが、当時は少数であった。しかし、少なくとも、会計監査人からの監査報告を聴取する中で、上記の点を監査役として納得するまで説明を受けるべきとの意見が多数を占めた。中には、監査役スタッフが詳細に聴取して、監査役に報告している会社もある。

---

1）（公社）日本監査役協会「会計監査人との連携に関する実務指針」（2018年8月10日改正）も参照。

## 4．KAMと監査役　A・B・C・D

論点解説 第9章

### （1）KAMの意義と概要

2021年3月決算にかかる財務諸表の監査から適用されている金商法上の監査人の監査報告書において、一定の会社に対して「監査上の主要な検討事項」（Key Audit Matters、以下「KAM」という）の記載が義務付けられている。一定の会社とは、金商法に基づく有価証券報告書等提出会社（非上場企業のうち、資本金5億円未満または売上高10億円未満、かつ負債総額200億円未満の企業は除く）である。

KAMの目的は、財務諸表利用者に対し、監査人がどのような監査を実施したかという監査手続（プロセス）の内容に関する情報を提供することを通じて、監査の信頼性向上を図ることである。監査報告がとかくひな型ベースのシンプルな内容であるのに対して、KAM記載制度の導入によって、各社固有の情報が記載されることが期待されている。KAMには、企業一律の絶対的基準があるわけではなく、各社における主要項目が相対的に決定される。

企業会計審議会の監査基準によると、「当年度の財務諸表の監査の過程で監査役等と協議した事項のうち、職業的専門家として当該監査において特に重要であると判断した事項（傍点筆者）」を監査人（会社法上の会計監査人。以下「会計監査人」という）の監査報告に記載することを義務付けるとしている（企業会計審議会、改訂監査基準 第四報告基準二2（2））。したがって、会計監査人は監査役とKAMの記載事項を協議した結果を踏まえて最終的に監査報告を策定することから、KAMの選定を巡って、従来以上に監査役と会計監査人との連携が必要となってくる（**【図表3－A】**参照）。

**［参考3－1］KAMの記載事項例**

- のれんや固定資産の減損
- 滞留在庫の評価
- 繰延税金資産・負債の認識や測定
- 海外に展開している場合の税金問題
- 重大な事故の発生
- システム障害　　等
- M&Aによる会計処理
- 工事損失引当金
- 工場閉鎖関連の引当金
- 訴訟案件や偶発債務
- 収益認識に対する不正可能性リスク

【図表3－A】KAMの決定プロセス

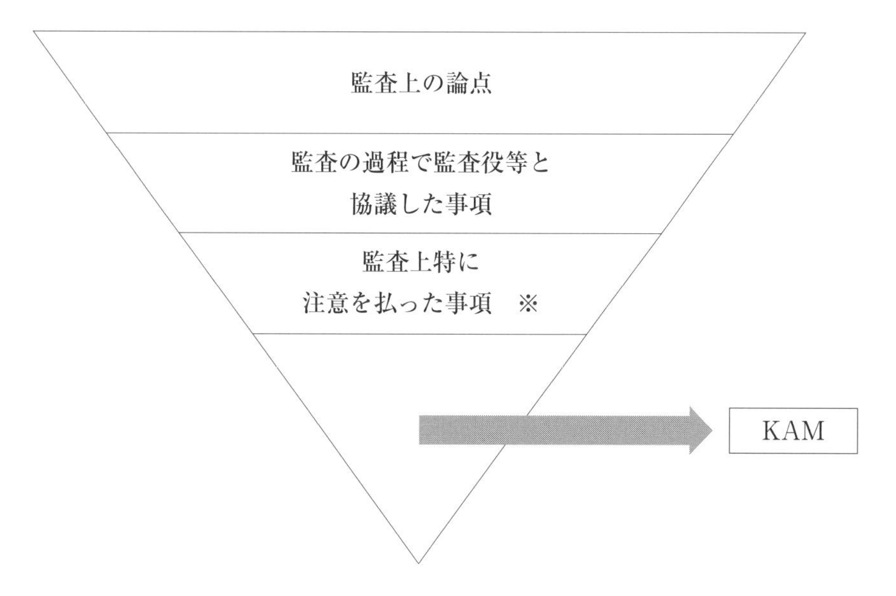


※改訂監査基準前文二　1（2）での説明
・特別な検討を必要とするリスクが識別された事項または重要な虚偽表示のリスクが高いとされた事項
・見積りの不確実性が高いと識別された事項を含め、経営者の重要な判断を伴う事項に対する監査人の判断の程度
・当該年度において発生した重要な事象または取引が監査に与える影響事項

KAMについては、「KAMの内容」「当該事項をKAMであると判断した理由」「当該事項に対する監査上の対応」を監査報告に記載する。これらについて、監査役と事前に協議することになるため、監査役としても、自社の業種・業態の特徴に加え、当該事業年度の状況も踏まえた上で、会計監査人との協議に臨む姿勢が大切となる。

### （2）事業年度を通じた連携

期初の段階では、監査役と会計監査人は相互に監査計画を説明することが実務では定着している。その際、監査役はKAMを意識して、会計監査人からのKAMの候補項目の説明について相互の質疑や確認を通じて意識的に関与する姿勢が求められる。その際、会計監査人に対してKAMの候補とその理由の説明を求めるだけでなく、その妥当性についても監査役の立場から率直に意見を述べるとともに、監査役から会計監査人に対して、KAMの観点から重点的に監査の実施を要望する項目があれば、期初の段階で要請する。KAMは、会計監査人の監査結果とは別に、投資家等に対する監査プロセスに関する情報提供としての意義もあることから、相互の積極的な意見交換が望まれる。なお、前年度のKAMの記載事項と新年度の記載予定事項との変更の有無についても、監査役は、期初の意見交換の段階で確認すべきであろう。

期中において発生し将来の財務諸表にも影響を及ぼすと考えられる事象が発生した場合には、事業上のリスク項目としてKAMの記載事項となることも考えられる。特に、事業の不振による減損リスクは、財務諸表にも影響を及ぼす懸念もある。したがって、監査役はKAMとして記載される可能性のある事項を特に注視して、会計監査人と重点的に意見交換を行う。また、監査の実施過程において、期初段階のKAM候補の項目に変更が生じた場合には、会計監査人からその理由を含めて説明を受ける機会が適切に設けられるように、日頃から相互のコミュニケーションにより信頼関係を醸成するように心がけるべきである。

財務報告に係る内部統制システムと同様に、KAMの記載については、金商法上に規定があるため、会社法で定められている会計監査人監査報告および監査役監査報告での記載は法定されていない。したがって、KAMの記載事項については、金商法の監査報告では必須であるのに対して、会社法上の会計監査報告への記載は任意となる。仮に会計監査人が会社法上の会計監査報告にKAMを自主的に記載した場合には、会計監査人の監査の方法と結果の相当性を判断する監査役としては、KAMが会計監査人と協議した結果であるとの事情も勘案すれば、何らかの相当性の評価を監査役監査報告に記載することも十分にあり得る。一方、会計監査人が記載しなかった場合でも金商法上の監査人監査報告では記載が必須となることから、重大な後発事象の発生等の特段の事情がない限りは、先行する会社法上の会計監査報告と、後に開示される金商法上の監査報告とに整合性があることを、監査役は会計監査人に対してあらかじめ念を押しておくべきである。

論点解説 第10章

# Ⅱ．監査役と内部統制システム



**要 点**

○監査役としては、日常の監査活動を通じて、内部統制システムの機能状況を監査する重要な役割を担っている。
○会社法および金融商品取引法に、内部統制関連規定が定められている。
○内部統制システムの対象範囲や罰則規定の有無など、両法の規定ぶりが異なる上、監査役と会計監査人の位置付けなどで、相互に交錯する点も存在する。
○実務的には、少なくとも監査役と会計監査人との間で内部統制の評価が異なることがないように、従来以上に相互の前広かつ緊密な連携を行うことが重要である。

## 解 説

### 1．会社法と内部統制システム

A・B・C・D・（E～Gで内部統制システムを決定・決議した会社）

会社法では、大会社および監査等委員会設置会社、指名委員会等設置会社は、「取締役（執行役）の職務の執行が法令および定款に適合することを確保するための体制その他株式会社の業務の適正を確保するために必要なものとして法務省令で定める体制の整備」（以下「内部統制システム」という）を取締役(会)が決定または決議し、その決定または決議の内容の概要及び当該体制の運用状況の概要を事業報告に開示することを義務付けている[2)]（会348条４項・362条５項・399条の13第２項・416条２項、会施規118条２号）。内部統制システムを取締役(会)で決定または決議を行う具体的内容をどこまで決めるか特段規定があるわけではない[3)]が、多くの会社では会社法施行規則に規定されている事項に沿って決めている（**【図表３－Ｂ】**参照）。

---

２）平成14年の商法特例法改正において新たに導入された委員会等設置会社においては、内部統制システムに関する規定はすでに明文化されていた（旧商特21条の７第１項２号、旧商施規193条）。もっとも、企業集団の内部統制システムについては、会社法で格上げされた項目である。

【図表3－B】内部統制システムに関する会社法・会社法施行規則の規定4)

| 監査役設置会社<br>（大会社かつ取締役会設置会社） | 指名委員会等設置会社 |
|---|---|
| 会社法362条4項6号<br>　取締役の職務の執行が法令及び定款に適合することを確保するための体制 | 会社法416条1項1号ホ<br>　執行役の職務の執行が法令及び定款に適合することを確保するための体制 |
| 会社法施行規則100条1項・3項<br>①当該株式会社の取締役の職務の執行に係る情報の保存及び管理に関する体制<br>②当該株式会社の損失の危険の管理に関する規程その他の体制<br>③当該株式会社の取締役の職務の執行が効率的に行われることを確保するための体制<br>④当該株式会社の使用人の職務の執行が法令及び定款に適合することを確保するための体制<br>⑤次に掲げる体制その他の当該株式会社並びにその親会社及び子会社から成る企業集団における業務の適正を確保するための体制<br>イ）当該株式会社の子会社の取締役、執行役、業務を執行する社員、法598条第1項の職務を行うべき者その他これらの者に相当する者（ハ及びニにおいて「取締役等」という。）の職務の執行に係る事項の当該株式会社への報告に関する体制 | 会社法施行規則112条2項・1項<br>①当該株式会社の執行役の職務の執行に係る情報の保存及び管理に関する体制<br>②当該株式会社の損失の危険の管理に関する規程その他の体制<br>③当該株式会社の執行役の職務の執行が効率的に行われることを確保するための体制<br>④当該株式会社の使用人の職務の執行が法令及び定款に適合することを確保するための体制<br>⑤次に掲げる体制その他の当該株式会社並びにその親会社及び子会社から成る企業集団における業務の適正を確保するための体制<br>イ）当該株式会社の子会社の取締役、執行役、業務を執行する社員、法598条第1項の職務を行うべき者その他これらの者に相当する者（ハ及びニにおいて「取締役等」という。）の職務の執行に係る事項の当該株式会社への報告に関する体制 |

3）多数の会社の決定・決議は、事業報告、有価証券報告書、東京証券取引所のコーポレート・ガバナンス報告書等で開示している。有価証券報告書や東証のコーポレート・ガバナンス報告書は、インターネット（EDINET）で閲覧できる。

4）監査等委員会設置会社は、会社法399条の13第1項1号ハ、会社法施行規則110条の4第2項参照。

| | |
|---|---|
| ロ）当該株式会社の子会社の損失の危険の管理に関する規程その他の体制<br>ハ）当該株式会社の子会社の取締役等の職務の執行が効率的に行われることを確保するための体制<br>ニ）当該株式会社の子会社の取締役等及び使用人の職務の執行が法令及び定款に適合することを確保するための体制<br>⑥監査役に関する事項 | ロ）当該株式会社の子会社の損失の危険の管理に関する規程その他の体制<br>ハ）当該株式会社の子会社の取締役等の職務の執行が効率的に行われることを確保するための体制<br>ニ）当該株式会社の子会社の取締役等及び使用人の職務の執行が法令及び定款に適合することを確保するための体制<br>⑥監査委員会に関する事項 |

この中で、特に留意すべきであると思われる第一点は、企業集団の内部統制システムである。過去の事件においても、子会社の不祥事に対して、親会社社長が引責辞任した事例はあるものの、現在は内部統制システムの構築の観点から、子会社の不祥事に対して、親会社役員の任務懈怠責任が問われる可能性がある法的根拠が備わったものと考えるべきである。

もっとも、親会社の内部統制システムを一方的に子会社に押し付けるのではなく、企業集団全体としての整合性にも注意して、企業集団の内部統制システムに関する基本方針を子会社に提示した上で、各子会社は自社に相応しい内部統制システムの基本方針を策定する手順が考えられる。

また、全体として、内部統制システムの基本方針を取締役(会)で決定または決議することと、内部統制システムを構築し、適切に運用することは同義ではない。すなわち、内部統制システムの基本方針を策定したとしても、内部統制システムが実質的に機能していなければ、取締役が善管注意義務を果たしたことにはならない点は、監査役が業務監査を行う上でも注意すべき点である。このために、現在は、内部統制システムの運用状況の概要について、事業報告の記載事項となったこと（会施規118条２号）から、この点も含めて監査役の監査事項となった。

第二点は、いわゆる内部統制システムについて、監査を支える体制や監査役による使用人からの情報収集に関する体制等の監査の実効性を確保するための体制について、平成26年会社法改正ではさらなる充実の方向が示された点である（会施規98条４項・100条３項）。

この中で、監査役から監査役スタッフへの指示の実効性や子会社を含めた役職員から監査役への報告体制の整備と報告者が不利益を受けないことを確保するための体制、監査役監査費用の処理の方針が新たな規定である。

例えば、監査役スタッフの選任化や員数の増加などによって、監査役への情報収集力が強化されることが念頭に置かれている。また報告者の不利益については、例えば内部通報制度を利用して、社内の法令違反を通報した使用人が不利益な扱いを被らないような社内規程の整備などである。

そして、監査の実効性を確保する点については、内部統制システムの整備の一環として、取締役(会)での決定または決議の内容および運用状況の概要が事業報告に記載され、監査役(会)監査報告には、内部統制システムの整備（構築・運用）の内容が相当でないと認めるときは、その旨およびその理由を記載しなければならない（会施規129条１項５号）。したがって、監査を支える体制について、定期的に検証して、必要に応じて執行部門との調整を行うことにも留意すべきである。

## 2．金融商品取引法と内部統制システム　A・B・C・E（Dで上場会社）

### （1）規定の概要

金融商品取引法における内部統制関連規定は、①上場会社その他政令で定めるもの（以下「上場企業」という）に対して、有価証券報告書・四半期報告書および半期報告書の記載内容が適正であることを確認した旨の確認書の提出を義務付けたこと（「確認書制度の法定化」、金商24条の４の２）、②事業年度毎に、財務計算に関する書類その他の情報の適正性を確保するための体制（財務報告に係る内部統制システム）を評価した報告書の提出を義務付けたこと（「内部統制報告書の法定化」、金商24条の４の４第１項）、③内部統制報告書に対して、公認会計士または監査法人の監査証明を受けることを義務付けたこと（「内部統制報告書の監査証明の法定化」、金商193条の２第２項）が特徴である。この立法趣旨は、財務報告の信頼性を高め、投資者を保護するための法規制の強化であり、財務報告に係る内部統制システム関連規定は、平成20年４月１日以降に開始される事業年度から適用となった。また、確認書は、四半期報告書にも準用されるのに対して、内部統制報告書の提出は年に１回である。

また、金融商品取引法における内部統制システム関連規定では、会社法の場合と異なり、罰則規定が存在する。金融商品取引法の前身である証券取引法においても罰則規定は存在したが、金融商品取引法では、例えば有価証券届出書の虚偽記載に対しては、個人の場合、10年以下の懲役もしくは1,000万円以下の罰金または併科となり、法人の場合は、7億円以下の罰金である（金商197条、207条1項1号）。さらに、行政処分としての課徴金も存在する。例えば、重要な事項につき虚偽の記載があり、または記載すべき重要な事項の記載が欠けている有価証券届出書等を提出した発行会社等に対しては、募集・売出し有価証券の総額の100分の2.25、株券等の場合は、100分の4.5に相当する金額が課徴金の納付額となっている（金商172条の2）。

加えて、株主や投資家に対する損害賠償責任も重くなっている。有価証券届出書や報告書の虚偽記載に対する損害賠償額については、虚偽記載等の事実の公表日前後1ヶ月間の平均株価の差額という推定が適用される。

このように、有価証券届出書や内部統制報告書の虚偽記載は、財務報告に係る内部統制システムの根本に関係する問題であるとの認識の下、罰則規定が強化されていることに注意が必要である。

### （2）関連法令等

金融商品取引法の内部統制規定においては、会社法と比較して関連の規定が多い。具体的な規定としては、「企業内部等の開示に関する内閣府令」（以下「開示府令」という）、「財務計算に関する書類その他の情報の適正性を確保するための体制に関する内閣府令」（以下「内部統制府令」という）、「財務報告に係る内部統制の評価及び監査に関する実施基準」（以下「実施基準」という）がある。

開示府令により、従来、任意の提出で構わなかった確認書がすべての上場企業に対して、その提出が義務付けられた。そして、確認書の提出手続および様式が定められ、会社の代表者により、有価証券報告書の記載内容が「適正であることを確認した旨」を記載しなければならないこととなった。確認書の提出は、四半期毎であるが、実務的には会社内で何らかの確認手続を行った上で確認書を提出することになる。

内部統制府令は、内部統制報告書について定めている。内部統制報告書は、「一般に公正妥当と認められる財務報告に係る内部統制の評価の基準」に従って作成する（内部統制府令1条1項）。内部統制府令の中で、内部統制報告書の記載事項の様式が定められているほか、代表者の役職氏名、最高財務責任者の役職氏名、財務報告に係る内部統制システムの基本的枠組みに関する事項、評価の範囲・基準日および評価手続に関する事項、評価結果に関する事項などがある。また、内部統制府令では、内部統制の不備のうち、「重要な結果」に該当するものは、その内容等を内部統制報告書に開示することを義務付けている。
実施基準は平成19年２月15日に、金融庁企業会計審議会によって公表されたものである。実施基準は、財務報告に係る内部統制の評価等に関する具体的な手順のための指針を示したものである。

## （３）実施基準にみる評価範囲と評価の方法

監査役の立場からも、財務報告に係る内部統制に対する評価のプロセスを理解しておくことは必要である。以下、実施基準の要点を解説する。

### １）評価手順と評価範囲

評価手順として、評価範囲を決定した上で、全社的な内部統制の評価、決算・財務報告作成に係る業務プロセスの評価、決算・財務報告作成につながる個別業務プロセスの評価の手順となる（**【図表３－C】**参照）。
評価範囲は、連結子会社にとどまらず持分法適用会社となる関連会社も含まれる。そして、全社的な内部統制の評価の際には、重要性が僅少な箇所以外は、すべての事業拠点について実施する。また、決算・財務報告に係る業務プロセスにおいても、全社的な観点で評価することが適切であると考えられるものについては、すべての事業拠点を範囲とする必要がある。決算・財務報告に係らない業務プロセスについては、売上高等による重要性を基準にした事業拠点の選定を行った上で、評価対象となる業務プロセスを決定する。具体的には、本社を含む各事業拠点を売上高の金額の高い拠点から合算した上で、全社的内部統制が良好である場合には、連結ベースのおおむね３分の２程度に達している事業拠点を評価の対象とする。
実施基準では、評価の対象となる業務プロセスについて、一般的な事業会社における例示として、売上、売掛金及び棚卸資産に至る業務プロセスをあげている。例えば、棚卸資産の範囲であれば、販売プロセス・在庫管理プロセス・期末の棚卸プロセス・購入プロセス・原価計算プロセス等となる。
なお、リスクの大きい取引を行っている事業拠点または業務プロセス、非定型的または不規則な取引など虚偽記載が発生するリスクが高い業務プロセスなどについては、評価対象として追加する。

【図表３－Ｃ】経営者による内部統制の評価・報告の流れ

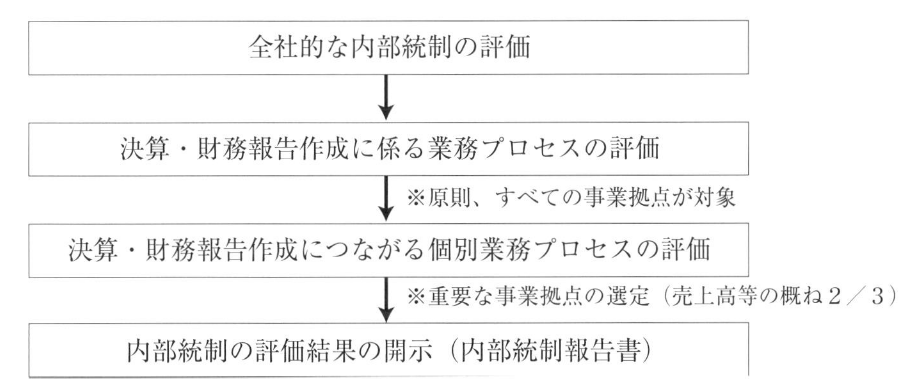


### 2）評価の方法

全社的な内部統制の評価（財務諸表に関連する開示事項を記載するための手続等）について、実施基準では、「財務報告に係る全社的な内部統制に関する評価項目の例」として42項目を例示している。例えば、統制環境では、経営者による財務報告の基本方針の明確性、リスクの評価と対応では、信頼性のある財務報告作成のための適切な階層の経営者の存在、統制活動では、財務報告の作成に対するリスクに対処して、十分に軽減する統制活動を確保するための方針と手続などである。

全社的な内部統制の評価結果を踏まえて、経営者は、決算・財務報告に係る業務プロセスの内部統制を評価する。具体的には、評価対象となる業務プロセスにおける取引の開始、承認、記録、処理、報告を含め、取引のフローを把握した上で、取引の発生から集計、記帳といった会計処理の過程を理解することがある。これらの整理を行う中で、業務プロセスにおける財務報告の虚偽記載が発生するリスクの摘出を行う。例えば、起案者と検収者が同一である会計処理などのチェックである。リスクの識別にあたっては、内部統制上の要件である取引の実在性・網羅性・権利と義務の帰属・評価の妥当性・期間配分の適切性・表示の妥当性、のどの点に該当するかを認識した上で、整理することが重要である。そして、リスクの摘出後は、そのリスクを低減するためのチェック体制が存在しているか否かを識別する。

### 3）財務報告に係る内部統制システムの評価と是正措置

業務プロセスによるリスクの摘出とその対応が済んだ後は、経営者として内部統制の有効性の評価を行う。すなわち、リスクに対応するための恒常的な体制整備となっているか、またその体制が適切に機能しているかを確認・評価する。仮に不備が発見され、財務報告に重要な影響を及ぼす可能性が高い場合には、開示すべき重要な不備があると判断することになる。

開示すべき重要な不備の該当例としては、以下のようなものがあげられる。

a）経営者が財務報告の信頼性に関するリスクの評価と対応を実施していない。

b）取締役会又は監査役若しくは監査委員会が財務報告の信頼性を確保するための内部統制の整備及び運用を監督、監視、検証していない。

c）財務報告に係る内部統制の有効性を評価する責任部署が明確でない。

d）財務報告に係るITに関する内部統制に不備があり、それが改善されずに放置されている。

e）業務プロセスに関する記述、虚偽記載のリスクの識別、リスクに対する内部統制に関する記録など、内部統制の整備状況に関する記録を欠いており、取締役会又は監査役若しくは監査委員会が、財務報告に係る内部統制の有効性を監督、監視、検証することができない。

f）経営者や取締役会、監査役又は監査(等)委員会に報告された全社的な内部統制の不備が合理的な期間内に改善されない。

不備よりも重い開示すべき重要な不備の有無は、当該会社にとって大きな問題である。しかし、具体的にどのような事例が開示すべき重要な不備に該当するかについては、実施基準でも個別・具体的に記載されているわけではないため、最終的には各社や監査人の判断となる。もっとも、仮に開示すべき重要な不備が発見されたとしても、迅速な対応を実行し、期末時点までに是正されていれば、有効であると認めることが可能である。

したがって、内部統制上の不備や開示すべき重要な不備が発見されたときの是正期間を確保するためにも、期中の適切な時期に一次的な評価を済ませ、期末時期までに、是正・改善点を確認できるスケジュールで行うことが望ましい。監査役としても、このような点に留意して、執行部門の対応を確認しておくことが必要である。

一方で、上記の実施基準のb）・e）・f）において明らかなとおり、金融商品取引法上の財務報告に係る内部統制システムでは、監査役や監査(等)委員による監査が統制環境の一部として財務報告に係る内部統制の評価の対象となっていることにも留意すべきである。

なお、期末日後に実施した是正措置は、期末日における財務報告に係る内部統制の評価には影響しないものの、内部統制報告書の提出日までに実施した是正措置がある場合には、その内容を内部統制報告書に付記事項として記載できるとしている。

## 【図表３－Ｄ】財務報告に係る内部統制への対応マップ例

凡例

□「確認書」の適用範囲（財務報告全体）

■「内部統制報告書」の適用範囲（重要な業務拠点および重要な業務プロセスを選定）

<table>
<tr><td colspan="3" rowspan="3"></td><td rowspan="3">親会社</td><td colspan="3">連結対象会社</td></tr>
<tr><td colspan="2">直接出資の連結子会社・持分法適用会社</td><td rowspan="2">間接出資の連結子会社・持分法適用関連会社</td></tr>
<tr><td>主要連結子会社</td><td>その他の連結子会社・持分法適用会社</td></tr>
<tr><td colspan="3">全社的な内部統制</td><td colspan="3" rowspan="2">「実施基準」例示の「全社的な内部統制」の評価項目（42項目）および決算・財務報告作成プロセスのうち、全社的観点から評価するもの（「決算に係る全社統制」）は、原則としてすべての事業拠点について<br>① 当社グループ全体を共通的に評価しうる事項は当社にて一括評価<br>② 個社毎に評価する事項はチェックリストにより確認・評価</td><td rowspan="2">直接出資の連結子会社・持分法適用会社経由で評価（または財務報告に与える影響が「僅少な事業拠点」として評価対象から除外）</td></tr>
<tr><td rowspan="4">業務プロセスに係る内部統制</td><td rowspan="2">決算・財務報告作成プロセス</td><td>決算に係る全社統制</td></tr>
<tr><td>決算業務プロセス</td><td colspan="2" rowspan="2">「実施基準」に基づき、重要な事業拠点および重要な業務プロセスを選定し、RCM（リスクコントロールマトリクス）等に基づき、サンプリングなどを行い評価</td><td rowspan="2"></td><td rowspan="4">各社の親会社の指導の下、会社の規模、固有リスク等に応じた内部統制の整備・運用状況を各社の親会社が確認</td></tr>
<tr><td rowspan="2">決算・財務報告につながる業務プロセス</td><td>〈実施基準必須項目〉<br>・売上<br>・売掛金<br>・棚卸資産</td></tr>
<tr><td>〈その他の業務プロセス〉<br>・固定資産<br>・購買<br>・労務費　等</td><td colspan="3">内部統制報告書の対象外であるが、確認書提出に向けて、チェックリスト等に基づき財務報告が適正に作成されていることを確認</td></tr>
<tr><td rowspan="2">IT統制</td><td colspan="2">ＩＴ全般統制</td><td colspan="2">IT基盤（ハードウェア、ソフトウェア、ネットワーク等）単位で評価</td><td rowspan="2"></td></tr>
<tr><td colspan="2">ＩＴ業務処理統制</td><td colspan="2">業務システム単位で評価（業務プロセスに係る内部統制に含む）</td></tr>
</table>

### 4）IT統制

財務報告の信頼性を確保するために、IT統制は、会計上の取引記録の正当性や完全性及び正確性を確保するために重要である。また、会計書類について、その業務処理統制が有効に機能する環境を保障するために、IT面からの統制活動がITに係る全般統制である。例えば、IT開発・保守に係る管理、システムの運用・管理、内外からのアクセス管理などのシステムの安全性の確保、外部委託に関する契約などが該当する。

他方、ITに係る業務処理統制とは、業務を管理するシステムにおいて、承認された業務がすべて正確に処理、記録されることを確保するための業務プロセスに組み込まれた統制活動であり、入力情報の完全性・正確性・正当性等の確保、例外処理の修正と再処理機能の確保、マスター・データの維持管理、システム利用に関する認証・操作範囲の限定等のアクセス管理が該当する。

なお、ITを利用した内部統制については、変更や不具合が発生しない限り、一定の機能が維持できる特性から、基本的には、従前の評価結果を継続して利用できるものと考えられる（**【図表３－D】**参照）。

## （4）監査役監査としての対応

金融商品取引法上の財務報告に係る内部統制システムにおいては、経営者自らがその整備状況を評価する。このために、財務部門や内部監査部門が中心となって、整備状況についてのプロセス等の確認作業とその証拠書類の作成・保存が行われる。

監査役監査としては、監査役自らが財務部門等と同様の詳細な確認作業を行う必要はなく、確認作業の実態を確認したり、確認結果を節目で報告聴取することで足りると思われる。特に、開示すべき重要な不備に相当する事象の報告があった場合には、その原因とともに、その後の改善計画を把握して、監査役監査の一環として、監査状況をフォローしていけばよいであろう。

なお、財務報告に係る内部統制システムにおいては、監査役監査も統制環境の一環として、監査人の監査の対象とされている。監査人から、監査役監査活動に対するヒアリングや監査役会議事録の閲覧等があるかもしれないが、基本的には、監査人から監査されているという意識ではなく、監査役としては、会社法上の監査役監査活動をきちんと遂行していれば問題はない。いずれにしても、監査役としては、財務報告に係る内部統制システムの実態と、経営者による内部統制報告書との間に齟齬があり、結果として内部統制報告書に重要な虚偽の表示がないように監視することである[5)]。

### 3．会社法と金融商品取引法の交錯　A・B・C・E・(Dの上場会社)



金融商品取引法における内部統制システムは、「財務報告に係る」というように対象が限定されている点で、会社法の規定との差異は明確である。すなわち、会社法では、内部統制システムを構成する具体的な体制としては、「情報保存管理体制」、「損失危険管理体制」、「効率性確保体制」、「使用人の法令・定款遵守体制」、「企業集団における内部統制システム」としているのに対して、金融商品取引法では、「財務計算に関する適正性確保体制」となっている。また、開示や罰則の有無等の差も存在する（**【図表3－E】**参照）。

しかし、内部統制システムに関する監査の関係を巡って、会社法上は、監査役が会計監査人の職務遂行の相当性を監査するのに対して、金融商品取引法上は、監査役の監査活動が「統制環境」の一つとして、監査人の評価対象となっている点が、やや議論に混乱をもたらしている。いわゆる、会社法と金融商品取引法の交錯の問題である。監査役側から見れば、監査の一環として会計監査人の監査の相当性を判断する主体である監査役が、監査人（ほとんどが、会計監査人と同一）から逆に監査の対象と見られるのはおかしいのではないかという議論である。また、会社法に則って、監査役が内部統制システムについて、「特段に指摘事項はない」と判断し、監査役(会)監査報告に記載するのは株主総会前（3月決算の会社では、実質は5月中）であるのに対し、金融商品取引法に基づいて、監査人が経営者による内部統制報告書に対して、6月の株主総会前後に不備であるとの監査証明を提出することになれば、監査役監査の適正性が問われることにもなりかねない。

本件については、将来的に内部統制の評価を巡る会社法と金融商品取引法の調整について、立法措置も含めた検討が必要と思われるが、当面は実務的には、少なくとも内部統制システムの評価を巡って、監査役と会計監査人の意見が異なることがないように、双方が従来以上に前広かつ緊密な連携による対処を行うことが重要となる。

---

5）内部統制報告書には、①開示すべき重要な不備及びそれが是正されない理由並びに財務諸表監査への影響、②内部統制の有効性の評価に重要な影響を及ぼす後発事象、③期末後に実施された是正措置等、④十分な評価手続ができなかった範囲及び理由、について、「追記情報」として記載する。

【図表３－Ｅ】会社法 vs 金融商品取引法

| | 会社法 | 金融商品取引法 |
|---|---|---|
| 内部統制の規定表現 | 「会社の業務の適正を確保するために必要な体制」 | 「財務計算に関する書類その他の情報の適正性を確保するために必要な体制」 |
| 義務の対象 | 大会社・指名委員会等設置会社・監査等委員会設置会社 | 有価証券報告書提出義務のある上場会社 |
| 義務の内容 | 内部統制システムの整備に関する事項を取締役(会)で専決 | 事業年度毎に、財務報告に係る内部統制報告書の提出 |
| 対象範囲 | 親会社・子会社からなる企業集団 | 有価証券報告書提出会社及び当該会社の子会社並びに関連会社 |
| 開示・罰則 | 事業報告で決議内容と運用状況の概要<br>監査役監査で事業報告の記載内容の相当性 | 経営者による内部統制報告書（有効性の評価）<br>監査人による監査報告書<br>虚偽記載に罰則 |

## ４．会社法と金融商品取引法の交錯への対応　Ａ・Ｂ・Ｃ・Ｅ・（Ｄの上場会社）

近時、会社法と金融商品取引法の接近が図られている。例えば、社外取締役選任義務化の対象会社は、「監査役会設置会社（公開会社であり、かつ、大会社であるものに限る）であって金融商品取引法第24条第１項の規定によりその発行する株式について有価証券報告書を内閣総理大臣に提出しなければならないもの」となっている（会327条の２）。

他方、監査役の実務上、会社法と金融商品取引法との交錯の解消も立法論としては重要な点である。特に、開示制度や内部統制システムへの対応を巡って、公開会社（上場会社）にその問題が顕著に現れている。

開示の問題とは、会社法上の事業報告や計算書類の記載事項としての開示（会435条２項、会施規118条～128条、会算規57～117条）と比較して、金融商品取引法における有価証券報告書への記載を通じた開示（金商24条１項、開示府令15条）による語句や内容による差異のことである。また、内部統制システムへの対応とは、会社法上の会計監査人監査と、金融商品取引法上の公認会計士・監査法人監査の問題であり、特に金融商品取引法上の経営者による内部統制報告書への公認会計士等の監査証明が、会社法上の監査役監査報告書提出後の有価証券報告書の提出時となっており、いわゆる「期ずれ」の問題が存在している。すなわち、会計監査人による監査報告に基づいて監査役(会)が内部統制システムについて相当であるとの監査報告を提出した後で、金融商品取引法に基づいて、公認会計士または監査法人が経営者による内部統制報告書に対して不適正意見の監査証明を行ったとすれば、監査役監査に対する市場の信頼に疑義が生じる可能性もある。

したがって、これらの問題に対処するためには、金融商品取引法においても、監査役の位置付けを明確にすること、あるいは会社法と金融商品取引法における規定の重複部分の調整を含めた制度改定、例えば会社法上の計算書類と金融商品取引法上の財務諸表の表示や項目を統一化する立法措置を将来行うことにより、会計監査を一本化する方法がある(**【図表3－F】**参照)。

## 【図表３－Ｆ】会計に関する開示書類の差異

【連　結】

| 開示内容 | | |
|---|---|---|
| 大分類 | 中分類 | 小分類 |
| 1 連結財務諸表 | 1.1貸借対照表 | |
| | 1.2損益計算書 | |
| | 1.3株主資本等変動計算書 | |
| | 1.4キャッシュ・フロー計算書 | |
| 2 連結財務諸表作成の基本となる事項 | 2.1会計方針等の注記 | |
| | 2.2会計方針の変更 | |
| | 2.3表示方法の変更 | |
| | 2.4追加情報 | |
| 3 連結財務諸表注記 | 3.1貸借対照表に関する注記 | 3.1.1減価償却累計額 |
| | | 3.1.2担保に供している資産 |
| | | 3.1.3非連結子会社及び関連会社に関する項目 |
| | | 3.1.4偶発債務 |
| | | 3.1.5割引手形・裏書手形 |
| | | 3.1.6自由処分権を有する資産 |
| | | 3.1.7直接減額による圧縮記帳 |
| | | 3.1.8土地再評価差額金 |
| | 3.2損益計算書に関する注記 | 3.2.1販管費の内訳 |
| | | 3.2.2引当金繰入 |
| | | 3.2.3研究開発費 |
| | | 3.2.4特別損益の注記 |
| | 3.3株主資本等変動計算書に関する注記 | 3.3.1発行済株式に関する事項 |
| | | 3.3.2自己株式に関する事項 |
| | | 3.3.3新株予約権に関する事項 |
| | | 3.3.4配当に関する事項 |
| | 3.4キャッシュ・フロー計算書の注記 | 3.4.1現金同等物 |
| | | 3.4.2新規連結会社又は連結除外会社の資産・負債 |
| 4 その他注記 | 4.1リース取引関係 | 4.1.1ファイナンスリース |
| | | 4.1.2オペレーティングリース |
| | 4.2有価証券関係 | |
| | 4.3デリバティブ取引関係 | |
| | 4.4退職給付会計 | |
| | 4.5税効果会計 | 4.5.1繰延税金資産及び繰延税金負債の発生の主な原因別の内訳 |
| | | 4.5.2法定実行税率と税効果会計適用後の法人税等の負担率との差異発生原因の主な内訳 |
| | 4.6セグメント情報 | |
| | 4.7関連当事者との取引 | |
| | 4.8企業結合等に関する注記 | |
| | 4.9一株当たり情報 | 4.9.1一株当たり当期純利益、純資産 |
| | | 4.9.2潜在株式調整後一株当たり情報 |
| | 4.10重要な後発事象 | |
| | 4.11金融商品関係 | |
| | 4.12賃貸等不動産 | |
| 5 連結附属明細 | 5.1社債明細表 | |
| | 5.2借入金明細表 | |

◎は有価証券報告書開示、○は当該項目を有価証券報告書よりも粗い内容で開示

現　行

| 有価証券報告書 | 計算書類等 | 決算短信 | 補足事項 |
|---|---|---|---|
| ◎ | ○ | ○ | 計算書類等と決算短信は完全一致 |
| ◎ | ○ | ○ | 〃 |
| ◎ | ◎ | ◎ | |
| ◎ | ○<br>(任意) | ○ | 計算書類等のセグメント情報は当社は任意で開示。(営業CF・投資CF・財務CFのみ) |
| ◎ | ◎ | － | |
| ◎ | ◎ | ◎ | |
| ◎ | － | － | |
| ◎ | ◎ | ◎ | |
| － | ◎ | － | 有報はB/S上で各資産毎に表示 |
| ◎ | ○ | － | |
| ◎ | － | － | |
| ◎ | ○ | － | |
| ◎ | ◎ | － | |
| ◎ | － | － | |
| ◎ | － | － | 投資情報としての有用性が低い |
| ◎ | ◎ | － | |
| ◎ | － | － | 個別の製造費明細と比較して情報メッシュが細かい |
| ◎ | － | － | 投資情報としての有用性が低い |
| ◎ | － | － | |
| ◎ | － | － | |
| ◎ | ○ | － | 有報は受払情報、計算書類等は残高のみ |
| ◎ | ○ | － | 〃 |
| ◎ | ○ | － | 〃 |
| ◎ | ◎ | － | |
| ◎ | － | － | |
| ◎ | － | － | 重要性が高い場合、開示 |
| ◎ | － | － | |
| ◎ | － | － | リース業を営んでいない場合、貸主側情報は投資情報としての有用性が低い |
| ◎ | － | － | 作成負荷大 |
| ◎ | － | － | |
| ◎ | － | － | 専門的知識を必要とする情報（プロ向け情報）、作成負荷大 |
| ◎ | － | － | 〃 |
| ◎ | － | － | 〃 |
| ◎ | ○<br>(任意) | ◎ | 計算書類等のセグメント情報は任意で開示。(事業別セグメント情報の表のみ) |
| ◎ | － | － | 有報は連結ベース、計算書類等は個別ベース<br>専門的知識を必要とする情報（プロ向け情報） |
| ◎ | ◎ | － | 重要性が高い場合、開示 |
| ◎ | ○ | ◎ | 計算書類等では、算定の基礎は非開示 |
| ◎ | － | ◎ | 〃 |
| ◎ | ◎ | ◎ | 重要性が高い場合、開示 |
| ◎ | ◎ | － | H21年度から義務化された注記、作成負荷大<br>専門的知識を必要とする情報（プロ向け情報） |
| ◎ | ◎ | － | 〃 |
| ◎ | － | － | |
| ◎ | － | － | |

【個　別】

| 開示内容 | | |
|---|---|---|
| 大分類 | 中分類 | 小分類 |
| 6 個別財務諸表 | 6.1貸借対照表 | |
| | 6.2損益計算書 | |
| | 6.3製造費明細 | |
| | 6.4株主資本等変動計算書 | |
| 7 個別財務諸表作成の基本となる事項 | 7.1会計方針等の注記 | |
| | 7.2会計方針の変更 | |
| | 7.3表示方法の変更 | |
| | 7.4追加情報 | |
| 8 個別財務諸表注記 | 8.1貸借対照表に関する注記 | 8.1.1減価償却累計額 |
| | | 8.1.2担保に供している資産 |
| | | 8.1.3関係会社に対する債権・債務 |
| | | 8.1.4固定化営業債権 |
| | | 8.1.5偶発債務 |
| | | 8.1.6割引手形・裏書手形 |
| | | 8.1.7自由処分権を有する資産 |
| | | 8.1.8直接減額による圧縮記帳 |
| | 8.2損益計算書に関する注記 | 8.2.1関係会社との取引高 |
| | | 8.2.2研究開発費 |
| | | 8.2.3特別損益の注記 |
| | 8.3株主資本等変動計算書に関する注記 | 8.3.1自己株式に関する事項 |
| 9 その他注記 | 9.1リース取引関係 | 9.1.1ファイナンスリース |
| | | 9.1.2オペレーティングリース |
| | 9.2税効果会計 | 9.2.1繰延税金資産及び繰延税金負債の発生の主な原因別の内訳 |
| | | 9.2.2法定実行税率と税効果会計適用後の法人税等の負担率との差異発生原因の主な内訳 |
| | 9.3関連当事者との取引 | |
| | 9.4企業結合等に関する注記 | |
| | 9.5一株当たり情報 | 9.5.1一株当たり当期純利益、純資産 |
| | | 9.5.2潜在株式調整後一株当たり情報 |
| | 9.6重要な後発事象 | |
| 10附属明細 | 10.1有価証券明細表 | |
| | 10.2有形固定資産等明細表 | |
| | 10.3引当金明細表 | |
| | 10.4販売費及び一般管理費の明細 | |
| 11主な資産及び負債の内容、その他 | 11.1主な資産及び負債の内容 | 11.1流動資産 |
| | | 11.2たな卸資産 |
| | | 11.3有形固定資産 |
| | | 11.4投資その他の資産 |
| | | 11.5流動・固定負債 |

◎は有価証券報告書開示、○は当該項目を有価証券報告書よりも粗い内容で開示

| 現　行 | | | |
|---|---|---|---|
| 有価証券報告書 | 計算書類等 | 決算短信 | 補足事項 |
| ◎ | ○ | ○ | 計算書類等と決算短信は完全一致 |
| ◎ | ○ | ○ | 〃 |
| ◎ | − | − | ホールディングカンパニーは製造費がないため、開示不要。会社間の比較可能性に乏しく、投資情報としての有用性が低い。 |
| ◎ | ◎ | ◎ | |
| ◎ | ◎ | − | |
| ◎ | ◎ | − | |
| ◎ | − | − | |
| ◎ | ◎ | − | |
| − | ◎ | − | 有報はB/S上で各資産毎に表示 |
| ◎ | ○ | − | |
| ◎ | ○ | − | 有報と計算書類等で開示メッシュが異なるうえ、連結上は消去されることから、投資情報としての有用性が低い。 |
| ◎ | − | − | |
| ◎ | ○ | − | |
| ◎ | ○ | − | |
| ◎ | − | − | |
| ◎ | − | − | 投資情報としての有用性が低い。 |
| ◎ | ○ | − | 有報と計算書類等で開示メッシュが異なるうえ、連結上は消去されることから、投資情報としての有用性が低い。 |
| ◎ | − | − | |
| ◎ | − | − | |
| ◎ | ○ | − | 有報は受払情報、計算書類等は残高のみ |
| ◎ | − | − | |
| ◎ | − | − | リース業を営んでいない場合、貸主側情報は投資情報としての有用性が低い |
| ◎ | ○ | − | 専門的知識を必要とする情報（プロ向け情報） |
| ◎ | − | − | 専門的知識を必要とする情報（プロ向け情報） |
| − | ◎ | − | 有報で連結ベースで開示を行っており、個別ベースの情報は投資情報としての有用性が低い（EX：個別では関連当事者情報として開示が求められる子会社との取引は、連結上は消去されるため、不要） |
| ◎ | ◎ | − | 重要性が高い場合、開示 |
| ◎ | ○ | − | 計算書類等では、算定の基礎は非開示 |
| ◎ | − | − | |
| ◎ | ◎ | − | |
| ◎ | − | − | |
| ◎ | ○ | − | 計算書類等は、附属明細として開示 |
| ◎ | ○ | − | 〃 |
| − | ◎ | − | 〃　　　　、有報ではP/L上で区分掲記<br>個別の製造費明細と比較して情報メッシュが細かい |
| ◎ | − | − | ホールディングカンパニーは基本的に株式しか保有していないため、開示不要。会社間の比較可能性に乏しく、投資情報としての有用性が低い。 |
| ◎ | − | − | 〃 |
| ◎ | − | − | 〃 |
| ◎ | − | − | 〃 |
| ◎ | − | − | 〃 |

## 5．内部統制システムと監査役の役割

**A・B・C・D・（E・F・Gの会社で内部統制システムを決定・決議した会社）**

不祥事を防止し健全な企業活動を推進するためには、内部統制システムが構築され、適切に運用されていることが必要であり、監査役としても監査上の重要なポイントとなっている。

それでは、監査役として、内部統制システムに対していかなる監査上の視点を持って監査業務を実施する必要があろうか。この点については、日本監査役協会が策定した「内部統制システムに係る監査の実施基準」（以下「内部統制実施基準」という。**巻末資料2.**参照）が参考になる。

内部統制実施基準では、内部統制システムの監査にあたっては、「会社の統制環境」が特に重要な監査対象であることを明記した上で、「会社及びその属する企業集団に想定されるリスクのうち、会社に著しい損害を及ぼすおそれのあるリスクに対応しているか否か（リスクアプローチ）」に重点を置くとともに、「内部統制システムの構成要素が、リスクに対するプロセスとして有効に機能しているか否か（プロセスチェック）」についても、監視し検証することを監査の基本としている。また、内部統制システムの整備状況に関する監査の手続として、内部監査部門等との連携とモニタリング機能の実効性の監査を規定するとともに、内部統制システムの不備への対応として、監査役会における役割についても規定している。さらに、会社法が規定する情報保存管理体制等の項目については、特に重要な着眼点とすべき重大なリスクを列挙するとともに、監査にあたって留意すべきポイントについても例示している。

監査役監査の根底にあるのは、監査役は日常的に取締役の職務執行を監査するとの立場に基づいて、会社の意思決定と業務執行に日頃から接していることから、取締役が忠実義務や善管注意義務の観点から会社の事業目的に照らして適切な業務を実行しているか否か、異常な業務処理を行っていないかなどについて、日常的な監査活動を通じて日々監視することが可能であるということである。したがって、この不正・不当な意思決定と業務執行を未然に防止し得る立場にある監査役監査は、内部統制システムの監査においても十分に活かされる。

以上を踏まえると、内部統制システムの整備を監査する監査役の業務としては、①リスクアプローチの観点から、リスクが特定されているかどうか、②特定されたリスクがチェックリストの利用等を通じて、具体的に統制可能な形で整備されているかどうか、③リスクの特定とその統制可能性が、日常的な監査を通じて適宜評価できる体制となっているか、④仮に評価の結果、不備な点が存在した場合には、その後の改善策が具体的に検討され実

行に移されているか、にあるといえる。このような点を強く意識した上で、監査役監査は日常の監査活動として行われることが肝要である。

また、財務報告に係る内部統制システムに対する監査役監査も、内部統制という点では大きな視点は変わらないと思われるが、特に留意する点としては、以下のとおりである。すなわち、①財務報告に係る適正な内部統制が構築されているか、また構築されていなければ、監査役の構築についての助言または勧告が取締役(会)に対して、適宜実行されているか、②経営の意思決定に対する日常の監査活動の一環として、重要な会計方針の変更の妥当性、重要な資産の取得・処分等の妥当性、資金運用の妥当性等の点（**[参考3－2]**参照）について、財務部門からの業務監査等を通じて、自ら監視・検証されているか、③公認会計士との連携として、会計監査人が会計監査の過程において、財務報告に係る内部統制の有効性に重大な影響を及ぼすおそれがあると認められる事項を発見したときおよび代表取締役または財務担当取締役と会計監査人との間で、監査の方法または会計処理について意見が異なった場合においては、監査役は会計監査人に対して遅滞なく監査役(会)に報告するよう要請しているか、④必要に応じて、代表取締役または財務担当取締役に対し、監査役として助言または勧告しているか、が考えられる。

内部統制システムの構築・運用の機能状況について監査役の役割は大きいものがあり、この点を強く意識した監査活動が求められる。また、コーポレート・ガバナンスの観点からも、監査役がその職責をきちんと果たしているか、株主をはじめとしたステークホルダーからの評価対象となっていることを認識すべきである。このためにも、監査役としては、本章で前述した内部監査部門や会計監査人との連携を、実質的に深めることが重要である。

**［参考3－2］　財務報告に係る内部統制に関する監査上の具体的例示（※）**

①会計処理の適正性と妥当性（売上・売掛金の計上時期と実在性）、棚卸資産の実在性、各種引当金計上の妥当性、税効果会計の妥当性、減損会計の妥当性、その他重要な会計処理の適正性と妥当性

②重要な会計方針の変更の妥当性

③会計基準や制度の改正等への対応

④資本取引、損益取引における重要な契約の妥当性

⑤重要な資産の取得・処分等の妥当性

⑥資金運用の妥当性（デリバティブ取引等を含む）

⑦連結の範囲及び持分法適用会社の範囲の妥当性

⑧連結決算に重要な影響を及ぼす子会社及び関連会社に関する、上記の各事項の適正な会計処理

⑨後発事象の把握と重要性判定の妥当性

※（公社）日本監査役協会「内部統制システムに係る監査の実施基準」第14条２項３号より

**COLUMN**

**●規程類の整備●**

どの会社も、定款をはじめとして、内部監査規程、安全管理規程、与信管理規程等、各社の業態や業容に応じて、多くの規程類を整備していると思われる。内部統制上の統制環境としても、規程類の整備は重視されている。

他方、規程類を整備していても、それらが適切に活用されていなければ意味はない。世の中の法令が改正となっていたり、世間の常識が変化しているのにもかかわらず、旧態依然とした規程類ではまったく意味をなさないだけでなく、内部統制上も問題である。したがって、監査役および監査役スタッフとしても、規程類が必要に応じて、適宜・適切に改廃がなされているか監査項目として掲げるべきである。そして、少なくとも一年に一度、規程類の策定部門に対して、規程類の改廃の有無および改正したときのその内容について、報告を受けるような業務習慣を定着させたいものである。

## Q&A 内部統制システムと監査役(会)監査報告

**Q　内部統制システムについて、監査役(会)監査報告では何を記載しなければならないのか。**

**A**　取締役の職務の執行が法令および定款に適合することを確保するための体制その他会社の業務の適正を確保するための体制の整備（内部統制システム）について、会社法では取締役(会)で決定又は決議した（会348条3項4号・362条4項6号）場合は、決定又は決議の内容の概要及び当該体制の運用状況の概要を事業報告の内容としなければならないとしている（会施規118条2号）。そして、監査役(会)監査報告に、事業報告に記載された内部統制システムに関する内容の概要について相当でないと認めるときは、その旨およびその理由を記載するものとしている（会施規129条1項5号・130条2項2号）。この中で、大会社および監査等委員会設置会社・指名委員会等設置会社では、内部統制システムを取締役(会)で決定することが義務付けられている（会348条4項・362条5項・399条の13第1項1号ハ・416条1項1号ホ）。

この規定からすると、内部統制システムを取締役(会)で決定しない中小会社や、大会社や監査等委員会設置会社・指名委員会等設置会社でも、取締役(会)での内部統制システムの決定した内容が相当であれば、監査役(会)監査報告に記載する必要はないことになる。

しかし、内部統制システムが構築され適切に運用されることは、中小会社にとってもガバナンス上重要なことから、中小会社でも自主的に整備し記載している会社は増加しているし、大会社等でも取締役(会)で決定した内部統制システムについて事業報告の記載内容が相当であるか否かにかかわらず監査役(会)監査報告に何らかの記載をしている会社がほとんどである。

なお、平成27年改正会社法施行規則では内部統制システムに関して、「監査を支える体制や監査役による使用人からの情報収集に関する体制」の充実・具体化を図るための規定も明定された。

# Ⅲ．株主代表訴訟への対応

**要　点**

○取締役の責任を追及する株主代表訴訟において、株主からの提訴請求への対応は、監査役の役割である。
○提訴請求書受領後、60日の限られた期間内で、適切な調査体制を決定し、実効性のある調査を行う必要がある。
○会社法で新たに導入された不提訴理由書制度は、監査役の調査期間の調査の実態を示すこととなるため、監査役の役割を高め、結果としてコーポレート・ガバナンスの基盤強化にもつながるとの期待もある。
○平成26年会社法では、新たに多重代表訴訟制度が創設された。

**解　説**

株主代表訴訟とは、株主が会社のために、会社に代位しかつ株主を代表して、取締役、監査役、執行役ら会社役員等の責任を追及するものである。そして、株主代表訴訟の判決の効力は、原告株主および被告取締役等の当事者以外である会社および一般株主にも及ぶ点は、通常の民事訴訟と異なっている。

株主代表訴訟において典型的なものは、取締役の責任追及であるので、以下、取締役の責任追及としての株主代表訴訟の場合の手続と監査役の役割について解説する。

## 1．株主代表訴訟の手続上の概略　A・B・C・D・E・F・G

取締役の責任を追及しようと考えている株主は、株主代表訴訟を提起する前に、まず、監査役に対して書面または電磁的方法により提訴請求をしなければならない（会847条１項・386条２項１号）。監査役が、会社を代表して、取締役の責任を追及すべきか否かの判断をすることになっているからである（会386条１項）[6]。

提訴請求を受領した監査役は、株主の提訴請求に対する調査を開始するが、提訴請求の書面が到着した翌日から60日以内に監査役が取締役の責任追及の提訴を行わない場合には、提訴請求した株主は、直接訴えを提起できる（会847条3項）。この場合、提訴請求株主は、監査役が提訴しなかった理由の有無にかかわらず、提訴しないという事実のみを根拠として、提訴をすることができる。もっとも、当事者（提訴請求株主または請求対象取締役）が、監査役の不提訴の理由を請求するときは、監査役は不提訴理由書として請求した当事者に通知しなければならない（会847条4項）。

提訴のための手数料は、13,000円である（民事訴訟費用等に関する法律4条2項及び別表第一）。提訴にあたっては、訴訟を提起した株主は、遅滞なく会社に対してその旨を告知し（会849条4項）、会社は当該告知を受けたときは、遅滞なくその旨を公告するか、原告以外の株主に通知しなければならない（会849条5項）。この立法趣旨は、一般株主にも、訴訟参加の機会を与えるためである。

原告株主による提訴後、本格的な審理が開始されるが、会社法では新たに、「責任追及等の訴えが当該株主若しくは第三者の不正な利益を図り又は当該株式会社に損害を加えることを目的とする場合」は、訴えの提起が却下される制度が導入された（会847条1項但書）。この場合、株主等の不正な利益を図っていることなどは、被告取締役が主張・立証しなければならない。また、提訴の目的に、被告取締役に対する悪意がある場合には、被告取締役による悪意の疎明によって、原告株主に対して、担保提供を裁判所に対して申し立てることができる（会847条の4第2項）。

審理が開始された後、会社は裁判の当事者に対して訴訟参加することができる。すなわち、原告株主と利害が一致している場合は原告に、被告取締役と利害が一致している場合には、監査役の同意を要件（監査役が二人以上ある場合は、各監査役の同意）として、会社は被告取締役に補助参加できる（会849条1項・3項）。提訴請求の段階で、取締役の責任があり提訴すべきと考える場合は会社が自ら提訴するはずであるから、実務的には会社が被告取締役に補助参加する場合がほとんどである。

審理を尽くしたと裁判所が判断した後は、結審となり判決となるが、審理の途中で和解も可能である。原告株主が、和解のために審理の途中で訴えの提起を取り下げる場合は、裁判外の和解であるが、平成13年の商法改正において、訴訟上の和解が認められるようになった。すなわち、取締役の対会社責任を追及する訴訟について、会社が当事者として和

6）監査役の責任を追及する場合の株主による提訴請求先は、代表取締役となる。

解を行う場合には、総株主の同意を要しないものと規定された（旧商268条５項、会850条４項）。但し、訴訟上の和解を行う場合には、事前に各監査役の同意が必要である（会849条の２）。和解が成立し会社が和解の当事者ではない場合は、裁判所は和解内容を会社へ通知し、かつ和解に異議があれば、会社は２週間以内に異議を述べるべき旨が規定されている（会850条２項）。会社が２週間以内に書面で異議を述べなかったときは、裁判所から会社に対して通知された和解の内容で、原告株主が和解に同意したことを会社が承認したものとみなす（会850条３項）。そして、和解内容に確定判決と同一の効力が生じて（会850条１項、民訴267条）、その効力は会社にまで及ぶ。

株主が勝訴した場合は、訴訟費用（提訴手数料、訴訟代理人の旅費・日当・宿泊費、裁判所に提出した書類の書記料等）は、被告取締役が負担し、それ以外は、株主は会社に対して費用請求が可能である（会852条１項）。したがって、最も費用が嵩む訴訟代理人費用も、相当額の範囲で会社に請求できる。

## ２．監査役の役割と実践的な対応　A・B・C・D・E・F・G

取締役の責任を追及する株主代表訴訟の提訴請求先は、監査役であるため、60日間の調査期間は、監査役の大きな業務である。そこで、時系列的に順を追って、監査役としての具体的な対応を検討する。

### （１）提訴請求に対する対応

株主からの提訴請求は、予告がある場合と予告無しに突然くる場合がある。いずれにせよ、何らかの提訴請求を受領した場合には、到達日の翌日から起算して60日の監査役の考慮期間が限定されているために、直ちに対応を開始しなければならない[7)]。

#### １）提訴請求受領直後の対応

提訴請求については、60日以内で調査し、結論を出さなければならないが、調査体制を決定する前に、提訴請求の方法、提訴請求株主および提訴請求の内容が法律上の要件を満

---

７）提訴請求書が送付されたものの、監査役の机の上に放置されていて日数が経過するようなことはないようにしなければならない。通常は、提訴請求書は、内容証明付郵便でくるので、このような封書が到達した場合には、当該監査役と速やかに連絡をとった上で、必要に応じて、秘書や監査役スタッフが直ちに開封するように取り決めておくことも大切なことである。

たしているか否かの形式要件の確認をすることから開始する。

まず、株券電子化に伴い、平成21年1月以降の「社債、株式等の振替に関する法律」(以下「振替法」とする) に基づき、提訴請求を行おうとする株主自らが保管振替機構を通じた個別株主通知を行った上で、通知の日の4週間を経過するまでの間に、権利の行使 (提訴請求書の提出) を行うことが必要になった (振替法147条4項・154条、振替法施行令40条)。すなわち、従前は、株主権を行使することの株主確認は、提訴請求を受けた監査役 (監査役への提訴請求であれば、代表取締役) が行う必要があったのに対して、株主自らが株主権を行使できる旨の証明手続を行った上で、提訴請求を行わなければならないことになった。

提訴請求は、書面または電磁的方法であること、提訴請求先が間違いなく監査役であることを確認する。監査役は、常勤監査役でも非常勤監査役でも構わない。仮に、取締役の責任追及であるのに、代表取締役に提訴請求をしている場合は、法令で定めた手続と異なるため特段対応をする必要はないことになる。

株主代表訴訟の原告適格要件は、公開会社の場合、6ヶ月前から継続した株主であること (これを下回る期間を定款で定めた場合にあっては、その期間) である (会847条1項)。非公開会社では6ヶ月継続株主要件はなく、株主であれば、直ちに提訴できる (会847条2項)。株主代表訴訟は、一株または一単元の株式を所有しさえすれば提訴資格がある単独株主権であるが、単元未満株主は株主権を行使できない旨を定款で定めている場合は、当該株主は株主代表訴訟を提起することはできない。したがって、まず6ヶ月の保有要件を満たしているか (公開会社の場合)、定款に定めている場合は、単元未満株主ではないかを確認する[8]。

次に、提訴請求の方法として、①被告となるべき者、②請求の趣旨および請求を特定するのに必要な事実、を記載すべきであること (会施規217条) から、この点を欠く提訴請求では、監査役として必要な調査ができないことになる。すなわち、「被告となるべき者」では、具体的な取締役名が記載されるべきであるし、「請求の趣旨および請求を特定するのに必要な事実」とは、取締役の違法行為と会社の損害発生の具体的事実とが記載されている必要がある。もっとも、請求を理由付ける事実について具体的に記載することまでは要求されていないので、概略が判断できることで可能とされているようである[9]。仮に、

8) 本訴の場合も株主自身が、6ヶ月継続保有要件を証明する責任がある。

9) 提訴請求には、請求原因事実が漏らさず記載されている必要はなく、いかなる事実・事項について責任追及が求められているかが判断できる程度に特定されていれば足りるとした判例として「日本航空電子工業事件」東京地判平成8・6・20金融・商事判例1000号39頁。

あまりに漠然とした提訴請求の内容であり、調査が困難であると判断される場合においては、その旨を提訴請求の株主に回答するか、あるいは監査役として一定の判断によって、調査を行うことになろう。従前であれば、無視をすることも可能であったが、会社法では不提訴理由書制度（後述）が規定されたため、提訴請求の不備を認識していながら無視することは、不提訴理由書の通知との関係もあることから、株主の属性を勘案の上、場合によっては請求内容に不備がある旨を株主に通知することも考えられる。

なお、株主から提訴請求があったことに対して、代表取締役をはじめ、主だった役員や法務部門に第一報を入れておくことは当然である。

### 2）監査役会の開催および調査体制の検討

提訴請求を受けた監査役は、速やかに他の監査役に通知するとともに、監査役間で情報を共有し調査体制等を協議するために、監査役会を開催する。監査役会非設置会社の場合でも、監査役が連絡会として集まって、今後の対応を協議する必要がある（以下、連絡会も含めて「監査役会」という）。

監査役会では、提訴請求株主の原告適格要件について調査した結果報告を行った上で、今後の具体的対応手順や体制について、協議・検討する。

まず、事務的には提訴対象取締役への通知内容とその時期を決めなければならない。提訴対象取締役への通知は、この時点では調査前であるので、提訴請求があった事実のみを客観的に記載して通知すればよい（**【様式３－２】**参照）。早い時期での通知は、提訴対象者が調査を妨害する危険があるので慎重に判断した方がよいとの意見もあるが、基本的には事務的に進める。会社と当該取締役との利害が対立することが明確な場合で、かつ証拠書類の隠蔽が懸念される場合は、法務部門や弁護士とも相談の上、通知時期を決定すればよいであろう。

次に、調査体制の検討である。調査体制としては、①監査役の中で役割分担を決めて、あくまで監査役が監査役スタッフの協力を仰ぎながら調査を行う方法、②中立的第三者（弁護士、公認会計士等）の調査委員会を発足させ、この委員会で行った調査結果を基に、監査役(会)で最終判断を行う方法、がある。どちらの方法を採用するかは、案件の難易度、またはすでに案件としては周知であり、会社として何らかの調査に基づく関係者の処分を実施済みの場合か否かによって決まる。案件が比較的単純で、また提訴請求対象者の数が多くないときには、監査役が自ら調査するための調査チームを設置することで十分であろう。その際、調査チームの主査を社外監査役とすることも、調査の独立性を高めるために

【様式３－２】取締役への提訴請求書受領の通知例

○○○○取締役殿

令和○年○月○日

監査役会議長　○○○○

**株主による提訴請求書の受領について**

この度、監査役○○○○は、株主である△△△△氏より、××××事件に関して発生した損害は、取締役の善管注意義務違反が原因である、として会社法847条１項に基づき役員の責任を追及する訴えの提起を求める旨の書面を受領いたしました。

本提訴請求書には、提訴対象の取締役として、直接の担当取締役および当該事件に係る意思決定を行った取締役会の構成員が記載されております。貴殿は、この対象に該当するため、通知をいたします。

今回の提訴通知内容に対して、今後、監査役としての対応を検討した上で、その結果を別途ご連絡申し上げます。

以　上

添付資料：本提訴請求書複写

連絡先　：○○○○（内線××××）

も一計である。特に、社内常勤監査役は、その就任前は執行役員や部長である場合が多いため、案件によっては、利害関係人ということにもなる。このような利害関係人が、調査を主体的に推進することは、調査の中立性自体が問題となるために、社外監査役を中心に調査を行う方が望ましい。また、過去の事件が問題となった場合、現任の常勤監査役が提訴対象者ということもあり得ることであり、その際は調査チームから、当該監査役を除外することも必要である。また、すでに、会社として、当該案件について調査を実施済みであったり、関係者の処分を実施していれば、事実関係についてはこれら調査や書類を活用することが可能であり、その信憑性や妥当性について、監査役として判断すればよいため、効率的な対応ができる。

一方、複雑な案件（例えば、会社の内部統制システムの根本を問題としているような案件）や、調査対象取締役の人数が多い場合、または調査に膨大な時間がかかることが想定される場合は、中立的第三者による調査委員会を設けて、第三者の手を借りて、調査を実施する方法もある。この場合は、中立的第三者として、誰に委託するかが問題となるが、法務部門や顧問弁護士等とも相談して決定する。株主代表訴訟は、法的判断が主体となるため、弁護士や法律を専門とする有識者が候補者であるが、案件によっては公認会計士や弁理士も加わることが相応しい場合もある。特に、提訴対象取締役の人数が多い場合には、事情聴取や調書作成などの物理的な時間を多く必要とするため、大手弁護士事務所に委託し、作業を含めてお願いする方策もある。

また、調査委員会を会社執行部門の顧問弁護士に依頼することの是非が問題となることがあるが、特に同じ事案について、すでに何らかの形で当該取締役の訴訟代理人にでもなっていない限り問題無いと思われる。しかし、将来、正式に代表訴訟が提起されたときに、被告取締役や補助参加人（会社のこと）の訴訟代理人の起用の可能性を勘案した上で、これら訴訟代理人とは別の弁護士や有識者を起用することは考慮すべき点である。

なお、調査委員会を設置した場合においても、取締役の責任追及の判断を一方的に調査委員会に任せるのではなく、最終的には、監査役(会)として主体的に判断する必要がある点は、留意すべきである。

以上の調査体制の方向性を決めた上で、その後のスケジュール（調査期間と次回の監査役会の設定等）を確認しておく。

### 3）具体的な調査の実践

以下、監査役が検討チームを設置して、自ら調査を行う場合を想定して、その実践的な対応について解説する。

ア）事実関係の調査

株主代表訴訟は、会社に対する損害の発生が出発点であることから、まずは、提訴請求に記載されている損害発生事実の確認が最初である。すでに発生した事件・事故について、マスメディア等で報道されていても、会社の公表に基づいたものではない限り、再度、損害金額についても確認することが必要である。また、提訴請求者の想定による損害額が記載されている場合や金額そのものが記載されていない場合は、そもそも当該損害の発生事実があるのか、慎重に調査する必要がある。

調査の方法として、①関係書類の収集・分析、②請求対象取締役や使用人に対する聴取（ヒアリング）、が基本となる。監査役には、取締役等に対して、いつでも事業の報告を求め、業務および財産の状況を調査できる（会381条２項）ほか、子会社調査権（但し、子会社に拒否権はある。会381条３項・４項）も付与されていることから、これら監査役の権利に基づいて調査を進める。

関係書類とは、取締役会資料・議事録、経営会議資料、各種委員会資料から、稟議書や契約書、通達に至るまで、関係すると思われるすべての書類が該当する。監査役は、監査役の権利として調査を行っているわけであるから、実務的には、執行部門の該当部署に対して、該当する資料を直接請求する。あらかじめ、文書を特定できればそれを請求すればよいが、特定できない場合には、文書収集の趣旨・目的を説明した上で、該当する書類の提出を受ける。

文書の収集と並行して、関係者からの聴取を行う。関係者とは、提訴請求に記載された直接の取締役は勿論のこと、当該取締役と直接の指揮命令系統に該当する使用人（従業員）への聴取も不可欠である。また、事案によっては、関係者として、他部門の者やグループ会社の者からも聴取が必要である。直接の当事者である取締役の報告内容が真実か確認するためである。

調査の具体的内容としては、損害発生事実の認識、直接に関係する行為の有無、周辺事情などについて詳細にヒアリングを行う。また、経営判断原則に該当するか否かの判断に大きく影響するために、①判断の前提となった事実の認識において、重要かつ不注意な誤りがないこと、②意思決定の過程および内容において、企業の経営者として、著しく不合理・不適切なものでないこと、についても留意して聴取する。その際、収集した文書や他の関係者の証言との整合性にも注意して、質疑応答形式で行う。調査は、社内事情に精通している常勤監査役が主体となって進めた上で、監査役間で情報を共通すること、および報告聴取の内容は、詳細に記録に残すことを心掛けるべきである。調査の出発点は、客観的な事実の把握であり、責任の有無等の法的判断はその後であるから、判断結果を急ぐ余り、事実関係の調査を拙速に行うべきではない。

イ）事実と相当因果関係の調査

株主代表訴訟は、提訴対象取締役の行為によって、会社が被ったとされる（被っているかもしれない）損害賠償を、当該取締役に請求するものであるから、損害が発生していない場合や損害との相当の因果関係が認められない場合は、そもそも株主代表訴訟による責任追及とはならない。したがって、事実関係の調査によって、会社の損害発生事実がある場合に、損害事実と取締役の行為の相当因果関係が焦点となる。

まず、提訴対象事実が、法令・定款に照らして何が問題であるのか、法律的見地からの考察を行う。その際、提訴請求者が主張する取締役の行為等に係る法律的な根拠（善管注意義務違反、競業避止義務違反、利益相反取引、利益供与、定款違反等）を確認した上で、提訴対象取締役に該当する法令・定款違反があったのか、仮にあったとして、提訴対象事実と相当の因果関係の程度について確認する。法的評価の問題は、提訴請求調査における高度な判断を要するので、監査役の中に法律の専門家がいない場合には、必ず外部の弁護士等にも相談した上で、法的判断を行うべきである。その際は、弁護士等から意見書をもらっておくとよいであろう。

ウ）調査報告書の作成・まとめ

一連の調査を終えた段階で、調査結果を調査報告書の形で整理しておく。調査報告書には、調査の方法、日時、調査対象者などの事実と、損害事実と法的因果関係の相当性についての結果も記載する。弁護士等からの意見書があれば、調査報告書にも添付しておく。調査報告書は、調査を具体的に実施した監査役（調査に外部の有識者が参画した場合には、その者達も含む）の連名で作成し、調査検討チームの主査である監査役から、監査役会議長宛に提出されることになる。

### 4）監査役(会)としての判断

調査報告書を基に、提訴請求対象取締役の責任追及の可否について、最終的に監査役全員の協議によって判断する。調査検討チームに、すでにすべての監査役が参画していれば、調査報告書を作成した段階で、判断が固まっているといえるが、社外監査役を中心に、一部の監査役が検討チームとして調査を実施したり、中立的第三者に調査を依頼した場合には、監査役(会)として、最終判断を行うことになる。

判断のポイントは、①提訴請求対象者の責任の有無、②提訴請求対象者が損害を賠償する責任があると判断した場合に、会社として責任追及をすべきか否か、③責任追及をしない場合に、その理由、である。会社が当該取締役の責任を追及しないとの判断根拠となるのは、①損害事実がそもそも存在しない場合、②損害事実があっても提訴請求対象取締役の行為との相当の因果関係が存在しない場合、③相当因果関係があっても、敢えて責任追及をしない場合、となる。この中で、③の取締役の責任が認められるものの、責任追及をしない場合とは、例えば、当該責任が重大な過失とはいえないと考えられる場合や、すでに会社として相応の処分（懲戒解雇、退職慰労金不支給等）を実施して責任を取らせている場合、訴訟を提起することによって、かえって会社に大きな損害が及ぶ懸念がある場合[10]、などが考えられる。これらの点を、調査報告書を基に、監査役の間で慎重に協議・審議して結論を出す必要がある。



### 5）不提訴理由書の準備

不提訴理由書制度は、会社法制定の際にはじめて規定された。すなわち、会社が株主による代表訴訟の提訴請求を受けた後、60日の考慮期間中に訴えを提起しないと判断した場合、株主または取締役である当事者から請求があったときは、会社は遅滞なく提訴しない理由を、書面または電磁的方法により通知しなければならないとされた（会847条４項、会施規218条)。「当事者から請求があったとき」という条件であるので、当事者から請求がなければ不提訴理由書を送付する義務はないが、当事者の請求の時期は特に限定がないので、取締役の責任を追及しないと判断したのであれば、不提訴理由書を作成しておく方が得策であろう。

不提訴理由書に記載する事項は、①会社が行った調査の方法（判断の基礎とした資料を含む)、②請求対象者の責任または義務の有無についての判断及びその理由、③請求対象者に責任または義務があると判断した場合において、責任追及等の訴えを提起しないときは、その理由である（会施規218条)。①の調査の方法は、取締役等の関係者からの聴取や資料によることを記載すればいいが、資料については、記載の程度までは規定されていな

10）例えば、裁判によって公開となることにより、機密事項の開示などによって会社に不利益が及ぶ場合が考えられる。

いので、資料の添付の是非を含め判断に迷うところである。調査資料の添付の有無は、裁判の審理の展開を予想した上で、判断することになる。

添付資料の有無について立案担当者は、「資料の標目でよい」と解説している[11]。すなわち、少なくとも、判断の基礎とした資料の標目を併記しておけば、違法ではないと解せられる。②の請求対象者の責任または義務についての判断は、取締役に責任があるか否かの判断事実を記載した上で、③で示されているように、仮に取締役の責任が有ると判断したのにもかかわらず、監査役として責任の追及を行わないとの結論に達した場合には、その理由を記載することになる。②の中で、当該取締役の責任がないと判断した場合は、責任がないと判断した理由（損害事実がない、違法行為の事実がない、相当因果関係がないなど）を記載する。

不提訴理由書の記載内容は、正式文書となって当事者に渡るものであり、また、裁判の審理が開始された後には、証拠書類となるものであるから、一言一句、慎重に検討し、法律の専門家のチェックを受けた後に、監査役(会)として、承認することが望ましい。

また、不提訴理由書は、監査役の調査の実態を示すことでもあり、将来、代表訴訟の裁判において、被告取締役の責任が有ると認容された場合には、監査役の調査の実質が問われ、場合によっては、監査役の任務懈怠責任が問われる可能性が生じている点で注意を要する。もっとも、逆の見方をすれば、不提訴理由書制度は、監査役の役割を高め、結果としてコーポレート・ガバナンスの基盤強化にもつながるとの期待もある[12]。

### 6）不提訴理由書の送達と取締役(会)への報告

監査役(会)の中で、提訴請求対象者の責任追及の有無の判断が決定した段階で、当事者から請求があれば、不提訴理由書を通知する。提訴請求株主から請求があれば、遅滞なく送付する（内容証明郵便）と同時に、提訴請求対象取締役にも、不提訴の旨を通知する。不提訴の判断は、あくまで監査役(会)での判断であり、取締役(会)の承認が不要なのは当然であるが、念のため報告することも考えられる。

なお、不提訴理由書は、仮に提訴請求が特定の監査役に対してあったとしても、監査役(会)として判断・決定したことを示すために、監査役全員の連名で提出する会社が多い（**【様式３－３】**参照）。

---

11）相澤哲＝石井裕介「株主総会以外の機関」相澤哲編『立案担当者による新会社法関係法務省令の解説』別冊商事法務300号41～42頁（2006年）。

12）江頭憲治郎「新会社法による不提訴理由書制度の導入」月刊監査役501号３頁（2005年）。

**【様式3－3】不提訴理由書の事例**

令和○年○月○日

××県××市××
○○○○　殿

拝啓　ますますご清栄のこととお喜び申し上げます。
当社監査役○○○○は、令和○年○月○日付けで、貴殿より当社取締役の責任を追及する訴えを提起する請求書を受領いたしました。その後、当社監査役は、貴請求の内容を調査し協議した結果、当該取締役の当社に対する責任の有無について判断いたしましたので、ご通知申し上げます。

（1）当社が行った調査の内容
当社は、○○○○事件に関連する資料に関する調査及び関係者に対する事情聴取等を行いました。

○調査に当たって判断の基礎とした資料
①第○○回　取締役会資料
②第○○回　経営委員会資料
③第○○回　常務会資料
④令和○年○月○日付　調査委員会資料

○関係者に対する事情聴取等
・・・・・・・・・・・・・・・・・・・・・・・・

（2）取締役の責任の有無についての判断
当社監査役は、上記（1）の内容の調査を行った結果、損害の事実と当該取締役の行為との相当の因果関係が存在せず、貴殿が指摘する善管注意義務違反は認められないことから、取締役に責任はないものと判断いたします。従いまして、当社は当社取締役の責任を追及する訴えの提起は行いませんので、この段、ご通知申し上げます。
本件につきましては監査役全員の意見が一致しております。

敬　具

××府××市×××××
○○○○株式会社
監査役　　○○○○
監査役　　○○○○
監査役　　○○○○

### 7）取締役を提訴するとの判断の場合の対応

調査の結果、取締役を提訴すると判断する場合もあり得る。特に、取締役の違法行為によって、会社に重大な損害を及ぼしたことが明確である場合にもかかわらず、会社として処分を実施していなかったり、当該取締役に損害賠償の補てん等をさせていなければ、改めて取締役を提訴することが視野に入ってくる。

具体的な手続としては、監査役が会社を代表して当該取締役を提訴することになるため、会社を代表する監査役を選任した上で、訴訟代理人弁護士に、訴訟のための手続を委任する。弁護士は、調査委員会で起用した弁護士であれば、事情を熟知しているので望ましいが、被告取締役が起用するであろう弁護士とは別の弁護士を起用するよう法務部とも相談して決定する。また、会社として訴訟提起をすることは、重要事項であるので、取締役会において報告を行う（多くの会社では、取締役会規程で定めている）。あわせて、当該取締役と提訴請求株主への通知を行う。

## （2）本訴以降の対応

### 1）株主への公告・通知

会社が提訴請求対象取締役の責任追及を行わない事実が判明すれば、提訴請求株主は、正式に株主代表訴訟を提起することができる。その場合、株主は、遅滞なく会社に対して訴訟告知をする必要があり、会社は、株主からの訴訟告知を受けたとき、または会社として提訴したときは、遅滞なくその旨を公告し、または株主に通知しなければならない（会849条3項・4項）。公告は、日刊新聞紙または電磁的方法として会社のホームページでもよい。会社が公開会社でない場合は、株主に直接通知する。

監査役としては、会社執行部門による公告または通知の内容と時期について、注意を払っておく必要がある。

### 2）会社による被告取締役への補助参加

審理が開始された後は、基本的には法務部等、会社の執行部門が対応することになるが、会社が被告取締役に補助参加する際は、各監査役の同意を要件としている（会849条2項）。したがって、監査役としては、会社から被告取締役への補助参加を行う旨の要請があったときは、執行部門から独立した立場から、会社の補助参加が真に会社全体の利益になるか否かの観点から判断することが求められる。このために、補助参加の当否の判断にあたっては、代表取締役や関係部門より補助参加の理由の説明を受け、必要に応じて弁護士等の法律の専門家の意見を聴取した上で、同意の有無の判断を行う。

もっとも、実務的には、株主からの提訴請求に対して、監査役が取締役の責任追及を行わないと決定したことにより、会社と被告取締役の利害は一致していると判断していることから、被告取締役に対する会社の補助参加は基本的には問題ないという結論となる。

**Q&A 監査役に対する責任追及の提訴**

**Q 監査役に対して責任追及の訴えが提起された場合の留意点は何か。**

**A** 基本的には、取締役に訴えが提起された場合と手続は同じである。すなわち、株主から提訴がなされた段階で、訴訟代理人弁護士を起用し審理にのぞむことになる。株主代表訴訟は、個人が被告となるために、弁護士費用は個人として負担することになる（会社役員賠償責任保険に入っている場合は、争訟費用として一定の金額が補填される）。仮に、株主の訴訟提起が不当であると判断するのであれば、原告株主の悪意の疎明を行い、裁判所に対して担保提供の申立てをすることができる（会847条の４第２項・3項）。悪意の疎明とは、原告株主の濫用的な訴訟提起による害意のあるものと裁判官の心証を得るような主張・立証を行うことである。

また、被告監査役への会社の補助参加に際しては、被告取締役への補助参加と異なり監査役（複数の場合は、各監査役）全員の同意は必要ない。

いずれにしても、株主代表訴訟の場合は、株主から提訴請求がなされたときから、実質上の係争は開始されていることから、その時点から本訴になったときの対応（事実関係の整理、弁護士の起用先等）の検討を始めておくことが望ましい。

### ３）訴訟上の和解への対応

訴訟上の和解は、原告株主と被告取締役の間で行われるが、和解を行う場合には、事前に各監査役の同意が必要である（会849条の２）。和解内容の会社への通知は、監査役が会社を代表して受領する。その後、監査役は、速やかに、代表取締役および被告取締役に対して報告する。仮に和解に異議があるときは、会社は２週間以内にその旨を裁判所に催告する（会850条２項）。

## 【図表3－G】株主代表訴訟提訴請求時系列対応表の例

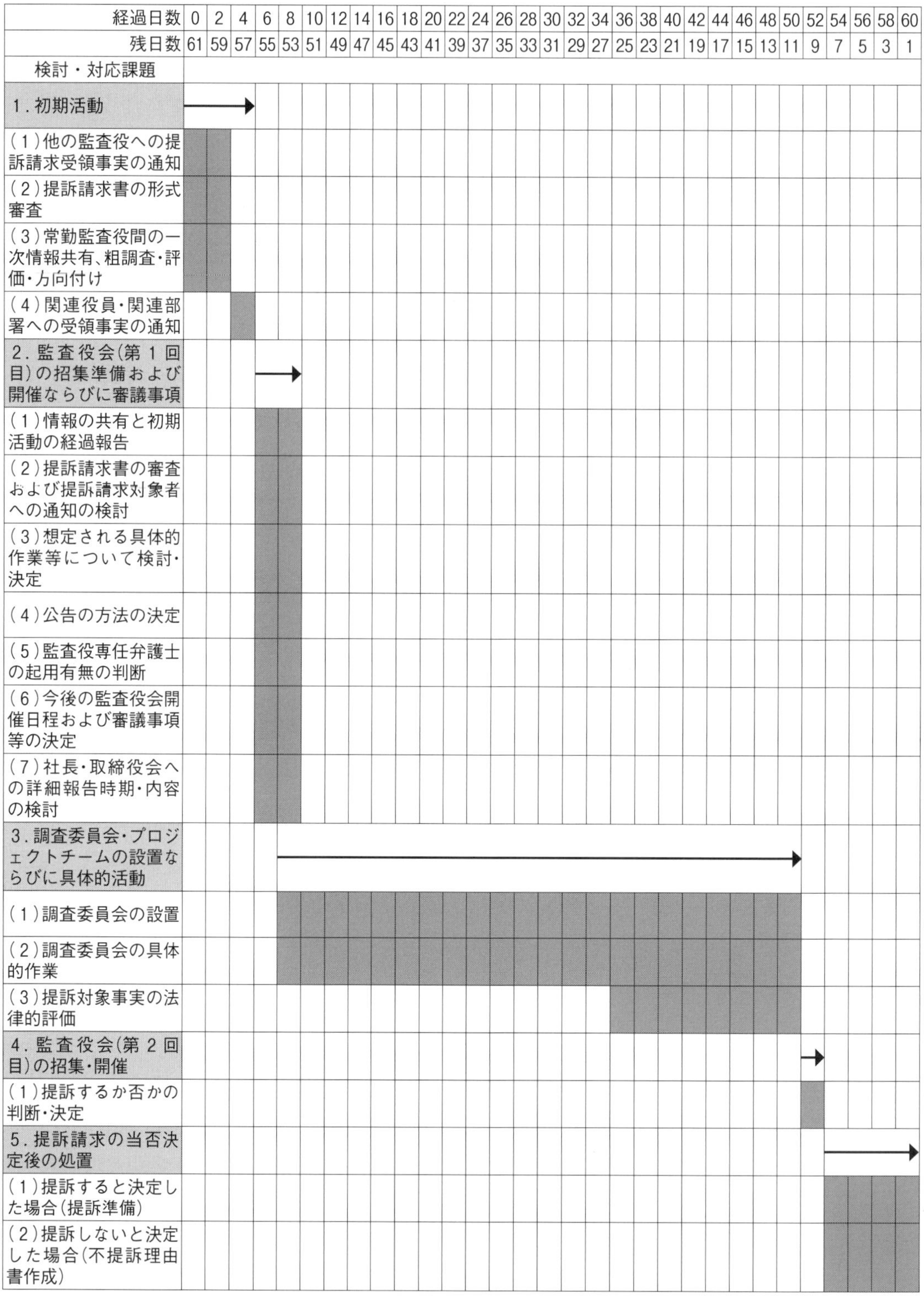

| 経過日数 | 0 | 2 | 4 | 6 | 8 | 10 | 12 | 14 | 16 | 18 | 20 | 22 | 24 | 26 | 28 | 30 | 32 | 34 | 36 | 38 | 40 | 42 | 44 | 46 | 48 | 50 | 52 | 54 | 56 | 58 | 60 |
|---|---|---|---|---|---|---|---|---|---|---|---|---|---|---|---|---|---|---|---|---|---|---|---|---|---|---|---|---|---|---|---|
| 残日数 | 61 | 59 | 57 | 55 | 53 | 51 | 49 | 47 | 45 | 43 | 41 | 39 | 37 | 35 | 33 | 31 | 29 | 27 | 25 | 23 | 21 | 19 | 17 | 15 | 13 | 11 | 9 | 7 | 5 | 3 | 1 |
| 検討・対応課題 | | | | | | | | | | | | | | | | | | | | | | | | | | | | | | | |
| 1．初期活動 | | | | | | | | | | | | | | | | | | | | | | | | | | | | | | | |
| （1）他の監査役への提訴請求受領事実の通知 | | | | | | | | | | | | | | | | | | | | | | | | | | | | | | | |
| （2）提訴請求書の形式審査 | | | | | | | | | | | | | | | | | | | | | | | | | | | | | | | |
| （3）常勤監査役間の一次情報共有、粗調査・評価・方向付け | | | | | | | | | | | | | | | | | | | | | | | | | | | | | | | |
| （4）関連役員・関連部署への受領事実の通知 | | | | | | | | | | | | | | | | | | | | | | | | | | | | | | | |
| 2．監査役会（第1回目）の招集準備および開催ならびに審議事項 | | | | | | | | | | | | | | | | | | | | | | | | | | | | | | | |
| （1）情報の共有と初期活動の経過報告 | | | | | | | | | | | | | | | | | | | | | | | | | | | | | | | |
| （2）提訴請求書の審査および提訴請求対象者への通知の検討 | | | | | | | | | | | | | | | | | | | | | | | | | | | | | | | |
| （3）想定される具体的作業等について検討・決定 | | | | | | | | | | | | | | | | | | | | | | | | | | | | | | | |
| （4）公告の方法の決定 | | | | | | | | | | | | | | | | | | | | | | | | | | | | | | | |
| （5）監査役専任弁護士の起用有無の判断 | | | | | | | | | | | | | | | | | | | | | | | | | | | | | | | |
| （6）今後の監査役会開催日程および審議事項等の決定 | | | | | | | | | | | | | | | | | | | | | | | | | | | | | | | |
| （7）社長・取締役会への詳細報告時期・内容の検討 | | | | | | | | | | | | | | | | | | | | | | | | | | | | | | | |
| 3．調査委員会・プロジェクトチームの設置ならびに具体的活動 | | | | | | | | | | | | | | | | | | | | | | | | | | | | | | | |
| （1）調査委員会の設置 | | | | | | | | | | | | | | | | | | | | | | | | | | | | | | | |
| （2）調査委員会の具体的作業 | | | | | | | | | | | | | | | | | | | | | | | | | | | | | | | |
| （3）提訴対象事実の法律的評価 | | | | | | | | | | | | | | | | | | | | | | | | | | | | | | | |
| 4．監査役会（第2回目）の招集・開催 | | | | | | | | | | | | | | | | | | | | | | | | | | | | | | | |
| （1）提訴するか否かの判断・決定 | | | | | | | | | | | | | | | | | | | | | | | | | | | | | | | |
| 5．提訴請求の当否決定後の処置 | | | | | | | | | | | | | | | | | | | | | | | | | | | | | | | |
| （1）提訴すると決定した場合（提訴準備） | | | | | | | | | | | | | | | | | | | | | | | | | | | | | | | |
| （2）提訴しないと決定した場合（不提訴理由書作成） | | | | | | | | | | | | | | | | | | | | | | | | | | | | | | | |

## 3．多重代表訴訟制度の創設　A・B・C・D・E・F・G

取締役や監査役らの役員が職務の任務懈怠により会社に損害を及ぼせば、当該会社の株主は取締役らに対して代表訴訟を提起することができる。言い換えると、取締役らに対して代表訴訟を提起できるのは、あくまで自社の株主であって、たとえ経営を実質的に支配している親会社の株主といえども、子会社の取締役らの責任追及はできないのが基本的な考え方である。仮に、子会社の取締役らの責任追及を行おうとすれば、自ら子会社の株主となる以外に方法は存在しない。

ところが、平成９年の私的独占の禁止及び公正取引の確保に関する法律改正による純粋持株会社解禁に伴い、持株会社（holding company）を新設し、従前の会社を事業会社（operating company）として完全子会社化するケースが増加した。この場合には、完全子会社である事業会社の取締役らの不祥事による損失が親会社に及んでも、唯一の株主である親会社が当該子会社取締役の責任追及を行うことは必ずしも期待できない。特に、問題が顕在化するのは、株式交換や株式移転の方法による組織再編行為によって、一般株主が強制的に持株会社等の親会社の株主となった場合である。すなわち、完全子会社化する前までは、一般株主による代表訴訟提起により、取締役の違法行為の抑止効果があったのにもかかわらず、完全子会社化することによって、その抑止効果がなくなり、株主によるチェック機能が存在しなくなる可能性がある。

会社法では、企業集団の内部統制システムの構築（会施規98条１項５号、100条１項５号）が定められていることから、特に大会社の親会社としては子会社に対して、一定の監視義務があると解せられる。したがって、仮に子会社の取締役による不祥事が発生し親会社にも損害が及ぶことになれば、親会社取締役の監視義務違反があるとして、親会社株主が親会社取締役の責任追及をすることが考えられる。しかし、株主としては、子会社取締役の行為と親会社の損害との因果関係を主張・立証する必要がある。

他方、子会社の取締役らの不祥事によって親会社が損害を被った場合に、直接的に親会社株主が子会社取締役ら役員の責任追及をするために代表訴訟を提起できるような制度が多重代表訴訟である。親会社と子会社の二重構造、親会社から孫会社までの三重構造の中で代表訴訟制度を適用することから、あわせて多重代表訴訟と総称されている（**【図表３-G】**参照）。平成26年改正会社法では、親会社株主[13]が子会社役員の損害賠償責任追及が

13）子会社にさらに子会社がある場合（親会社から見れば、孫会社）は、多重代表訴訟が適用となる親会社とは、最終完全親会社のことであるが、便宜上、親会社と称する。

可能という多重代表訴訟制度を創設された（会社法847条の３）。もっとも、経済界からは、法制審議会会社法制部会の審議の中で、海外子会社を含めて、濫用的な訴訟提起が増加する懸念等を理由として反対意見が強く出されたことから、多重代表訴訟を提起できる範囲を限定している点が特徴である。

まずは、多重代表訴訟を提起できる株主とは、親会社の総株主の議決権の１％以上または発行済み株式総数の１％以上の株式を有する親会社株主である（会847条の３第１項）。現行の株主代表訴訟は、１株（または１単元株式）を保有（公開会社の場合は、６ヶ月継続保有要件も有り）していれば、訴訟を提起できる単独株主権であるのに対して、１％以上という少数株主権とされている。少数株主権とすることにより、親会社株主による濫用的な訴訟提起を防止する目的がある。

親会社株主が子会社の役員の責任追及を行うことができる子会社とは、完全子会社であり、完全親会社が有する子会社の株式の帳簿価額が、完全親会社の総資産の20％超（役員の責任事実が生じた時点において）の子会社（会社法上「特定完全子会社」と呼称。会847条の３第４項）である。この要件は、事業会社である子会社がそれ相当の規模を持っている金融機関等、その対象はかなり限定されたものといえる。特定完全子会社は、最終完全親会社の事業報告において、特定完全子会社の名称および住所、特定完全子会社の株式の帳簿価額、自社の総資産額を開示しなければならない（会施規118条４号）。

多重代表訴訟は少数株主権かつ子会社の規模要件もあるため、実際に多重代表訴訟制度が適用されることはまず発生しないと考えられるが、会社法という基本法で多重代表訴訟という新たな制度設計が創設された意義は大きく、上記の要件からはずれた子会社の不祥事が続くようであると、多重代表訴訟利用の要件緩和の方向となる可能性がある。

原告親会社株主が提訴請求を行う際の書面の提出先は完全子会社監査役である。したがって、多重代表訴訟が提起された場合に、親子会社間でどのように具体的に連携をとるのか、特定完全子会社が存在する場合はあらかじめシミュレーションをしておくとよい。

もっとも、特定完全子会社取締役の行為により、最終完全親会社に損害が生じていない場合は、訴えの提起はできない。

なお、株式交換により完全親会社の株式を取得し、元々の会社の株主でなくなった場合でも原告適格は維持され、完全子会社となった取締役に対して株主代表訴訟の提起が可能である（会社法847条の２）。

【図表３－Ｈ】多重代表訴訟制度のイメージ図

（パターン１）

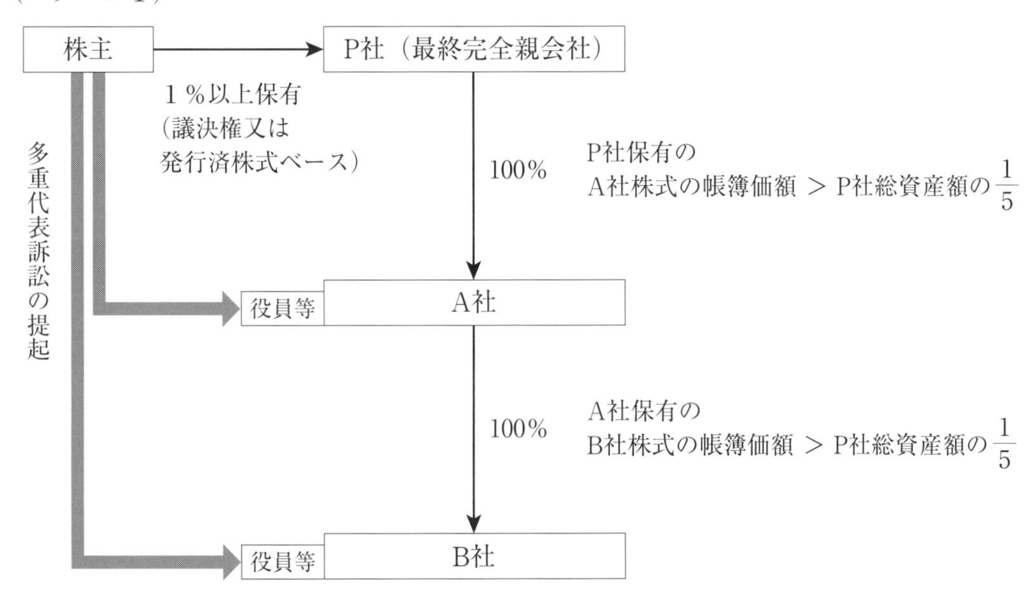


（パターン２）

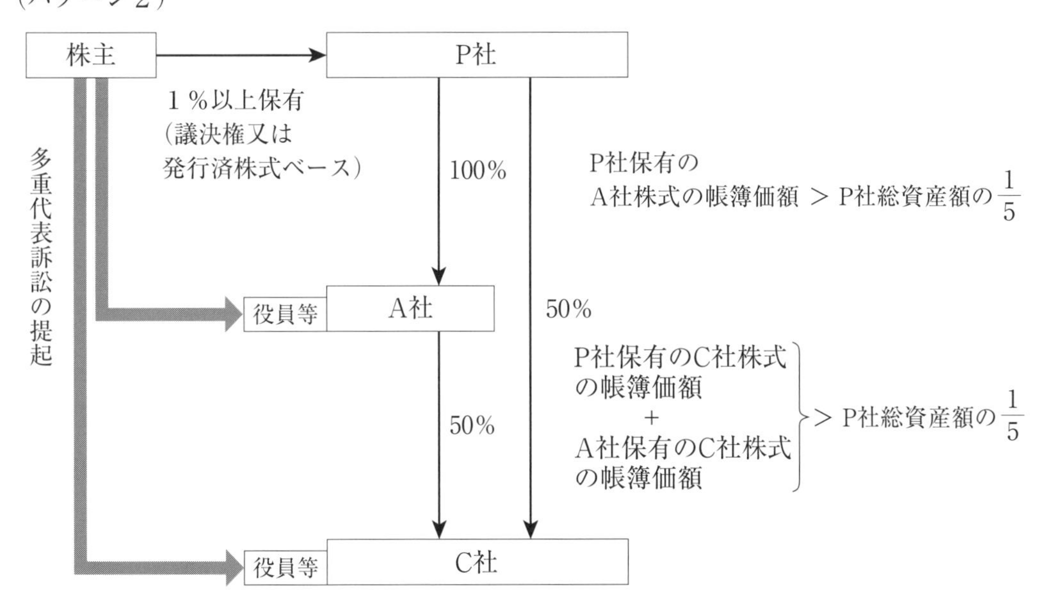


出所：高橋均『グループ会社リスク管理の法務（第４版）』（中央経済社、2022年）209頁

# Ⅳ. 監査役の責任

**要　点**

○監査役にも取締役と同様に、民事責任と刑事責任が存在する。
○民事責任は、会社と監査役との間の委任規定により、債務不履行の一般原則が適用となり、連帯して損害賠償責任が発生する。また、刑事責任としては、特別背任罪や贈収賄罪等により、懲役や罰金刑が発生する。
○取締役と同様に、監査役に対しても、責任軽減制度が適用となり、監査役は報酬等の2年分を限度とした責任を負えばよいという責任免除措置がある。
○もっとも、責任軽減制度は、善意かつ無重過失が前提であり、また、取締役会で承認・決議したとしても株主総会において3％以上の株主の反対があれば適用にならないなど、運用上のハードルは高い。

**解　説**

## 1．監査役の責任と責任追及　A・B・C・D・E・F・G

論点解説 第12章 第15章 第16章

### (1) 民事責任

民事責任としては、会社と監査役の間には、委任規定が適用（会330条、民644条・656条）されるため、監査役がその任務懈怠によって会社に損害を及ぼすこととなれば、債務不履行の一般原則（民415条）によって、会社に対して損害賠償責任を負うことになる（会423条）。したがって、仮に監査役としての善管注意義務を果たさず、任務懈怠によって損害賠償責任が発生したときには、監査役は会社に対して責任を負う。また、複数の監査役の場合には、受任者としての任務を懈怠した者だけが個別に責任を負う債務不履行の一般原則の例外として、監査役が連帯して責任を負うこととしている（会430条、なお連帯責任は、監査役と取締役との間でも成立する）。これらの責任は、取締役と基本的に同様の考え方であるが、監査役は業務執行を行っているわけではないために、取締役に規定されている忠実義務（会355条）の適用はない。

会社に対する損害賠償責任であることから、監査役の責任を追及するのは、会社（代表取締役が代表する）が原則であるが、代表取締役と監査役との間の特殊な感情から、会社が監査役の責任追及を怠ることが考えられるために、株主が会社に代わって監査役の責任を追及する株主代表訴訟を提起することができる（株主代表訴訟制度については、**前項参照**）。監査役の責任追及の場合は、取締役の場合と異なり、提訴請求の宛先は代表取締役となり、執行部門（総務部や法務部等）が監査役の責任の有無を調査した上で、取締役(会)として監査役を提訴するか否か最終的に判断することになる。また、株主の権利（議決権の３％以上の少数株主権）として、株主総会の日から30日以内に、訴えをもって監査役の解任を請求することができる（会854条）。他方、取締役の場合と異なり、監査役は業務執行に携わらないために、株主による監査役への違法行為差止請求権は存在しない。監査役が職務を行うにつき悪意または重大な過失があった場合（会429条１項）や監査報告への虚偽記載（会429条２項３号）によって第三者に損害を及ぼした場合は、取締役と同様に、民事責任として第三者に対する損害賠償責任を負うことになる。

監査役が会社や第三者に対する責任を免れるためには、債務不履行に基づく損害賠償責任に帰責性がないことを主張・立証する必要がある。具体的には、監査役として善管注意義務を尽くしたにもかかわらず会社の損害が発生したことを具体的に立証する。

ちなみに、監査役（監事の事例も含む）の損害賠償の支払いが認容された事例として、「ダスキン株主代表訴訟事件」、「大原町農業協同組合事件」、「セイクレスト事件」があり、第三者に対しては、「エフオーアイ事件」等の裁判例がある（裁判例の紹介は**本章3.**参照）。

**【図表３－１】監査役の損害賠償責任**

| | 会社に対して | 第三者に対して |
|---|---|---|
| 損害の発生 | 会社 | 第三者（取引先・株主等） |
| 要　件 | 職務に付き任務懈怠かつ会社の損害との相当の因果関係有り | 職務に付き悪意又は重過失、かつ第三者の損害と相当の因果関係有り |

### （２）刑事責任・行政罰

刑事責任としては、特別背任罪（監査役が、自己もしくは第三者の利益を図り、または会社に損害を加える目的で、その任務に背き会社に財産上の損害を加えること。会960条）、贈収賄罪（株主総会等における発言や議決権の行使に関し、不正の請託を受けて、財産上の利益を収受し、またはその要求もしくは約束をすること。会967条１項)、利益供与の罪（株主の権利の行使に関し、会社または子会社の計算において財産上の利益を供与すること、会970条）などがある。これらの刑事責任を問われた場合には、監査役としての欠格事由（会335条１項・331条１項）に該当するために、退任せざるを得なくなる。このほかには、株主総会での説明義務違反や監査役会議事録の記載違反（記録すべき事項を記載しない等）などによって、取締役の場合と同様に、過料に処される可能性もある（会976条）。もっとも、過料は監査役個人に課せられる金銭罰としての行政罰であり、刑事責任の範疇ではないために、監査役の欠格事由には該当しない。

COLUMN

## ●会社補償契約と役員等賠償責任保険●

論点解説 第15章

令和元年改正会社法で、会社補償契約と役員等賠償責任保険（D&O保険）に関して新たに規定が設けられたが、役員である監査役としてはいずれも関係する規定である。

会社補償制度とは、役員等（取締役・監査役・会計参与・執行役・会計監査人）がその職務の執行に関して発生した費用や損失の全額または一部を会社が負担する制度であり、責任追及に対する防御としての調査費用や第三者に対して支払う損害賠償金・和解金を役員等に代わって会社が支払う契約を役員等が会社と締結することができる制度である（会430条の２）。

役員等賠償責任保険は、役員等を被保険者として、会社に対して支払う損害賠償金や和解金・訴訟代理人への弁護士費用等の争訟費用を保険者である損害保険会社が填補する制度であり（会430条の３）、すでに上場会社を中心に広く普及していたものを、対象範囲等を明確化したものである。なお、保険契約に伴う保険料は、会社負担である。

従前から両制度とも法定化の議論はあったものの、役員等との利益相反としての側面、および任務懈怠責任があっても、金銭的な損失を被らないというモラルハザードの点の指摘があり、法定化には至らなかった。しかし、取締役等がリスクに果敢に挑戦するインセンティブが期待できること、利益相反の問題については、利益相反取引と同様の手続を定めた。すなわち、契約内容について株主総会（取締役会設置会社では取締役会）で決議するとともに、補償契約の場合、実際に適用した際には、取締役会における事後報告事項とする手続を明確化し、公開会社の場合は、事業報告に契約対象の役員の氏名や補償契約の内容の概要等の一定事項を開示することになった（会施規121条３号の２～３号の４）。

役員等賠償責任保険も同様に、被保険者の氏名・名称や保険契約の内容の概要等は事業報告での開示事項である（会施規119条２号の２、121条の２第１号～３号）。

## ２．監査役の責任軽減制度 A・B・C・D・E・F・G

### （１）責任軽減制度の概要

監査役の責任を免除するには、取締役の場合と同様、株主全員の同意がなければならない（会424条）。しかし、大規模公開会社においては、株主総会の開催が容易でないばかりでなく、多種多様な株主が存在する中で、株主全員の同意を獲得することは、現実的には不可能である。

このために、平成13年の商法改正において役員の責任軽減制度（一部免除制度）が導入された（以下、監査役の責任軽減とするが、法的な内容は取締役の場合と同様である）。責任免除額は、在職中に会社から職務執行の対価として受け、または受けるべき財産上の利益の額の事業年度ごとの最高額に相当する額として算定する額に２年分を乗じた額と、新株予約権（ストックオプション）を引き受けた場合におけるその新株予約権に関する財産上の利益に相当する額として算定される額の合計額を控除した額である。そして、具体的な免除を行うには、①株主総会決議による方法、②定款記載への一部免除規定と取締役決議による方法、③責任限定契約の締結による方法、の三つの方法がある。いずれの方法においても、責任軽減制度は監査役の行為が善意かつ重過失でないこと、また仮に責任軽減制度の適用を取締役会で決議したとしても、株主総会において総株主の議決権の３％以上の議決権をもつ株主の反対によってその決定が覆されるなど、運用上のハードルは高い。

**［参考３－３］ 責任軽減制度の仕組み**

［事例］ Ａ監査役は、４年間の在任後退任した後で任務懈怠責任により、４億円の損害賠償が決められた。なお、退任時に退職慰労金として、４千万円を得ていた（新株予約権行使による利益はない）。

Ａ監査役の損害賠償額　　４億円

Ａ監査役の年間報酬額（在任中の最高額）　　３千万円

Ａ監査役の退職慰労金　　　　　　　　　　4千万円

①責任限度額　（3千万円＋4千万円÷4年）×2年＝8千万円

②責任免除額　4億円－8千万円＝3億2千万円

以上より、Ａ監査役が本来賠償すべき金額である4億円に対して、実際に支払う責任の上限額は8千万円となり、3億2千万円の責任軽減がなされたことになる。

### （2）責任軽減の方法

#### 1）株主総会決議

株主総会の特別決議に基づいて、事後的に監査役の責任を一部免除することができる。事後的とは、責任軽減の対象となるのは、すでに発生した損害（損害発生原因となる行為がすでに行われた場合を含む）に対してであり、将来の損害賠償責任を軽減するものではないことを意味している。また、株主総会議案として提出する上で、監査役の責任原因事実および賠償責任額、免除の限度額およびその算定の根拠、責任を免除すべき理由および免除額をあらかじめ株主に開示する必要がある（会425条2項）。

なお、監査役の責任一部免除に関する議案を株主総会に提出する場合には、取締役の場合と異なり、監査役の同意は不要である（会425条3項）。

#### 2）定款記載と取締役会決議

定款に一部免除規定を定めた上で、取締役会決議による方法もある。取締役会において、監査役の責任軽減ができる旨の定款変更を事前に行っておけば、その後に発生した損害に対して、取締役会決議によって事後的に責任一部免除ができる（会426条1項）。また、会社は、取締役会において、監査役の責任一部免除の決議を行った場合には、1ヶ月以上の期間を設けて当該監査役の責任を免除する決議に異議を申し立てられるとの公告または株主への通知を遅滞なく行う義務を負っている（会426条3項）。その際、責任原因事実、損害賠償責任額などの開示事項は、株主総会決議による免除措置の場合と同様である。さらに、総株主の議決権の100分の3以上を有する株主が異議を申し立てないことが要件である（会426条5項）。

定款記載と取締役会決議による方法は、取締役会に監査役の責任一部免除権限を授権したものであるが、監査役の責任軽減に関して、株主総会を待つまでもなく、迅速な対応を行うことが可能となった。また、定款に監査役の責任一部免除が可能との旨を定めたときは、登記事項となる（会911条３項23号）。

なお、定款規定に基づいて取締役会決議による監査役の責任一部免除に関して、定款変更議案を株主総会の議案とする場合および監査役の責任一部免除議案を取締役会に提出する場合は、いずれも監査役の全員の同意は不要である（会426条２項）。

### ３）責任限定契約の締結

責任限定契約（**【様式３－４】**参照）をあらかじめ締結しておく方法もある。会社法では、責任限定契約は、社外取締役・社外監査役・会計参与・会計監査人が対象であったが、平成26年改正会社法では、すべての監査役や非業務執行取締役も対象となった。元々社外役員に限定していた立法趣旨は、社外役員は必ずしも社内の状況に精通しているわけではない中で、あらかじめ責任軽減措置が講じられている保証を行うことによって、社外役員候補者の懸念を払拭し適切な人材を確保するためであった。しかし、会社法の改正によって社外役員の社外要件を厳格化したことにより、社外だった人が社外でなくなることなども踏まえて、業務執行に関与しない役員すべてにその対象範囲を拡大した。なお、責任限定契約は、責任が発生する前に締結しておき、定款に定めておく必要がある。

また、責任限定契約を締結した監査役が、当該会社またはその子会社の業務執行取締役、執行役または支配人その他の使用人に就任したときは、責任限定契約は将来に向かって失効する（会427条２項）。

【様式3－4】監査役との責任限定契約例

## 責任限定契約

〇〇〇〇株式会社（以下、「甲」という）と△△△△（以下、「乙」という）とは、乙が甲の監査役として就任するにあたり、甲の定款〇〇条の規定に基づいて、その責任を免除することについて、次のとおり契約する。

第1条（責任限定）

1 甲は、乙がその任務を怠ったことにより甲に損害を与えた場合において、乙がその職務を行う際に、善意でかつ重大な過失がないときは、乙は甲に対して、金〇〇〇円または以下に記載する合計額とのいずれか高い額を限度とする責任を負担するものとする。

一 乙がその在職中に甲からその職務執行の対価として受け、または受けるべき財産上の利益の1年間当たりの額に相当する額として、法務省令で定める方法により算定される額に2を乗じて得た額

二 乙が甲の新株予約権を引き受けた場合における当該新株予約権に関する財産上の利益に相当する額として法務省令で定める方法により算定される額

2 甲は、前項の限度額を超える額について、乙の責任を免除する。

第2条（契約期間）

1 本契約期間は、本契約の締結時と乙が甲の監査役として選任されたときのいずれか遅い時から、乙の監査役の任期が終了する甲の定時株主総会の終了時までとする。但し、それまでに乙が甲の監査役でなくなったときは、本契約はその時点で終了する。

2 乙が甲の定時株主総会において監査役として再任されたときは、本契約はそのまま効力を有するものとし、以後も同様とする。

3 乙が甲もしくは甲の子会社の業務を執行する取締役もしくは支配人その他の使用人または子会社の執行役となったときは、本契約は将来に向かってその効力を失う。

第3条（管轄裁判所）

本契約にかかわる一切の事項に関しては、甲の本店を管轄する地方裁判所を唯一の専属管轄裁判所とすることに同意する。

令和〇年〇月〇日

甲　〇〇〇株式会社代表取締役社長
〇〇〇〇
乙　△△△△

**[参考3−4] 監査役の責任軽減制度の仕組み（責任限定契約を締結している場合）**

[事例] B監査役は、4年間の在任を経て退任した後、任務懈怠責任により、1億円の損害賠償が決められた。なお、B監査役は会社と責任限定契約を締結しており、責任の上限額を2千5百万円としていた。

| | |
|---|---|
| B監査役の損害賠償額 | 1億円 |
| B監査役の年間報酬額（在任中の最高額） | 1千万円 |
| B監査役の退職慰労金 | 2千万円 |
| B監査役の責任上限額（責任限定契約） | 2千5百万円 |

①責任限度額

ア)（1千万円＋2千万円÷4年）×2年＝3千万円

イ）2千5百万円（責任限定契約によって定められた額）

②責任限度額　　3千万円（ア>イにより）※

③責任免除額　1億円−3千万円＝7千万円

※仮に、責任限定契約による上限額を3千5百万円としていれば、ア<イによりこの額が採用される。

## 3．監査役の責任が認容された裁判例　A・B・C・D・E・F・G

監査役の民事責任（損害賠償責任）が認容された裁判例について、以下、紹介する（注：判旨の下線は、特に留意すべきであると考えた筆者による）。

### （1）ダスキン株主代表訴訟事件
### （大阪高等裁判所判決平成18年6月9日判例時報1979号115頁）

1）事案の概要

ダスキンは、チェーン店として経営するミスタードーナツにおいて、食品衛生法上使用が日本では許可されていない添加物が含まれた「大肉まん」を販売していた。この点について、ダスキンの取引業者からの指摘を契機に事実が判明したが、ダスキンの取締役の一部は、大肉まんの販売継続と取引業者への口止め料を支払う対応を行った。その後、厚生労働省への匿名による通報により、保健所からの立入検査が行われたことを受けて、ダスキンは記者会見を行い、マスコミでも大きく報道された。

そこで、ダスキンの株主であるX（原告）は、代表取締役・取締役・監査役に対して、大肉まんの回収・販売店に対する補償等の損害106億2,400万円の株主代表訴訟を提起した（その後、大肉まんの販売責任者と口止め料を支払った2人の取締役は、分離審理され、総額53億4,350万円の支払いが確定した）。

第1審の大阪地方裁判所は、添加物使用を知った後、その事実を社長に報告しなかった取締役$Y_1$（被告）に対して、善管注意義務違反であるとして、5億2,955万円の支払いを命じた。

これに対して、Xおよび$Y_1$が不服として、控訴した。

### 2）判旨

控訴一部認容

「マスコミの姿勢や世論が、企業の不祥事や隠ぺい体質について敏感であり、少しでも不祥事を隠ぺいするとみられるようなことがあると、しばしばそのこと自体が大々的に取り上げられ、追及がエスカレートし、それにより企業の信頼が大きく傷つく結果になることが過去の事例に照らしても明らかである。ましてや、本件のように6300万円もの不明朗な資金の提供があり、それが積極的な隠ぺい工作であると疑われているのに、さらに消極的な隠ぺいとみられる方策を重ねることは、ことが食品の安全性にかかわるだけに、企業にとっては存亡の危機をもたらす結果につながる危険性があることが、十分に予測可能であったといわなければならない。

したがって、そのような事態を回避するために、そして現に行われてしまった重大な違法行為によってダスキンが受ける企業としての信頼喪失の損害を最小限度に止める方策を積極的に検討することこそが、このとき経営者に求められていたことは明らかである。ところが、前述のように、取締役らはそのための方策を取締役会で明示的に議論することもなく、『自ら積極的には公表しない』などというあいまいで、成り行き任せの方針を、手続き的にもあいまいなままに黙示的に事実上承認したのである。それは、到底、『経営判断』というに値しないものというしかない。」

「また、監査役も、自ら上記方策の検討に参加しながら、以上のような取締役らの明らかな任務懈怠に対する監査を怠った点において、善管注意義務違反があることは明らかである。」

#### 3）解説

結論として、大阪地裁では責任が肯定されなかった監査役に対しても、各々2億1千万円余の損害賠償の支払いを命じた。

本件では、食品衛生法違反という重大な法令違反に対して、経営判断として積極的な対応を行わなかった取締役と、取締役会の消極的な方針に異議を述べなかった監査役も任務懈怠があるとされた。

取締役会で、重要な経営方針や手段が上程される際には、その是非を巡って色々な意見が出されることが多いと思われるが、本件のように黙示的に現状追認することに対して、積極的に意見を述べることは、監査役としては職責に伴う相当の強い意思を持ち合わせていないと、その場の雰囲気に流されてしまうこともあり得るかもしれない。しかし、本件が示唆することは、会社の信頼を大きく毀損するような重大な事象に直面したときは、監査役としては、監査役会で十分に協議して監査役会としての統一した方向性を主張したり、場合によっては、社外取締役を含めた取締役との連携を図るなどが必要になろう。もちろん、監査役は独任制であるので、他の役員の協力を得られなければ単独であっても意見を陳述する覚悟が大切である。監査役としては、まずは事象の重大性の有無を冷静に見極めることが重要であり、監督官庁から業務改善命令が出される可能性が高い事件・事故や、人命に明らかに影響を与える事象については、監査役として取締役に対して、迅速かつ積極的な対応を要請すべきである。

本件において、取締役会において積極的に公表すべきとした一部の役員は、株主代表訴訟の被告とならなかった。取締役の重大な違法行為については、監査役は取締役の行為差止請求権（会385条1項）があるが、本件のような消極的な取締役会での対応ではなく、少なくとも監査役としての取締役会における意見陳述権（同383条1項）の行使が重要であり、意見陳述の内容を取締役会議事録の記載にとどめておくことが法的責任から自らを守ることにもなる点は留意すべきであろう。

なお、本件は内部統制システムの整備状況の観点も争点の1つとなった。

### （2）大原町農業協同組合事件
### （最高裁判所判決平成21年11月27日判例時報2067号136頁）

#### 1）事案の概要

大原町農業協同組合（原告。以下「組合」という）では、代表理事（当時）Aが補助金を利用して堆肥センターの建設事業を進めるにあたって、理事会で承認を得た。ところが、

Aは補助金の申請をしていないにもかかわらず、理事会に対して補助金の交付が受諾されたかのような虚偽の報告をするなどして、同組合の費用負担のもとで用地の購入や建設工事を推進した。その後、当該工事は組合の資金を利用して実行に移したものの、最終的には資金調達の目処がたたないまま、工事は中止され、組合に損害が発生した。なお、組合の監事は、代表理事が関わる案件については、監事監査を行わない慣行になっていたことから、監事のY（被告）は、Aに対して、補助金申請の内容、受領見込額、受領時期等に対する質問や資料の提出を求めることはしなかった。そこで、組合は、Aとともに、Yに対して、契約解消に伴って発生した組合の損害に対して、監事としての善管注意義務違反があったとして組合が被った損害の一部の支払いを求める訴訟を提起した。

第1審および原審ともに、Yの責任を認めない判断を行ったために、組合が上告したものである。

### 2）判旨

破棄自判

「監事は、理事が法令・定款違反の行為を行うおそれがあるときは、理事会に報告することを要し、理事の行為の差止を請求することもできること、その職責を果たすため、理事会への出席権や業務・財産の状況調査権が与えられていること、……、監事の上記の職責は、たとえ組合において、その代表理事が理事会の一任を取り付けて業務執行を決定し、……また、監事も理事らの業務執行の監査を逐一行わないという慣行が存在していたとしても、そのような慣行自体が適正なものとはいえないから、これによって軽減されるものではない。」

「Aの一連の言動は、同人に明らかな善管注意義務違反があることをうかがわせるに十分なものである。そうであれば、Yは、組合の監事として、理事会に出席し、代表理事の説明では、堆肥センターの建設事業が補助金の交付を受けることにより組合自身の資金的負担のない形で実行できるか否かについて疑義があるとして、Aに対し、補助金の交付申請内容やこれが受領できる見込みに関する資料の提出を求めるなど、堆肥センターの建設資金の調達方法について調査、確認する義務があったというべきである。」

### 3）解説

結論として、Yについては、監事としての任務懈怠があったとして、1,000万円の損害賠償が認容された。

本件は、組合が、組合の監事Yに対して業務監査に任務懈怠があったとして、組合の損害の一部の損害賠償を求めた事案である。農業協同組合を規定している農業協同組合法は、会社法の多くの箇所を準用していることから、監事の職責は基本的には監査役と同様と考えられ、監事の善管注意義務違反の有無を判断する上で、監査役にとっても実務的に参考になる。

最高裁判所は、工事建設に関わる資金調達方法の調査や確認をすることなく本事業が進められるのを放置したYには、任務の懈怠があると判示した。要するに、たとえ業務監査を行わないという慣行が存在していたとしても、その慣習自体が適正でない以上、慣行に従うこと自体が善管注意義務違反に相当すると判示している点に注意が必要である。

監査役の実務としては、不適正な慣行以外でも、業務監査を不当に拒否する取締役に対して、監査役の法的権限を行使せずに何ら対抗措置を講じないこと、新型コロナ感染症拡大の影響等を理由として、業務監査をまったく行わないという行為は、監査役の善管注意義務違反に該当する可能性があることになる。

監査役の業務監査は、期中監査のパートで詳述した（**第１章.Ⅲ.期中監査活動**参照）何らかの方法を活用して実践することが必要である。代表取締役や創業者一族の権限が強い中小規模の会社における監査役にとっては、特に留意すべきであろう。

### （３）セイクレスト事件
### （大阪高等裁判所判決平成27年５月21日金融・商事判例1469号16頁）

#### １）事案の概要

会社法上の大会社かつ上場会社であるセイクレスト社は、サブプライムローンの影響を受けて債務超過に陥り、上場廃止となるおそれがあった。

このような状況に対して、代表取締役Aは、資金の不当流用、資金繰り対応のための約束手形の振り出し等の違法行為を独断で行った。これらの行為に対して、監査役は、疑義や反対を表明したりしていた。それにもかかわらず、Aは、募集株式の発行によって振り込まれた資金を当初予定の借入金返済や運転資金の使途に用いず、不当に第三者に交付した。その後、最終的には、セイクレスト社は破産した。

そこで、セイクレスト社の破産管財人（原告）は、セイクレスト社の役員４名に対して、役員責任査定の申立てを行った。このうち、責任限定契約を締結していた社外非常勤監査役Y（被告）に対しては、破産裁判所は、任務懈怠はあるものの、重過失はないとして、責任限定契約に基づく報酬の２年分および遅延損害金を査定決定した。Yは、この申立てを不服としてその取消しを求めて異議の訴えを提起したが、原審の大阪地方裁判所は、査定決定を認可した。このため、Yは控訴した。

なお、セイクレスト社の監査役監査規程には、日本監査役協会の「監査役監査基準」に準拠して「必要があると認めたときは、取締役又は取締役会に対し内部統制システムの改善を助言又は勧告しなければならない」などの規定が存在していた。

#### 2）判旨

控訴棄却

「監査役が、取締役らに対して、セイクレスト社の現金等の出金や払戻しについて、手形取扱規程に準じた管理規程を設ける内部統制システムを構築するよう助言又は勧告すべき義務を履行していれば、これに基づいて、取締役会において、現金、預金等の出金や払戻しについて、本件手形取扱規程に準じた管理規程が定められることになった可能性が高かったというべきである。そうすると、……、セイクレスト社の従業員がAから本件金員交付に係る出金の指示を受けた際に、上記規程の存在を理由にこれを拒み、また、当該従業員から報告を受けたYら監査役において、本件金員交付に関するAの行為の差止めを請求するなどして、本件金員交付を防止することも可能であったということができる。さらに、……Yらが、Aを代表取締役から解職すべきである旨を取締役に助言又は勧告すべき義務を履行していれば、Aは代表取締役から解職された可能性もあり、仮に解職するに至らなかったとしても、取締役会において解職の議題が上程されることによって、Aが本件金員交付のような任務懈怠行為を思いとどまった可能性もあったということができる。」

「セイクレスト社の監査役会は、代表取締役によって行われた一連の任務懈怠行為に対して、取締役会において度々疑義を表明したり、事実関係の報告を求めるなどをしており、……取締役会で約束手形の発行の一時停止の決議がなされたにもかかわらず、多額の約束手形の所在についての説明がされない場合には、Yら監査役3名は辞任する所存である旨の申し入れを行い……、Yとして、取締役の職務執行の監査を行い、一定の限度でその義務を果たしていたことが認められる。」

「以上のとおりであるから、本件金員交付によってセイクレスト社に損害が発生したことについて、Yに職務を行うにつき重大な過失があったと認めることはできない。」

#### 3）解説

Yに対して、報酬2年分である648万円の支払いが確定した（Yのみが破産管財人の査定決定を不服としたため、訴訟となった）。

本件は、不動産業を営むセイクレスト社の社外非常勤監査役であるYが善管注意義務違反を肯定された事案であるが、重大な過失とまでいえないとして、責任限定契約に基づく報酬の２年分の支払いを命じられた。本件から監査役の実務として留意すべき点は、２点認められる。

第一は、監査役としての法的権限の適切な行使である。本件では、代表取締役の違法行為に対して、監査役による取締役の違法行為差止請求権の行使や、代表取締役の解職を取締役会の議題とすべきとの意見の申入れである。取締役の違法行為差止請求権（会385条１項）は、取締役には存在しない監査役の強力な法的権限であり、通常はこのような事態に遭遇することは極めて稀であると思われるが、本件のセイクレスト社のように、代表取締役の違法行為により、最終的に会社が破産の危機に陥る可能性があるときには、監査役として毅然として行使すべき権限であることを本件は物語っている。また、代表取締役の解職は、取締役会において決議されるが、議決権を持たない監査役としても、取締役との意見交換等により、代表取締役の解職を議題として上程される方向に持っていくことは可能である。

なお、裁判の審理では原告が主張しなかったこともあり争点にはなっていないが、本来は、期末の監査役会監査報告に代表取締役には重大な法令・定款違反がある旨の記載（会施規130条１項・129条１項３号）もあり得たはずである。監査役会監査報告に記載することによって、株主の離脱等のマイナスの影響を危惧する向きもあるかもしれないが、株主に正しい情報を伝えることも監査役の責務と考えるべきである。

第二は、監査役監査基準の存在である。セイクレスト社の監査役会は、日本監査役協会の監査役監査基準（**巻末**参照）を、ほぼそのまま自社の基準として定めることを機関決定していた。日本監査役協会の監査役監査基準は、監査役が職務を行う上でのいわゆるベストプラクティスの位置付けであり、会社の規模・態様等によって、その扱い方は異なると考えるべきである。したがって、ベストプラクティスの位置付けである日本監査役協会の監査基準を監査役（会）でそのまま準用する旨の決定を行うと、それは法的拘束力を帯びる可能性が出てくることを示していると解釈すべきである。だからこそ、大阪高等裁判所は、セイクレスト社の監査役監査基準に規定されていた「取締役又は取締役会に対し内部統制システムの改善を助言又は勧告しなければならない」という規定に則って、取締役（会）に助言・勧告すべきであったと判示したものである。監査役として、取締役が整備すべき内部統制システムに重大な不備があれば、その旨を指摘し改善を求めることは必要であるが、

「勧告」という一層強いメッセージを伝達するタイミングと具体的な勧告の内容については、それ相当の意思を持って対応する必要があろう。

なお、従前は、監査役の任務懈怠責任は、認められるか否かの二者択一であったが、責任軽減制度（**本章2.監査役の責任軽減制度**参照）が法定化された今日においては、任務懈怠の程度により、損害賠償の金額が算定されることとなっていることには、注意が必要である。すなわち、従前のように、重過失ではないから、損害賠償の支払いが不要という結論に至らない場合もあり得ることになる。

### （4）エフオーアイ事件
**（東京高等裁判所判決平成30年３月23日判例時報2401号32頁）**

#### １）事案の概要

半導体製造装置の開発等を目的とするエフオーアイ社（以下「FOI社」という）は、ある時期から架空売上を計上しており、年間売上高の97%が架空の年度もあった。FOI社はマザーズ市場（当時）への上場を目指していたが、粉飾決算を行っているとの匿名の投書もあったことなどから、２回程、上場申請の取下げを行ったが、最終的には申請が承認された。

その後、FOI社株式の発行市場取得者および流通市場取得者（原告。以下「X」）は、有価証券届出書・目論見書の虚偽記載があったとして、FOI社の取締役・監査役・元引受証券会社・受託証券会社・売出株所有者（被告）に対して、金融商品取引法違反により損害賠償を請求した。

第１審の東京地方裁判所は、有価証券届出書・目論見書の虚偽記載が存在したことを認め、FOI社の取締役・監査役・主幹事証券会社の損害賠償責任を認容した。そこで、Xおよび社外監査役$Y_1$ら被告の一部は、判決を不服として控訴した。

以下、監査役に関連する判旨を紹介する。

#### ２）判旨

控訴棄却

「FOI社において、単に財務諸表において架空の売上げを計上していたにとどまらず、取締役ら及び多数の幹部社員らが共謀し、……、取締役らによる事業自体の違法な業務執行であることは明らかであるから、取締役らのかかる違法行為は、本来監査役の業務監査によって是正されるべきものである。そうすると、社外監査役$Y_1$は、業務監査の視点から取締役ら及び会計監査人の報告をどのように分析検討し、監査役の調査権限（会社法381条２項）の行使の是非についてどのように判断したのか、免責事由を具体的に主張立証する必要がある。

この点、常勤監査役Aは、……架空の売上げが計上されている可能性について疑問を抱き、売上げの実在性について独自の調査を行うなどの対応を執ることは十分に可能であったというべきであるが、Aが、会計監査人の報告を受ける以外にかかる観点から何らかの調査を行ったことをうかがわせる証拠はない。また、Aは、常勤監査役であったにもかかわらず原則として週に２日程度しか出勤しておらず、……、取締役らの業務執行に対する日常の業務監査は不十分であったといわざるを得ない。」

「$Y_1$は、非常勤監査役として、Aの職務執行の適正さに疑念を生ずべき事情があるときは、これを是正するための措置を執る義務があり、また、独任制の機関として各自が単独で取締役の業務執行の適法性の監査を遂行するにつき善管注意義務を負っているところ、……、単に取締役会、会計監査人及びAの報告等に不審な点はないと判断し、これを信頼したというだけでは$Y_1$の監査役としての職務の遂行が十分なものであったとはいい難い。

さらに、監査役会において、上場申請取下げの理由について他の役員ら又は主幹事証券会社に問い合わせをするなどして調査をすれば、投書の存在を認識することは十分に可能であったというべきであり、その上で監査役の権限を行使して調査を行えば、粉飾決算の事実が判明していた可能性がないとはいえない。」

### 3）解説

本件は、過大な架空売上を行っていた事実に対して、監査役の業務監査の任務懈怠が問題とされた事案である。

当然のことながら、上場申請のような重要な経営方針に関連する違法行為に関しては、取締役がまったく関与していないとは考え難いであろう。すると、取締役の職務執行を監査する職責を負う監査役としては、一連の業務監査を通じて、その事実を把握すべく善管注意義務を負っていると理解すべきである。まして、本件のように複数年にまたがった不正であり、かつその不正は投書でも指摘されたことなどから、上場申請の取下げの方針変更に至っている事実について、監査役としては、自身の調査権限を行使してその理由を確認すべきであったことは当然である。その上で、監査役としては、事実の確認に努めるべきであり、必要に応じて、公認会計士等の職業的専門家のサポートも受けるべきであったと思われる。

また、本件で問題と考えられるのは、過大な架空取引という不正行為が監査役に一切情報提供されていない事実である。架空取引の事実を明らかにした投書も監査役には情報共有されていなかったようであり、そもそも執行部門が監査役を活用するという意識がなかったように考えられる。もっとも、常勤監査役が週に2回程度の出勤であれば、執行部門も監査役の存在に対する認識も希薄であった可能性もある。新規上場を目指す会社は、上場後は監査役の設置は必須になることから、監査役制度の活用を本格的に検討することも多いと思われるが、監査役の実効性確保の体制整備を上場申請前から定着すべきである。

本件は、常勤監査役と社外非常勤監査役の連携の重要性を示唆している。常勤監査役の定義は会社法で明示されていないものの、就任している会社の職務に専念している外観が存在することが前提となる。したがって、グループ会社を含め、常勤監査役の肩書を複数の会社で持つことは避けるべきである。また、社外非常勤監査役は、常勤監査役からの情報提供が重要な意義を持つことから、この点で不十分であると考えた段階で、積極的な是正を申し入れるべきである。加えて、監査役は独任制であることを意識して、自ら監査役の権限を行使して、有事を疑わせるような事態を認識した際には、取締役への個別のヒアリングや重要会議への出席も検討すべきであろう。

本件は、上場申請前の会社の事案であるが、上場会社・非上場会社における監査役の職務遂行の在り方を端的に示している点で、参考になると思われる。

### （5）会計限定監査役の責任（最高裁判所判決令和3年7月19日）

#### 1）事案の概要

本件は、非公開会社で一般製版印刷を目的とする資本金9,600万円の会社（原告）が、会計監査限定監査役Y（被告）に対して、経理業務を行っていた従業員の横領によって被った会社の損害の支払いを求めた事案である。

経理担当の従業員は、約9年半の間に、会社名義の当座預金口座（以下「本件口座」）から自己名義の普通預金口座に総額2億3,523万円余を送金することにより横領を行っていた。本件従業員は、横領の事実を隠蔽するために、本件口座の残高証明書を都度、偽造するなどの行為に及んでいた。

Yは、公認会計士および税理士の有資格者であり、40年以上にわたり監査役に就任していた。この間、Yは各期において、会社の計算書類および附属明細書の法定監査を実施していたが、各期の会計監査において、本件従業員から提出された残高証明書が偽造されたものであるとの疑いを持たないまま会計帳簿と照合した結果、計算書類等の表示と会計帳簿の内容が合致しているとしていた。

この結果、会社の財産および損益の状況をすべての重要な点において適正に表示している旨の意見を監査役監査報告に記載していた。

その後、取引銀行からの指摘を受けて、本件従業員の横領が発覚した。そこで、会社は、Yに対して、本件口座の残高証明書の原本確認等を行わなかったという任務懈怠があったことから、本件従業員による継続的な横領の発覚が遅れて会社が損害を被ったとして、総額1億1,100万円（控訴審は8,996万円余）の支払いを求めた（会423条1項）。

これに対して、第1審の千葉地方裁判所は、会社の請求の一部を認容し、東京高等裁判所は、Yの主張を認め会社の請求を棄却したことから、会社は最高裁に上告した。



### 2）判旨

原判決破棄、東京高裁に審理差し戻し

「監査役設置会社（会計限定監査役を置く株式会社を含む。）において、監査役は、計算書類等につき、これに表示された情報と表示すべき情報との合致の程度を確かめるなどして監査を行い、会社の財産及び損益の状況を全ての重要な点において適正に表示しているかどうかについての意見等を内容とする監査報告を作成しなければならないとされている（会436条1項、会算規121条2項、122条1項2号）。…（中略）。

計算書類等が各事業年度に係る会計帳簿に基づき作成されるものであり（会算規59条3項）、会計帳簿は取締役等の責任の下で正確に作成されるべきものであるとはいえ（会432条1項参照）、監査役は、会計帳簿の内容が正確であることを当然の前提として計算書類等の監査を行ってよいものではない。監査役は、会計帳簿が信頼性を欠くものであることが明らかでなくとも、計算書類等が会社の財産及び損益の状況を全ての重要な点において適正に表示しているかどうかを確認するため、会計帳簿の作成状況等につき取締役等に報告を求め、またはその基礎資料を確かめるなどすべき場合があるというべきである。そして、会計限定監査役にも、取締役等に対して会計に関する報告を求め、会社の財産の状況等を調査する権限が与えられていること（会389条4項・5項）などに照らせば、以上のことは会計限定監査役についても異なるものではない。

そうすると、会計限定監査役は、計算書類等の監査を行うにあたり、会計帳簿が信頼性を欠くものであることが明らかでない場合であっても、計算書類等に表示された情報が会計帳簿の内容に合致していることを確認しさえすれば、常にその任務を尽くしたといえるものではない。

…（中略）…。そして、Yが任務を怠ったと認められるか否かについては、会社における本件口座に係る預金の重要性の程度、その管理状況等の諸事情に照らしてYが適切な方法により監査を行ったといえるか否かにつき更に審理を尽くして判断する必要があり、また、任務を怠ったと認められる場合にはそのことと相当因果関係のある損害の有無等についても審理をする必要があるから、本件を原審に差し戻すこととする。」

3）解説

本件は、計算書類等が会社の財産および損益の情報をすべての重要な点において適正に表示するために、単に計算書類等に表示された情報が会計帳簿の内容に合致していることを確認しさえすれば、会計限定監査役として、その任務を尽くしたとはいえないとし、最高裁が会計監査の方法に言及した初めての判断を示したことに意義が認められる。また、会計限定監査役にとどまらず、業務監査権限を持つ会計監査人非設置会社の監査に加え、会計監査人設置会社の監査役にとっても、会計監査を一次的に行うのは会計監査人ではあるものの、最高裁判断の基本的な考え方は、業務監査を行う上でも示唆を与えていることから、すべての監査役にとって改めて監査実務の在り方について再確認する意味がある。

本件で問題となったのは、会計帳簿の偽造であったが、監査役の職責は、計算関係書類に表示された情報と計算関係書類に表示すべき情報との合致の程度を確かめること（会算規121条２項）であり、計算書類およびその附属明細書の情報が適正に表示されていることを監査することにある。会計帳簿（仕訳帳・総勘定元帳・各種の補助簿）は、計算書類等の作成の基礎となるもの（会算規59条３項）であり、経理処理のシステム化が進んでいる状況下、会計帳簿の数値は、経理担当者のインプットなどの処理を極力介在させないことから、会計帳簿そのものの信頼性の有無は重要である。

もっとも、監査役は、会計帳簿そのものの適正性を直接、監査（確認・チェック）することが法的に義務付けられているわけではない。したがって、最高裁の判旨は、監査役自身が会計帳簿を直接監査する義務があるとしているのではなく、会計帳簿の内容が正確であることを当然の前提とすべきではないと説示している。言い換えれば、監査役としては、会計帳簿の信頼性を判断し、必要に応じて確認することが重要であると解せられる。最高裁が例示している確認方法は、取締役等に報告を求めること、基礎資料を確認することである。

また、会計帳簿の信憑性・信頼性のみならず、各事業部からの報告や資料についても同様であると考えれば、業務監査への応用にもつながる。すなわち、人員構成・指揮命令系統等の各組織体の状況、システム化の進捗状況、複数人員のチェック体制等のリスク管理体制、新規業務か否か等の業務内容を見極めながら、業務監査時の資料や報告内容の信憑性・信頼性について評価することが可能である。仮に、人員不足や経験豊富なベテラン従業員が定年退職等で不在となったときには、その組織から提出されたデータや内容については、不正確や虚偽であるリスクの可能性も高いと考えて、重点的にデータの正確性をチェック・確認する必要性があると考えるべきである。

なお、本件については、東京高等裁判所に審理の差し戻しが行われた状況にあり、最終的な結論は、東京高裁の判断を待つ必要がある（令和５年１月10日現在）。

# Ⅴ．コーポレートガバナンス・コードと監査役

## 要　点

○平成26年6月1日から実施されたコーポレートガバナンス・コードは、会社のガバナンスの在り方に関する重要な原則を示しており、金融庁と東京証券取引所が事務局となって原案を作成した。
○コーポレートガバナンス・コードは、上場会社を対象にしており、合計83の基本原則、原則、補充原則から構成されており、法令と異なりソフト・ローに位置付けられるもので強制力はないが、「実施するか、さもなければ説明」という手法を採用している。
○コーポレートガバナンス・コードは法令ではないので、直接の監査役監査の対象ではないが、執行部門の実施状況や説明内容を注視しておくことが重要である。

## 解　説

### 1．コーポレートガバナンス・コード　A・B・C・E・(Dの上場会社)

コーポレートガバナンス・コードの原案は、会社の持続的な成長と中長期的な企業価値の向上を図ることを目的として、金融庁と東京証券取引所が事務局となって、会社のガバナンスの在り方に関する重要な原則として定めたものである。コーポレートガバナンス・コードの原案の策定・公表を受けて、原案を内容としたコーポレートガバナンス・コード（以下、本章では「CGコード」という）が施行され（平成27年6月1日）、現在、再改訂版が公表された（2021年6月11日）。CGコードはいわゆるソフト・ローに位置付けられ、法的拘束力は無い。

CGコードは、上場会社を対象とし、「プリンシプルベース・アプローチ（原則主義）」と「コンプライ・オア・エクスプレイン（原則を実施するか、実施しなければ説明）」の手法を採用していることが特徴である。

CGコードは、合計83の基本原則、原則、補充原則によって構成されており、第1章では「株主の権利・平等性の確保」、第2章では「株主以外のステークホルダーとの適切な協働」、第3章では「適切な情報開示と透明性の確保」、第4章では「取締役会等の責務」、第5章では「株主との対話」について諸原則がおかれている。

監査役は、CGコードの内容を直接の監査対象とするわけではないが、CGコードで求められる開示（記載内容に変更が生じたとき）は、「コーポレート・ガバナンス報告書」を通じて定時株主総会後遅滞なく行われるものであり、かつ企業経営にとって重要な原則も含まれていることから、執行部門の実施状況や説明内容について注視しておくことが重要である。

## 2．監査役関連の原則　A・B・C・E（Dの上場会社）

### （1）サステナビリティへの対応

原則2－3は、社会・環境問題をはじめとするサステナビリティを巡る課題の記載である。

近時、ESG（Environment Social Governance）が頻繁に話題となるように、地球の温暖化対策等の地球環境問題、人権侵害等の社会問題、公正・適正な取引や自然災害等への危機管理の問題をはじめ、世界全体として取り組むべき課題に対して、企業の社会的責任の観点から各企業が積極的に対応すべきであるとしており、令和3年6月のCGコード改訂の大きな柱の1つとなった。

「サステナビリティ」は、一般的には「持続可能性」と訳され、企業が持続的に成長していくためには、地球環境問題等への取組みが不可欠であると理解されている。企業が収益第一主義によって地球規模で取り組むべき課題への対応を疎かにすると、リスクにもなる。一方で、適切な対応を行えば、投資家をはじめ、幅広くステークホルダーから共感を得られ、収益機会にもつながると考えられる。

CGコードでは、中長期的な企業価値向上を強く意識した内容となっている中で、それを経営として活かすために、取締役会に対して、自社のサステナビリティのための基本方針を策定した上で、その具体的な実行状況を監督することを求めている。取締役会で基本方針を策定するということは、会社経営において重要なテーマであり、その基本方針を具体的に実践することを、取締役会としてフォローしていくことを意味している。

社会・環境問題への具体的な対応は、各社の業種・業態・規模等により異なるが、中長期的な視点からのビジョンを示した上で施策として織り込まれているか、監査役としても注視すべき項目である。サステナビリティに対する具体的な取組み状況は妥当性の問題となるものの、監査役は適法性監査に限るとの視点を持つことなく、会社全体の議論に積極的に関与することが大切である。

**原則２－３　社会・環境問題をはじめとするサステナビリティを巡る課題**

上場会社は、社会・環境問題をはじめとするサステナビリティを巡る課題について、適切な対応を行うべきである。

**補充原則**

２－３①　取締役会は、気候変動などの地球環境問題への配慮、人権の尊重、従業員の健康・労働問題への配慮や公正・適切な処遇、取引先との公正・適正な取引、自然災害等への危機管理など、サステナビリティを巡る課題への対応は、リスクの減少のみならず収益機会にもつながる重要な経営課題であると認識し、中長期的な企業価値の向上の観点から、これらの課題に積極的・能動的に取り組むよう検討を深めるべきである。

**原則４－２　取締役会の役割・責務（２）**

**補充原則**

４－２②　取締役会は、中長期的な企業価値の向上の観点から、自社のサステナビリティを巡る取組みについて基本的な方針を策定すべきである。

また、人的資本・知的財産への投資等の重要性に鑑み、これらをはじめとする経営資源の配分や、事業ポートフォリオに関する戦略の実行が、企業の持続的な成長に資するよう、実効的に監督を行うべきである。

### （２）内部通報制度と監査役（原則２－５）

原則２－５は、内部通報制度に係る適切な体制整備についての記載である。

内部通報制度は、不祥事の発生のおそれの未然の防止や実際に発生した際の拡大防止等を目的とした社内の自助作用であり、内部統制システムの整備としても重要なものである。もっとも、内部通報制度は外形のみ整備するだけでは足りず、有効に利用されていることが大切である。このために、匿名は勿論のこと、内部通報制度の窓口を弁護士事務所等の外部にも設けること、不利益な扱いをしないことの内規への明記、受付窓口担当者の複数化など、色々と工夫している会社も多い。

補充原則２－５①では、内部通報制度は、経営陣から独立した窓口の設置を行うべきとし、例示として、社外取締役と監査役による合議体をあげている。その他の整備として、監査役監査の実効性確保の観点から、自社や子会社取締役等から監査役への報告体制が明示されたこと（会施規100条３項４号）から、監査役を内部通報制度の窓口の一つとして追加した会社もある。その際、監査役に通報した内部通報者が不利益を受けないことを確保する体制も内部統制システムの一環であること（会施規100条３項５号）から、その旨を内部通報制度の社内規程に明記しておくべきであろう。この点につき、日本監査役協会が策定している監査役監査基準（**巻末参考資料１.** 参照。以下「監査役監査基準」という）では、通報者が不利な取扱いを受けないことが確保されているか確認すべきとしている（監査役監査基準20条５項）。

**原則２－５　内部通報**

上場会社は、その従業員等が、不利益を被る危険を懸念することなく、違法または不適切な行為・情報開示に関する情報や真摯な疑念を伝えることができるよう、また、伝えられた情報や疑念が客観的に検証され適切に活用されるよう、内部通報に係る適切な体制整備を行うべきである。取締役会は、こうした体制整備を実現する責務を負うとともに、その運用状況を監督すべきである。

**補充原則**

２－５①　上場会社は、内部通報に係る体制整備の一環として、経営陣から独立した窓口の設置（例えば、社外取締役と監査役による合議体を窓口とする等）を行うべきであり、また、情報提供者の秘匿と不利益取扱の禁止に関する規律を整備すべきである。

### （３）監査役会と会計監査人（原則３－２）

原則３－２は、会計監査人の責務を記載した上で、補充原則において、監査役会としての会計監査人への対応が規定されている。

監査役は、会計監査人の議案の内容の決定権、および解任・不再任の決定権があることから、会計監査人候補を適切に選定することが要請されている。このためには、会計監査人を適切に評価することが必要であるが、補充原則では、会計監査人の評価基準の策定と会計監査人の独立性と専門性の確認を規定している。

補充原則３－２①は、有能な会計監査人を確保するための監査役会としての責務ともいえる内容である。会計監査人の評価基準は、会計監査人の監査の相当性を判断することにも通じるものであり、それをあらかじめ評価基準として意識しておくことの重要性が背景にある。もっとも、評価基準といっても、客観的な基準を策定することを予定しているのはなく、①当該年度の会計監査計画が、過年度の監査結果や世の中の会計不祥事、さらには法令の改正を踏まえて過不足なく予定されているか、②会計監査の実施状況が計画に則って、適切に実施されているか、また会社のサイナーの会計監査人が責任を持って関わっているか、③会計帳簿に限定せずに、現場のモニタリングも重要視しているかなどが考えられる[1)]。

会計監査人の独立性と専門性の確認に関しては、会計監査人と執行部門（経理・財務部門）との意見の対立があるときに、独立した立場から会計監査人が行うべき主張等を執行部門に行っているか、会計監査人が執行部門からの一方的な従属関係となっていないかなどについて、両者間のメモや両者からのヒアリングを通じて確認することが必要である。他方、専門性の確認については、監査役が一定程度の財務・会計の知見がないと容易ではないと考えるかもしれない。CGコードでも、原則４－11では、財務・会計に関する適切な知見を有している者が１名以上選任されるべきとしているのは、このような背景もある。もっとも、会計監査人は公認会計士の国家資格を保持していることが前提ではあるが、会計実務の経験年数、業界特有の会計制度への精通度などをある程度、客観的に判断できる基準もあり得る。また、財務・会計部門の知見者の意見を参考にしながら、基準を作成することも考えられる。

補充原則３－２②は、会計監査人がその職責を十分に果たすために、監査役会としての対応について記載している。監査役としては、会計監査人の監査報酬の制限によって、会計監査人の監査時間が十分に確保できていないこととなっていないか留意すべきである。また、会計監査人が代表取締役社長や財務担当取締役との面談等を希望している場合には、監査役としては積極的に対応を図るべきである。また、会計監査人が不正を発見した場合の執行部門の対応についても、まずは、会計監査人がその不正を発見した場合に、監査役への報告とその後の状況報告が行われるような信頼関係が監査役と会計監査人との間で醸成されていることが出発点である。このためにも、何か問題が起きたときに意見交換を行うということではなく、平時から定期的に直接会合を持ち情報を共有する努力が大切である（監査役監査基準47条３項）。

---

１）日本監査役協会は、会計監査人の評価基準項目例を示している。（公社）日本監査役協会会計委員会「会計監査人の評価及び選定基準策定に関する監査役等の実務指針」（平成27年11月10日公表）。あくまで評価基準項目例であるので、自社に相応しい基準を取捨選択して利用することが望ましい。

なお、3－2②（iii）では、会計監査人と監査役との連携の一つの方策として、会計監査人の監査役会への出席を含むとされている（監査役監査基準47条1項）。会計監査人が監査役会に出席することは、とりわけ会計・財務の知見のある社外監査役が就任している場合に有益である。

**原則3－2　外部会計監査人**
外部会計監査人及び上場会社は、外部会計監査人が株主・投資家に対して責務を負っていることを認識し、適正な監査の確保に向けて適切な対応を行うべきである。

**補充原則**
3－2①　監査役会は、少なくとも下記の対応を行うべきである。
（ⅰ）　外部会計監査人候補を適切に選定し外部会計監査人を適切に評価するための基準の策定
（ⅱ）　外部会計監査人に求められる独立性と専門性を有しているか否かについての確認
3－2②　取締役会及び監査役会は、少なくとも下記の対応を行うべきである。
（ⅰ）　高品質な監査を可能とする十分な監査時間の確保
（ⅱ）　外部会計監査人からCEO・CFO等の経営陣幹部へのアクセス（面談等）の確保
（ⅲ）　外部会計監査人と監査役（監査役会への出席を含む）、内部監査部門や社外取締役との十分な連携の確保
（ⅳ）　外部会計監査人が不正を発見し適切な対応を求めた場合や、不備・問題点を指摘した場合の会社側の対応体制の確立

### （4）監査役及び監査役会の役割・責務（原則4－4）

原則4－4では、監査役及び監査役会の役割が規定されている。この原則では、監査役として、自らの守備範囲を過度に狭く捉えることは適切ではなく、能動的・積極的に権限を行使し、取締役会等において適切に意見を述べるべきとの規定である。例えば、監査役は、適法性監査に限るとの学説に縛られることなく、必要があれば妥当性について意見を述べることを差し控える必要はないことを意味していると解される。監査役は、非業務執行取締役に位置付けられることから、取締役が行う業務執行について、都度口を挟むことを意味しているわけではない。しかし、会社の収益状況が悪ければ粉飾決算等につながる懸念もあることから、そのあたりの注意喚起を行うことは、監査役として何ら制約を受け

るものではない。このためにも、監査役の心構えとして、監視機能の一翼を担う者として期待される役割・責務の自覚の下に、継続的な自己研鑽に努める必要性につながる（監査役監査基準３条２項）。

また、補充原則４－４①では、常勤監査役と社外監査役の組み合わせにより監査役会としての実効性を高めるべきこと、監査役と社外取締役との連携を確保すべきであるとしている。

常勤監査役は、日常的に情報収集を行う機会があること、社外監査役にはその情報を基に、独立性の観点から監査役会等の場で適切な指摘や意見陳述を行うことが期待されている。具体的には、常勤監査役やスタッフが内部統制システムの問題点となる具体的な情報を収集した上で、社外監査役が代表取締役に対して直接、または取締役会の場で問題点を指摘した上で改善の必要性の意見陳述を行うことが通常の対応となる。

社外取締役は、取締役会での議決権を持っているものの、その議決権を適切に行使するためには、社外取締役に一定かつ有益な情報が収集されていなければならない。仮に、経営執行部門が社外取締役に情報提供をすることを怠っていたり、意図的に情報を流さなかった場合であっても、監査役が社外取締役に対する情報提供の役割を果たすことが重要である。このためにも、監査役は社外取締役とも、取締役会で顔を合わせるのみではなく、取締役会の前後に可能な限り、情報提供や意見交換の場を設ける実務的な工夫を考える意味がある。さらに、社外取締役のみで構成される任意の委員会があれば（社外役員による任意の委員会の設置は、補充原則４－10①で推奨されている）、この委員会とも連携を深めることも考えられる。

監査役と社外取締役との連携は、執行部門から非業務執行役員という点で共通であることから、情報の共有化を含めその重要性を認識すべきである（監査役監査基準では、第16条に「社外取締役等との連携」として規定）。

**原則４－４　監査役及び監査役会の役割・責務**

監査役及び監査役会は、取締役の職務の執行の監査、監査役・外部会計監査人の選解任や監査報酬に係る権限の行使などの役割・責務を果たすに当たって、株主に対する受託者責任を踏まえ、独立した客観的な立場において適切な判断を行うべきである。

また、監査役及び監査役会に期待される重要な役割・責務には、業務監査・会計監査をはじめとするいわば「守りの機能」があるが、こうした機能を含め、その役割・責務を十分に果たすためには、自らの守備範囲を過度に狭く捉えることは適切でなく、能動的・積極的に権限を行使し、取締役会においてあるいは経営陣に対して適切に意見を述べるべきである。

**補充原則**

4－4① 監査役会は、会社法により、その半数以上を社外監査役とすること及び常勤の監査役を置くことの双方が求められていることを踏まえ、その役割・責務を十分に果たすとの観点から、前者に由来する強固な独立性と、後者が保有する高度な情報収集力とを有機的に組み合わせて実効性を高めるべきである。また、監査役または監査役会は、社外取締役が、その独立性に影響を受けることなく情報収集力の強化を図ることができるよう、社外取締役との連携を確保すべきである。

### （5）監査役の受託者責任（原則4－5）

監査役は、取締役とは別に株主総会で選任され、株主からの負託を受けて、取締役の職務執行を監査する職責（会381条1項）を担うことを意識する必要があり、その職務に任務懈怠があれば、監査役自身が株主代表訴訟による責任追及を受けること（会847条1項・3項）を自覚すべきである。

もっとも、常に会社および株主共同の利益に基づいた職務を行っている限りにおいて、その職務に任務懈怠が発生することはない。

**原則4－5　取締役・監査役等の受託者責任**

上場会社の取締役・監査役及び経営陣は、それぞれの株主に対する受託者責任を認識し、ステークホルダーとの適切な協働を確保しつつ、会社や株主共同の利益のために行動すべきである。

### （6）取締役会・監査役会の実効性確保のための前提条件（原則4－11）

原則4－11では、監査役に、財務・会計や法務に関する十分な知見者が1名以上選任されるべきであるとしている。会計監査人の監査の相当性を判断したり、会計監査人の選解任の人事権の発動や会計監査人の専門性を評価するためには、経理・財務出身者の監査役が望ましいとするのがCGコードの趣旨である。他方、経理・財務や法務出身者に固定す

ると、取締役の職務執行を幅広く監査する職責のある監査役としては、人材の範囲が狭まってしまうこととなる。したがって、CGコードが規定しているのは、少なくとも３人以上の監査役が就任している監査役会設置会社でその適用を推奨していることに留意すべきである。

また、監査役が経理・財務出身でなくても、監査役スタッフを経理・財務出身者とすることで、CGコードの趣旨を満たすことが可能である。

**原則４－11　取締役会・監査役会の実効性確保のための前提条件**

取締役会は、その役割・責務を実効的に果たすための知識・経験・能力を全体としてバランス良く備え、ジェンダーや国際性、職歴・年齢の面を含む多様性と適正規模を両立させる形で構成されるべきである。また、監査役には、適切な経験・能力及び必要な財務・会計・法務に関する知識を有する者が選任されるべきであり、特に、財務・会計に関する十分な知見を有している者が１名以上選任されるべきである。

取締役会は、取締役会全体としての実効性に関する分析・評価を行うことなどにより、その機能の向上を図るべきである。

**補充原則**

４－11②　社外取締役・社外監査役をはじめ、取締役・監査役は、その役割・責務を適切に果たすために必要となる時間・労力を取締役・監査役の業務に振り向けるべきである。こうした観点から、例えば、取締役・監査役が他の上場会社の役員を兼任する場合には、その数は合理的な範囲にとどめるべきであり、上場会社は、その兼任状況を毎年開示すべきである。

論点解説 第５章

### （７）情報入手と支援体制（原則４－13）

原則４－13では、監査役も取締役と同様に、情報を能動的に入手すべきとしている。監査役の場合、取締役と異なり業務執行を行うわけではないので、意識的に情報入手を心掛ける必要がある。定例の取締役や各部門からの業務報告聴取は勿論のこと、現場の実査や非公式な場も含めて意識することが大切である。

CGコードでは、上場会社は人員面を含む監査役への支援体制の整備の記載もある。支援体制とは監査役スタッフの配置を念頭においているものと思われる。この記載は、平成27年会社法施行規則の監査役監査の実効性確保の規定（会施規100条３項３号）と平仄をあわせている。監査役スタッフも情報収集等の重要な役割を果たすことになるからである（監査役スタッフの役割については、**終章参照**）。この点について、監査役監査基準では、必要な知識・能力を備えた専任スタッフが望ましいとした上で、専任者の設置が困難な場合は、兼任者を１名以上設置するように、取締役や取締役会に対して要請するものとしている（監査役監査基準18条２項・19条２項５号）。

また原則４－13の中では、監査役会として、監査役への情報提供が円滑に確保されているか確認すべきとの記載もある。この点は、監査役会の場で情報の共有化を図るとともに、執行部門による情報提供の状況についても、例えばあらかじめ執行部門と取り決めていた稟議書の事前提供等が行われているか確認し合った上で、必要に応じて執行部門に対して円滑な情報提供の申し入れをする必要性を意味している。

補充原則４－13①と②では、監査役には法的に認められた調査権限（会381条２項）の適切な行使と外部専門家からの助言も推奨している。外部専門家とは、弁護士や公認会計士、その他の有識者であるが、法的に独立した監査役としては、顧問弁護士や会社が起用している監査法人の公認会計士とは別の専門家が望ましい。これらの専門家と顧問契約を締結することも一計ではあるが、そこまでの需要がないと判断するならば、アドバイザリー契約とするか、もしくは契約書を締結しないまでも都度、相談できる専門家を決めておくことが考えられる。その際の費用について、会社（執行部門）が支出することになるわけであるが、平成27年会社法施行規則の中でも、内部統制システムにおける監査役監査の実効性確保の観点から、監査役がこのような支出を必要とするときの方針の定めに則って、支出されることをあらかじめ執行部門と確認しておくとよいと思われる。

また、補充原則４－13③は、情報収集の一環としても内部監査部門との連携の重要性を指摘しており（**第３章．Ⅰ．２．内部監査部門との連携**を参照）、また社外監査役から情報入手の必要性の指示があったときに対応できる監査役スタッフが配置されていると有用である。

**原則４－13　情報入手と支援体制**

取締役・監査役は、その役割・責務を実効的に果たすために、能動的に情報を入手すべきであり、必要に応じ、会社に対して追加の情報提供を求めるべきである。

また、上場会社は、人員面を含む取締役・監査役の支援体制を整えるべきである。

取締役会・監査役会は、各取締役・監査役が求める情報の円滑な提供が確保されているかどうかを確認すべきである。

**補充原則**

4－13① 社外取締役を含む取締役は、透明・公正かつ迅速・果断な会社の意思決定に資するとの観点から、必要と考える場合には、会社に対して追加の情報提供を求めるべきである。また、社外監査役を含む監査役は、法令に基づく調査権限を行使することを含め、適切に情報入手を行うべきである。

4－13② 取締役・監査役は、必要と考える場合には、会社の費用において外部の専門家の助言を得ることも考慮すべきである。

4－13③ 上場会社は、取締役会及び監査役会の機能発揮に向け、内部監査部門がこれらに対しても適切に直接報告を行う仕組みを構築すること等により、内部監査部門と取締役・監査役との連携を確保すべきである。また、上場会社は、例えば、社外取締役・社外監査役の指示を受けて会社の情報を適確に提供できるよう社内との連絡・調整にあたる者の選任など、社外取締役や社外監査役に必要な情報を適確に提供するための工夫を行うべきである。

### （8）取締役・監査役のトレーニング（原則4－14）

原則4－14については、監査役としての研鑽を推奨している記載である。CGコードでは、トレーニングという文言を使用しているが、要は書籍等による自己研鑽も含めて、研修会やセミナー、他社の監査役との勉強会等、その手段を効果的かつ継続的に利用する趣旨であると理解できる。この点は、監査役スタッフについてもあてはまる。

監査役の職務は、会社法を中心に会計関連も含めて一定の法的知識の習得とあわせ、法令の理解をベースとして実務への展開が必要となる。その際、体系的な習得が効率的である。体系的な習得は、日本監査役協会の年間プログラムを利用することが考えられる。日本監査役協会では、現在、より実務への展開を意識したスタッフ用の年間研修プログラムも用意されている。監査役およびスタッフは、知識を補ったり、法令の改正等の最新の情報を取得するために、研修会やセミナー等の場を積極的に活用すべきである。また、(一社)監査懇話会も、監査役・監査(等)委員に特化したセミナーや研修会を用意しており、有益である。

監査役やスタッフはこれら研修会参加等のための費用は、監査実務にも関係する費用であり、執行部門に請求できる（会388条）。仮に執行部門がこれら研鑽に伴う費用の支出を出し渋るケースがあるとしたら、CGコードの趣旨からすれば、それを社内で説明する義務がある。実務的に大事なことは、監査役およびスタッフともに、研修会・セミナーへの参加費用や参加回数を含め、自己研鑽に関して必要な費用を予算化しておくことが大切である（補充原則４－14②では、トレーニングの方針を開示すべきとしている）。研修計画や予算化にあたって、必要に応じて経理部門や人事部門等の執行部門と調整すべきである。もっとも、法的に執行部門から独立している監査役の場合は、研修会の参加等について、執行部門がその可否を判断する立場にないことから、あくまで、会社としての支出額を予算として見積もっておくためである。監査役監査基準にも、監査役は、研修等を受ける場合には、当該費用を会社に請求する権利を有する旨を記述している（監査役監査基準12条４項）。

近時は、親会社監査役を中心に、グループ会社監査役も一堂に集まって、グループ内研修会を企画・実施している会社も増加している。この場合、人事部門の研修グループも企画に参加していることが多い。

**原則４－14　取締役・監査役のトレーニング**

新任者をはじめとする取締役・監査役は、上場会社の重要な統治機関の一翼を担う者として期待される役割・責務を適切に果たすため、その役割・責務に係る理解を深めるとともに、必要な知識の習得や適切な更新等の研鑽に努めるべきである。このため、上場会社は、個々の取締役・監査役に適合したトレーニングの機会の提供・斡旋やその費用の支援を行うべきであり、取締役会は、こうした対応が適切にとられているか否かを確認すべきである。

**補充原則**

４－14①　社外取締役・社外監査役を含む取締役・監査役は、就任の際には、会社の事業・財務・組織等に関する必要な知識を取得し、取締役・監査役に求められる役割と責務（法的責任を含む）を十分に理解する機会を得るべきであり、就任後においても、必要に応じ、これらを継続的に更新する機会を得るべきである。

４－14②　上場会社は、取締役・監査役に対するトレーニングの方針について開示を行うべきである。

## （９）CGコードに対する監査役対応の在り方

CGコードの原則について、プライム市場、スタンダード市場の上場会社は、合計83の原則すべてにコンプライ・オア・エクスプレインが必要である。他方、主に新興企業向けのグロース市場の上場会社は、基本原則のみにコンプライ・オア・エクスプレインが求められる。

監査役は、執行部門におけるCGコードへの対応、さらに証券取引所に提出するガバナンス報告書が適切な記載となっているか否かに対して、直接の監査対象とすることまで義務付けられているものではないが、執行部門の対応状況には注視すべきである。CGコードの原則自体は、法令遵守と異なり、実施しているか否かの自主対応が期待されていることから、各項目の実施状況の有無と実施していない場合の説明について、監査役としては、日常の期中監査を通してその真偽についてチェック・確認をしていくことが大切である。

CGコードへの対応は、単年で終わりということではなく、継続性が求められる内容である。したがって、各項目について改善が図られているか否かについて、監査役として、CGコードを統括する担当部署からの業務報告聴取を行うとともに、関係部門における期中監査でも必要に応じてチェック・確認するとよいであろう（日本監査役協会「監査役監査基準」第４章（第13条・第14条）**巻末資料３．**参照）。

第4章

# 監査役制度

# 序

わが国の監査役制度は、明治時代の商法においてすでに規定され、その後の変遷を経て独自の制度の歩みを見せている。主要国の間では、ドイツにおいて監査役会制度があるが、監査役会の構成員や機能については、日独の間で著しい相違がある。

監査役(会)は会社の機関であるが、株主総会や取締役と異なり、必置の機関ではない。しかし、企業不祥事への予防や会社のリスク管理等、コーポレート・ガバナンスの重要性が高まっている中で、取締役の職務執行を監査する監査役の役割が増してきている。このために、昭和49年の商法改正以降、監査役の機能充実が図られ、その権限の強化が図られてきており、平成26年の会社法改正でも、さらなる権限強化となる内容が含まれている。そこで、本章では監査役制度の変遷を確認するとともに、監査役の権限・義務、資格要件などについて、会社法上に規定された事項を解説する。

また、平成14年の商法改正を契機に、わが国では監査役設置会社と委員会等設置会社（平成26年改正会社法では、指名委員会等設置会社と呼称）を並存させた。しかし、現実には、圧倒的多数は監査役設置会社のままであった。指名委員会等設置会社の場合は、指名委員会、報酬委員会、監査委員会を必置とする要件があり、しかも各委員会の構成員は、社外取締役が過半数でなければならない。このために、仮にコーポレート・ガバナンスの観点から見たときに、監査委員会の方がよいと考えても、指名委員会や報酬委員会も設置することには、時期尚早と考えている経営者も存在している。このような背景もあって、平成26年の会社法改正では、指名委員会や報酬委員会の設置を義務付けとしない監査等委員会設置会社が創設された。そこで、本章では３つの会社形態の比較・整理を行っている。

あわせて、平成26年の会社法改正の中で監査役制度に関係する改正内容の紹介と実務対応について整理した。

# I．監査役制度の概観

**要　点**

○監査役は、取締役の職務の執行を監査する会社の機関であり、公開会社や大会社は設置が義務付けられている。
○もっとも、非公開かつ中小会社においても、定款の定めによって監査役を設置できる。
○監査役制度は戦前から存在したが、終戦直後、アメリカ型の株主権の強化や取締役会制度の改革等の中で、監査役の権限は会計監査権限に縮減された。
○その後、粉飾決算等の企業不祥事への対応として、業務監査権限の復活等、商法改正の都度、監査役制度の強化が図られてきている。

**解　説**

## 1．監査役と定款自治　A・D・E・F・G

監査役は、取締役の職務の執行を監査する株式会社の機関である（会381条1項）。取締役は、すべての会社が設置しなければならないのに対して、監査役は非公開会社でかつ中小会社の場合は、その設置は任意である。しかし、このような会社であっても、定款の定めによって、監査役を置くことができる（会326条2項）。

本来は、取締役に経営を負託した株主が取締役を監視する役割を担うことになるが、公開会社の場合は、取締役会が会社の業務執行の決定と同時に取締役の職務執行の監督を行っている。取締役会では執行と監督が分離されていないために、監査役が株主に代わって取締役の執行を監査する役割を担っている。もっとも、株式の譲渡制限会社においては、株式の売買が制限されて、株主の異動は頻繁には行われない実態から、株主による取締役への監視がある程度期待できるために、監査役の権限を会計監査に限定することが可能である（会389条1項）。また、公開会社でない取締役会設置会社においては、会計参与を設置することによって、監査役を置かないことも可能である（会327条２項）。

さらに、公開会社かつ大会社は監査役会と会計監査人を置かなければならない（指名委員会等設置会社・監査等委員会設置会社を除く。会328条）。大会社の場合、会計処理が複雑となるため、会計における職業的専門家である会計監査人に会計に係る監査を任せる代わりに、監査役は業務監査を行うわけである。

なお、会社形態と機関設計を整理すると、**【図表４－Ａ】**のようになり、会社法の施行以降、定款自治の範囲が拡大されている。

**【図表４－Ａ】会社形態と会社機関設計**

※凡例：公＝公開会社（全部又は一部の株式に譲渡制限を設けていない会社）
非公＝公開会社でない会社（すべての株式に譲渡制限がある会社）
大＝大会社（資本金５億円以上又は負債総額200億円以上）
中小＝大会社以外
委員会設置＝指名委員会等設置会社
監査等委員会設置＝監査等委員会設置会社
○＝必置　△＝任意　×＝設置不可

| | 取締役 | 取締役会 | 監査役 | 監査役会 | 会計監査人 |
|---|---|---|---|---|---|
| 公＋大 | ○（３名以上） | ○ | ○（３名以上） | ○（半数以上は社外） | ○ |
| 公＋中小 | ○（３名以上） | ○ | ○（１名以上） | △ | △ |
| 非公＋大 | ○（１名以上） | △ | ○（１名以上） | △ | ○ |
| 非公＋中小 | ○（１名以上） | △ | △ | △ | △ |
| 委員会設置 | ○（各委員会の過半数は社外） | ○ | × | × | ○ |
| 監査等委員会設置 | ○（監査等委員会の過半数は社外） | ○ | × | × | ○ |

## 2．監査役制度の沿革　A・D・E・F・G



### (1) 戦前の制度

実質的に最初に施行されたとされる明治32年商法において、監査役は、取締役と同様に株主総会で選任されるものと規定された。そして、その主たる職務は、会社の財産および取締役の職務執行を監査するとともに、計算書類等、取締役が株主総会に提出する書類を調査し、株主総会にその意見を報告することであった（明治32年商法181条・183条・190条）。ここでは、あくまでも株主総会に提出される書類に限定して調査権が及ぶものとされていた。

一方、会社と取締役の利益相反取引の局面において、監査役に取引の承認権が付与されていること（同176条）、会社と取締役との間の訴訟において、監査役が会社を代表することを原則とすること（同185条1項）が規定された。さらには、取締役の中に欠員が生じた際には、取締役および監査役の協議により、監査役の中から一時取締役の職務を行う者を定めることができるという取締役との兼任規定も存在した（同276条1項但書き）。すなわち、監査役に対して、取締役に代替する権限が付与され、一定の事項については、監査役に取締役を代替する業務執行権限が認められていたわけである。この点から、監査役と取締役とは完全に分離した会社機関というよりも、監査役が取締役を補完する位置付けがなされていたといえよう。

他方、わが国が当初の段階でモデルとしたドイツの監査役会制度は、業務執行機関である取締役を選任・解任する権限が付与されており、取締役への監督権限が強化される制度設計であった。これに対して、わが国の監査役制度は、あくまでも業務執行を担う取締役と、監査機能を担う監査役が並列した構造となっている点が特徴である。

なお、明治32年商法においては、監査役の任期は1年であったが、明治44年の商法改正では、2年以内に伸長された。

### (2) 戦後の変遷

戦後の昭和25年商法改正においては、アメリカ型の株主権の拡大や取締役会制度改革の中で、監査役の権限は会計監査のみとなった。すなわち、戦前に付与されていた業務執行に対する監査権限、監査役による取締役会の職務代行権限は廃止されるとともに、取締役と会社との間の利益相反取引の承認権限や訴訟における会社の代表取締役の選定の権限も取締役会に移行されたのである（昭和25年商法265条・261条ノ2）。また、監査役が取締役と兼任することを禁ずる規定も明文化され（同276条）、監査役が取締役を補完するという概念は、基本的になくなった。さらに、監査役の任期も１年となった。

しかし、昭和40年の山陽特殊製鋼の粉飾事件等を契機に、監査役制度の強化の機運が高まり、以後、監査役制度の強化が図られてきた。

昭和49年の商法改正においては、株式会社の監査等に関する商法の特例に関する法律（商法特例法）が制定され、この中で規定された大会社（資本金５億円以上または負債総額200億円以上）および中会社（資本金１億円超５億円未満かつ負債総額200億円未満）については、監査役に対して会計監査権限に加えて業務監査権限が復活した（昭和49年商法274条１項）。また、子会社業務報告請求・調査権の付与（同274条ノ３）、監査役の任免について株主総会での意見陳述権の付与（同275条ノ３）、大会社および中会社の場合に、監査役が会社と取締役間の訴訟を代表する権限の復活も行われた（同275条ノ４）。さらに、監査役の任期は、１年から２年に伸長された。

昭和56年の商法改正においては、監査役地位の独立性強化が行われた。すなわち、監査役の報酬を株主総会決議により定める等の監査役報酬規定の創設（昭和56年商法279条）、監査費用に関して会社に対する請求権規定の創設（同279条ノ２）によって、業務執行部門から、その報酬や監査費用の面による監査上の制約を受けないような配慮がなされた。一方で、大会社については、複数監査役制度および常勤監査役制度を創設（旧商特18条１項・２項）することにより、監査役監査の実効性向上を目的とする制度改定がなされた。

平成２年の商法改正においては、監査役に、発起設立・現物出資および財産引受の調査・報告権限が付与された（平成２年商法173条ノ２・184条１項・２項・181条３項）。

平成５年の商法改正においては、監査役の権限をさらに強化するために、監査役の任期を２年から３年に伸長（平成５年商法273条１項）するとともに、大会社については、監査役の員数を３人以上とし、その内１人以上を社外監査役とした（旧商特18条）。さらには、監査役の意見交換、審議を行うために、監査役会を設置することが規定された（旧商特18条の２）。

平成13年の商法改正では、コーポレート・ガバナンスの観点から、監査役制度の一層の強化が図られた。具体的には、監査役の取締役会出席義務および意見陳述義務（平成13年商法260条ノ３第１項）、監査役任期の３年から４年への伸長（同273条１項）、監査役の辞任に関する意見陳述権（同275条ノ３ノ２）、大会社に関する社外監査役の社外要件の厳格化[1]（旧商特18条１項）、大会社の監査役選任の場合の監査役会の同意権・議題議案提案権（旧商特３条２項・３項・18条３項）、取締役の責任軽減議案への同意権（平成13年商法266条9項)、取締役会決議による取締役の責任軽減を認める定款変更議案および取締役会決議への同意権（同266条13項)、社外取締役責任軽減を認める定款変更議案への同意権（同266条21項)、監査役の責任軽減規定（同266条5項・7項・8項・10項・11項・12項・14項・15項・16項・280条1項)、株主代表訴訟における被告取締役に会社が補助参加することの同意権（同268条8項）が規定された。

平成18年5月1日から施行された会社法においては、それまでの規定が引き継がれた上に、定款自治による会社機関設計の自由度が増したことと併せて、監査役はすべての会社で会計監査権限と業務監査権限を原則的に持つことができることとなった。また、株主代表訴訟において、提訴請求を受けた監査役は、当事者から請求があった場合には、不提訴理由書による通知が義務付けられた（会847条4項)。不提訴理由書制度は、株主代表訴訟における監査役の調査を実質的に意味のあるものとするとともに、取締役を提訴するか否かについて、監査役が取締役の業務実態にまで踏み込んだ上で判断する観点から、監査役権限の拡充である（**第3章．Ⅲ．株主代表訴訟への対応**を参照)。

さらに、平成26年の会社法改正では、監査役に会計監査人の選解任の議案内容の決定権が付与された（会344条1項）ほか（**第2章．Ⅲ．3．会計監査人の選解任・不再任の議案の決定**を参照)、個別注記表に記載している親会社等との取引（利益相反取引含む）に対して監査役は監査役監査報告に意見を記載する規定（会329条1項6号）となった（**第1章．Ⅴ．3．監査役(会)監査報告の作成上の工夫**を参照)。

なお、平成26年改正会社法では、社外役員の独立性強化の観点から、社外監査役は、親会社の取締役ら関係者、兄弟会社の業務執行取締役・執行役・支配人・使用人および当該会社の関係者の近親者（配偶者または二親等内の親族でないこと）を社外要件から除外した（会2条16号)。このために、親会社の役職員を社外監査役として派遣していた子会社では、半数の社外監査役要件を必要とする監査役会を廃止する動きも見られた（**【図表4－B】**参照)。

1）社外監査役の要件は、従来は「就任前5年間会社またはその子会社の取締役または支配人その他の使用人でなかった者」となっていたが、5年間要件が削除された。このために、当該会社のＯＢは社外監査役に該当しなくなっていた。平成26年改正会社法では、過去要件が復活し、就任前までに10年間、当該会社又は使用人の取締役等でなかったならば、社外監査役に就任可能となった（会2条16号イ)。

【図表4－B】監査役制度の変遷

| 年　度 | 任　期 | 監査役の構成 | 主な制度改定の概要 |
|---|---|---|---|
| 明治32年 | 1年 | 1人以上 | ・取締役が株主総会に提出する書類の調査<br>・株主総会に調査結果を報告<br>・会社の利益の代表（会社と取締役の利益相反取引において監査役が承認権）<br>・会社と取締役間の訴訟における会社代表 |
| 明治44年 | 2年以内 | 同上 | |
| 昭和25年 | 1年以内 | 同上 | ・会計監査のみ<br>・取締役の職務代行規定の廃止（利益相反取引承認権等）<br>・取締役との兼任禁止 |
| 昭和49年 | 2年 | 同上 | ・業務監査権付与（小会社除く）<br>・取締役に対する営業報告請求権<br>・業務および財産調査権<br>・子会社調査権<br>・取締役行為の差止請求権<br>・監査役の任免に関して株主総会での意見陳述権<br>・会社と取締役間の訴訟における会社代表<br>・監査報告書の記載事項の制定 |
| 昭和56年 | 2年 | ［大会社］<br>2人以上かつ常勤1人以上 | ・監査役監査報酬の株主総会決議<br>・取締役会への報告義務、招集請求権、招集権<br>・会計監査人に対する報告請求権<br>・監査費用に関する会社への請求権 |
| 平成2年 | 2年 | 同上 | ・会社発起設立、現物出資、財産引受に対する調査・報告権 |
| 平成5年 | 3年 | ［大会社］<br>3人以上（常勤1人以上かつ社外1人以上） | ・社外監査役制度<br>・監査役会の法定化（大会社） |

| 平成13年 | 4年 | ［大会社］<br>3人以上<br>（常勤1人以上かつ社外半数以上） | ・取締役会出席義務および意見陳述義務<br>・辞任の際の意見陳述権<br>・社外監査役の社外要件の見直し<br>・監査役選任における同意権、議題議案提案権<br>・取締役の責任軽減関連の同意権<br>・株主代表訴訟において、取締役に会社が補助参加する際の同意権 |
|---|---|---|---|
| 平成14年 | 4年 | 同上 | ・委員会等設置会社との選択制の導入 |
| 平成15年 | 4年 | 同上 | ・補欠監査役の予選公認 |
| 平成17年 | 4年 | 同上 | ・株主代表訴訟における不提訴理由書制度の導入<br>・会計監査人監査報酬の同意権 |
| 平成26年 | 4年 | 同上 | ・監査等委員会設置会社の創設<br>・会計監査人の選解任議案の内容の決定権付与<br>・社外監査役の社外要件の厳格化<br>・すべての監査役に責任限定契約締結可 |
| 令和元年 | 4年 | 同上 | ・訴訟上の和解に対する各監査役の同意権 |

COLUMN

**●監査役等の英文呼称の見直し●**

日本監査役協会は、それまでの監査役や監査委員の英文呼称である“Corporate Auditor”から、“Audit & Supervisory Board Member”に変更することを推奨した。

監査役の呼称は、“Corporate Auditor”以外にも、“Statutory Auditor”という名称を使用している監査役も存在していたが、“Auditor”に対しては、海外では内部監査人や会計監査人をイメージされがちであり、日本の監査役制度や監査(等)委員の機能を正しく理解してもらうためには、別途説明をしなければならないことが多かった。そこで、監査役等は広く監督機能を担っているメンバーという意味から、会計監査機能（直接的な会計監査または会計監査人と執行部門との利害調整等）を意味する“Audit”に“Supervisory Board Member”の文言を付加した英文呼称を推奨することとしたものである。

# Ⅱ．監査役の資格・選任・兼任・終任・解任・員数・任期

**要　点**

○監査役は、取締役と同様の欠格事由が準用される。
○監査役の選任は、株主総会の普通決議、解任は特別決議によって決まり、また取締役との兼任禁止が規定されており、その独立性が配慮されている。また、任期は基本的に４年である。
○監査役には、業務および財産状況を調査する権限や、取締役等に報告を求める権限、取締役の法令・定款違反を是正する権限がある。
○さらには、監査役の選任等に関する同意権など、取締役とは異なる権限も付与されている。

**解　説**

## １．監査役の資格　A・D・E・F・G

監査役には、取締役の欠格事由が準用されている（会335条１項・331条１項)。具体的には、以下のとおりである。

①法人
②会社法もしくは中間法人法の規定に違反し、または金融商品取引法、民事再生法、会社更生法、破産法もしくは外国倒産処理手続の承認援助に関する法律に定める一定の罪を犯し、刑に処せられ、その刑の執行を終わり、またはその執行を受けることがなくなった日から２年を経過しない者
③前号②に規定する法律の規定以外の法令の規定に違反し、禁錮以上の刑に処せられ、その執行を終わるまで、またはその執行を受けることがなくなるまでの者（刑の執行猶予中の者は除く）

## 2．監査役の選任・兼任・終任　A・D・E・F・G

### （1）監査役の選任

監査役の選任は、取締役が監査役の選任議案を株主総会に提案した上で、株主総会の普通決議によって決まる（会329条1項）。普通決議とは、定款に特に定めがない限り、議決権を行使できる株主の議決権の過半数を有する株主が出席し、出席した株主の議決権の過半数の決議のことである（会309条1項）。但し、定款によって、総会の定足数は議決権を行使することができる株主の議決権の3分の1以上の割合と定めた場合は、その割合以上の株主が株主総会に出席し、議決権の過半数により決議できる。

監査役の選任議案を株主総会に提出する場合には、監査役（監査役が2人以上の場合はその過半数、監査役設置会社の場合は監査役会における過半数）の同意を要件とする（会343条1項・3項）。また、監査役(会)は、取締役に対して、監査役の選任を株主総会の目的事項とすること、または監査役選任議案を株主総会に提出することを請求することも可能である（会343条2項・3項）。

監査役選任（解任も同様）議案の株主総会への提案を行うのは取締役であることから、監査役は実質的な人事権を取締役に掌握され、この点が監査役制度の根本的な弱点であるとの意見もある。一方において、監査役の選任議案に対する監査役(会)の同意要件は、少なくとも監査役(会)に拒否権を付与したものであり、監査役の独立性に配慮した規定である。本規定は、すでに記載したとおり、平成13年12月の商法改正で創設されたものであるが、それ以前に規定されていた監査役選任議案に対する意見陳述権よりは、はるかに重みがある。

なお、監査役の選任にあたっては、取締役の選任と異なり、累積投票制度は認められていない。

**Q&A　累積投票制度**

**Q　累積投票制度とは何か。**

**A**　累積投票制度（cumulative voting）は、「全取締役の選任を一括し、かつ、各株主は一株（一単元株）につき選任すべき取締役の数と同数の議決権を持ち、その議決権のすべてを一人の候補者に集中的に投票することも、適宜分散して投票することも認められる制度」（江頭憲治郎『株式会社法（第8版）』有斐閣、2021年、408頁）のことである。すなわち、株主は、一株（一単元株）について、選任する取締役の数と同数の議決権を有することになるため、一人の取締役のみに投票することも、二人以上の取締役に投票することも可能となる。本制度の趣旨は、一人の取締役の選任が一議案を構成することから、少数派株主が一人の取締役に集中的に賛成票を投じることにより、多数派株主が取締役の選任議案を独占する弊害を排除することである。

### (2) 監査役の兼任

監査役は、自社の取締役および支配人その他の使用人を兼任すること、ならびに子会社の取締役・執行役・使用人を兼任することはできない（会335条2項)。この立法趣旨は、監査役は経営（執行部門）から独立した会社機関として、取締役の職務執行を監査する機能を持つことによる。取締役のみならず使用人も含めていることは、経営や執行部門からの独立性を徹底するためである。また、子会社まで兼任禁止の対象範囲を拡大しているのは、親会社監査役は、子会社に対して事業報告請求権・業務財産調査権（会381条3項）があることから自己監査となること、また親子会社間で通例的でない取引の有無は、親会社監査役にとって重要な監査事項であることから、子会社の取締役等との兼務は問題があると考えているからである。

なお、監査役の会社の顧問・嘱託や顧問弁護士との兼任については、顧問等の職務の実態が業務執行部門に対して継続的従属性を有するか否かの実質性で判断すべきとの見解がある（江頭・前掲書、546頁)。

### (3) 監査役の終任

監査役の終任事由は、取締役と同様である。すなわち、①任期の満了、②監査役の辞任・死亡・破産手続開始・会社の解散、③監査役としての資格喪失、④解任である（会330条、民653条)。この中で、辞任する監査役は、その後最初に招集される株主総会に出席し、辞任した旨と理由を述べることができる（会345条2項・4項)。本規定は、監査役が意に添わない辞任を余儀なくされる点に対して、監査役の地位強化の一つとして平成13年商法改正において導入されたものである。このために、取締役は、辞任監査役が存在するときは、当該監査役に対して株主総会が招集される旨および株主総会の日時・場所を通知する義務がある。また、辞任監査役の辞任理由があれば、事業報告に理由等を記載することができる（会施規121条6号ロ・ハ）ほか、株主総会において、辞任する監査役以外の監査役が本件について、意見を述べることもできる（会345条１項・４項）。

なお、任期の満了や任期途中の辞任の場合によって、監査役の員数に欠員が生ずるときも、新任の監査役が就任するまでは監査役としての義務は免れない（会346条１項）。また、裁判所に一時監査役の選任を申し立てた結果、裁判所が必要と認めれば許可される（会346条２項）。



### （4）監査役の解任

監査役の選任は株主総会の普通決議であるのに対して、解任は、特別決議（議決権の過半数が出席した株主の３分の２以上の決議）となっており、その要件が厳しくなっている（会339条１項）。監査役の解任にあたって、特別決議を要するとしているのは、監査役が会社によって不当に解任されないようにするためであり、監査役の地位の強化の証でもある。

また、正当な理由なく解任された監査役は、会社に対して、解任によって生じた損害賠償を請求することが可能である（会339条２項）。さらに、監査役の辞任の場合と同様に、監査役は株主総会において意見陳述権があることに加えて、監査役解任議案については、株主総会参考書類に監査役の氏名・解任理由とともに、監査役に意見があるときはその意見の内容の概要を記載する（会345条１項・４項、会施規80条）。

監査役の職務の執行について不正行為または法令・定款違反の事実が存在したのにもかかわらず、株主総会において監査役の解任議案が否決された場合には、６ヶ月前から引き続き株主（非公開会社は、６ヶ月要件はなし）であって総株主の議決権または発行済株式の100分の３以上の株式を有する株主（定款により要件を緩和することができる）は、取締役の場合と同様に株主総会の日から30日以内に、当該監査役の解任の申立てを裁判所に対して行うことができる（会854条）。

## 3．監査役の員数・任期　A・D・E・F・G

### （1）監査役の員数

監査役の員数は、定款において定めていることが一般的（会社によっては、上限や下限の人数を定めているところもある）だが、監査役会設置会社においては、３人以上でかつ半数以上は、社外監査役が必要である（会335条３項）。仮に、監査役会設置会社が、定款において「監査役は４名以内」と定めているとすれば、下限は会社法で規定されていることから、実際に考えられる監査役の構成は、社外監査役の半数要件も考慮すると、①社内監査役２名と社外監査役２名、②社内監査役１名と社外監査役３名、③社内監査役１名と社外監査役２名、の３パターン以外はあり得ないことになる。

監査役が任期途中で辞任や解任の結果、法律または定款で定めた監査役の員数を欠くことになった場合には、会社としては遅滞なく株主総会を招集して新たな監査役を選任する義務がある。この選任手続を怠った場合には、取締役らは100万円以下の過料に処せられる（会976条22号）。

もっとも、監査役の員数に関しては、員数そのものもさることながら、監査役の構成についても留意する必要があり、監査の実効をあげるために、監査役の選任は慎重に協議・検討することが大切である（**第２章．Ⅲ．１．監査役の選任同意**を参照）。

### （２）監査役の員数を欠く場合の対応

任期を残したまま、監査役が解任されたり辞任する場合には、新たな監査役が就任するまでは、退任監査役がなお監査役としての権利を有するとともに、義務を負うとされる（会346条１項）。しかし、退任監査役が解任や欠格事由に該当する場合、もしくは健康上の理由から任務を全うできずに辞任した場合には、当該退任監査役は監査役としての権利・義務を有することはできない。このためにも、あらかじめ監査役の員数を欠く場合の備えが必要である。

大規模公開会社では３人以上、非公開会社で大会社または公開会社で中小会社では、少なくとも１人以上の監査役が必要である。この員数を欠く場合（監査役会設置会社が社外監査役を欠く場合も含む）は、会社は株主総会を開催し、遅滞なく新たな監査役を選任しなければならない。しかし、株主総会の開催は、そのための諸準備が必要な上、株主数が多い会社では、臨時株主総会の開催は現実問題として容易ではない。このために、あらかじめ監査役を増員しておけば、仮に監査役に不測の事態が生じたとしても問題はない。一方、監査役の増員はそれ相当の人件費がかかる上、増員による過重な監査が行われれば、かえって監査の実効性が損なわれる可能性があるといえなくもない。

このために、法は一時監査役制度と補欠監査役制度を用意している。一時監査役制度は、役員が欠けた場合、裁判所は必要があると認めるときは、利害関係人の申立てにより、一時役員の職務を行うべき者を選任することができるとの規定（会346条２項）に基づくものである。したがって、利害関係人（会社）は、会社の本店所在地を管轄する地方裁判所に、監査役の員数を欠いた際に、一時監査役（仮監査役）の選任を請求することが可能である。一時監査役の権限および義務は、本来の監査役と同様である。

また、あらかじめ補欠監査役を選任しておくことも考えられる。補欠役員（取締役、会計参与、監査役）の選任は会社法で新たに明定され、役員の員数を欠く際に備えて、あらかじめ補欠の役員を選任することができる（会329条３項）。補欠役員を選任する際はその旨、二人以上の補欠役員を選任する場合はその優先順位を示すなど独自の手続が必要（会施規96条２項）である。また、定款に定めがある場合を除き、補欠役員としての効力は、選任後最初に開催する定時株主総会の開始の時までとされる（会施規96条３項）。したがって、監査役の欠員が生じない状態で次の定時株主総会が終了すると、補欠監査役の選任の効力は消滅し、新たに補欠監査役の選任決議が必要となる点は注意が必要である。

実務的には、あらかじめ監査役を増員している会社がある一方で、そうではない会社では、一時監査役の選任を請求するか補欠監査役を選任している会社もある。補欠監査役を選任するためには、あらかじめその旨を明示した上で、株主総会で決議する必要がある（会施規96条）。但し、補欠監査役を選任している場合は、正式な監査役になったとき、その任務を全うできるような人選を慎重に行い、かつ補欠監査役対象者には、いつ正式な監査役になるか不明な状態に置かれていることを鑑みて、その報酬を支払う義務はないものの、何らかの手当相当額を支払っている会社が多い。

なお、監査役の員数を欠いたまま放置しておくと、このような状態で作成された監査役(会)監査報告は瑕疵があるものとみなされる。

### （３）監査役の任期

監査役の任期は、選任後４年以内に終了する事業年度のうち、最終のものに関する定時株主総会の終結の時までであるが、法定の任期を定款や選任決議によって短縮することは認められていない。終期を「選任後４年以内に終了する最終のものに関する定時株主総会の終結の時」とわざわざ規定しているのは、監査役の任期は４年といわれているのに対して、監査役の交替は、定時株主総会開催日によって決定されるために、厳密には任期４年に前後数日間の幅があり得ることを示すためである。すなわち、仮に平成16年６月25日に選任された監査役は、平成20年の６月20日の株主総会で新任と交替するとすれば、厳密には、当該監査役の任期は４年未満となる。

また、株式譲渡制限会社（非公開会社）の場合は、定款に定めるところにより、任期を選任後10年以内に終了する事業年度のうち、最終のものに関する定時株主総会の終結の時までに伸長することが可能である（会336条２項）。株式譲渡制限会社においては、監査役の任期は、最大10年間まで可能ということである。

なお、旧商法下では、任期の起算点は「就任時から」となっていたが、就任の時期に関する法規定がないため曖昧であることから、会社法では株主総会で決まる「選任時」とすることにより、時期の明確化を図っている。

COLUMN

●取締役と監査役の任期●

取締役の任期は、選任後2年以内に終了する事業年度のうち最終のものに関する定時株主総会の終結の時までであり、定款または株主総会の決議によって任期を短縮できることになっている（会332条1項)。事実、取締役の任期を1年としている会社も多い。

一方、監査役の4年の任期は、短縮することはできないため、監査役は取締役と比較すると、欠格事由や健康上などの理由でもない限り、4年の任期となる。この立法趣旨は、監査役の地位を強化し独立性を担保するためである。もっとも、社内の役員人事の一環として、4年の任期を全うしないで辞任したとしても、特段に罰則規定があるわけではない。他方、指名委員会等設置会社の監査委員は、1年任期であり、監査等委員会設置会社の監査等委員はその地位の独立性にも配慮して2年任期となっている。

このように考えると、監査役の4年任期は長すぎるのではないかという議論もあるが、監査役は独任制であり、かつ内部監査部門等の執行部門を指揮・命令することを予定せず、自らが監査に習熟するのにはある程度の時間を要することなどを勘案すると、一概に長すぎると断言できないとの意見もある。

Q&A 補欠監査役の任期

**Q** **補欠監査役の任期は、どのようになるのか。**

**A** 補欠監査役とは、監査役がその在任中に、健康状態等の理由によって、任期を全うできず会社法または定款で定めた員数を欠く事態に備えて、代替役として定めた監査役のことである。補欠監査役も株主総会で、あらかじめ選任する必要がある（会329条)。

補欠監査役の任期は、次の定時株主総会で新しい監査役が選任される時までであるが、定款に定めれば、退任した監査役の任期の満了する時までとすることも可能である（会336条3項)。

# Ⅲ．監査役の権限



**要　点**

○監査役は、取締役の職務執行を監査するために、監査役独自の権限が付与されており、監査役が適切にこの権限を行使しなければ、監査役としての善管注意義務に問われる可能性がある。

○監査役の権限としては、大きくは事業報告請求・調査権限（事業報告請求権・業務財産調査権・子会社事業報告請求・調査権)、是正権限(取締役違法行為差止請求権、各種提訴権)、監査役等の地位に関する権限(監査役選任議案の提出に関する同意権、提出請求権等）がある。

**解　説**

監査役は、取締役の職務執行を監査する（会381条１項)。すなわち、取締役の職務執行が法令・定款違反および著しく不当な行為に該当することがないか監査することである。そして、監査役はその職務を遂行するために、監査役としての権限が付与されている。仮に、監査役が適切に権限を行使しなかった場合には、監査役としての善管注意義務違反に問われる可能性もある。

そこで、本節では、監査役の権限について解説する。なお、監査の範囲が会計監査に限定されている場合には、業務監査に係る権限が及ばないことは当然であるので、以下は、監査の範囲が会計監査に限定されていない監査役の権限についてである。

## １．報告請求・調査権限　A・D・E・F

監査役は、いつでも取締役および会計参与ならびに支配人その他の使用人に対して事業の報告を求め、または業務および財産の状況の調査をすることができる（会381条２項)。これらは、いわゆる「事業報告請求権」および「業務財産調査権」である。事業報告請求権や業務財産調査権を行使するために、監査役が取締役会や各種委員会に出席して報告請求・調査を要請することもあれば、重要書類を取締役や使用人に対して請求することを通じて権限を行使することもある。これら報告請求・調査権限は、日常的に取締役の法令・定款違反の未然防止のために行う場合もあれば、現実的に法令・定款違反のおそれなどの懸念があったときに、個別・具体的に行使する場合もある。いずれにしても、報告請求・調査権限を適宜・適切に行使することが、監査役活動の実効性を高めるための基本となる。仮に、取締役らが調査の協力を拒否したことにより、監査役としての必要な調査ができなかった場合には、監査役は監査報告に記載できる（会施規129条1項4号）。さらに、取締役らが監査役の調査を妨害したときは、過料の制裁を受ける（会976条5号）。会計監査人設置会社の場合は、監査役は会計監査人から取締役の職務執行に関して、不正の行為または法令・定款違反の重大な事実について報告を受領する権限とともに、会計監査人に対しても、その監査に関する報告を求めることができる（会397条1項・2項）。

また、報告請求・調査権限の一つに「子会社報告請求・調査権」がある。すなわち、監査役は、その職務を行うため必要があるときは、子会社に対して事業の報告を求め、またはその子会社の業務および財産の状況の調査をすることができる（会381条3項）。親会社（取締役）が親会社の支配的立場を利用して、子会社に不正行為や非通例的な取引（取締役が、子会社との取引において、相場や市場価格と著しく乖離したり、不当な取引条件で取引を行うこと）を強要することによって、自社または個人的に利得を図るケースもあり得ることから、親会社監査役としては、子会社報告請求・調査権を発動することによって、親会社取締役の不正行為等を調査することが可能である。

もっとも、子会社報告請求・調査権の場合は、子会社は、正当な理由があるときは、親会社監査役の報告請求・調査を拒むことができる（会381条4項）。子会社といえども、法人格は別であり、親会社監査役が不当な報告請求・調査権を行使することは、かえって子会社の自治を侵害し、子会社の自律の阻害要因となるからである。しかし、親子会社の取締役が結託して不正な取引等を実行することを防止するためには、親子会社の監査役が連携し、親会社監査役による報告請求・調査を必要とすることもある。子会社報告請求・調査権の行使については、親子会社の監査役間の意思疎通がとりわけ重要であると思われる。

なお、子会社監査役による親会社報告請求・調査権は認められていない。

## 2．是正権限　A・D・E・F

監査役は、取締役の法令・定款違反の行為によって、会社に著しい損害が生ずるおそれがあるときは、当該取締役に対して、その行為の差止めを請求することができる（会385条１項）。いわゆる、「取締役違法行為差止請求権」である。監査役が取締役違法行為差止請求権を行使することによって、会社の損害の未然防止や拡大を直接に防ぐことができるという点で、強力な権限ともいうことができる。

違法行為差止請求権を行使する場合は、緊急性を要する場合が多く、裁判所に対して仮処分の命令を申し立てることが通常であるが、監査役が申し立てる際は、裁判所が仮処分の命令を発する際に担保を立てさせる必要がない（会385条２項）ため、その行使の法的要件は緩和されている。

また、取締役に不正の行為やそのおそれがあると認められるとき、取締役に法令・定款に違反する事実があると認められるときは、遅滞なくその旨を取締役(会)に報告する義務がある（会382条）。取締役(会)に報告することによって、取締役に自主的に是正措置を講じさせる目的がある。さらに、取締役が必要な是正措置を講じない不作為の行為も報告の対象である。これらの報告のために、取締役会の招集を請求する取締役会招集請求権（会383条２項）および監査役自らが取締役会を招集する取締役会招集権（会383条３項）も、監査役の是正権限と考えてよいであろう。監査役が取締役(会)に必要に応じて報告することを怠れば、監査役が任務懈怠に問われることになる（会423条１項）。

もっとも、取締役がどの程度の不正行為等を行ったときに報告義務が生じるかは案件によるが、放置すれば会社に著しい損害（金額のみならず、会社の信用を失墜させる場合も含む）を及ぼすものと考えられる場合が該当する。一方、取締役から会社に著しい損害を及ぼすおそれがある事実について、監査役として報告を受領する権限もある（会357条１項）。

直接に訴訟を提起することも是正権限である。監査役は、会社と取締役間の訴訟において、会社を代表する（会386条１項）。会社と取締役が馴合い訴訟を行うのを防止する趣旨である。したがって、株主代表訴訟において、取締役に対する責任追及の場合は株主による提訴請求の宛先は監査役であり、監査役が取締役の責任の有無を調査する（**第３章．Ⅲ．株主代表訴訟への対応**を参照）。また、監査役は、株主の権利と同様に、株主総会決議取消しの訴え（会831条１項）、会社の合併や分割等会社組織再編等に関する無効の訴え（会828条１項・２項）を提起することもできる。

## ３．監査役および会計監査人の地位に関する権限 A・D・E・F・G

監査役は、会社から独立した会社機関として、その職務を遂行することから、監査役の地位に関する権限がある。個別には、すでに関係する章で解説してきたので、ここではその項目のみ掲げる。

### （1）監査役に直接係る権限

①監査役の選任議案の提出に対する同意権（会343条1項）
②監査役の選任に関する議題および議案提出請求権（会343条2項）
③監査役の選任・解任・辞任の場合の意見陳述権（会345条1項・2項・4項）
④監査役の報酬等についての協議権（会387条2項）
⑤監査役の報酬等に関する意見陳述権（会387条3項）
⑥監査費用等請求権（会388条）

### （2）会計監査人に係る権限

①会計監査人の選任および解任並びに不再任議案の内容の決定権（会344条1項）
②会計監査人の報酬等決定の同意権（会399条1項）
③一時会計監査人の選任権（会346条4項）

#### Q&A 取締役違法行為差止請求権

**Q 同じ取締役違法行為差止請求権でも、監査役が行使する場合と株主が行使する場合で、要件は異なるのか。**

**A** 取締役違法行為差止請求権の目的は、監査役が行使する場合も株主が行使する場合も同様だが、監査役設置会社または指名委員会等設置会社・監査等委員会設置会社の株主の場合は、取締役の行為によって、「著しい損害」ではなく「回復することができない損害」とその損害の程度が重くなっている（会360条3項）。

監査役や監査(等)委員を設置していない会社の株主は、「著しい損害」が要件であるが、他方、監査役設置会社または指名委員会等設置会社・監査等委員会設置会社の場合は、まずは監査役・監査(等)委員がその権利を行使し、監査役設置会社等の株主は監査役等と比較して、一段階厳しい要件が課せられている。これは、監査役または監査(等)委員が、取締役の職務執行を適切に監査する義務があるとともに、監査役設置会社等の株主の株主権行使の濫用にも配慮した立法趣旨と解せられる。

# Ⅳ．監査役会

**要　点**

○大会社かつ公開会社（指名委員会等設置会社・監査等委員会設置会社は除く）は、監査役会を設置しなければならない。監査役会は、三人以上の監査役で構成され、半数は社外監査役である必要がある。

○監査役会は、各監査役の意見形成を行う場として、組織的かつ効率的な監査を行うことと、社外監査役が半数を占めていることから、その独立性による監査の信頼性確保が期待されている。



**解　説**

## 1．監査役会の職務と構成　A

会社法の下では、会社の機関設計にかなりの自由度が与えられるようになったが、指名委員会等設置会社・監査等委員会設置会社以外の大会社でかつ公開会社では、監査役全員を構成員とする監査役会を設置しなければならない（会328条1項・390条1項）。指名委員会等設置会社・監査等委員会設置会社以外のその他の会社では、定款の定めによって、監査役会を設置することは可能である（会326条2項）。また、監査役会設置会社では、取締役会を設置しなければならない（会327条1項2号）。もっとも、大会社以外の会社で、大会社並の監査体制を整備する必要がないと判断すれば、3人以上の監査役でかつその半数以上は社外監査役でなければならない（会335条3項）とする監査役会の要件が、かえって負担となることも考えられることから、自社の業容やリスクの内容等から監査役会を非設置にするなど自社に相応しい体制を決定すればよいであろう（【図表4－C】参照）。

なお、監査役会設置会社は、監査役の中から、常勤の監査役を選定しなければならない（会390条2項2号・3項）。

## 2．監査役会の役割と監査役の独任制　A

監査役会は、監査役間の情報交換や監査に関して、監査役相互が意見形成を行う場であり、組織的かつ効率的な監査を行うことが期待されている。また、社外監査役を半数とすることが義務付けられていることから、執行部門からの監査役の独立性を強化することによって、監査役会は監査の信頼性を高める機能も持ち合わせている。

もっとも、監査役会制度の下においても、監査役の独任制は変わることはない。すなわち、たとえ監査役会において、監査の方針等の決定がなされたとしても、その決定によって各監査役に付与された権限の行使を妨げることはできない。

監査役会の具体的な権限・義務は、①監査報告の作成（会390条２項１号)、②常勤監査役の選定および解職（同２号)、③監査の方針、監査役会設置会社の業務および財産の状況の調査の方法その他の監査役の職務の執行に関する事項の決定（同３号)、④会計監査人の選任・解任並びに不再任に関する株主総会提出議案内容の決定（会344条３項）である。そして、監査役会が求める場合は、監査役はいつでもその職務の執行状況を監査役会に報告しなければならない（会390条４項)。監査報告は、各監査役の監査報告に基づき、監査役会としての監査報告（監査役会監査報告）を作成しなければならない。監査役会監査報告は、監査役監査報告を集約して作成されるものであるが、仮に監査役監査報告と監査役会監査報告の内容が異なる場合には、各監査役は、監査役会監査報告に自己の監査役監査報告の内容を付記することによって、独任制が担保されている（**第２章．Ⅴ．監査役会・監査(等)委員会の開催・運営**を参照)。

なお、令和元年改正会社法により、監査役会設置会社（公開会社であり、かつ大会社）で金商法の有価証券報告書提出会社は、社外取締役の設置が義務付けられた（会327条の２)。また、社外取締役を義務付けられていない監査役設置会社においても自主的に社外取締役を選任している会社が増加している。

社外取締役を選任している会社でも、監査役の方が業務報告請求権や業務財産調査権、取締役の違法行為差止請求権等の様々な独自の法的権限が付与されていることから、社外監査役の役割は減じられるものではないとの認識が必要である。

【図表４－C】監査役会設置会社

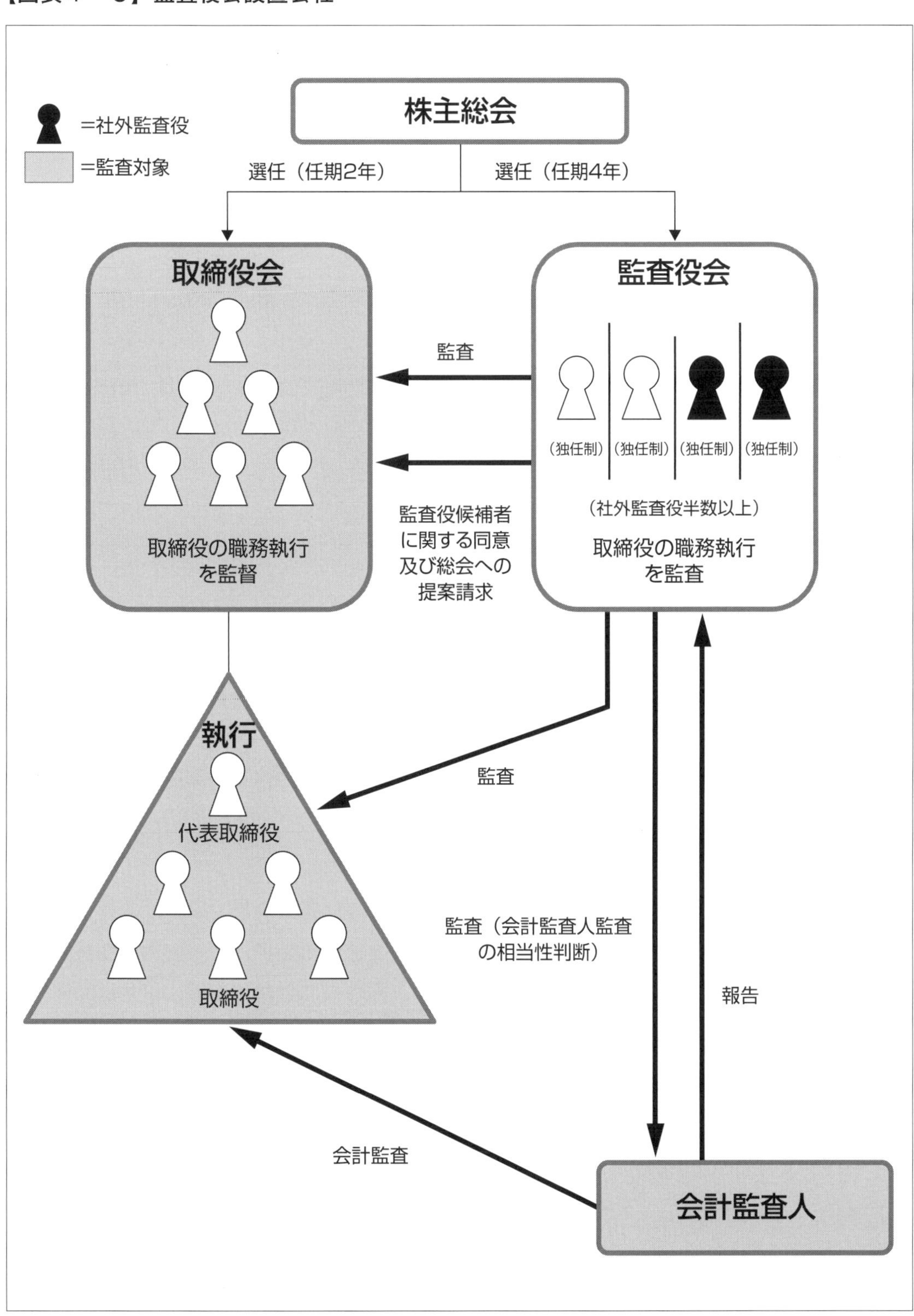

# Ⅴ．監査委員会と監査等委員会

**要　点**

○監査（等）委員会の委員は、取締役でもあることから、内部監査部門等に対して自ら指揮・命令して活用することを前提としていることは、監査役が独任制の下で、基本的に自ら監査を実施することと相違がある。
○これらはスタッフの配置にも表れており、監査役設置会社では、「監査役が求めたとき」という前提があるのに対して、監査（等）委員会では、「補助すべき」となっている。
○これらの違いは、監査役は、あくまで経営（執行部門）から独立した機関として位置付けられているのに対して、監査（等）委員会を構成する監査（等）委員は、取締役会の構成員でもあることにも関係している。
○第三の会社形態として、監査等委員会設置会社は、平成26年の会社法改正で創設された。

**解　説**

## 1．指名委員会等設置会社と監査委員会　B

指名委員会等設置会社は指名委員会、監査委員会および報酬委員会を置く会社のことであり（会２条12号）平成14年の商法改正で新たに創設された米国モデルの会社形態である（当時は「委員会等設置会社」と呼称）。会社は、会社の規模に関係なく、定款に定めることにより、指名委員会等設置会社となることが可能である。但し、指名委員会等設置会社は、取締役会および会計監査人を設置する必要がある（会327条１項４号・５項）。監査委員会が監査役（会）の代替的機能を持っているので、指名委員会等設置会社は、監査役を置くことはできない（会327条４項）。

指名委員会等設置会社は、執行役に業務執行権限が委譲されているために、取締役は、原則的には会社の業務を執行しない（会415条・418条２号）。このために、経営の執行と監督が分離されている点は、監査役設置会社にはない特色である（もっとも、監査役設置会社においても、執行役員制を導入し、経営の執行と監督を分離することを指向している会社もある。しかし、執行役員は会社法で定められた会社機関ではない。)。

また、各委員会は過半数の社外取締役で構成しなければならない上に(会400条3項)、委員会での決定は取締役会で修正や変更ができないことから、各委員会の権限は大きいものがある。もっとも、取締役と執行役の兼任が禁じられていないことから、実態的には、兼任者が多く見られ、経営の執行と監督の分離が徹底されていない面がある。

指名委員会等設置会社の各委員は、各々の取締役の中から取締役会の決議によって選定される。(**【図表4－D】**参照)。

監査委員会は、監査役設置会社における監査役会に相当するものである。監査委員会の権限は、①執行役および取締役(会計参与設置会社においては、会計参与も含む)の職務の執行の監査、監査報告の作成、②株主総会に提出する会計監査人の選任および解任ならびに不再任に関する議案の内容の決定である(会404条2項)。

監査委員は監査役と異なり、独任制ではない。すなわち、監査委員は監査委員会の構成員として、組織的に活動することが求められている。また、監査委員の任期は、他の取締役と同様に1年である(会332条6項)。監査委員会は、他の委員会と同じように、過半数の社外取締役の選任が義務付けられており、社外取締役の多くは非常勤である事情から、監査委員自らが実査をはじめとした直接の監査業務を想定していない。したがって、監査委員は、内部監査部門や検査部門等の執行部門を指揮・命令し監査に必要と思われる情報を入手し、監査委員会で十分に審議することを通じて、その職務を果たすことが期待されている。会社法上、常勤の監査委員の選任を義務付けていないことからも、この点は推察できる。

また、監査委員は、監査役と異なり監査委員が各々監査委員報告書を作成する義務はなく、監査委員会として監査委員会監査報告を作成・提出すれば足りることからも、組織的な監査が想定されているといえる。

## 2. 監査等委員会設置会社と監査等委員会 C

論点解説 第19章

平成26年の会社法改正では、監査等委員会設置会社が創設されることとなった。監査役設置会社、指名委員会等設置会社に加えた第三の類型ということになる。会社法による定款自治の下で、会社が自社に相応しい会社形態を選択できることから、会社法改正の法制審議会会社法制部会でも、監査等委員会設置会社の創設に対して、積極的な反対議論はなかった。

監査等委員会設置会社の大きな特徴は、3名以上の非業務執行取締役によって構成され

【図表4－D】指名委員会等設置会社

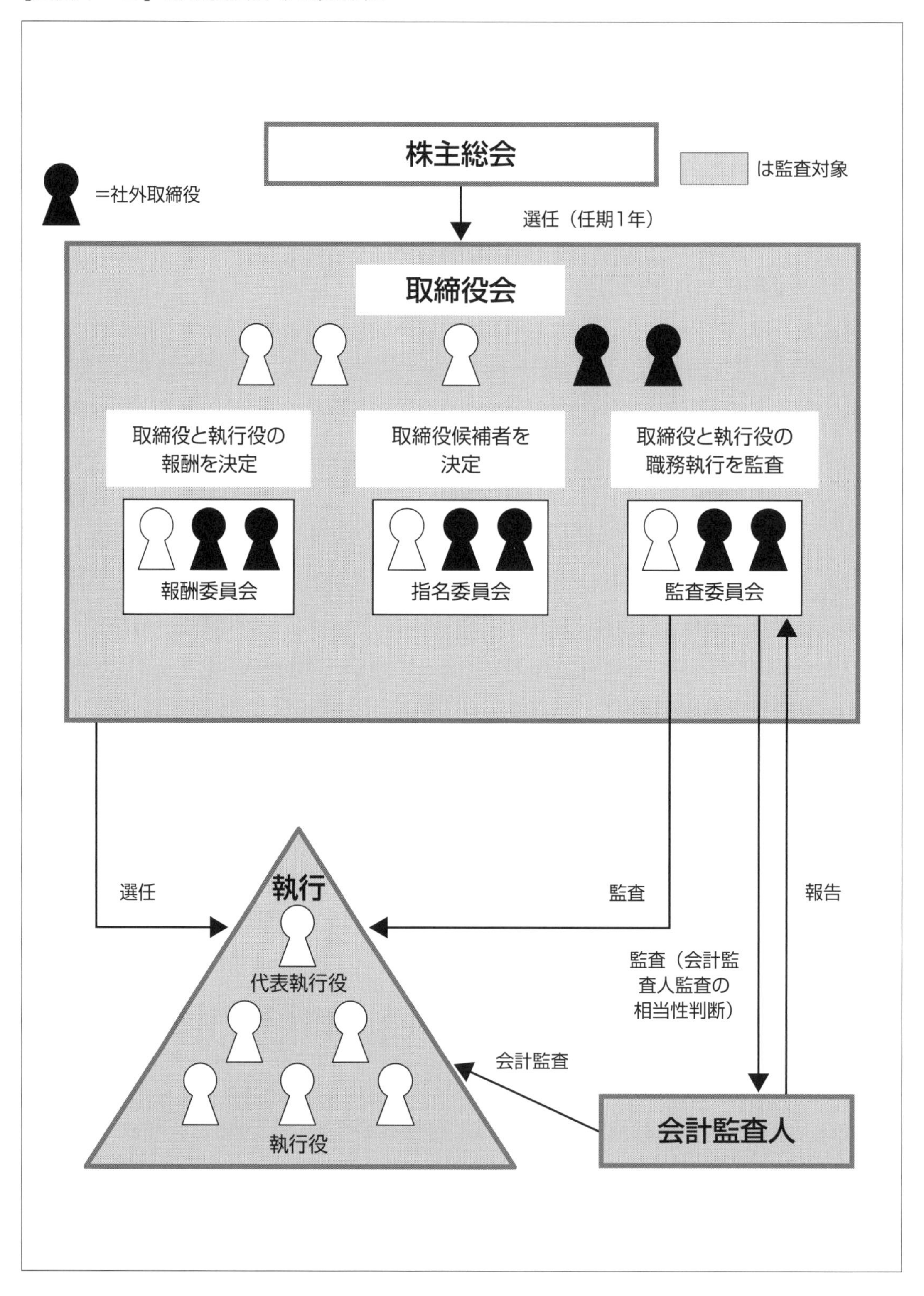

【図表４－Ｅ】監査等委員会設置会社

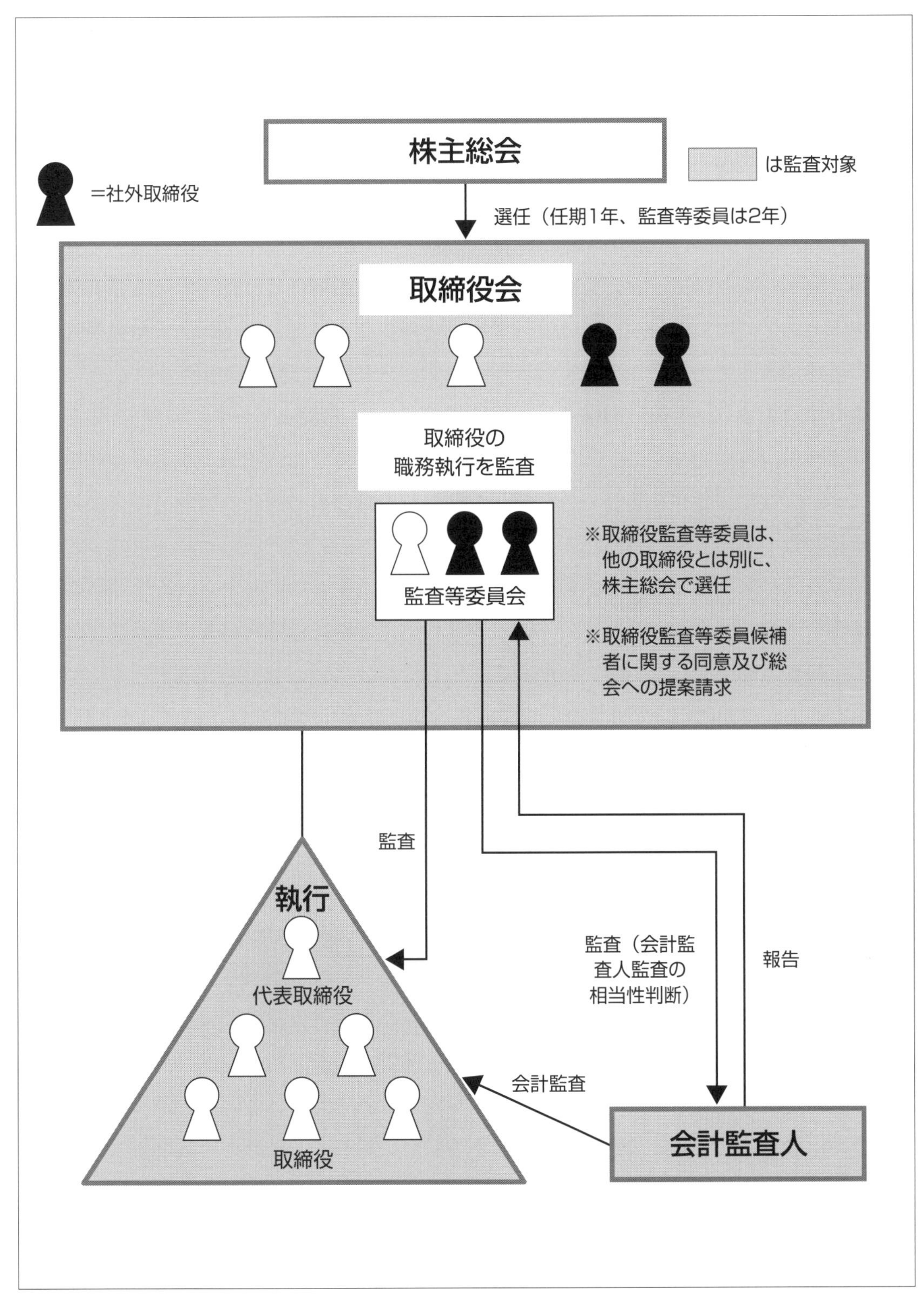

かつ過半数は社外取締役でもある監査等委員会が監査業務を行うことである。この点では、指名委員会等設置会社の中で、監査委員会を取り出したイメージと考えてよいだろう。但し、監査等委員会設置会社の他の取締役の任期は1年に対して、監査等委員である取締役の任期は2年のように、業務執行取締役と取締役監査等委員の任期に差を設けていること（会332条3項・1項）、他の取締役とは別に株主総会で選任され（会329条2項）、かつ監査等委員の報酬も他の取締役とは別に定款または株主総会決議で定めること（同361条2項）、監査等委員である取締役の選任議案の提出の際には、監査等委員の同意が必要であること（同344条の2第1項）、監査等委員である取締役の解任は、株主総会の特別決議が必要であること（同344条の2第3項）、選解任や辞任について、株主総会で意見を述べることが可能であること（同342条の2第1項）など、現行法の監査役と同様に監査等委員である取締役の独立性確保に配慮したものになっている（**【図表4－E】**参照）。

監査等委員会設置会社では、指名委員会等設置会社のように、指名委員会や報酬委員会に相当する会社機関は存在しないものの、業務執行取締役の選解任や報酬については、監査等委員として、株主総会の場で意見陳述ができるものとしている（会342条の2第4項・361条6項）。指名委員会や報酬委員会のように直接的な影響力は持たないものの、取締役の候補者や取締役の報酬について、一定の監督機能を持たせる趣旨と理解できる。

一方、監査等委員会設置会社の特有の規定として、取締役の利益相反取引については、監査等委員会が事前に承認した場合には、取締役の任務懈怠の推定規定（会423条3項）は適用しないこと（同423条4項）、定款に定めれば、監査等委員会設置会社は、取締役会の決議によって重要な業務執行の決定の全部または一部を取締役に委任できること（同399条の13第6項）になっており、監査等委員会設置会社への移行のインセンティブも付与されている。

## 3．監査役（会）、監査委員（会）、監査等委員（会）の相違

A・B・C・D・E・F・G

監査等委員会は、過半数の社外取締役から構成されること、常勤者の選任が義務化されていないことから、指名委員会等設置会社の監査委員会に近い制度設計であるが、監査等委員の独立性確保については、監査役制度の規定も取り込んでいる。したがって、監査等委員会の位置付けとしては、監査役会と監査委員会に対して、その中間系として位置付けてよいと思われる。

なお、監査役（会）（監査役設置会社）、監査委員会（指名委員会等設置会社）、監査等委員会（監査等委員会設置会社）の比較は、**【図表4－F】**・**【図表4－G】**を参照のこと。

【図表４－F】監査役会、監査委員会および監査等委員会の比較[注１]

| | 監査役会（監査役会設置会社） | 監査委員会（指名委員会等設置会社） | 監査等委員会（監査等委員会設置会社） |
|---|---|---|---|
| 目的 | 取締役・会計参与の職務執行を監査 | 取締役・会計参与・執行役の職務執行を監査 | 取締役・会計参与の職務執行を監査 |
| 監査対象 | 原則、適法性監査のみ | 適法性監査＋妥当性監査 | 適法性監査＋妥当性監査 |
| 構成員 | 監査役 | 取締役 | 監査等委員たる取締役 |
| 員数 | ３人以上 | ３人以上 | ３人以上 |
| 構成員の選任方法 | 株主総会で直接選任 | 取締役会で選任 | 株主総会で直接選任 |
| 構成 | 社外監査役が半数以上 | 社外取締役が過半数 | 社外取締役が過半数 |
| 常勤者の要否 | 必要 | 不要 | 不要 |
| 任期 | ４年<br>（選任後４年以内に終了する事業年度のうち、最終のものに関する定時株主総会の終結の時まで）<br>※公開会社でない場合は選任後10年以内 | １年<br>（選任後１年以内に終了する事業年度のうち、最終のものに関する定時株主総会の終結の時まで） | ２年<br>（選任後２年以内に終了する事業年度のうち、最終のものに関する定時株主総会の終結の時まで） |
| 解任 | 株主総会の特別決議 | 株主総会の普通決議 | 株主総会の特別決議 |
| 兼任制限 | 会社・子会社の取締役もしくは支配人その他の使用人、または子会社の会計参与もしくは執行役を兼ねることは不可 | 会社・子会社の執行役・業務執行取締役もしくは支配人その他の使用人、または子会社の会計参与もしくは支配人その他の使用人を兼ねることは不可[注２] | 会社・子会社の業務執行取締役もしくは支配人その他の使用人、または子会社の会計参与もしくは執行役を兼ねることは不可 |
| 会計監査人の選解任・不再任についての権限 | 議案の内容の決定権 | 議案の内容の決定権 | 議案の内容の決定権 |
| 会計監査人の報酬に関する権限 | 議案に対する同意権 | 議案に対する同意権 | 議案に対する同意権 |
| 取締役等に対する報告請求権、業務等調査権、子会社調査権 | 各監査役の権限（独任制） | 監査委員会が選定する監査委員の権限 | 監査等委員会が選定する監査等委員の権限 |
| 取締役等の違法行為差止請求権 | 各監査役の権限 | 各監査委員の権限 | 各監査等委員の権限 |
| 取締役会の招集請求権・招集権 | 各監査役の権限 | 監査委員会が選定する監査委員の権限（その他取締役・執行役も権限有） | 監査等委員会が選定する監査等委員の権限（その他取締役も権限有） |
| 取締役会に対する報告義務 | 各監査役の義務 | 各監査委員の義務 | 各監査等委員の義務 |
| 会社と取締役（執行役）との訴えにおける会社の代表者 | 監査役（各監査役が代表可能） | 監査委員会が選定する監査委員（訴えの当事者の場合を除く） | 監査等委員会が選定する委員（訴えの当事者の場合を除く） |
| 監査の方法 | 各監査役が監査することが基本（監査役スタッフを活用することは可能） | 内部監査部門を活用した組織監査 | 内部監査部門を活用した組織監査 |
| 会社に著しい損害を及ぼすおそれのある事実の報告義務者 | 取締役 | 執行役 | 取締役 |
| 株主総会に提出しようとする議案等が法令等に違反する場合等における株主総会への報告義務 | あり | なし | あり |
| 監査報告の作成者 | 各監査役が作成した上で監査役会監査報告を作成 | 監査委員会報告のみ（各監査委員は監査報告を作成せず） | 監査等委員会報告のみ（各監査等委員は監査報告を作成せず） |

（注１） 高橋均「監査・監督委員会設置会社と企業統治――会社法制の見直しに向けて――」旬刊商事法務1936号、2011年、18頁所掲の表を基に作成。
（注２） 現行会社法400条４項および331条３項参照。

出所：太田洋＝髙木弘明編著『平成26年会社法改正と実務対応』（商事法務、2014年）71～74頁を一部変更

## 【図表４－G】監査役・監査役会設置会社の監査役・監査等委員・監査委員の比較

注：309Ⅱ⑦＝会社法309条２項７号

| | 監査役 | 監査役会監査役 | 監査等委員 | 監査委員 |
|---|---|---|---|---|
| 監査役・監査(等)委員の選任・選定 | 株主総会<br>329Ⅰ | 株主総会<br>329Ⅰ | 株主総会<br>329Ⅰ・Ⅱ | 株主総会で選任された取締役から取締役会で選定　329Ⅰ・400Ⅱ |
| 選任議案への同意権 | 有　343Ⅰ | 有　343Ⅲ | 有344の２Ⅰ | 無 |
| 選任議題・議案の提出権 | 有　343Ⅱ | 有　343Ⅲ | 有344の２Ⅱ | 無 |
| 任期 | ４年　336Ⅰ | ４年　336Ⅰ | ２年　332Ⅰ | １年　332Ⅵ |
| 常勤者の要否 | 不要 | 必要　390Ⅲ | 不要 | 不要 |
| 監査役等の選任　解任・辞任意見陳述権 | 有　345Ⅳ | 有　345Ⅳ | 有342の２Ⅰ | 無 |
| 辞任した監査役等の意見陳述権 | 有　345Ⅳ | 有　345Ⅳ | 有342の２Ⅱ | 無 |
| 取締役の選任等への意見陳述権 | 無 | 無 | 有342の２Ⅳ | 無 |
| 監査役等の報酬の決定 | 株主総会＋監査役の協議<br>387Ⅰ・Ⅱ | 株主総会＋監査役の協議<br>387Ⅰ・Ⅱ | 株主総会＋監査等委員の協議<br>361Ⅱ・Ⅲ | 報酬委員会404Ⅲ |
| 報酬等への意見陳述権 | 有　387Ⅲ | 有　387Ⅲ | 有　361Ⅴ | 無 |
| 取締役の報酬等への意見陳述権 | 無 | 無 | 有　361Ⅵ | 無 |
| 株主総会での解任決議要件 | 特別決議<br>309Ⅱ⑦ | 特別決議<br>309Ⅱ⑦ | 特別決議<br>309Ⅱ⑦ | 普通決議　341 |
| 取締役会での解職 | 無 | 無 | 無 | 有（監査委員解職）<br>401 |
| 監査形態 | 独任制 | 独任制 | 組織監査 | 組織監査 |
| 社外者 | 無 | 有（半数）<br>335Ⅲ | 有（過半数）<br>331Ⅵ | 有（過半数）<br>400Ⅲ |
| 調査権限 | 有（各監査役）<br>381Ⅱ | 有（各監査役）<br>381Ⅱ | 有（選定監査等委員）399の３Ⅰ | 有（選定監査委員）<br>405Ⅰ |
| 監査(等)委員会への取締役等の説明義務 | 無 | 無 | 有（監査等委員会へ）399の９Ⅲ | 有（監査委員会へ）<br>411Ⅲ |
| 株主総会提出議案等の審査・報告 | 有　384 | 有　384 | 有　399の５ | 無 |
| 監査報告義務 | 有（各監査役）<br>381Ⅰ | 有（監査役会として）390Ⅱ | 有（監査等委員会として）399の２Ⅲ① | 有（監査委員会として）404Ⅱ① |
| 会計監査人選任議案決定権 | 有　344Ⅰ | 有（監査役会として）344Ⅲ | 有<br>399の２Ⅲ② | 有<br>404Ⅱ② |
| 会計監査人からの報告聴取権 | 有　397Ⅱ | 有　397Ⅱ | 有　397Ⅳ | 有　397Ⅴ |
| 取締役会議決権 | 無 | 無 | 有 | 有 |
| 利益相反取引任務懈怠推定規定排除 | 無 | 無 | 有（監査等委員会の承認で）423Ⅳ | 無 |

出所：中村直人編『監査役・監査委員ハンドブック』（商事法務、2015年）409～413頁を参考に作成

COLUMN

**●指名委員会等設置会社と監査等委員会設置会社の「等」●**

平成26年の会社法改正から、従来の委員会設置会社が指名委員会等設置会社の呼称に変更となり、また新たに監査等委員会設置会社が創設された。それでは、両者の「等」とは何を示しているのであろうか。

指名委員会等設置会社は、指名委員会・報酬委員会・監査委員会が必置の会社形態であることから、「等」は指名委員会以外の委員会を示していることはわかりやすい。

他方、監査等委員会設置会社の「等」は、会社法制部会で審議のときに、「監査・監督委員会（仮称）」とされていたことから想像されるように、「監督」を示している。具体的には、監査等委員会設置会社の監査等委員は、業務執行取締役の報酬や取締役候補者に対して、株主総会において意見陳述権を持っており、このことが「監督」行為に相当すると考えられているからである。

もっとも、「監督」という言葉は、取締役会の権限の一つとして「取締役の職務の執行を監督する」（会社法362条２項２号）としてすでに使用され、監査等委員会設置会社の監督とは意味が異なることから、監査等委員会設置会社では、監督という呼称を使用していないのである。

## ４．内部監査部門と職務補助者　A・B・C・D・E・F・G

### （１）内部監査部門との係わり

監査委員会、監査等委員会は、構成員の過半数は社外取締役であり、その大多数は非常勤である。この点は、常勤の監査役の設置を義務付け、しかも独任制の下で自ら直接監査することを想定している監査役会とは異なる点である。

監査委員会および監査等委員会の構成員は取締役であることから、内部監査部門（内部統制部門）に対して、直接的に指揮・命令することは可能であることから、いわば、内部監査部門を活用した監査を行うことが前提となっている。この点は、指名委員会等設置会社も監査等委員会設置会社も、監査役設置会社と異なり、大会社であるか否かにかかわらず、内部統制システムの整備が義務付けられていることから明らかである。すなわち、監査委員会および監査等委員会としての監査方針に基づいて、具体的な監査項目を内部監査部門に指示して、内部監査部門が直接監査を実行した上で、監査委員会および監査等委員会に結果報告を行うというスタイルが基本であり、監査役のように、自らが監査を行うという体制を前提としていない。この点は、指名委員会等設置会社の源流で、平成14年の商法改正で新たに規定された委員会等設置会社では、すでに内部統制システムの構築義務が明文化されており（旧商特21条の7第1項2号、旧商施規193条)、監査委員会の監査は、内部統制システムの整備を通して実行することが明確であった。

したがって、監査(等)委員は、内部監査部門との連携は、密接不可分である。

### （2）職務補助者（スタッフ）の差異

監査役または監査(等)委員会の職務補助者とは、いわゆる監査役や監査委員会および監査等委員会のスタッフ（以下「スタッフ」という）のことである。スタッフは、監査役や監査委員会および監査等委員会に直属で専任の場合もあるし、内部監査部門等執行部門との兼任の場合もある。また、組織的には執行部門に所属しているものの、組織内で監査役への補助を専属的に行っているものと内部監査の業務に従事しているものとを明確に分けている会社もある（**【図表4－H】**参照)。このように、スタッフの組織的な位置付けは、監査役設置会社と指名委員会等設置会社および監査等委員会設置会社との間で相違はなく、各社が自社に相応しいと思う体制を採用している。

一方において、監査役、監査委員会および監査等委員会に対するスタッフの法的位置付けについては、実は微妙に異なっている（**【図表4－I】**参照)。

例えば、監査役設置会社と指名委員会等設置会社の規定を比較すると、監査役設置会社では、「監査役がその職務を補助すべき使用人を置くことを求めた場合」と規定し、スタッフの必要性を監査役が自ら判断することとしているのに対し、指名委員会等設置会社では、「監査委員会の職務を補助すべき取締役及び使用人」として、監査委員会の要求を前提とせず、かつ使用人のみならず取締役も監査委員会を補助すべき対象者としている点が特徴である（監査等委員会設置会社の場合も同様)。監査役設置会社におけるスタッフは、監査役と異なり、法的に執行部から独立した身分でないことから、監査役が求めもしないのにスタッフを置くことは、監査役の独立性を確保する観点からは妥当でないと考えられている（相澤哲＝葉玉匡美＝郡谷大輔編著『論点解説　新・会社法　千問の道標』339頁、商事法務、2006年)。

指名委員会等設置会社や監査等委員会設置会社においても、スタッフを置くことが強制されているわけではないが、監査委員会の過半数が社外取締役で構成されており、通常は非常勤であることを考えると、監査の実効性を上げるために、内部監査部門の活用とあわ

【図表4－H】スタッフの位置付けのパターン

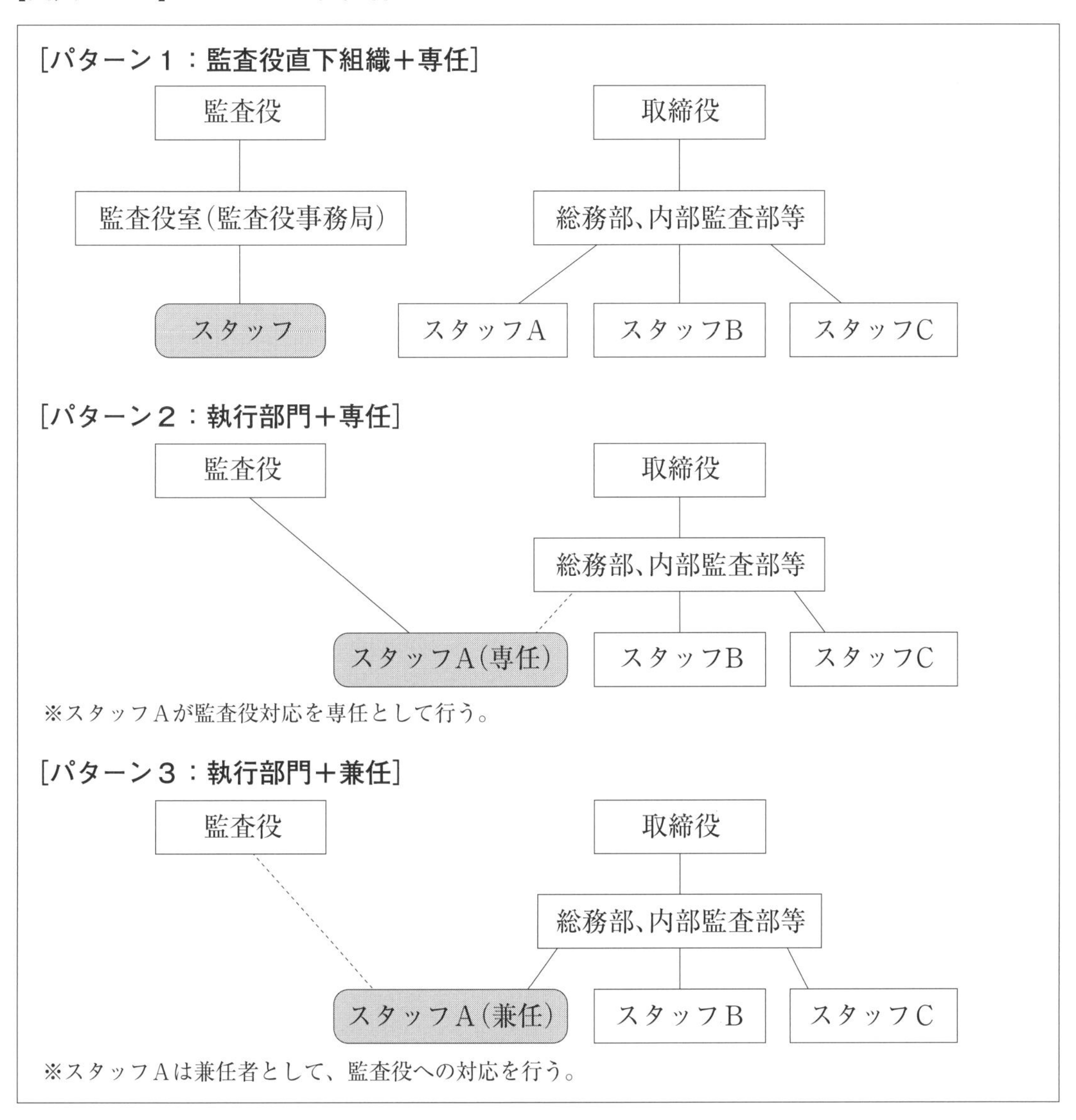


せて、監査(等)委員会に専任のスタッフを置いている会社は多い。もっとも、スタッフを置くとして、何人を置くのか、またスタッフの役職や適切な職歴については、会社の規模や他部門とのバランスなどを勘案して慎重に判断する必要がある。

他方、監査役設置会社において独立した内部監査部門が存在しない場合には、内部監査部門に代わるべく直接的に監査役監査をするウェイトが高くなるために、ベテランスタッフを確保すべきである。また、指名委員会等設置会社や監査等委員会設置会社の場合は、元々、内部監査部門の活用を前提としているために、監査(等)委員会室としての専任のスタッフを置く場合には、当該スタッフの役割は何かあらかじめ整理しておかないと、監査(等)委員のスケジュール管理や議事録の整理の事務処理に終始することになりかねない。

いずれにせよ、自らが独任制のもとで監査することが基本となっている監査役設置会社と、社内組織を活用することを前提としている指名委員会等設置会社や監査等委員会設置会社では、スタッフに対する法規定も若干異なっている。しかし、監査役または監査(等)委員会の補助を通じて監査の実効性を向上するというスタッフとしての本来の目的は、同じである。

**【図表４－１】職務補助者（スタッフ）に対する法規定の差異**

注：監査役設置会社と指名委員会等設置会社（監査等委員会設置会社も同様。なお、根拠法令は、会施規110条の４第１項）とでは、１項と２項が逆であるが、下記表では、比較のため便宜上、同様の項目を並列させた（指名委員会等設置会社の１項と２項の並びを逆にした)。

| 監査役設置会社 | 指名委員会等設置会社 |
|---|---|
| (業務の適正を確保するための体制)<br>会施規100条　法第362条第４項第６号に規定する法務省令で定める体制は、当該株式会社における次に掲げる体制とする。<br>一～五　（略）<br>２　（略） | (業務の適正を確保するための体制)<br>会施規112条<br>２　法第416条第１項第１号ホに規定する法務省令で定める体制は、当該株式会社における次に掲げる体制とする。<br>一～五　(略) |
| ３　監査役設置会社（監査役の監査の範囲を会計に関するものに限定する旨の定款の定めがある株式会社を含む。）である場合には、第１項に規定する体制には、次に掲げる体制を含むものとする。<br>一　当該監査役設置会社の監査役がその職務を補助すべき使用人を置くことを求めた場合における当該使用人に関する事項<br>二　前号の使用人の当該監査役設置会社の取締役からの独立性に関する事項 | １　法第416条第１項第１号ロに規定する法務省令で定めるものは、次に掲げるものとする。<br>一　当該株式会社の監査委員会の職務を補助すべき取締役及び使用人に関する事項<br>二　前号の取締役及び使用人の当該株式会社の執行役からの独立性に関する事項 |

| | |
|---|---|
| 三　当該監査役設置会社の監査役の第１号の使用人に対する指示の実効性の確保に関する事項 | 三　当該株式会社の監査委員会の第１号の取締役及び使用人に対する指示の実効性の確保に関する事項 |
| 四　次に掲げる体制その他の当該監査役設置会社の監査役への報告に関する体制<br>イ）当該監査役設置会社の取締役及び会計参与並びに使用人が当該監査役設置会社の監査役に報告をするための体制<br>ロ）当該監査役設置会社の子会社の取締役、会計参与、監査役、執行役、業務を執行する社員、法第598条第１項の職務を行うべき者その他これらの者に相当する者及び使用人又はこれらの者から報告を受けた者が当該監査役設置会社の監査役に報告をするための体制 | 四　次に掲げる体制その他の当該株式会社の監査委員会への報告に関する体制<br>イ）当該株式会社の取締役（監査委員である取締役を除く。）、執行役及び会計参与並びに使用人が当該株式会社の監査委員会に報告をするための体制<br>ロ）当該株式会社の子会社の取締役、会計参与、監査役、執行役、業務を執行する社員、法第598条第１項の職務を行うべき者その他これらの者に相当する者及び使用人又はこれらの者から報告を受けた者が当該株式会社の監査委員会に報告をするための体制 |
| 五　前号の報告をした者が当該報告をしたことを理由として不利な取扱いを受けないことを確保するための体制 | 五　前号の報告をした者が当該報告をしたことを理由として不利な取扱いを受けないことを確保するための体制 |
| 六　当該監査役設置会社の監査役の職務の執行について生ずる費用の前払又は償還の手続その他の当該職務の執行について生ずる費用又は債務の処理に係る方針に関する事項 | 六　当該株式会社の監査委員の職務の執行（監査委員会の職務の執行に関するものに限る。）について生ずる費用の前払又は償還の手続その他の当該職務の執行について生ずる費用又は債務の処理に係る方針に関する事項 |
| 七　その他当該監査役設置会社の監査役の監査が実効的に行われることを確保するための体制 | 七　その他当該株式会社の監査委員会の監査が実効的に行われることを確保するための体制 |

## 監査役スタッフの独立性

**Q　監査役スタッフの執行部門からの独立性は、どのように確保されるのか。**

**A**　監査役は、株主総会で選任され、また執行部門からの独立性を確保するための規定が会社法に定められている（報酬や監査役の選任同意など）。しかし、監査役と一体となって業務を行う監査役スタッフにおいても、その独立性の確保は重要である。このために、内部統制システムに係る会社法の法務省令においては、監査役スタッフの独立性に関する事項は、内部統制システムの取締役(会)の決定事項の一つとされている（会施規98条４項２号・100条３項２号）。

監査役スタッフの執行部門からの独立性を確保するために、特に重要なことは人事異動や人事考課・処遇である。すなわち、人事異動や監査役スタッフの処遇については、執行部門は監査役との協議・同意を要する旨を明文化しておくことも考慮に値する。文書は、監査役と執行部門（例えば、総務部または人事部）との覚書でもよいが、内部統制システムの基本方針や監査役監査基準などに記載しておくと、相互の認識も含め運用面からは有効である。

なお、平成27年改正会社法施行規則では、内部統制システムの一環として、監査役からスタッフに対する指示の実効性確保が明示的に示された（会施規100条３項３号)。

終　章

# スタッフとしての心構え

# 序

企業の社会的責任の一環として、企業不祥事を防止し、コーポレート・ガバナンスを確立していくことは会社として重要なことであり、その中で、監査役スタッフも、監査役と同様に積極的にその役割を果たしていくことが一層求められている。それでは、具体的に業務を行う上でどのようなことに留意したらよいであろうか。筆者自身の経験も踏まえた上で、若干の心構えと思われる点を記載する。

なお、監査(等)委員会スタッフも含むものとし、また会社機関設計の形態にかかわらず、専任または兼任のスタッフすべてに該当する。

# 監査役・監査(等)委員のスタッフとしての心構え



**要点**

○スタッフは、会社法上の文言である「補助使用人」に甘んじることなく、監査役・監査(等)委員に対するサポートを積極的に行うことが期待されている。
○スタッフは、監査対象部門に監査の趣旨説明を行ったり、監査において指摘した事項のフィードバック等、監査対象部門との潤滑油的役割もある。
○監査実務を通じて、普遍的な能力向上に努めるとともに、他社のスタッフと積極的な意見交換を行うなどをしつつ、コーポレート・ガバナンスに寄与しているという自覚を持つことが大切である。

## 解説

### 1．主体的な業務活動の推進　A・B・C・D・E・F・G

会社法上は、「補助使用人」という言葉が使われており、監査役を補助するというニュアンスが強く出ている。監査役が監査業務を行うにあたり、スタッフがそのサポート役としての役割を十分に果たすことは、結果的に監査業務の実効性の向上に貢献することは事実である。しかし、監査役の監査日程調整や監査対象部門からの報告・聴取の議事メモの作成、あるいは監査役会議事録の作成にとどまっていては、真の意味でサポート役を果たしたことにはならないと考える。

監査役は、重要会議の出席や資料・書類の閲覧等も、その監査業務を果たす上で重要な方法であるが、監査役が出席する重要な会議や重要な書類を見極めるのは、スタッフの役割でもある。また、内部統制部門や会計監査人と監査役との連携強化に対して、具体的な課題や論点を事前に洗い出して、連携の効果を結実させることもスタッフの役割である。さらには、監査計画や監査報告の原案作成、監査活動の工夫など、スタッフとして主体的に業務を遂行し、監査役と活発な意見交換を行い、意見具申ができるような関係の構築を目指すことが、結果としてよりよい監査役監査の活動につながるはずである。補助使用人の名称に甘んじて、監査役からの指示待ちの姿勢にならないように留意すべきである。

## 2．監査対象部門との潤滑油的役割 A・B・C・D・E・F・G

監査役は、会社全体の中でその人数が少ない上に、監査対象部門と直接対峙することが年に一度の監査役監査であるとすると、全社的にみて監査役は必ずしも馴染みのある職位とはいえないと思われる。また、監査役は役員であるのに対し、監査対象部門として直接的に監査役監査を準備するのは、中間管理職であることが一般的であり、監査対象部門の実務担当者からは、監査役監査を当面うまく乗り切ればよいと考える傾向が強くなる可能性もある。しかし、監査役監査は、当該部門のリスクの発生を未然に防止する上でも大きな役割が存在するはずであり、監査対象部門としても監査役監査を積極的に活用する意義がある。このためには、監査役監査の「見える化」が重要であると同時に、監査対象の実務担当者に対して、監査の趣旨を徹底し監査役監査に先立って、スタッフが監査役に代わって色々と相談に乗ること、および助言する役割がある。また、監査役が指摘した事項を個別・具体的にフォローしたりする役目もある。このように、監査役と監査対象部門の実務担当者との間にたって、潤滑油的な役割を果たし、何でも相談を受けることができるスタッフになることを目指すべきであると考える。

## 3．普遍的な能力向上 A・B・C・D・E・F・G

実は、スタッフほど実務担当者として、会社全体の業務に関わることができる職務はない。管理部門から購買・営業、技術等に至るまで、会社全体の職務や動向が一目瞭然に把握できる部署はないといえる。このように恵まれた職場を、是非、自らの能力向上に役立てていただきたいと思う。

リスク管理を徹底し、リスクの発生を未然に防止することは、内部統制システムの観点からも重要なことであり、どの組織においても重点課題の一つのはずである。しかし、同じ社内であっても、リスク管理が徹底され内部統制システムが適切に運用されている部門が存在する一方で、不備や改善の余地が十分にあると思われる部門までかなりの差がある。スタッフとしては、このようなリスク管理をはじめとした内部統制システムの整備について、各部門の隔たりの原因がどこにあるのか、冷静に見極める目を養うべきである。全社の各々の組織を比較してみると、意識の差からはじまり、具体的な態勢に至るまで、明確な対応力の差があることがわかる。これらリスク管理に対する眼力を養い、内部統制システムの構築・運用という重要な課題に対する普遍的な対応力を習得することができれば、将来、自らが組織を動かす立場になったときに、必ず役に立つはずである。

## 4．業種を越えた意見交換　A・B・C・D・E・F・G

監査役監査業務自身は、極めて社内的な業務であり、かつ社内でも業務が比較できる対象部門は内部監査部門などに限られていることから、意識的に注意しないと自己満足に陥る懸念がある。一方で、内部統制システムが会社法や金融商品取引法を通じて世間に認知されることによりその重要性が高まり、内部統制システムの整備状況の点から会社が評価される今日においては、他社も内部統制システムの整備に関して、そのレベルの向上に日々工夫を重ねている。したがって、常に自らの研鑽とともに、他社のスタッフとの情報交換に努め、自社の内部統制システムの整備の充実に向けて、監査業務を通じて執行部門と意見交換を行ったり、監査役と積極的に意見交換をすることは、自らにとっても意義のあることである。

現在、日本監査役協会では、監査役向けと同様に、スタッフ用の研修会を体系的に整備・開催しており、筆者も講師としてお手伝いをさせていただいている。また、スタッフ研究会や実務部会の場を通じて、スタッフ同士の交流を深めて、自社の監査活動に活かしていただきたいと思う。

監査役の権限強化と相まって、監査役監査は、一層の実効性の確保が要請されている。このような中で、スタッフとしても、監査役と一体となってその役割を果たしていくことが、所属会社や所属会社の企業集団のコーポレート・ガバナンスに寄与し、企業価値向上にもつながるものと確信している。

補　章

# 会社法の読み解き方

# 会社法の理解と監査役関係条文

**要　点**

○監査役(会)は会社法で規定された会社機関であり、監査役監査は、会社法に裏付けられたものである。
○監査役監査のために、会社法に規定された該当箇所の理解は必須である。
○しかし、監査役監査に関係する条文箇所が監査役(会)の節以外も存在することから、該当箇所に辿りつくためにわかりにくい面もある。
○会社法特有の条文構造と、会社法と一体となった法務省令の理解が不可欠である。

**解　説**

## 1．会社法理解の必要性　A・B・C・D・E・F・G

監査役および監査役会は、株主総会、取締役、取締役会、会計監査人等と並んで、会社法で規定された正式な会社機関である。ちなみに、監査役スタッフも、「監査役の職務を補助する使用人」(会施規100条３項１号) として、会社法に規定されている。したがって、監査役（スタッフ）として、会社法上の該当箇所を確認したり、理解することは、業務の遂行上不可欠である。

一方、会社法は、第１編の総則から第８編の罰則まで、総計で979条まで存在するが、このうち、監査役(会)としてまとまっているのは、第２編第４章第７節および第８節である（監査等委員会は第９節の二、監査委員会は第10節。**【図表補－A】**参照)。しかし、監査役（スタッフ）として、これらの条文をカバーするだけでは足りない。例えば、「取締役は、会社に著しい損害を及ぼすおそれがある事実を発見したときは監査役に報告する義務がある（会357条１項)」との条文は、第４章第４節の「取締役」のパートであるし、「監査役が計算書類等の監査をすること」を規定している箇所（会436条）は、第５章第２節の「会計帳簿等」にある。

監査役（スタッフ）としては、監査役監査業務に関係する条文の箇所を迅速に見つけ、必要に応じて条文を確認する場面は多いものと思われる。したがって、本章では、補章として、会社法の条文構造を理解するとともに、監査役監査に必要な条文を探し当てるための解説を行うこととする。

## 2．会社法に対する留意点　A・B・C・D・E・F・G

会社法に接する際に、特に注意すべき留意点がある。

第一は、会社法は、法務省令と一体となっていることである。会社法の条文を見ると気がつくと思うが、条文の中に「法務省令で定めるところにより」という箇所が頻繁に出てくる（例えば、監査役の権限を定めた会社法381条１項を参照）。会社法の本文中に記載のある法務省令とは、①会社法施行規則、②会社計算規則、③電子公告規則、である。そして、具体的手続や記載要領などは、法務省令で規定している場合が多い。したがって、会社法の該当条文で、「法務省令」の文言に遭遇したら、該当する法務省令が上記の①から③のどの法務省令か、かつそれらの条文まで確認する必要がある。しかし、会社法の条文の中には、具体的な法務省令や条文箇所は明示されていないため、あらかじめ、対応表を入手し手元に置いておく必要がある。そうでなければ、会社法と法務省令が一体として表記されている条文集（例えば、商事法務編『織込版会社法関係法令全条文』[1]）を利用するとよいであろう。

第二は、会社法の条文が錯綜して出てくる点である。例えば、監査役の取締役会への出席義務を規定している会社法383条１項の中に、「第373条第１項の規定による……」との記載があることから、該当箇所を都度参照する必要がでてくる。そのほか、「第○○条△△項の規定にかかわらず」などを含め、条文が錯綜している点にも注意を払う必要がある。

第三は、法務省令を含めて、改正が一定の頻度で行われることである。条文の実質的な改正にとどまらず、金融商品取引法や公認会計士法等の他の法令の改正にあわせて、文言の修正や条文番号の変更などもある。近年では、平成21年３月に改正のあった会社計算規則[2]では、制定後、わずか３年余りで、条文番号が大幅に変更になった。したがって、改正の状況を常に注視し、常に最新の法令集を手元に置いておくべきである。

---

1）改正により、版を重ねている。

2）正式には、「会社法施行規則、会社計算規則等の一部を改正する省令（平成21年法務省令第７号）」（平成21年３月27日）である。

第四は、法律独特の用語が出てくることである。監査役に関係する条文でも、「互選」「選定」「選任」の区別、または「悪意」や「善意」の法律特有の用語などである。本書でも、監査役（スタッフ）として押さえておくべき語句の説明や類似文言の区別は、極力解説を加えているので、該当箇所を参照していただきたい。

## 3．会社法の条文構造　A・B・C・D・E・F・G

監査役（スタッフ）が監査役監査業務を遂行する上で、会社法に規定されている条文の内容のすべてを覚えることは不可能であるし、記憶する必要もない。但し、監査業務の中で、疑問に思ったことを条文の記載を下に確認する作業は大切である。監査役監査の書籍やインターネットを参照することで、概念を理解することも必要であるが、極力、会社法の条文に直接あたる労を惜しまないことが重要である。書籍等は、あくまで内容の概要や解釈等を解説をしているのであり、根拠となっているのは条文だからである。

しかし、ある事項に対して条文を確認しようと思っても、その条文が容易に見つからないという経験者も多く存在すると思われる。それは、会社法は、監査役やスタッフが業務を容易に遂行するための条文構造とはなっていないからである。例えば、監査役会で決議したり同意する事項は何かと疑問に思っても、「監査役会の決議」と記載されている会社法393条では決議のための手続などであり、具体的な決議事項が定められているわけではない（具体的には、会社法390条２項、343条、344条、399条に規定されている）。

したがって、適当にやみくもに会社法の条文を探すのではなく、条文構造の基本を理解した上で、迅速に該当条文を見つけるようにすることが近道である。

会社法の条文の並順の基本としては、①会社法全体では、基本的には趣旨・定義が最初で、株式会社、持分会社の順、②会社形態の中では、時系列が基本、③同じ項目の条文の中では、通則規定から特則規定へ、基準・基本的形態から高度・複雑系へ、となっている。

会社法の全体の条文構成で、①について確認してみよう（**【図表補－A】**参照）。第一編の総則からはじまり、通則、会社の商号、会社の使用人等と並んでいる。第一編の後には、第二編の株式会社と続き、その後に持分会社（合名会社、合資会社、合同会社）となっている。そして、共通事項である雑則や罰則は、最後の方に規定されている。第一編の総則の通則では、特に第２条の定義規定の中で、「子会社」「公開会社」「大会社」「社外監査役」など監査役（スタッフ）として押さえておくべき用語があるので、早い段階で確認しておくのがよい。

また②については、第二編の株式会社で見ると、まず設立からはじまり、株式、新株予約権、会社機関の順番である。そして、解散や清算といった非定常事項が最後の章に規定されている。

③については、例示として事業報告について見てみよう（**【図表補－B】**参照）。事業報告に何を記載すべきかは、期末における監査役監査項目であり、最終的には監査役(会)監査報告に関係するので、条文の確認は必須である。会社法では、435条2項に記載されている。事業報告は、435条の見出しである「計算書類等の作成及び保存」の「等」に含まれているのがわかりにくい上、「株式会社は、法務省令で定めるところにより」と記載されていることから、この場合の法務省令が具体的に示している箇所を押さえておくことが出発点である[3)]（ちなみに、会社法施行規則の118条から128条が該当する）。

**【図表補－B】**を見て明らかなように、最初の118条が通則規定としてすべての会社を対象（内部統制システムの基本方針や買収防衛策・親会社等との取引等を定めている場合も含む）としているのに対して、119条が公開会社の特則となっている。そして、119条の1号から4号までに、公開会社として事業報告に記載すべき項目が列挙されているが、各号の具体的内容は、120条から123条に規定されている。すなわち、120条から123条は、119条の下部構造となっているとの理解が大切である。さらに、124条以下では、社外役員や会計参与などの会社機関に限定した特則条文であり、個別色が強くなっている。

このように、条文構造を並列的に見るのではなく、立体構造的に理解すると、自社に関係のない条文を飛ばして、該当する条文に辿りつくのが早くなる。したがって、事業報告だけでなく、監査役監査に関係する他の事項についても、条文を分解して重構造に整理してみると、会社法や会社法施行規則等の法務省令の読み方が楽になる。

---

3）具体的な法務省令と該当条文番号については、対応表を入手して確認するか、本文で紹介した商事法務等による条文集を利用することになる。携帯用の小六法や日本監査役協会の「監査小六法」でも、対応が示されているので活用されたい。

**【図表補－A】会社法全体構造**

注：網かけ＝重要度大　下線＝重要

第一編　総則
　第一章　通則　　★２条の定義規定は、重要
　第二章　会社の商号
　第三章　会社の使用人等
　第四章　事業の譲渡をした場合の競業の禁止等

第二編　株式会社
　第一章　設立
　第二章　株式
　　第一節　総則
　　第二節　株主名簿
　　第三節　株式の譲渡等
　　第四節　株式会社による自己の株式の取得
　　第四節の二　特別支配株主の株式等売渡請求
　　第五節　株式の併合等
　　第六節　単元株式数
　　第七節　株主に対する通知の省略等
　　第八節　募集株式の発行等
　　第九節　株券
　　第十節　雑則
　第三章　新株予約権
　第四章　機関
　　第一節　株主総会及び種類株主総会等
　　第二節　株主総会以外の機関の設置
　　第三節　役員及び会計監査人の選任及び解任
　　第四節　取締役
　　第五節　取締役会
　　第六節　会計参与
　　第七節　監査役
　　第八節　監査役会
　　第九節　会計監査人
　　第九節の二　監査等委員会
　　第十節　指名委員会等及び執行役
　　第十一節　役員等の損害賠償責任
　　第十二節　補償契約及び役員等のために締結される保険契約
　第五章　計算等
　　第一節　会計の原則

第二節　会計帳簿等
第一款　会計帳簿
第二款　計算書類等
第三款　連結計算書類
第三節　資本金の額等
第一款　総則
第二款　資本金の額の減少等
第四節　剰余金の配当
第五節　剰余金の配当等を決定する機関の特則
第六節　剰余金の配当等に関する責任
第六章　定款の変更
第七章　事業の譲渡等
第八章　解散
第九章　清算

第三編　持分会社

第四編　社債
第一章　総則
第二章　社債管理者
第二章の二　社債管理補助者
第三章　社債権者集会

第五編　組織変更、合併、会社分割、株式交換、株式移転及び株式交付
第一章　組織変更
第二章　合併
第三章　会社分割
第四章　株式交換及び株式移転
第四章の二　株式交付
第五章　組織変更、合併、会社分割、株式交換、株式移転及び株式交付の手続

第六編　外国会社

第七編　雑則
第一章　会社の解散命令等
第二章　訴訟
第三章　非訟
第四章　登記
第五章　公告

第八編　罰則

**【図表補－B】会社法と法務省令との関係及び法務省令の条文構造（事業報告事項）**

**○会社法**

**435条**（**計算書類等の作成及び保存**）

- 1項　貸借対照表の作成
- 2項　法務省令で定めるところにより、計算書類・事業報告並びにその附属明細書の作成
- 3項　電磁的記録の作成
- 4項　10年間の保存義務

**○会社法施行規則**

**118条**（**事業報告の内容**）

- 1号（**通則＝すべての会社対象**）
- 2号（内部統制システムについての決定・決議を**定めている場合は、その内容及び体制の運用状況の概要**）
- 3号（買収防衛策に関する基本方針を**定めている場合は、その内容の概要等**）
- 4号（特定完全子会社が**存在する場合は、その名称等の記載**）
- 5号（親子会社間等の取引が**存在する場合は、関連する事項**）

**119条**（**公開会社の特則**）

★公開会社のみ記載

1号（会社の現況）―― 120条

- 1項
  - 1号（主要な事業内容）
  - 2号（主要な営業所・工場の使用人の状況）
  - 3号（借入先と借入額）
  - 4号（事業の経過及びその成果）
  - 5号（次の事項の状況）
    - イ）～ヘ）資金調達、設備投資等
  - 6号（直前三事業年度の財産・損益状況）
  - 7号（重要な親会社・子会社の状況）
  - 8号（対処すべき課題）
  - 9号（その他重要事項）
- 2項（前項各号の特例）
- 3項（1項6号の特例）

2号（役員関係）―― 121条

- 1号（役員氏名）
- 2号（役員の地位等）
- 3号（責任限定契約の内容）
- 3号の2（補償契約）
- 3号の3（補償契約適用の役員の責任）
- 3号の4（補償契約適用の内容）
- 4号（役員の報酬等の総額）
- 5号（当該事業年度に受ける見込み報酬等）
- 5号の2（業績連動報酬）
- 5号の3（非金銭報酬等）
- 5号の4（報酬等に関する定款等の定めの事項）
- 6号（役員報酬の算定方法の方針の概要）
- 6号の2（役員報酬の額・決定方針の概要）
- 6号の3（取締役の個人別の報酬）
- 7号（途中辞任・解任役員）
- 8号（重要な兼職状況）

9号（監査役・監査（等）委員の財務の知見）
10号（常勤監査（等）委員の選定有無と理由）
11号（その他重要事項）

2号の2（役員等賠償責任保険契約）――― 121条の2
1号（被保険者の範囲）
2号（契約内容の概要）

3号（株式関係）――― 122条
1項
1号（発行済株式総数の上位10人の株主等）
2号（株式交付の株式数等）
3号（株式に関する重要事項）
2項(略)

4号（新株予約権）――― 123条
1号（事業年度末の新株予約権等の内容の概要、新株予約権を有する人数）
2号（事業年度中の新株予約権等の内容の概要、人数）
3号（その他重要事項）

124条（社外役員の特則）
1号～8号（他の会社との兼務状況等）
**★社外役員が就任している会社のみ記載**

**125条（会計参与の特則：会計参与と責任限定契約）**
**★会計参与を設置している会社のみ記載**

**126条（会計監査人設置会社の特則）**
**★会計監査人設置会社のみ記載**
1号（会計監査人の氏名又は名称）
2号（会計監査人の報酬額及び同意理由）
3号（監査業務以外に対価を支払っている場合の非監査業務の内容）
4号（会計監査人の解任・不再任の決定の方針）
（2号～4号：公開会社のみ記載）
5号（業務停止処分関係）
6号（過去二年間の業務停止処分に係る事項）
7号（会計監査人と責任限定契約）
7号の2（会計監査人と補償契約）
7号の3（補償契約適用の会計監査人の責任）
7号の4（補償契約適用の内容）
8号（有価証券報告書提出会社の特則）
イ）子会社も含めた支払額
ロ）子会社に対する別の会計監査人
**★有価証券報告書提出大会社のみ記載**
9号（途中辞任・解任の会計監査人）
10号（剰余金配当等と取締役会の権限行使の方針）

~~127条（敵対的買収防衛策）~~ ⇦**平成21年3月の改正により削除**

**128条（事業報告の附属明細書の内容）**

COLUMN

### ●常勤監査役の設置理由●

以前、新任監査役から、自社における常勤監査役の設置理由を根拠条文とあわせて聞かれたことがある。この監査役は、会社法の「監査役」の節（第二編第四章第七節）の条文をいくら眺めても辿りつかなかったとのことであった。

まず、常勤監査役の文言が記載されているのは、監査役が規定されている381条から389条ではなく、「監査役会」の規定条文である390条３項である点が注意を要する。この箇所で、監査役会設置会社は、常勤監査役の設置が要件と規定されている。しかし、そもそも監査役会の設置を義務付けられている会社は何であろうか。この点は、会社法２条10号の「監査役会設置会社」の定義規定をみても解明されない。実は、株主総会以外の機関の設置が規定されている第二編第四章第二節の328条に、「大会社は、監査役会及び会計監査人を置かなければならない」とある。そして、大会社の定義規定を２条６号で確認すると、「資本金５億円以上、または負債総額200億円以上」によって確認できる。したがって、冒頭の質問に対しては、「当社は、資本金５億円以上であることから大会社であり、監査役会を設置しなければなりません。そして監査役会設置会社は常勤監査役の選定が必要です（根拠条文は上記どおり）」という回答となる。

このように、最初のうちは錯綜している条文から目的事項を探し出すのは、若干時間がかかるかもしれない。どうしても見つからないときには、書籍の索引を参考にすることが近道である。

## 4．監査役監査関係条文　A・D・E・F・G

前述したように、監査役(会)については、会社法381条から395条にまとめて条文が並べられている（**【図表補－C】**参照)。しかし、監査役監査業務を遂行するためには、これらの条文では不十分である。監査役は、取締役の職務執行を監査する（会381条１項）役割があるが、具体的には監査役として、取締役や会計監査人から報告聴取を受けるなどがあるためである。

監査役として監査する対象関連の規定は、各々の該当箇所の条文に掲載されている。例えば、監査役は、計算書類や事業報告並びにこれらの附属明細書を監査する必要があるが、このことを規定しているのは、会社法435条からはじまる「計算書類等」の中の436条および会社法施行規則129条と130条、会社計算規則122条から123条である。すなわち、「監査対象が監査役に報告すべきである」とか、「監査役監査を受けなければならない」という場合は、監査対象が主体となっている条文箇所に規定されているのが通常である。

その他、条文を参照する際のポイントとしては、①監査活動の時系列とその他で分けて整理する、②監査活動において、定常的と非定常的に分けて考える、③類似関連規定を近辺に整理する、という工夫をすると、該当箇所の条文を迅速に見つけることができる（**【図表補－D】**参照)。

【図表補－C】監査役(会)直接関係条文

注：網掛け条文は、押さえておくべき共通の重要なもの

| ○会社法 | ○法務省令（会社法施行規則） |
|---|---|
| 第２編　株式会社 | |
| 第４章　機関 | |
| 第７節　監査役　381条～389条 | |
| 381条（監査役の権限） | |
| 1項（監査役の職務） | 105条（監査報告の作成） |
| 2項（役職員への報告・調査権限） | |
| 3項（子会社調査権） | |
| 4項（子会社の拒否権） | |
| ★子会社がある場合（子会社の定義＝会２条３号） | |
| 382条（取締役への報告義務） | |
| 383条（取締役会への出席義務等） | |
| 1項（取締役会における出席・意見陳述義務） | |
| 2項（取締役会への招集請求権） | |
| 3項（取締役会招集権） | |
| 4項（２項・３項の例外） | |
| 384条（株主総会提出議案等の調査・報告義務） | 106条（調査対象の追加） |
| 385条（監査役による取締役の行為の差止め） | |
| 1項（取締役の法令・定款違反に対する監査役の権限） | |
| 2項（前項の担保） | |
| 386条（会社と取締役の間の係争の会社代表） | |
| 1項（取締役等を訴える場合の会社代表） | |
| 2項（取締役に対する提訴請求や訴訟告知の対応の会社代表） | |
| 387条（監査役の報酬等） | |
| 1項（決議の方法） | |
| 2項（監査役の協議） | |
| ★監査役が２人以上の場合 | |
| 3項（報酬等への意見陳述権） | |
| 388条（費用等の請求） | |
| 389条（監査範囲の限定） | |
| 1項（会計監査限定） | |
| ★公開会社でない会社（公開会社の定義＝会２ | |

| | |
|---|---|
| 条5号）の特則 | |
| 2項（会計監査限定監査報告作成） | 107条（非公開会社の監査報告作成） |
| 3項（会計議案等の調査） | 108条（監査範囲限定監査役の調査範囲） |
| 4項（会計帳簿等の閲覧・謄写） | |
| 2号 | 226条22号（電磁的記録の表示） |
| **第8節　監査役会　390条～395条** | |
| 390条（権限等） | |
| 1項（定義） | |
| 2項（監査役会の義務・独任制） | |
| 1号（監査報告の作成） | |
| 2号（常勤監査役の選定及び解職） | |
| 3号（監査方針・調査の方法等） | |
| 3項（常勤監査役の選定） | |
| 4項（監査役による監査役会への報告） | |
| 391条（招集権者） | |
| 392条（招集手続） | |
| 1項（招集期間） | |
| 2項（招集手続の省略） | |
| 393条（監査役会の決議） | |
| 1項（決議要件） | |
| 2項（監査役会議事録作成） | 109条（議事録の記載内容） |
| 3項（電磁的記録による作成の場合） | |
| 4項（議事録に異議をとどめない監査役） | |
| 394条（監査役会議事録） | |
| 1項（議事録の備置） | |
| 2項（株主の議事録閲覧謄写請求） | |
| 1号（書面作成の場合） | |
| 2号（電磁的記録による作成の場合） | 226条（電磁的記録の表示） |
| 3項（債権者の場合の準用） | |
| 4項（裁判所の不許可） | |
| 395条（監査役会への報告省略） | |
| ★例外規定 | |

## 【図表補－D】監査活動と関係条文の全体像

◆凡例：会390条Ⅱ③＝会社法390条2項3号、会施規＝会社法施行規則、会算規＝会社計算規則

◆注　：監査役の監査範囲を会計監査に限定している場合は、会社法389条を参照

　　　：○は監査役会関連条文

　　　：網かけは、監査役(会)直接関係条文の会社法381条～395条以外の関係条文

パートⅠ．監査役監査活動と条文

| 時系列活動 | 該当条文 |
|---|---|
| 期初 | ・監査役報酬協議（会387条Ⅱ）<br>○監査方針の決定・業務等の調査方法、監査役の職務執行事項の決定（会390Ⅱ③）<br>○常勤監査役の選定（会390条Ⅱ②・Ⅲ） |
| 期中（定常的業務） | ・取締役の職務執行を監査（会381条Ⅰ）<br>・取締役等に対する事業報告請求（会381条Ⅱ）<br>・業務、財産調査（会381条Ⅱ）<br>・子会社に対する事業報告請求、財産調査（会381条Ⅲ）<br>・取締役会の監査役への招集通知（会368条Ⅰ）<br>・取締役会出席（会383条Ⅰ）<br>・取締役会議事録への署名・記名押印（会369条Ⅲ）<br>・監査費用請求（会388条）<br>・会計監査情報報告請求（会397条Ⅱ）<br>・会計監査人報酬同意（会399条Ⅰ）<br>・取締役、他の監査役、子会社役職員等との意思疎通（会施規105条Ⅱ・Ⅳ）<br>○監査役会の招集（会391条）<br>○監査役会招集手続（会392条Ⅰ）<br>○監査役から監査役会への職務執行状況報告（会390条Ⅳ）<br>○監査役会決議方法（会393条Ⅰ）<br>○監査役会議事録作成（会393条Ⅱ・Ⅲ、会施規109条）<br>○監査役会議事録備置（会394条Ⅰ）<br>○取締役会書面決議（会370条） |
| 期中<br>（非定常的業務） | ・取締役（会）へ取締役の不正行為等の報告義務（会382条）<br>・報告の必要がある場合の取締役会招集請求（会383条Ⅱ）<br>・報告の必要がある場合の取締役会招集（会383条Ⅲ）<br>・会社に著しい損害を及ぼすおそれがある事実を発見したときの取締役から監査役への報告（会357条Ⅰ）<br>○同上の取締役から監査役会への報告（会357条Ⅱ）<br>・取締役違法行為差止請求権（会385条Ⅰ）<br>・不正の行為又は法令定款違反の重大な事実を発見したときの会計監査人から監査役への報告（会397条Ⅰ）<br>○同上の会計監査人から監査役会への報告（会397条Ⅲ）<br>○監査役会の求めに対する監査役の報告（会390条Ⅳ） |

| | |
|---|---|
| 期末 | ・監査報告作成（会381条Ⅰ後段）<br>・株主総会議案調査（会384条前段）<br>・株主総会への報告（会384条後段）<br>・計算書類等の監査（会436条Ⅰ・Ⅱ）<br>・連結計算書類等監査（会444条Ⅳ）<br>・事業報告等の監査報告作成（会施規129条Ⅰ）<br>・計算関係書類等の監査報告作成（会算規122条・127条）<br>・会計監査報告の通知受領（会算規130条Ⅰ）<br>・会計監査人の職務遂行に関する事項の通知受領（会算規131条）<br>○監査役会監査報告作成（会390条Ⅱ①）<br>○事業報告等の監査報告作成（会施規130条）<br>○計算関係書類等の監査報告作成（会算規123条・128条）<br>○監査役会監査報告への意見付記（会施規130条Ⅱ、会算規123条Ⅱ・128条Ⅱ） |
| 非定常的業務<br>（年度を通じて） | ・取締役会招集手続省略への同意（会368条Ⅱ）<br>・取締役会決議省略提案への異議（会370条）<br>・臨時計算書類監査（会441条Ⅱ）<br>・臨時計算書類監査報告作成（会算規122条・127条）<br>○臨時計算書類監査役会監査報告作成（会算規123条・128条） |
| 監査役関連事項<br>（監査役の関与等） | ・会計監査人解任（会340条Ⅰ・Ⅱ・Ⅳ）<br>・会計監査人解任についての株主総会での報告（会340条Ⅲ・Ⅳ）<br>・会計監査人の選任、解任、不再任議案の内容に関する決定（会344条）<br>・一時会計監査人の選任（会346条Ⅳ）<br>・監査役選任についての株主総会議案への同意（会343条Ⅰ）<br>・監査役選任議案提出請求等（会343条Ⅱ）<br>・監査役選任、解任、辞任についての株主総会での意見陳述（会345条Ⅳ）<br>・辞任監査役の株主総会での辞任理由陳述（会345条Ⅳ）<br>・特別取締役による取締役会への出席監査役互選（会383条Ⅰ）<br>・常勤監査役の選定及び解職（会390条Ⅱ②）<br>・監査役報酬に関する株主総会での意見陳述（会387条Ⅲ）<br>・取締役と会社間の訴訟での会社代表（会386条Ⅰ）<br>・取締役に対する提訴請求受領の際の会社代表（会386条Ⅱ①・847条Ⅰ）<br>・取締役に対する株主代表訴訟の訴訟告知受領の会社代表（会386条Ⅱ②・849条Ⅴ）<br>・不提訴理由書の通知（会847条Ⅳ、会施規218条）<br>・株主代表訴訟の訴訟上の和解の通知・催告受領の会社代表（会386条Ⅱ②・850条Ⅱ）<br>・株主代表訴訟における補助参加の同意（会849条Ⅲ①）<br>・株主代表訴訟における訴訟上の和解の同意（会849条の2）<br>・取締役の責任免除に関する監査役全員の同意（会425条Ⅲ①・426条Ⅱ・427条Ⅲ）<br>・株主総会等の決議取消しの訴え（会831条Ⅰ）<br>○特定監査役の選定（会施規132条Ⅴ②イ、会算規124条Ⅴ②イ・130条Ⅴ②イ） |

**パートⅡ．監査役会の構成・運用等**

| 時系列活動 | 該当条文 |
| --- | --- |
| 監査役の数・資格 | ○監査役は3人以上（会335条Ⅲ）<br>○社外監査役が半数以上（会335条Ⅲ）<br>○監査役会はすべての監査役で組織（会390条Ⅰ）<br>○監査役会への報告（会390条Ⅳ）<br>○監査役会の過半数決議（会393条Ⅰ）<br>○監査役会議事録への異議をとどめないものの推定（会393条Ⅳ）<br>○監査役会への報告省略（会395条）<br>○監査役会議事録閲覧謄写（会394条Ⅱ・Ⅲ） |

**パートⅢ．内部統制システム関係**

| 時系列活動 | 該当条文 |
| --- | --- |
| 内部統制システムの定義 | ・取締役の職務の執行が法令及び定款に適合することを確保するための体制その他株式会社の業務並びに当該株式会社の子会社から成る企業集団の業務の適正を確保するために必要なものとして法務省令で定める体制の整備（会362条Ⅳ⑥）<br>・業務の適正を確保するための体制（会施規100条） |
| 取締役(会)の専決事項 | ・大会社の義務付け（会362条Ⅴ）<br>・中小会社の取締役会は、取締役への委任禁止（会362条Ⅳ）<br>・取締役2名以上の会社における各取締役への委任禁止事項（会348条Ⅲ④）<br>・取締役(会)決定の内容の概要及び運用状況の概要は事業報告の記載事項（会施規118条②） |

想定問答

# 定時株主総会<br>監査役に関する<br>代表的想定問答30問

## 定時株主総会　監査役に関する代表的想定問答30問

A・B・C・D・E・F・G

注1．株主からの代表的な想定質問と、回答例および若干のポイントを解説した。
　　本想定問答を参考にしつつ、適宜、自社の状況に応じて対応を図っていただきたい。
注2．なお、監査役(会)監査報告に関する事実確認についての対応表は、「監査役の期中監査結果の整理方法例（**【図表1－1　平成27年改政会社法施行規則と事業報告・監査報告（まとめ）】**）を参照。
注3．監査(等)委員会型の会社においても、質問16　質問22 以外は同様に利用可能である。

### [監査活動に関して]

**質問1　監査役の監査方法、監査体制について、具体的に説明してほしい。**

〔回答例〕

当社の監査の方法および監査体制は、株主総会招集通知添付資料の監査役(会)監査報告に記載のとおりでございますが、若干敷衍いたしますと、諸会議や重要書類の閲覧に加え、監査対象部門からの定例の報告・聴取、工場の実地調査、リスク発生のおそれのある案件の事前の報告、内部監査部門との連携の一環として監査役によるモニタリング等を実践しております。今後も、監査品質のさらなる向上を目指して努力していく所存です。

〈回答のポイント〉

監査役(会)監査報告書に記載のとおりといえば、それはそれで終わりだが、監査役監査で、工夫していると自信を持っていえる点があれば、それらを株主に対して丁寧に回答することも考えられる。

---

**質問2　監査役の役割分担はどのようになっているのか。**

〔回答例〕

実効性のあがる監査のために、当社では、各監査役の職歴を勘案して、企画・人事・営業・購買などの業務別分担を定めております。また、社外監査役についても、専門的識見や経歴を活かして、法務、技術、会計の各々の分野を中心に、取締役に対して忌憚のない意見や指摘を行っています。

〈回答のポイント〉

具体的に職務分担を決めているのであれば、その事実を回答すればよい。分担を決めていないのであれば、各監査役の職歴や専門性を述べた上で、監査の実効性は担保されていることを説明すればよいであろう。なお、監査報告の監査の方法の箇所との整合性はチェックのこと。

---

**質問3　社外監査役はどのような監査活動を行ったのか。また、社外監査役は、具体的にどのような場でどのような発言を行っているのか。**

〔回答例〕

社外監査役は、常勤監査役から常務会や重要な会議の内容等について報告を受けるとともに、常勤監査役と、△△事業所における業務および財産の状況を監査いたしました。また、社外監査役は、監査役会、取締役会および△△事業所において、その専門性に基づく知見、経験等を踏まえた監査意見を表明致しております。例えば、○○監査役は、法律家としての知見・経験から、□□監査役は、会計の専門としての知見・経験を踏まえた発言を行っております。

〈回答のポイント〉

社外監査役の役割が高まっている中で、社外監査役に焦点を当てた質問が予想される。その場合、特に、社外監査役の具体的活動については、実査の状況や取締役会等での発言を日頃からきちんと残しておき、その概況について、的確に応答できるようにしておくべきである。

**質問4** **取締役および使用人は、監査役に対し重要事項を適時・適切に報告を行うなど、監査役への報告体制は機能しているといえるのか。また、子会社から監査役への報告体制も整備され、適切な運用が行われているのか。**

〔回答例〕

職務執行状況の報告や、取締役会・常務会等への付議事項については、監査役は事前に説明を受けているほか、経営に重大な影響を及ぼす事実やそのおそれのある事項については、取締役及び使用人から適時・適切に報告を受けております。したがって、監査役への報告体制は有効に機能していると認識しております。

また、子会社からの監査役への報告体制につきましても、子会社管掌取締役からの業務報告聴取において、子会社の状況について定例的に報告を受けるとともに、子会社監査役からも別途直接に状況報告を受けることによって、子会社からの報告体制は適切に整備・運用されているものと考えております。

〈回答のポイント〉

内部統制システムとしての統制環境ともいうべき事項である。総会の想定問答にとどまらず、日常的に体制整備を行い、その概要を回答すれば、特に恐れることはないであろう。

**質問5** **会計監査人との連携は、どのように行ったのか具体的に教えて欲しい。**

〔回答例〕

会計監査人とは、監査計画や監査実績について、相互に意見交換を行っております。具体的には、昨年度の実績で、全体で○○回となっております。

〈回答のポイント〉

会計不祥事例の報道もあり、会計監査人との連携について、株主の関心も増しているので、少なくとも、会合の目的と具体的な会合の回数は回答してもよいのではないかと考える。

**質問6** **世間でサービス残業の問題や個人情報の漏えいが話題になっているが、当社では問題ないことをきちんと監査したのか。**

〔回答例〕

監査報告書記載の方法により監査した結果、法令・定款違反はないと判断しております。

〈回答のポイント〉

上記の回答例はパターン回答的であるが、勿論、個別具体的な事例にそって、特別な監査を実施していれば、その説明をすることもあり得る。

**質問7** **新型コロナウイルス感染症の影響により、業務監査は適切に行われたのか。**

〔回答例〕

新型コロナウイルス感染症が収束しない中では、現場への実査に支障をきたしているのは事実ですが、書類の閲覧およびオンライン会議によるヒアリングなどにより、適切に対応しております。今後、一定の収束が見通せた段階で、集中的に実査を行う予定です。

〈回答のポイント〉

例年とは異なる事象が発生した場合は、株主も会社執行部門や監査役の対応について関心が高い。本問も、その典型であるが、オンライン会議の活用等、通常の年度と比較して工夫・実践した方法を率直に回答すればよいであろう。また、感染症対策、サプライチェーンの確保、手元資金対策等、監査役として特に監査上留意した重点監査ポイントについても、回答に加えることも考えられる。他方で、どのような理由があろうとも、監査役の善管注意義務の観点から、一事業年度を通じて、まったく監査を実施しなかった部門・部署はないように注意が必要である。

## [監査報告に関して]

**質問8** **△△の事件報道があったが、監査役(会)監査報告の内容に偽りがあるということか。**

〔回答例〕

△△事件に関しましては、監査役も重点的に監査致しましたが、監査役(会)として取締役の法令・定款違反はないものとの結論に至りました。

もっとも、このような事件の再発防止に向けて、監査役としても監査の実効性強化に努めてまいる所存でございます。

〈回答のポイント〉

監査役(会)監査報告に記載されている結論に基づいて回答する。もっとも、回答例のように、事件・事故の性格によっては、監査役としての今後の姿勢を示すこともあり得るだろう。

**質問9** **監査役(会)監査報告では、「取締役の職務執行に関する不正の行為または法令もしくは定款に違反する重大な事実は認められません」との記載があるが、軽微な事実はあったということか。**

〔回答例〕

監査役監査報告に記載の監査の方針・監査の方法等に従って、○○○○を重点監査項目に設定して監査を行った結果、法令は、取締役の法令・定款に違反する重大な事実に限定して記載を求めておりますので、その規定にそって監査報告を作成いたしました。また、取締役の職務の執行に関して、重大でない法令定款・違反行為があったことを意味するものではありません。

〈回答のポイント〉

法令とは、会社法施行規則129条1項3号・130条2項2号のことである。回答にあたって、具体的な法令名を挙げる必要はないが、法令・定款違反の重大な事実がない場合は、法令に則って監査報告を記載した旨を回答すればよいであろう。

**質問10** **△△の事件について、監査役はどのような観点から監査を行い、その結果はどうだったのか。**

〔回答例〕

本件につきまして、監査役は関係資料を調査するとともに、担当部門から業務報告の聴取を行いました。その結果、取締役の善管注意義務違反がなく、また関係部門の内部統制システムとしても、特段指摘すべき事項はありませんでした。

当社としては、今後、このような不祥事が起きることがないように、監査役としても職務を果たす所存であります。

〈回答のポイント〉

具体的事件については、まず取締役に対して質問があり、その後で監査役に回答を求めるというパターンとなる。したがって、当該事件について、まず関係部門の想定問答を確認しておくこと、また関係部門からの報告聴取や監査時点での内容を把握しておいた上で、その結果を簡潔に回答すればよいであろう。発生した事件について、監査役としての今後の決意表明を行っておくことも一計である。

---

**質問11 内部統制システムに関する取締役会決議の内容や運用状況について相当であるとしているが、その理由や根拠を示して欲しい。**

〔回答例〕

内部統制システムに関する取締役会決議の内容につきましては、監査役は内部監査部より事前に内容を聴取した上で、監査役会で検討を行いました。その結果、業務の適正を確保する体制として過不足なく、また事業報告の記載も相当と判断できるものと各監査役の意見が一致しております。

また、内部統制システムの運用状況につきましては、執行部門がその適切な運用の有無を定期的に検証していること、また、必要に応じて内部統制システムの改善を図っていることについて、期中監査を通じて確認した結果、相当であると判断いたしました。

今後も引き続き、内部統制システムの適切な構築・運用状況について監査していく所存です。

〈回答のポイント〉

本問は、取締役の決議の内容及び運用状況の相当性に関するものであるから、監査役として、その内容を審議した結果を回答すればよいであろう。また、さらに具体的な構築・運用状況についても質問に及ぶ場合があることから、監査役(会)監査報告に記載した内容と平仄を合わせた上で、その判断根拠を敷衍的に回答することが基本である。

なお、平成20年4月1日の事業年度以降に適用となった財務報告内部統制に対する質問も考えられるが、その場合は、会社法上の内部統制システムの一環として回答する。

---

**質問12 子会社に不祥事が発生しているようだが、企業集団の内部統制システムとして、子会社の監査をどのように実施したのか。**

〔回答例〕

子会社を主管する事業本部から、当該子会社の内部統制の構築・運用状況の報告を受けるとともに、各社の監査役からも個別に報告を受けました。また、必要に応じて、子会社の現場視察を行いました。その結果、子会社の事件は、偶発的なものであり、企業集団の内部統制システムが不備であったものとの認識は持っておりません。今後も、監査役として企業集団の内部統制の観点から、監査の実効性確保に努めてまいりたいと存じます。

〈回答のポイント〉

企業集団の内部統制システムの構築の重要性が高まっている中で、子会社不祥事に関連した質問も想定される。この点については、監査役として企業集団の内部統制システムの監査を具体的にどのように行っているか、ポイントを簡潔に回答すればよいであろう。そのためにも、具体的な監査の方法や報告体制等について、平成27年5月1日から施行の改正会社法や改正会社法施行規則を踏まえて、日頃から体制整備や適切な運用が行われているか、期中段階からしっかりと監査を通じて確認しておくことが重要である。

なお、法理論的には、親会社監査は子会社と直接の委任関係にないことから、子会社に対して直接善管注意義務を負っているわけではない。あくまで、当該子会社を管掌している事業部(取締役)への業務監査が基本である。

**質問13** **親子会社間で非通例的な取引は無いか監査したのか。事業報告に親会社等との取引について何ら記載が無いけれども、それでよいのか。**

〔回答例〕

親会社等との取引では、基本的に市場価格で行っており、当社に不利益な取引が固定化されるような取引は行っていないことを確認しております。なお、事業報告に親会社等との取引の記載がないことは、親会社等との取引で利益相反取引に該当するものがなかったこと、また全体の取引の中でのウェイトが大きくはなかったことにより特段記載を行っておりません。

〈回答のポイント〉

非通例的取引は、旧商法施行規則133条の監査事項であったが、今日では、親会社等との利益相反取引の視点から事業報告の一定事項の開示事項となっている。事業報告への開示は子会社において行われるが、親子会社双方の監査役としても、親子会社間の利益相反取引の状況について、子会社に一方的に不利益な取引条件となっていないか、期中の段階から関心を持って監査したいところである。

**質問14** **会計監査人の独立性、適正な監査の実施状況および監査法人の内部統制システムについてどのように監査し、その結果をどのように評価しているのか。**

〔回答例〕

会計監査人から、その独立性に関する事項や監査法人の内部統制システムについて、監査計画の策定から会計監査の実施、審査および会計監査報告の作成に至るまで、「監査に関する品質基準」に基づいて実施していることの報告を受け、監査役として確認致しました。その結果、ローテーションルールの状況等を含め、特段指摘すべき事項はありませんでした。

〈回答のポイント〉

監査品質に係る質問である。本問については、会計監査人から通知を受けることになっているため、報告・聴取を受けた旨、およびその内容の概要を回答すればよいであろう。

**質問15** **会計監査人の監査の方法、結果の相当性を認めた根拠は何か。**

〔回答例〕

第○○事業年度における会計監査人の監査計画、中間期および期末監査結果について、会計監査人から報告聴取を受けるとともに、その職務の遂行が適正に行われることを確保するための体制を整備している旨の通知を確認し、また実査の立会、実地棚卸の立会、重要な会計方針の妥当性や重要な資産の取得・処分の妥当性等、監査役が独自に確認した計算関係書類の監査に基づいて、会計監査人の監査の方法および結果は相当であると認めたものです。

〈回答のポイント〉

本問も、典型的な想定問答である。会計監査人からの報告・聴取にとどまらず、監査役独自に相当性を判断したことを付け加えることができると、会計監査人の監査の相当性の判断について、監査役の主体的な監査姿勢が株主に伝わるものと思われる。

**質問16** **個別の監査役監査報告を作成していると思うが、その内容を教えて欲しい。**

〔回答例〕

各監査役が作成した監査報告の内容についてでございますが、その内容はすべて監査役会監査報告に反映させており、内容の相違に基づく付記事項はございません。

〈回答のポイント〉

本問は、監査役の独任制の観点からの想定質問であるが、監査役監査報告を踏まえて監査役会監査報告を作成しており、仮に意見の相違があれば付記しているとの理解から、回答例で問題ないと思われる。

**質問17 監査役(会)監査報告は、日本監査役協会のひな型通りで工夫がない。来期は、独自の監査役(会)監査報告を作成することを約束してもらいたい。**

〔回答例〕

法令上、定められた事項に関して、社内の手続を経て作成した結果であり、ご理解いただきたいと存じます。

〈回答のポイント〉

一見ひな型通りと思える文面であっても、若干でも工夫した点があれば、その点を踏まえて回答する。このためにも、監査の方法とその内容については、個別の記載を心掛けてよいと思われる。

## [株主総会議案関係]

**質問18 剰余金配当案について、いかなる監査を行ったのか。**

〔回答例〕

当期の剰余金配当に関する議案につきましては、配当の効力発生日において、配当総額は会社法に定める分配可能額以内となっており適法であることを確認しております。また、会社財産状況その他の事情に照らしても、特段指摘すべき事項がないことも確認しております。

〈回答のポイント〉

本問は、配当に関する事項であり株主の関心も高い。一般的には取締役に対して、会社利益と比較して配当水準が低いとの質問があるが、オーナー系経営者が多数の株式を所有しているときは、配当の正当性について質問がある場合も想定されるので、期末監査で経理・財務部門から今期の配当の考え方について十分にヒアリングするとともに、少なくとも剰余金の分配可能額を超えた配当となっていないことを確認しておく。

**質問19 監査役報酬の算定根拠を説明してもらいたい。また、個人別の具体的金額を教えてもらいたい。**

〔回答例〕

監査役の報酬につきましては、その職責を踏まえ、取締役の算定基準に準拠しております。また、各監査役の配分額につきましては、株主総会の決議により決定された限度額の範囲内で、監査役間の協議で定められることとしており、会社法の規定に則った所定の手続で決めておりますので、個人別配分の開示は控えさせていただきます。

〈回答のポイント〉

報酬等の算定根拠については、取締役について質問があるのが通例であり、それに準じた回答を行えばよいであろう。

また、不祥事があった場合に、報酬の一部返上などについての質問も想定されるが、この場合も基本的には、取締役の回答と同じスタンスと思われる。

**質問20** **社外監査役候補者は、他社の社外役員を4社も兼務しており多忙が予想されるが、社外監査役として、きちんと職責を果たせるのか。**

〔回答例〕

△△監査役候補者からは、財務・会計としての知見・経験も踏まえた監査を期待しており、その職責を果たしていただけるものと考えて監査役会として選任同意いたしました。

〈回答のポイント〉

社外監査役の独立の立場からの役割が高まるにつれて、社外監査役に焦点があたった質問がある。他社との兼務が直ちに職責を果たせないということではなく、その点も含めて選任同意したポイントを簡潔に回答すればよいであろう。なお、社外監査役が株主総会を欠席したときは、必ず本問の想定問題を用意しておく。

**質問21** **監査役が任期途中で辞任しているがなぜか。株主総会で、きちんと意見陳述すべきではないか。**

〔回答例〕

辞任された○○監査役に対しましては、本株主総会の招集について通知いたしましたが、ご本人の判断で、株主総会に出席して辞任の理由を陳述しないと判断されたものと理解しております。

〈回答のポイント〉

本問は、株主から見て、なぜ任期途中で辞任したのかという素朴な疑問から出た質問である。辞任監査役の総会での意見陳述の権利を阻害することはできないので、事実を淡々と説明することで足りると思われる。

## [監査体制]

**質問22** **常勤監査役1名では、十分な監査ができないと思うがどうか。**

〔回答例〕

常勤監査役として、会議や委員会の出席、重要書類の閲覧等とともに、各部門からの報告聴取を実施しており、特段、監査上支障が生じているとは考えておりません。

〈回答のポイント〉

非常勤監査役が就任していれば、非常勤監査役とも連携して、実効性の上がる監査を行っている旨を上記回答に加えてもよいであろう。

なお、本問で留意すべき点であるのは、会社不祥事が発生したときに、そのことと関連して株主から質問が来ることも想定される。会社不祥事の程度にもよるが、軽微なものであれば、「特段支障はないが、一層、リスクの未然防止に向けた監査を励行していきたい」などとすればよいし、何らかの体制の見直しを考えている場合は、「今後の検討課題としたい」等の回答もあり得るであろう。

**質問23** **財務に知見のある監査役がいないようであるが、それで会計監査人の監査の相当性が判断できるのか。**

〔回答例〕

会計監査人の相当性を判断するにあたり、財務部門からの報告・聴取、会計監査人との連携強化等の方法により、会計監査人の相当性の判断にあたり特段に支障はないものと考えております。

〈回答のポイント〉
職業的専門家である会計監査人に会計監査を任せている以上、監査役としては、会計監査人と同様の監査を法は求めていないことは明らかである。むしろ、会計監査人の監査方法等について、監査に立ち会ったり、財務部門からの報告・聴取等を通じて、相当性の確かさの心証形成ができればよいともいえる。
また、監査役スタッフに財務出身者がいれば、スタッフがカバーしている旨の回答もあり得る。

**質問24 法定員数ぎりぎりの監査役数への対応として、補欠監査役を選任すべきであると思うがどうか。**

〔回答例〕
万が一の場合は、一時監査役の選任等を検討したいと考えており、特段補欠監査役に関しては選任を考えておりません。

〈回答のポイント〉
本問は、そもそも監査役選任議案とは別個の決議事項であり、会議の目的事項に関連する質問ではないので、監査役として説明する義務はない。しかし、仮に、上記の回答のように一時監査役の選任も視野に入れている場合、その旨を回答し、将来補欠監査役の選任の検討の余地があるならば、「貴重なご意見として承る」旨を発言してもよいであろう。

**質問25 社外監査役にESGの専門家を起用すべきものと思うがいかがか。**

〔回答例〕
企業の社会的責任を果たし、サステナビリティの観点から、当社としてESG経営にも注意しているところです。現任の監査役は、法務・会計の知見のみならず、リスク管理にも精通しており、ESG経営の推進について、引き続き注視していく所存です。

〈回答のポイント〉
社会的な関心の高まりから、ESG関連の質問のあり得るものの、まずは取締役が回答するはずであり、その回答を踏まえて、監査役として監査する上で支障ないことを発言する。

**質問26 専任の監査役スタッフは何名いるのか。スタッフの人数を増やすべきではないか。**

〔回答例〕
監査役スタッフは、現在、室長を含め2名体制です。現時点においては、監査役監査上特段の支障は生じておりませんが、今後の業容拡大等に伴い、必要に応じて検討してまいりたいと存じます。

〈回答のポイント〉
平成27年改正会社法施行規則の中で、監査の実効性を確保する方向性が明確になったことから、監査役スタッフの配置等について、本問のような質問があり得る。監査役スタッフについては、問題がなければその旨、何らかの要員増等を検討していれば、将来の検討課題としている旨を回答すればよいであろう。

**質問27 具体的な監査役監査基準を作成しているのか。その内容を教えてほしい。**

〔回答例〕
当社の監査役監査基準は、日本監査役協会の監査基準を参考に、監査役の職務、監査の方法等監査業務に関する基本事項を定めております。

〈回答のポイント〉

監査役監査基準を独自に定めている場合は、その内容の概要を丁寧に説明することもあり得るであろう。日本監査役協会の監査役監査基準（巻末資料1.参照）をベースにしているならば、その旨を回答すればよい。但し、日本監査協会の監査基準を基本的にそのまま監査役会等で決定し踏襲すると、その基準の遵守義務が生じることになるので注意が必要である（「セイクレスト事件」）。

---

**質問28** **監査のための監査費用の予算額を教えて欲しい。**

〔回答例〕

監査役や会計監査人の報酬も含めて、総額で○○万円です。これらの監査費用は、会社より円滑な支払いを受けております。

〈回答のポイント〉

監査費用の面から、十分な監査ができているかとの視点の質問である。内訳について回答する必要はないと思うが、監査役監査報酬と会計監査人の報酬は、総会招集通知に記載されていることから、その各々と経費総額程度の内訳を回答することも考えられる。なお、監査費用については、内部統制システムの一環として、監査費用への支払いに関する指針の規定（会施規100条３項６号）が定められていることから、事業報告に記載がない場合には、株主総会の場で指針の有無や内容について質問がある可能性もある。

---

**質問29** **会計監査人の監査報酬は十分と考えるか。**

〔回答例〕

会計監査人の監査報酬につきましては、事業報告に記載のとおり、会計監査の日数を含めた本年度の会計監査計画や会計監査の実施予定を踏まえ、監査役会で協議した結果、適正な水準であるものと判断して同意いたしました。なお、今後とも、会計監査人の監査報酬につきましては、会計監査人の監査の相当性の判断とともに、引き続き注視してまいります。

〈回答のポイント〉

会計監査人の監査報酬の同意理由については、公開会社の場合には事業報告の開示事項である（会施規126条２号）。事業報告開示事項とはいえ、同意する主体は監査役であることから、すでに同意した理由について、事業報告の開示内容を言葉を換えて繰り返したり、具体的な理由を若干敷衍すればよいであろう。後追い的な同意ではなく、本書で記載した実務対応を適切に行っていれば特段、慌てることもない質問である。

---

**質問30** **監査役は、会社と独立した弁護士事務所と顧問契約を締結しているのか。締結していないとすれば、監査活動を行うにあたって支障を来たすことはないか。**

〔回答例〕

監査役として、顧問弁護士と契約しておりませんが、事案内容に応じて、必要の都度、会社の顧問弁護士とは別の弁護士に調査等を依頼しており、監査活動上、特段の支障を来たしているということはございません。

〈回答のポイント〉

監査役独自の顧問弁護士契約を締結していれば、勿論その旨を回答すればよいが、仮に締結していなくても、会社の顧問弁護士を共有している等という監査役としての独立性に疑義を生じるような回答ではなく、顧問弁護士とは別の弁護士に相談できる体制となっているとの回答が望ましい。

# 資料



注　1、2ともに©公益社団法人日本監査役協会
上記基準・規則は、都度改正が行われることから、日本監査役協会のウェブサイトで、利用・参照する時点において最新のものか確認してください。

資料1

# 監査役監査基準

前注
（各条項のレベル分けについて）

| Lv. | 事項 | 語尾 |
|---|---|---|
| 1 | 法定事項 | 原則「ねばならない」、「できない」に統一する。<br>ただし、法令の文言を勘案する場合もある。 |
| 2 | 不遵守があった場合に、善管注意義務違反となる蓋然性が相当程度ある事項 | 原則「ねばならない」に統一する。 |
| 3 | 不遵守が直ちに善管注意義務違反となるわけではないが、不遵守の態様によっては善管注意義務違反を問われることがあり得る事項 | 原則「する」に統一する（「行う」等を含む。）。 |
| 4 | 努力義務事項、望ましい事項、行動規範ではあるが上記1～3に該当しない事項（検討・考慮すべきものの具体的な行動指針は示されていない事項等） | 状況に応じて文言を選択する。<br>なお、努力義務事項については、「努める」に統一するほか、行動規範ではあるが上記1～3に該当しない事項は、原則「～ものとする」に統一する。 |
| 5 | 権利の確認等上記1～4に当てはまらない事項 | 状況に応じて文言を選択する。 |

## 第1章　本基準の目的

（目的）

**第1条**

1．本基準は、監査役の職責とそれを果たすうえでの心構えを明らかにし、併せて、その職責を遂行するための監査体制のあり方と、監査に当たっての基準及び行動の指針を定めるものである。【Lv.5】

2．監査役は、企業規模、業種、経営上のリスクその他会社固有の監査環境にも配慮して本基準に則して行動するものとし、監査の実効性の確保に努める。【Lv.4】

## 第2章　監査役の職責と心構え

（監査役の職責）

**第2条**

1．監査役は、取締役会と協働して会社の監督機能の一翼を担い、株主の負託を受けた法定の独立の機関として、取締役の職務の執行を監査することにより、良質な企業統治体制を確立する責務を負っている。良質な企業統治体制とは、企業及び企業集団が、様々なステークホルダーの利害に配慮するとともに、これらステークホルダーとの協働に努め、健全で持続的な成長と中長期的な企業価値の創出を実現し、社会的信頼に応えることができる体制である。【Lv.3】

2．前項の責務を通じ、監査役は、会社の透明・公正な意思決定を担保するとともに、会社の迅速・果断な意思決定が可能となる環境整備に努め、自らの守備範囲を過度に狭く捉えることなく、取締役又は使用人に対し能動的・積極的な意見の表明に努める。【Lv.4】

3．監査役は、取締役会その他重要な会議への出席、取締役、使用人及び会計監査人等から受領した報告内容の検証、会社の業務及び財産の状況に関する調査等を行い、取締役又は使用人に対する助言又は勧告等の意見の表明、取締役の行為の差止めなど、必要な措置を適時に講じなければならない。【Lv.2】

【第1項補足】本基準における「監督」の概念は、会社法第362条第2項第2号に規定する「取締役の職務の執行の監督」に留まらず、より広い企業統治における監督機能全般を意味する。広義の監督機能は、取締役会と監査役（会）が協働して担うものであり、「監査」もその一部と考えている（広義の監督機能の概念については、当協会「監査役等の英文呼称について」（2012年8月29日）において提示していたものであるが、本基準においても同様の概念を踏まえて記載している。）。

また、コーポレートガバナンス・コード（補足において「GC」という。）において求められている各種ステークホルダーとの協働は、取締役会及び経営陣が主導的に行うべきものであるが、監査役も企業統治体制の確立の観点から、取締役会及び経営陣を後押しすることが求められている。

【第1項参考】GC基本原則2及び基本原則4

【第２項補足】GC原則４－４のとおり、監査役が、いわゆる「守りの機能」を含めその役割・責務を十分果たすためには、自らの守備範囲を過度に狭く捉えることは適切ではない。既に多くの実務においては、監査役は、取締役会又は経営会議等重要な会議のほか、様々な場面で多岐にわたる事項について、法令や定款違反の可能性の観点だけではなく、リスク管理の観点や経営判断の合理性の観点等からも意見を述べている（具体例については、日本監査役協会「第77回監査役全国会議に係る事前アンケート 集計結果」（2013年10月８日）を参照。）。ただし、これらの対応は各社の置かれている状況を勘案して行われるべきもので、各企業一律に求められるものではないことに留意する必要がある。

（監査役の心構え）

**第３条**

１．監査役は、独立の立場の保持に努めるとともに、常に公正不偏の態度を保持し、自らの信念に基づき行動しなければならない。【Lv.2】

２．監査役は、監督機能の一翼を担う者として期待される役割・責務を適切に果たすため、常に監査品質の向上等に向けた自己研鑽に努め、就任後においても、これらを継続的に更新する機会を得るよう努める。【Lv.4】

３．監査役は、適正な監査視点の形成のため、会社の事業・財務・組織等に関する必要な知識を取得し、監査役に求められる役割と責務を十分に理解する機会を得るよう努めるほか、経営全般の見地から経営課題についての認識を深め、経営状況の推移と企業をめぐる環境の変化を把握し、能動的・積極的に意見を表明するよう努める。【Lv.4】

４．監査役は、平素より会社及び子会社の取締役、執行役及び使用人等との意思疎通を図り、情報の収集及び監査の環境の整備に努める。【Lv.4】

５．監査役は、監査意見を形成するに当たり、よく事実を確かめ、必要があると認めたときは、弁護士等外部専門家の意見を徴し、判断の合理的根拠を求め、その適正化に努める。【Lv.4】

６．監査役は、その職務の遂行上知り得た情報の秘密保持に十分注意しなければならない。【Lv.2】

７．監査役は、企業及び企業集団の健全で持続的な成長を確保し社会的信頼に応える良質な企業統治体制の確立と運用のために、監査役監査の環境整備が重要かつ必須であることを、代表取締役を含む取締役に理解し認識させるよう努める。【Lv.4】

【第２項参考】GC基本原則４、原則４－４及び補充原則４－14①

【第３項補足】「能動的・積極的に意見を表明」とは、専ら経営に関する事項として、発言を控える、若しくは意見を求められるまで待つことをせずに、企業にとり有益と自ら判断した場合は躊躇することなくリスク管理の観点や経営判断の合理性の観点等からも意見を述べることを期待したものである。

## 第３章　監査役及び監査役会

（常勤の監査役）

**第４条**

１．監査役会は、監査役の中から常勤の監査役を選定しなければならない。【Lv.1】

２．常勤の監査役は、常勤者としての特性を踏まえ、監査の環境の整備及び社内の情報の収集に積極的に努め、【Lv.4】かつ、内部統制システムの構築・運用の状況を日常的に監視し検証する。【Lv.3】

３．常勤の監査役は、その職務の遂行上知り得た情報を、他の監査役と共有するよう努める。【Lv.4】

（社外監査役及び独立役員）

**第５条**

１．社外監査役は、監査体制の独立性及び中立性を一層高めるために法令上その選任が義務付けられていることを自覚し、積極的に監査に必要な情報の入手に心掛け、得られた情報を他の監査役と共有することに努めるとともに、他の監査役と協力して監査の環境の整備に努める。【Lv.4】また、他の監査役と協力して第38条第１項に定める内部監査部門等及び会計監査人との情報の共有に努める。【Lv.4】

２．社外監査役は、その独立性、選任された理由等を踏まえ、中立の立場から客観的に監査意見を表明することが特に期待されていることを認識し、代表取締役及び取締役会に対して忌憚のない質問をし又は意見を述べる。【Lv.3】

３．社外監査役は、法令で定める一定の活動状況が事業報告における開示対象となることにも留意し、その職務を適切に遂行しなければならない。【Lv.2】

４．独立役員に指定された社外監査役は、一般株主の利益ひいては会社の利益（本条において「一般株主の利益」という。）を踏まえた公平で公正な経営の意思決定のために行動することが特に期待されていることを認識し、他の監査役と意見交換を行うとともに他の監査役と協働して一般株主との意見交換等を所管する部署と情報の交換を図り、必要があると認めたときは、一般株主の利益への配慮の観点から代表取締役及び取締役会に対して意見を述べる。

【Lv.3】

（監査役会の機能）

第６条

1．監査役会は、すべての監査役で組織する。【Lv.1】

2．各監査役は、監査役会が監査に関する意見を形成するための唯一の協議機関かつ決議機関であることに鑑み、職務の遂行の状況を監査役会に報告する。【Lv.3】また、各監査役は、監査役会を活用して監査の実効性の確保に努める。【Lv.4】ただし、監査役会の決議が各監査役の権限の行使を妨げることはできない。【Lv.1】

3．監査役会は、必要に応じて取締役又は取締役会に対し監査役会の意見を表明しなければならない。【Lv.2】

4．監査役会は、法令に定める事項のほか、取締役及び使用人が監査役会に報告すべき事項を取締役と協議して定め、その報告を受ける。【Lv.3】

（監査役会の職務）

第７条

監査役会は、次に掲げる職務を行う。ただし、第３号の決定は、各監査役の権限の行使を妨げることはできない。【Lv.1】

一　監査報告の作成

二　常勤の監査役の選定及び解職

三　監査の方針、業務及び財産の状況の調査の方法その他の監査役の職務の執行に関する事項の決定

四　その他法令及び定款に定められた職務

（監査役会の運営）

第８条

1．監査役会は、定期的に開催し、取締役会の開催日時、各監査役の出席可能性等にも配慮し、あらかじめ年間の開催日時を定めておくことが望ましい。【Lv.4】ただし、必要があると認めたときは随時開催する。【Lv.3】

2．監査役会は、その決議によって監査役の中から議長を定めるものとする。【Lv.4】監査役会の議長は、監査役会を招集し運営するほか、監査役会の委嘱を受けた職務を遂行する。【Lv.3】ただし、各監査役の権限の行使を妨げることはできない。【Lv.1】

3．監査役会は、必要があると認めたときは、取締役、コンプライアンス所管部門、リスク管理所管部門、経理部門、財務部門その他内部統制機能を所管する部署（本基準において「内部統制部門」という。）の使用人又は会計監査人その他の者に監査役会への出席を求め、説明を求める。【Lv.3】

4．監査役会は、各監査役の報告に基づき審議をし、監査意見を形成しなければならない。【Lv.2】

5．監査役会の決議を要する事項については、十分な資料に基づき審議しなければならない。【Lv.2】

6．監査役は、監査役会議事録に議事の経過の要領及びその結果、その他法令で定める事項が適切に記載されているかを確かめ、出席した監査役は、これに署名又は記名押印（電子署名を含む。）しなければならない。【Lv.1】

（監査役選任手続等への関与及び同意手続）

第９条

1．監査役会は、取締役が株主総会に提出する監査役の選任議案について、同意の当否を審議しなければならない。【Lv.1】同意の判断に当たっては、第10条に定める選定基準等を考慮する。【Lv.3】

2．監査役会は、監査役の候補者、監査役候補者の選定方針の内容、監査役選任議案を決定する手続、補欠監査役の選任の要否等について、取締役との間であらかじめ協議の機会をもつことが望ましい。【Lv.4】

3．監査役会は、必要があると認めたときは、取締役に対し、監査役の選任を株主総会の目的とすることを請求し、又は株主総会に提出する監査役の候補者を提案する。【Lv.3】

4．監査役は、監査役の選任若しくは解任又は辞任について意見をもつに至ったときは、株主総会において意見を表明しなければならない。【Lv.2】

5．補欠監査役の選任等についても、本条に定める手続に従う。【Lv.3】

6．監査役及び監査役会は、社外監査役選任議案において開示される不正な業務執行の発生の予防及び発生後の対応に関する事項について、適切に記載されているかにつき検討する。【Lv.3】

【第９条補足】2021年６月のGC改訂により、原則４－４における監査役及び監査役会の役割・責務として監査役の選解任・報酬の決定に係る権限への言及が追記された。本改訂は、監査に対する信頼性の確保に向けた監査役の独立性の担保を強調するものであり、本条各項に掲げる選任手続等に対する主体的関与は重要性を増しているといえる。

【第２項補足】監査役候補の指名の方針等を会社が定める場合に、取締役会だけで定めるのではなく監査役会が関与することについて言及している。

【第２項参考】GC原則３－１（iv）（v）

（監査役候補者の選定基準等）

**第10条**

1．監査役会は、監査役の常勤・非常勤又は社内・社外の別及びその員数、現任監査役の任期、専門知識を有する者の有無、欠員が生じた場合の対応等を考慮し、監査役選任議案への同意等を行うに当たっての一定の方針を定めるものとする。【Lv.4】

2．監査役候補者の選定への同意及び監査役候補者の選定方針への関与に当たっては、監査役会は、任期を全うすることが可能か、業務執行者からの独立性が確保できるか、公正不偏の態度を保持できるか等を勘案して、監査役としての適格性を慎重に検討する。【Lv.3】なお、監査役には、適切な経験・能力及び必要な財務・会計・法務に関する知識を有する者が選任され、特に、財務・会計に関する十分な知見を有している者が1名以上選任されることが望ましい。【Lv.4】

3．社外監査役候補者の選定に際しては、監査役会は、会社及び親会社との関係、代表取締役その他の取締役及び主要な使用人との関係等を勘案して独立性に問題がないことを確認するとともに、取締役会及び監査役会等への出席可能性等を検討するものとする。【Lv.4】

4．監査役会は、独立役員の指定に関する考え方を取締役等から聴取し、必要に応じて協議する。【Lv.3】

5．監査役候補者及び社外監査役候補者の選定に際しては、監査役会は、前3項に定める事項のほか、法令の規定により監査役の選任議案に関して株主総会参考書類に記載すべきとされている事項についても、検討する。【Lv.3】

6．監査役会は、候補者を含む各監査役の知識・経験・能力等について、自社の状況に応じて適切な開示が行われているかを検討し、必要があると認めたときは取締役会に対して意見を表明するものとする。【Lv.4】

【第2項参考】GC原則4－11
【第6項補足】GC補充原則4－11①を踏まえた規定である。同原則において取締役につき求められているいわゆるスキル・マトリックスをはじめとするスキル等の組み合わせの開示については、コードの趣旨に照らし、各社の事情に応じて監査役を対象に含めることも考えられる。

（特定監査役の選定）

**第11条**

1．監査役会は、次に掲げる職務を行う監査役（本基準において「特定監査役」という。）をそれぞれ1名又は複数名その決議により選定し、又は定め、若しくは指定することができる。【Lv.5】

一　会社法施行規則第132条第5項第2号イ、会社計算規則第130条第5項第2号イ、及び会社計算規則第132条に定める監査役として定められた監査役

二　事業報告及びその附属明細書を作成した取締役から提供を受け、他の監査役に対し送付する者として監査役会が指定した監査役

三　会社計算規則第125条に基づき、計算関係書類を作成した取締役から計算関係書類の提供を受け、他の監査役に対し送付する者として監査役会が指定した監査役

2．前項の監査役を選定し、又は定め、若しくは指定する際は、当該各号の職務の内容に応じ、当該監査役の社内・社外又は常勤・非常勤の別、及び専門知識の有無等を考慮するものとする。【Lv.4】

3．第1項各号に定める監査役は、必要があると認めたときは、第16条に定める補助使用人等又は第38条第1項に定める内部監査部門等を通じてその職務を行う。【Lv.3】

【第1項第2号、第3号補足】法令上、事業報告及びその附属明細書並びに計算関係書類を作成した取締役から受領するのは各監査役であるが、実務に即し、これらを受領し、他の監査役に対し送付することについても、特定監査役の職務としている。

（監査役の報酬等）

**第12条**

1．各監査役が受けるべき報酬等の額について定款の定め又は株主総会の決議がない場合には、監査役は、常勤・非常勤の別、監査業務の分担の状況、取締役の報酬等の内容及び水準等を考慮し、監査役の協議をもって各監査役が受ける報酬等の額を定めなければならない。【Lv.1】

2．監査役は、監査役の報酬等について意見をもつに至ったときは、必要に応じて取締役会又は株主総会において意見を述べる。【Lv.3】

【第12条補足】第9条補足参照。

（監査費用）

**第13条**

1．監査役は、その職務の執行について生ずる費用について、会社から前払又は償還を受けることができる。【Lv.5】

2．監査役会は、第18条第２項第６号の方針に基づき、職務の執行について生ずる費用について、あらかじめ予算を計上しておくことが望ましい。【Lv.4】ただし、緊急又は臨時に支出した費用についても、会社に償還を請求する権利を有する。【Lv.5】
3．監査役は、必要に応じて外部の専門家の助言を受けた場合、当該費用を会社に請求する権利を有する。【Lv.5】
4．監査役は、その役割・責務に対する理解を深めるため必要な知識の習得や適切な更新等の研鑽に適合した研修等を受ける場合、当該費用を会社に請求する権利を有する。【Lv.5】
5．監査費用の支出に当たっては、監査役は、その効率性及び適正性に留意するものとする。【Lv.4】

【第３項、第４項補足】費用負担についても明確にしている。
【第３項、第４項参考】GC補充原則４－13②、原則４－14

## 第４章　コーポレートガバナンス・コードを踏まえた対応

### （コーポレートガバナンス・コードを踏まえた対応）
### 第14条

1．コーポレートガバナンス・コードの適用を受ける会社の監査役は、その趣旨を十分に理解したうえで、自らの職務の遂行に当たるものとする。【Lv.4】
2．監査役及び監査役会は、取締役会が担う以下の監督機能が会社の持続的成長と中長期的な企業価値の向上を促しかつ収益力・資本効率等の改善を図るべく適切に発揮されているのかを監視するとともに、自らの職責の範囲内でこれらの監督機能の一部を担うものとする。【Lv.4】
　一　企業戦略等の大きな方向性を示すこと
　二　代表取締役その他の業務執行取締役による適切なリスクテイクを支える環境整備を行うこと
　三　独立した客観的な立場から、代表取締役その他の取締役等に対する実効性の高い監督を行うこと
3．監査役は、指名・報酬委員会等について、独立性確保の観点から参加を求められた場合には積極的に検討するものとする。【Lv.4】当該委員会に参加する場合には、会社に対して負っている善管注意義務を前提に、会社の持続的な成長と中長期的な企業価値の向上のために適正に判断を行う。【Lv.3】

【第１項補足】GCは会社の持続的成長と中長期的企業価値向上に資する内容であることから、第14条第１項は、GCの適用を直接受けていない会社であってもGCの趣旨を取り込むことを否定するものではない。
【第２項補足】監査役及び監査役会は、第２条第１項に規定されているとおり、取締役会と協働して会社の広義の監督機能の一翼を担う機関であるが、当該監督機能の例として、GC基本原則４に３つの役割・責務が提示されており、当該役割・責務の一部は監査役・監査役会も担うことになる（GC基本原則４参照）。これら広義の監督機能に対する監査役の関与のあり方としては、取締役会がこれらの監督職務を適切に果たしているのかを監査すること（会社法第381条第１項参照）のほか、例えば、適切なリスクテイクの礎となる内部統制システムのあり方について構築の段階から積極的に意見を表明することが挙げられる。また、各社の置かれている環境によっては、リスク管理の観点や経営判断の合理性の観点等から、個別案件だけではなく、中期経営計画策定に係る議論においても積極的に発言することも考えられる。ただし、これらの関与の度合いは各社の事情により異なるべきものであり、第２項がレベル４となっているのもこの点を勘案したものである。なお、監査役が行うべき対応は、第２条に掲げる監査役の職責を踏まえて行われることになる。
【第３項補足】GC原則４－10、補充原則４－10①。独立社外取締役が取締役会の過半数に達していない場合には、経営陣幹部・取締役の指名（後継者計画を含む）・報酬などに係る取締役会の機能の独立性・客観性と説明責任を強化するため、取締役会の下に独立社外取締役を主要な構成員とする独立した指名委員会・報酬委員会を設置することが求められるところ、独立性・客観性と説明責任強化の観点から各社の状況に応じて監査役を構成員に加えることも検討されうる。こうした前提を踏まえ、監査役が参加を求められたその際の対応について言及している。

### （株主との建設的な対話）
### 第15条

1．監査役は、中長期目線の株主等と対話を行う場合には、関連部署と連携して、会社の持続的な成長と中長期的な企業価値の向上に資するよう、合理的範囲内で適切に対応するものとする。【Lv.4】
2．前項の対話において把握された株主の意見・懸念は、代表取締役その他の業務執行取締役、取締役会及び監査役会に対して適切かつ効果的に伝えるものとする。【Lv.4】

【第15条補足】監査役と株主等との対話については、スチュワードシップ・コード指針４－１の脚注17、GC補充原則５－１①においてそれぞれ監査役を対話の相手方として追加する改訂がなされている。本条では、機関投資家が監査に関する事項等を関心事とし、監査役との対話を期待しているような場合の対応について規定している。「中長期目線の株主等」とは、いわゆるショートターミズムの株主ではなく、例えばスチュワードシップ・コードを

採択し、顧客・受益者への長期的なリターンを確保するよう投資対象企業の中長期的な企業価値の向上への深い理解と関心をもっている機関投資家等が典型で、こうした株主は「会社のガバナンスの改善が実を結ぶまで待つことができる」(「コーポレートガバナンス・コードの基本的な考え方(案)」「経緯及び背景」第8項参照)者でもある。なお、監査役が実際に対話を行うに当たっては、IR部門等の関連部署と十分な連携を図り、株主等にとって判りやすい説明となるよう、会社全体としてできるだけ一貫性のある説明を確保する必要があることから「関連部署と連携して」と規定している。
【第15条参考】GC基本原則5

## 第5章　監査役監査の環境整備

(代表取締役との定期的会合)

**第16条**

監査役は、代表取締役と定期的に会合をもち、代表取締役の経営方針を確かめるとともに、会社が対処すべき課題、会社を取り巻くリスクのほか、監査役の職務を補助すべき使用人(本基準において「補助使用人」という。)の確保及び監査役への報告体制その他の監査役監査の環境整備の状況、監査上の重要課題等について意見を交換し、代表取締役との相互認識と信頼関係を深めるよう努める。【Lv.4】

(社外取締役等との連携)

**第17条**

1．監査役会は、会社に社外取締役が選任されている場合、社外取締役との情報交換及び連携に関する事項について検討し、監査の実効性の確保に努める。【Lv.4】監査役及び監査役会は、社外取締役がその独立性に影響を受けることなく情報収集力の強化を図ることができるよう、社外取締役との連携の確保に努める。【Lv.4】
2．筆頭独立社外取締役が選定されている場合、当該筆頭独立社外取締役との連携の確保に努める。【Lv.4】
3．前2項のほか、監査役は、社外取締役を含めた非業務執行役員と定期的に会合をもつなど、会社が対処すべき課題、会社を取り巻くリスクのほか、監査上の重要課題等について意見を交換し、非業務執行役員間での情報交換と認識共有を図り、信頼関係を深めるよう努める。【Lv.4】

【第1項参考】GC補充原則4－4①
【第2項参考】GC補充原則4－8②
【第3項参考】GC補充原則4－8①

(監査役監査の実効性を確保するための体制)

**第18条**

1．監査役は、監査の実効性を高め、かつ、監査職務を円滑に執行するための体制の確保に努める。【Lv.4】
2．前項の体制確保のため、監査役は、次に掲げる体制の内容について決定し、当該体制を整備するよう取締役又は取締役会に対して要請する。【Lv.3】
一　補助使用人の設置及び当該補助使用人に関する事項
二　補助使用人の取締役からの独立性に関する事項
三　補助使用人に対する指示の実効性の確保に関する事項
四　次に掲げる体制その他の監査役への報告に関する体制
イ　取締役及び使用人が監査役に報告をするための体制
ロ　子会社の取締役、監査役、執行役及び使用人又はこれらの者から報告を受けた者が監査役に報告をするための体制
五　前号の報告をした者が当該報告をしたことを理由として不利な取扱いを受けないことを確保するための体制
六　監査役の職務の執行について生ずる費用の前払又は償還の手続その他の当該職務の執行について生ずる費用又は債務の処理に係る方針に関する事項
七　その他監査役の監査が実効的に行われることを確保するための体制

(補助使用人)

**第19条**

1．監査役は、企業規模、業種、経営上のリスクその他会社固有の事情を考慮し、監査の実効性の確保の観点から、補助使用人の体制の強化に努める。【Lv.4】
2．監査役及び監査役会の事務局は、専任の補助使用人が当たることが望ましい。なお、専任者の設置が困難な場合は、少なくとも兼任者を1名以上設置するよう取締役又は取締役会に対して要請するものとする。【Lv.4】

【第2項補足】補助使用人について、少なくとも兼任者を1名設置することを明確にしている。

(補助使用人の独立性及び指示の実効性の確保)

**第20条**

1．監査役は、補助使用人の業務執行者からの独立性

の確保に努める。【Lv.4】

2．監査役は、以下の事項の明確化など、補助使用人の独立性及び補助使用人に対する指示の実効性の確保に必要な事項を検討する。【Lv.3】

一　補助使用人の権限（調査権限・情報収集権限のほか、必要に応じて監査役の指示に基づき会議へ出席する権限等を含む。）

二　補助使用人の属する組織

三　監査役の補助使用人に対する指揮命令権

四　補助使用人の人事異動、人事評価、懲戒処分等に対する監査役の同意権

五　必要な知識・能力を備えた専任又は兼任の補助使用人の適切な員数の確保、兼任の補助使用人の監査役の補助業務への従事体制

六　補助使用人の活動に関する費用の確保

七　内部監査部門等の補助使用人に対する協力体制

（監査役への報告に関する体制等）

**第21条**

1．監査役は、取締役及び使用人が監査役に報告をするための体制（子会社の取締役、執行役、監査役及び使用人が監査役に直接又は間接に報告をするための体制を含む。）など監査役への報告に関する体制の強化に努める。【Lv.4】

2．監査役は、取締役が会社に著しい損害を及ぼすおそれのある事実があることを発見したときは直ちに監査役会に報告する体制を確立するよう、取締役に対して求める。【Lv.3】

3．前項に定める事項のほか、監査役は、取締役との間で、監査役又は監査役会に対して定期的に報告を行う事項及び報告を行う者を、協議して定めるものとする。【Lv.4】また、必要があると認めたときは、社内規則の制定若しくは変更、又はその他社内体制の整備等を取締役会及び関係する取締役に対して求める。【Lv.3】臨時的に報告を行うべき事項についても同様とする。【Lv.3】

4．会社に内部通報システムが置かれているときには、監査役は、重要な情報が監査役にも提供されているか及び通報を行った者が通報を行ったことを理由として不利な取扱いを受けないことが確保されているかを確認し、その内部通報システムが企業集団を含め有効に機能しているかを監視し検証しなければならない。【Lv.2】また、監査役は、内部通報システムから提供される情報を監査職務に活用するよう努める。【Lv.4】

5．監査役は、第38条に定める内部監査部門等との連携体制が実効的に構築・運用されるよう、取締役又は取締役会に対して体制の整備を要請する。【Lv.3】

【第1項補足】子会社からの報告が常に親会社監査役に対して行われるとは限らないことも考慮して「間接に」を加えている。
【第4項参考】GC補充原則2－5①

## 第6章　業務監査

（取締役の職務の執行の監査）

**第22条**

1．監査役は、取締役の職務の執行を監査する。【Lv.1】

2．監査役は、その職務の執行に当たって、必要があると認めたときは、取締役会に対する報告、提案若しくは意見の表明、又は取締役若しくは内部統制部門に対する助言若しくは勧告など、状況に応じ必要な措置を適時に講じなければならない。【Lv.2】

3．監査役は、取締役の職務の執行に関して不正の行為又は法令若しくは定款に違反する重大な事実があると認めたときは、その事実を監査報告に記載しなければならない。【Lv.1】その他、株主に対する説明責任を果たす観点から適切と考えられる事項があれば監査報告に記載する。【Lv.3】

4．監査役会は、各監査役の監査役監査報告に基づき審議を行い、監査役会としての監査意見を形成し監査役会監査報告に記載しなければならない。【Lv.1】

（業務執行取締役の職務執行の監査）

**第23条**

1．監査役は、取締役会が経営の基本方針及び中長期の経営計画等を定めている場合には、取締役が当該方針及び計画等に従い、健全、公正妥当、かつ、効率的に業務の執行を決定し、かつ、業務を執行しているかを監視し検証しなければならない。【Lv.2】

2．監査役は、取締役が行う業務の執行の決定及び業務の執行について、取締役の善管注意義務、忠実義務等の法的義務の履行状況を、以下の観点から監視し検証しなければならない。【Lv.2】

一　事実認識に重要かつ不注意な誤りがないこと

二　意思決定過程が合理的であること

三　意思決定内容が法令又は定款に違反していないこと

四　意思決定内容が通常の企業経営者として明らかに不合理ではないこと

五　意思決定が取締役の利益又は第三者の利益でなく会社の利益を第一に考えてなされていること

3．前項の職責を果たすため、監査役は、次の職務を行わなければならない。
一　監査役は、取締役が会社の目的外の行為その他法令若しくは定款に違反する行為をし、又はするおそれがあると認めたとき、会社に著しい損害又は重大な事故等を招くおそれがある事実を認めたとき、会社の業務に著しく不当な事実を認めたときは、取締役に対して助言又は勧告を行うなど、状況に応じ必要な措置を適時に講じなければならない。【Lv.2】
二　監査役は、取締役及び使用人等から会社に著しい損害が発生するおそれがある旨の報告を受けた場合には、必要な調査を行い、取締役会に対する報告、取締役に対する勧告、又は監査役会の招集など、状況に応じ必要な措置を適時に講じなければならない。【Lv.2】
4．監査役は、前項各号に定める事項について、必要があると認めたときは、取締役会の招集又は取締役の行為の差止めの請求など、状況に応じ必要な措置を適時に講じなければならない。【Lv.2】
5．前2項に定める事項について、取締役の職務の執行の監査を通じて特に必要があると認めたときは、監査役又は監査役会は、取締役会に対し代表取締役の解職等を含めた意見を表明する。【Lv.3】

【第1項補足】本項はレベル2（不遵守があった場合に、善管注意義務違反となる蓋然性が相当程度ある事項）に設定しているが、ここで不遵守が問題となるのは、本項に定める監視・検証自体を怠った場合を想定している。一方、監査役の監査の内容について善管注意義務違反が問われうるのは、第2項に掲げる観点からの監視・検証を怠った場合である。
【第5項補足】本項は、特に必要があると認めたときには代表取締役の解職等を含めた意見表明に向けた検討も求められうる旨を示したものであり、他に手段を講じうる場合にまで前広に対応を求める趣旨ではない。実際の対応としては、まずは監査役のみならず社外取締役とも連携しつつ是正に向けた措置を講じていくことが重要であり、なおも必要があると認める場合に本項に基づく対応を検討していくこととなろう。

**（取締役会等における取締役の報告及び取締役会における意思決定の監査）**
**第24条**
1．監査役は、取締役会等における取締役の職務の執行の状況を監視し検証する。【Lv.2】
2．監査役は、取締役会等において行われる意思決定に関して、取締役の善管注意義務及び忠実義務等の法的義務の履行状況を、第23条第2項各号に定める観点から監視し検証しなければならない。【Lv.2】
3．監査役は、代表取締役その他の業務執行取締役がその職務の執行状況を適時かつ適切に取締役会に報告しているかを確認するとともに、取締役会が監督義務を適切に履行しているかを監視し検証しなければならない。【Lv.2】
4．前3項に定める事項について必要があると認めたときは、監査役は、取締役会に対する報告、提案若しくは意見の表明、取締役に対する助言若しくは勧告又は差止めの請求など、状況に応じ必要な措置を適時に講じなければならない。【Lv.2】

**（内部統制システムに係る監査）**
**第25条**
1．監査役は、会社の取締役会決議に基づいて整備される次の体制（本基準において「内部統制システム」という。）に関して、当該取締役会決議の内容及び当該決議に基づき構築・運用されている内部統制システムの状況について監視し検証しなければならない。【Lv.1】
一　取締役及び使用人の職務の執行が法令及び定款に適合することを確保するための体制（本条において「法令等遵守体制」という。）
二　取締役の職務の執行に係る情報の保存及び管理に関する体制
三　損失の危険の管理に関する規程その他の体制（本条において「損失危険管理体制」という。）
四　取締役の職務の執行が効率的に行われることを確保するための体制
五　次に掲げる体制その他の会社並びにその親会社及び子会社から成る企業集団における業務の適正を確保するための体制
イ　子会社の取締役の職務の執行に係る事項の会社への報告に関する体制
ロ　子会社の損失の危険の管理に関する規程その他の体制
ハ　子会社の取締役の職務の執行が効率的に行われることを確保するための体制
ニ　子会社の取締役、執行役及び使用人の職務の執行が法令及び定款に適合することを確保するための体制
六　第18条第2項に定める監査役監査の実効性を確保するための体制
2．監査役は、内部統制システムの構築・運用の状況についての報告を代表取締役その他関係する取締役に対し定期的に求めるほか、内部監査部門等との連

携及び会計監査人からの報告等を通じて、内部統制システムの構築・運用の状況を監視し検証しなければならない。【Lv.2】また、法令等遵守体制、損失危険管理体制等を所管する取締役が選定され、又はそれらを所管する委員会等が設置されている場合には、監査役は、当該取締役又は委員会等から定期的な報告を受領するなど、緊密な連携を図るよう努める。【Lv.4】

3．監査役は、監査役監査の実効性を確保するための体制を含む内部統制システムの構築・運用に関し、必要があると認めたときは、代表取締役その他関係する取締役との間で協議の機会をもつ。【Lv.3】

4．監査役は、取締役会、代表取締役又は関係する取締役等が内部統制システムの適切な構築・運用を怠っていると認められる場合には、取締役会、代表取締役又は関係する取締役等に対して、速やかにその改善を助言又は勧告しなければならない。【Lv.2】

5．監査役は、内部統制システムに関する監査の結果について、監査役会に対し報告をしなければならない。【Lv.2】

6．監査役は、内部統制システムに係る取締役会決議の内容が相当でないと認めたとき、内部統制システムに関する事業報告の記載内容が著しく不適切と認めたとき、及び内部統制システムの構築・運用の状況において取締役の善管注意義務に違反する重大な事実があると認めたときには、その旨を監査報告に記載しなければならない。【Lv.1】その他、株主に対する説明責任を果たす観点から適切と考えられる事項があれば監査報告に記載する。【Lv.3】

7．監査役会は、各監査役の監査役監査報告に基づき審議を行い、監査役会としての監査意見を形成し監査役会監査報告に記載しなければならない。【Lv.1】

8．内部統制システムに関する監査については、本基準に定める事項のほか、別に定める内部統制システムに係る監査の実施基準による。【Lv.5】

**（企業集団における監査）**

**第26条**

1．子会社を有する会社の監査役は、連結経営の視点を踏まえ、取締役の子会社の管理に関する職務の執行の状況を監視し検証しなければならない。【Lv.2】

2．監査役は、子会社において生じる不祥事等が会社に与える損害の重大性の程度を考慮して、内部統制システムが会社及び子会社において適切に構築・運用されているかに留意してその職務を執行するよう努めるとともに、企業集団全体における監査の環境の整備にも努める。【Lv.4】

3．会社に重要な関連会社がある場合には、当該関連会社の重要性に照らして、前2項に準じて監査を行う。【Lv.3】

4．親会社等を有する会社の監査役は、少数株主の利益保護の視点を踏まえて取締役の職務の執行の監査を行わなければならない。【Lv.2】

**（競業取引及び利益相反取引等の監査）**

**第27条**

1．監査役は、次の取引等について、取締役の義務に違反する事実がないかを監視し検証しなければならない。【Lv.2】

一　競業取引

二　利益相反取引

三　会社がする無償の財産上の利益供与（反対給付が著しく少ない財産上の利益供与を含む。）

四　親会社等又は子会社若しくは株主等との通例的でない取引

五　自己株式の取得及び処分又は消却の手続

六　会社法第427条に定める責任限定契約

七　会社法第430条の2に定める補償契約

八　会社法第430条の3に定める役員等のために締結される保険契約

2．前項各号に定める事項について、取締役の義務に違反し、又はするおそれがある事実を認めたときは、監査役は、取締役に対する助言又は勧告、取締役会の招集又は取締役の行為の差止めの請求など、状況に応じ必要な措置を適時に講じなければならない。【Lv.2】

3．監査役は、個別注記表に注記を要する親会社等との取引について、事業報告に記載されている当該取引が会社の利益を害さないかどうかに係る取締役会の判断及び理由が適切か否かについての意見を監査役監査報告に記載しなければならない。【Lv.1】

4．監査役は、第1項各号に掲げる事項以外の重要又は異常な取引等についても、法令又は定款に違反する事実がないかに留意し、【Lv.3】併せて重大な損失の発生を未然に防止するよう取締役に対し助言又は勧告しなければならない。【Lv.2】

【第1項補足第6号～第8号参考】会社法において補償契約及び会社役員責任賠償保険（D&O保険）に係る契約に関して規定が設けられたことを踏まえた改定である。また、これに合わせて、責任限定契約についても同様の規定を置くこととした。

【第3項補足】GC原則1－7を受けて、関連当事者間取引について、会社及び株主共同の利益を害することがないよう、取締役会が取引の重要性・性質に応じて適切な検討の手続を定め当該手続を踏まえた監視を行う場合、監査役は当該取締役会の職務執行の状況についても同様に監査を行うことになろう。

（企業不祥事発生時の対応及び第三者委員会）

**第28条**

1．監査役は、企業不祥事（法令又は定款に違反する行為その他社会的非難を招く不正又は不適切な行為をいう。本条において同じ。）が発生した場合、直ちに取締役等から報告を求め、必要に応じて調査委員会の設置を求め調査委員会から説明を受け、当該企業不祥事の事実関係の把握に努めるとともに、【Lv.4】原因究明、損害の拡大防止、早期収束、再発防止、対外的開示のあり方等に関する取締役及び調査委員会の対応の状況について監視し検証しなければならない。【Lv.2】

2．前項の取締役の対応が、独立性、中立性又は透明性等の観点から適切でないと認められる場合には、監査役は、監査役会における協議を経て、取締役に対して当該企業不祥事に対する原因究明及び再発防止策等の検討を外部の独立した弁護士等に依頼して行う第三者委員会（本条において「第三者委員会」という。）の設置の勧告を行い、あるいは必要に応じて外部の独立した弁護士等に自ら依頼して第三者委員会を立ち上げるなど、適切な措置を講じる。【Lv.3】

3．監査役は、当該企業不祥事に対して明白な利害関係があると認められる者を除き、当該第三者委員会の委員に就任することが望ましく、【Lv.4】第三者委員会の委員に就任しない場合にも、第三者委員会の設置の経緯及び対応の状況等について、早期の原因究明の要請や当局との関係等の観点から適切でないと認められる場合を除き、当該委員会から説明を受け、必要に応じて監査役会への出席を求める。【Lv.3】監査役は、第三者委員会の委員に就任した場合、会社に対して負っている善管注意義務を前提に、他の弁護士等の委員と協働してその職務を適正に遂行する。【Lv.3】

（事業報告等の監査）

**第29条**

1．監査役は、事業年度を通じて取締役の職務の執行を監視し検証することにより、当該事業年度に係る事業報告及びその附属明細書（本基準において「事業報告等」という。）が適切に記載されているかについて監査意見を形成しなければならない。【Lv.1】

2．監査役は、事業報告等の作成に関する職務を行った取締役から各事業年度における事業報告等を受領し、当該事業報告等が法令又は定款に従い、会社の状況を正しく示しているかどうかを監査しなければならない。【Lv.1】

3．監査役は、前2項を踏まえ、事業報告等が法令又は定款に従い、会社の状況を正しく示しているかどうかについての意見を監査役監査報告に記載しなければならない。【Lv.1】

4．監査役会は、各監査役の監査役監査報告に基づき、事業報告等が法令又は定款に従い、会社の状況を正しく示しているかどうかについての意見を監査役会監査報告に記載しなければならない。【Lv.1】

5．事業報告等の監査に当たって、監査役及び監査役会は、必要に応じて、会計監査人との連携を図る。【Lv.3】

（事業報告における社外監査役の活動状況等）

**第30条**

監査役及び監査役会は、事業報告において開示される会社役員に関する事項及び社外役員等に関する事項のうち、社外監査役の活動状況その他監査役に関する事項について、適切に記載されているかにつき検討しなければならない。【Lv.2】

## 第7章　会計監査

（会計監査）

**第31条**

1．監査役及び監査役会は、事業年度を通じて取締役の職務の執行を監視し検証することにより、当該事業年度に係る計算関係書類（計算書類及びその附属明細書並びに連結計算書類等の会社計算規則第2条第3項第3号に規定するものをいう。本基準において同じ。）が会社の財産及び損益の状況を適正に表示しているかどうかに関する会計監査人の監査の方法及び結果の相当性について監査意見を形成しなければならない。【Lv.1】

2．監査役は、会計監査の適正性及び信頼性を確保するため、会計監査人が公正不偏の態度及び独立の立場を保持し、職業的専門家として適切な監査を実施しているかを監視し検証しなければならない。【Lv.2】

（会計監査人の職務の遂行が適正に行われることを確保するための体制の確認）

**第32条**

監査役は、会計監査人の職務の遂行が適正に行われることを確保するため、次に掲げる事項について会計監査人から通知を受け、会計監査人が会計監査を適正に行うために必要な品質管理の基準を遵守しているかどうか、会計監査人に対して適宜説明を求め確認を行わなければならない。【Lv.2】

一　独立性に関する事項その他監査に関する法令及び規程の遵守に関する事項

二　監査、監査に準ずる業務及びこれらに関する業務の契約の受任及び継続の方針に関する事項

三　会計監査人の職務の遂行が適正に行われることを確保するための体制に関するその他の事項

（会計方針の監査）

**第33条**

1．監査役は、会計方針（会計処理の原則及び手続並びに表示方法その他計算関係書類作成のための基本となる事項をいう。本条において同じ。）が、会社財産の状況、計算関係書類に及ぼす影響、適用すべき会計基準及び公正な会計慣行等に照らして適正であるかについて、会計監査人の意見を徴して検証しなければならない。【Lv.2】また、必要があると認めたときは、取締役に対し助言又は勧告する。【Lv.3】

2．会社が会計方針を変更する場合には、監査役及び監査役会は、あらかじめ変更の理由及びその影響について報告するよう取締役に求め、その変更の当否についての会計監査人の意見を徴し、その相当性について判断しなければならない。【Lv.2】

（計算関係書類の監査）

**第34条**

1．監査役は、計算関係書類の作成に関する職務を行った取締役から各事業年度における計算関係書類を受領する。【Lv.1】監査役は、取締役及び使用人等に対し重要事項について説明を求め確認を行う。【Lv.3】

2．監査役は、各事業年度における計算関係書類につき、会計監査人から会計監査報告及び監査に関する資料を受領する。【Lv.1】監査役は、会計監査人に対し会計監査上の重要事項について説明を求め、会計監査報告の調査を行う。【Lv.3】当該調査の結果、会計監査人の監査の方法又は結果を相当でないと認めたときは、監査役は、自ら監査を行い、相当でないと認めた旨及び理由を監査役監査報告に記載しなければならない。【Lv.1】

3．監査役会は、各監査役の監査役監査報告に基づき、会計監査人の監査の方法及び結果の相当性について審議を行い、監査役会としての監査意見を形成しなければならない。【Lv.1】当該審議の結果、会計監査人の監査の方法又は結果を相当でないと認めたときは、監査役会は、相当でないと認めた旨及び理由を監査役会監査報告に記載しなければならない。【Lv.1】

（会計監査人の選任等の手続）

**第35条**

1．監査役会は、会計監査人の解任又は不再任の決定の方針を定めなければならない。【Lv.2】

2．監査役会は、会計監査人の再任の適否について、取締役、社内関係部署及び会計監査人から必要な資料を入手しかつ報告を受け、毎期検討する。【Lv.3】

3．監査役会は、会計監査人の再任の適否の判断に当たって、前項の検討を踏まえ、会計監査人の職務遂行状況（従前の事業年度における職務遂行状況を含む。）、監査体制、独立性及び専門性などが適切であるかについて、確認する。【Lv.3】

4．監査役会は、会計監査人の再任が不適当と判断した場合は、速やかに新たな会計監査人候補者を検討しなければならない。【Lv.2】新たな会計監査人候補者の検討に際しては、取締役及び社内関係部署から必要な資料を入手しかつ報告を受け、第32条に定める事項について確認し、独立性や過去の業務実績等について慎重に検討するとともに、監査計画や監査体制、監査報酬水準等について会計監査人候補者と打合せを行う。【Lv.3】

5．監査役会は、前項までの確認の結果や方針に従い、株主総会に提出する会計監査人の選任及び解任並びに不再任に関する議案の内容を決定する。【Lv.1】

6．監査役会は、会計監査人の選任議案について、当該候補者を会計監査人の候補者とした理由が株主総会参考書類に適切に記載されているかについて確認しなければならない。【Lv.2】

【第１項補足】「会計監査人の解任又は不再任の決定の方針」は、会社法施行規則第126条第４号にて事業報告へ記載されることとなっているが、事業報告への記載は取締役の責務としても、会計監査人の選解任等の議案内容の決定権を有する以上監査役として「会計監査人の解任又は不再任の決定の方針」を定める必要がある。

（会計監査人の報酬等の同意手続）

**第36条**

1．監査役は、会社が会計監査人と監査契約を締結する場合には、取締役、社内関係部署及び会計監査人から必要な資料を入手しかつ報告を受け、また非監査業務の委託状況及びその報酬の妥当性を確認のうえ、会計監査人の報酬等の額、監査担当者その他監

査契約の内容が適切であるかについて、契約毎に検証する。【Lv.3】
2．監査役会は、会計監査人の報酬等の額の同意の判断に当たって、前項の検証を踏まえ、会計監査人の監査計画の内容、会計監査の職務遂行状況（従前の事業年度における職務遂行状況を含む。）及び報酬見積りの算出根拠などが適切であるかについて、確認する。【Lv.3】
3．監査役会は、会計監査人の報酬等の額に同意した理由が、事業報告に適切に記載されているかについて確認しなければならない。【Lv.2】

## 第8章　監査の方法等

（監査計画及び業務の分担）
**第37条**
1．監査役会は、内部統制システムの構築・運用の状況にも留意のうえ、重要性、適時性その他必要な要素を考慮して監査方針を立て、監査対象、監査の方法及び実施時期を適切に選定し、監査計画を作成する。【Lv.3】監査計画の作成は、監査役会全体の実効性についての分析・評価の結果を踏まえて行い、監査上の重要課題については、重点監査項目として設定する。【Lv.3】
2．監査役会は、効率的な監査を実施するため、適宜、会計監査人及び内部監査部門等と協議又は意見交換を行い、監査計画を作成する。【Lv.3】
3．監査役会は、組織的かつ効率的に監査を実施するため、監査業務の分担を定める。【Lv.3】
4．前項に定める監査業務の分担に関する監査役会の定めは、各監査役の権限の行使を妨げることはできない。【Lv.1】
5．監査役会は、監査方針及び監査計画を代表取締役及び取締役会に説明するものとする。【Lv.4】
6．監査方針及び監査計画は、必要に応じ適宜修正する。【Lv.3】

【第1項補足】実務上、毎年の監査計画策定に当たり、前年度の監査計画及び実績の分析・評価に基づき、反省点の改善、次期の重要課題の設定、往査先の選定等を行い監査計画に反映している例が多い。また、個々の監査役の実績評価についても行うことが望ましいが、そこまで基準に含めることは実務との乖離が大きいので本条では言及していない。なお、評価結果の開示まで行うかどうかは会社の裁量に委ねられることから、本基準では言及していない。
【第1項参考】GC補充原則4－11③

（内部監査部門等との連携による組織的かつ効率的監査）
**第38条**
1．監査役は、会社の業務及び財産の状況の調査その他の監査職務の執行に当たり、内部監査部門その他内部統制システムにおけるモニタリング機能を所管する部署（本基準において「内部監査部門等」という。）と緊密な連携を保ち、組織的かつ効率的な監査を実施するよう努める。【Lv.4】
2．監査役は、内部監査部門等からその監査計画と監査結果について定期的に報告を受け、必要に応じて調査を求める。【Lv.3】監査役は、内部監査部門等の監査結果を内部統制システムに係る監査役監査に実効的に活用する。【Lv.3】
3．監査役は、取締役のほか、内部統制部門その他の監査役が必要と認める部署から内部統制システムの構築・運用の状況について定期的かつ随時に報告を受け、必要に応じて説明を求める。【Lv.3】
4．監査役会は、各監査役からの報告を受けて、取締役又は取締役会に対して助言又は勧告すべき事項を検討する。【Lv.3】ただし、監査役会の決定は各監査役の権限の行使を妨げることはできない。【Lv.1】
5．監査役会は、本条に定める内部監査部門等との連携体制及び第21条に定める監査役会への報告体制等が実効的に構築され、かつ、運用されるよう、必要に応じて取締役会又は取締役に対して体制の整備に関する要請又は勧告を行う。【Lv.3】

【第5項参考】GC補充原則4－13③を踏まえた改定である。

（企業集団における監査の方法）
**第39条**
1．監査役は、取締役及び使用人等から、子会社の管理の状況について報告又は説明を受け、関係資料を閲覧する。【Lv.3】
2．監査役は、その職務の執行に当たり、親会社及び子会社の監査役、内部監査部門等及び会計監査人等と積極的に意思疎通及び情報の交換を図るよう努める。【Lv.4】
3．監査役は、取締役の職務の執行を監査するため必要があると認めたときは、子会社に対し事業の報告を求め、又はその業務及び財産の状況を調査する。【Lv.3】
4．会社に重要な関連会社がある場合には、当該関連会社の重要性に照らして、第1項及び第2項に準じて監査を行うものとする。【Lv.4】

（取締役会への出席・意見陳述）

**第40条**

1．監査役は、取締役会に出席し、かつ、必要があると認めたときは、意見を述べなければならない。【Lv.1】
2．監査役は、取締役が不正の行為をし、若しくは当該行為をするおそれがあると認めたとき、又は法令若しくは定款に違反する事実若しくは著しく不当な事実があると認めたときは、遅滞なく、その旨を取締役会に報告しなければならない。【Lv.1】
3．監査役は、取締役会に前項の報告をするため、必要があると認めたときは、取締役会の招集を請求する。【Lv.3】また、請求後、一定期間内に招集の通知が発せられない場合は、自らが招集する。【Lv.3】
4．監査役は、取締役会議事録に議事の経過の要領及びその結果、その他法令で定める事項が適切に記載されているかを確かめ、出席した監査役は、署名又は記名押印（電子署名を含む。）しなければならない。【Lv.1】

（取締役会の書面決議）

**第41条**

取締役が取締役会の決議の目的である事項について法令の規定に従い当該決議を省略しようとしている場合には、監査役は、その内容（取締役会の決議を省略することを含む。）について検討し、必要があると認めたときは、異議を述べる。【Lv.3】

（特別取締役による取締役会への出席・意見陳述）

**第42条**

1．取締役会が特別取締役による取締役会の決議をすることができる旨を定めている場合には、監査役会は、その決議によって当該取締役会に出席する監査役をあらかじめ定めることができる。【Lv.5】ただし、その他の監査役の当該取締役会への出席を妨げることはできない。【Lv.1】
2．特別取締役による取締役会に出席した監査役は、必要があると認めたときは、意見を述べなければならない。【Lv.1】
3．特別取締役による取締役会に出席した監査役は、特別取締役による取締役会の議事録に議事の経過の要領及びその結果、その他法令で定める事項が適切に記載されているかを確かめ、これに署名又は記名押印（電子署名を含む。）しなければならない。【Lv.1】
4．特別取締役による取締役会に出席した監査役は、他の監査役に対して付議事項等について報告を行わなければならない。【Lv.2】

（重要な会議等への出席）

**第43条**

1．監査役は、取締役会のほか、重要な意思決定の過程及び職務の執行状況を把握するため、経営会議、常務会、リスク管理委員会、コンプライアンス委員会その他の重要な会議又は委員会に出席し、【Lv.3】必要があると認めたときは、意見を述べる。【Lv.3】
2．前項の監査役が出席する会議に関して、監査役の出席機会が確保されるとともに、出席に際して十分な事前説明が行われるよう、監査役は、取締役等に対して必要な要請を行う。【Lv.3】
3．第1項の会議又は委員会に出席しない監査役は、当該会議等に出席した監査役又は取締役若しくは使用人から、付議事項についての報告又は説明を受け、関係資料を閲覧する。【Lv.3】

（文書・情報管理の監査）

**第44条**

1．監査役は、主要な稟議書その他業務執行に関する重要な書類を閲覧し、必要があると認めたときは、取締役又は使用人に対しその説明を求め、又は意見を述べる。【Lv.3】
2．監査役は、所定の文書・規程類、重要な記録その他の重要な情報が適切に整備され、かつ、保存及び管理されているかを調査し、必要があると認めたときは、取締役又は使用人に対し説明を求め、又は意見を述べる。【Lv.3】

（法定開示情報等に関する監査）

**第45条**

1．監査役は、有価証券報告書その他会社が法令等の規定に従い開示を求められる情報で会社に重大な影響のあるもの（本条において「法定開示情報等」という。）に重要な誤りがなくかつ内容が重大な誤解を生ぜしめるものでないことを確保するための体制について、第25条に定めるところに従い、法定開示情報等の作成及び開示体制の構築・運用の状況を監視し検証する。【Lv.3】
2．監査役は、継続企業の前提に係る事象又は状況、重大な事故又は災害、重大な係争事件など、企業の健全性に重大な影響のある事項について、取締役が情報開示を適時適切な方法により、かつ、十分に行っているかを監視し検証する。【Lv.3】

（取締役及び使用人に対する調査等）

**第46条**

1．監査役は、必要があると認めたときは、取締役及び使用人に対し事業の報告を求め、又は会社の業務及び財産の状況を調査しなければならない。【Lv.2】

2．監査役は、必要に応じ、ヒアリング、往査その他の方法により調査を実施し、十分に事実を確かめ、監査意見を形成するうえでの合理的根拠を求める。【Lv.3】

（会社財産の調査）

**第47条**

監査役は、重要な会社財産の取得、保有及び処分の状況、会社の資産及び負債の管理状況等を含めた会社財産の現況及び実質価値の把握に努める。【Lv.4】

（会計監査人との連携）

**第48条**

1．監査役及び監査役会は、会計監査人と定期的に会合をもち、必要に応じて監査役会への出席を求めるほか、会計監査人から監査に関する報告を適時かつ随時に受領し、積極的に意見及び情報の交換を行うなど、会計監査人と緊密な連携を保ち実効的かつ効率的な監査を実施することができるよう、そのための体制の整備に努める。【Lv.4】

2．監査役及び監査役会は、会計監査人から監査計画の概要を受領し、監査重点項目等について説明を受け、意見交換を行うとともに、【Lv.3】事業報告及びその附属明細書の内容の確認等に係るスケジュールについても確認のうえ調整に努める。【Lv.4】

3．監査役は、業務監査の過程において知り得た情報のうち、会計監査人の監査の参考となる情報又は会計監査人の監査に影響を及ぼすと認められる事項について会計監査人に情報を提供するなど、会計監査人との情報の共有に努める。【Lv.4】

4．監査役は、必要に応じて会計監査人の往査及び監査講評に立ち会うほか、会計監査人に対し監査の実施経過について、適宜報告を求めることができる。【Lv.5】

5．監査役は、会計監査人から取締役の職務の執行に関して不正の行為又は法令若しくは定款に違反する重大な事実（財務計算に関する書類の適正性の確保に影響を及ぼすおそれがある事実を含む。）がある旨の報告等を受けた場合には、監査役会において審議のうえ、必要な調査を行い、取締役会に対する報告又は取締役に対する助言若しくは勧告など、必要な措置を適時に講じなければならない。【Lv.2】

【第48条補足】監査人の監査基準の改訂により、金融商品取引法上の監査人の監査報告書において監査上の主要な検討事項（KAM）の記載が義務付けられることとなった一方、会社法上の会計監査人の監査報告書における記載は任意である。会社法上の会計監査人と金商法上の監査人は通常同一であり、会社法上の監査と金商法上の監査、及び両者における監査役等との連携は実務上一体として実施されている。また、KAMは従来の監査役等と（会計）監査人とのコミュニケーションを抜本的に変えるものではなく、KAMに関するコミュニケーションは本条各項に記載されている連携に包含されると考えられる。こうした理由から、本基準ではKAMについて言及していない。

【第1項、第3項補足】報告を受け意見交換することと会計監査人に対する情報提供を別の条項とし、後者を第3項とした。

【第2項補足】監査人の監査基準の改訂により、監査した財務諸表を含む開示書類のうち当該財務諸表と監査報告書とを除いた部分の記載内容（「その他の記載内容」）に対する監査人の対応として、従来要求されていた通読と財務諸表との重要な相違の識別に加えて、監査の過程で得た知識との比較、その他の記載内容における重要な誤りの兆候に注意を払うこと、監査報告書において見出しを付した独立した区分でのその他の記載内容に関する報告を常に行うことが求められることとなった。会社法上の監査において、その他の記載内容は事業報告及びその附属明細書となることから、その入手時期の調整や早期段階での草案提供による内容の確認のほか、監査役等及び会計監査人の監査報告書日を含むスケジュールの調整をはじめとする平時からのコミュニケーションがより一層重要となる。

（取締役の個人別の報酬等の内容についての決定に関する方針に対する監査）

**第49条**

監査役は、取締役会において会社法第361条第7項に定める取締役の個人別の報酬等の内容についての決定に関する方針を決定することが求められる場合には、当該方針の決定プロセスや手続等が、法令に則って適切に行われているかを監視し検証しなければならない。【Lv.2】

【第49条参考】会社法第361条第7項を踏まえた改定である。公開会社かつ大会社であり、金融商品取引法第24条第1項の規定により有価証券報告書の提出が義務付けられる監査役会設置会社において方針の決定が義務付けられる。

## 第9章　会社の支配に関する基本方針等及び第三者割当等

（会社の支配に関する基本方針等）

**第50条**

1．監査役は、会社がその財務及び事業の方針の決定を支配する者の在り方に関する基本方針（本条において「基本方針」という。）を定めている場合には、取締役会その他における審議の状況を踏まえ、次に掲げる事項について検討し、監査報告において意見を述べなければならない。【Lv.1】

一　基本方針の内容の概要

二　次に掲げる取組みの具体的な内容の概要

イ　会社の財産の有効な活用、適切な企業集団の形成その他の基本方針の実現に資する特別な取組み

ロ　基本方針に照らして不適切な者によって会社の財務及び事業の方針の決定が支配されることを防止するための取組み（本条において「買収防衛策」という。）

2．監査役は、前項第2号に定める各取組みの次に掲げる要件への該当性に関する取締役会の判断及びその判断に係る理由について、取締役会その他における審議の状況を踏まえて検討し、監査報告において意見を述べなければならない。【Lv.1】

一　当該取組みが基本方針に沿うものであること

二　当該取組みが会社の株主の共同の利益を損なうものではないこと

三　当該取組みが会社の会社役員の地位の維持を目的とするものではないこと

3．監査役が買収防衛策の発動又は不発動に関する一定の判断を行う委員会の委員に就任した場合には、当該監査役は、会社に対して負っている善管注意義務を前提に、会社利益の最大化に沿って適正に当該判断を行う。【Lv.3】

### （第三者割当等の監査）

### 第51条

監査役は、募集株式又は募集新株予約権（本条において「募集株式等」という。）の発行等に際し、第23条及び第45条第1項に定める監査を行うほか、次に掲げる職務を行う。

一　監査役は、支配株主の異動を伴う募集株式等の引受人（その子会社を含む。）が総株主の議決権の過半数を有することとなる募集株式等の発行等を会社が行う場合、当該募集株式等の発行等に関する意見を表明する。【Lv.1】

二　監査役は、会社が株式又は新株予約権（新株予約権付社債を含む。）の第三者割当を行う場合、有利発行該当性に関する事項を検討し、法令又は金融商品取引所の上場規則等が求めるところに従い意見を述べる。【Lv.3】

三　監査役は、株主総会決議を経ずに行われる大規模第三者割当（直近6ヶ月間における第三者割当による議決権の希薄化率が25％以上となる場合又は第三者割当によって支配株主となる者が生じる場合をいう。本条において同じ。）について、会社役員の地位の維持を目的とするものではないか等を検討し、必要に応じて取締役に対して助言又は勧告を行う。【Lv.3】監査役が当該大規模第三者割当に関し独立した者としての第三者意見を述べる場合には、会社に対する善管注意義務を前提に、その職務を適正に遂行する。【Lv.3】

## 第10章　株主代表訴訟等への対応

### （取締役と会社間の訴えの代表）

### 第52条

監査役は、会社が取締役に対し又は取締役が会社に対し訴えを提起する場合には、会社を代表する。【Lv.1】

### （取締役等の責任の一部免除に関する同意）

### 第53条

1．監査役は、次に掲げる同意に際し、監査役会にて協議を行う。【Lv.3】

一　取締役の責任の一部免除に関する議案を株主総会に提出することに対する同意

二　取締役会決議によって取締役の責任の一部免除をすることができる旨の定款変更に関する議案を株主総会に提出することに対する同意

三　定款の規定に基づき取締役の責任の一部免除に関する議案を取締役会に提出することに対する同意

四　社外取締役その他の非業務執行取締役との間で責任限定契約をすることができる旨の定款変更に関する議案を株主総会に提出することに対する同意

2．前項各号の同意を行うに当たり、監査役は、定款変更に係る議案に対する同意については定款変更の当否や提案理由の適切さ等を、責任の一部免除に係る議案に対する同意については免除の理由、監査役が行った調査結果、当該事案について判決が出されているときにはその内容等を十分に吟味し、かつ、必要に応じて外部専門家の意見も徴して判断を行う。【Lv.3】

3．第1項各号の同意の当否判断のために行った監査役の調査及び協議の過程と結果については、監査役は、記録を作成し保管する。【Lv.3】

4．法令の規定に基づいて会計監査人の責任の一部免

除に関する議案（責任限定契約に関する議案を含む。）が株主総会又は取締役会に提出される場合についても、監査役及び監査役会は、本条の規定に準じるものとする。【Lv.4】
5．監査役は、監査役の責任の一部免除等について意見をもつに至ったときは、必要に応じて取締役会等において意見を述べる。【Lv.3】

**（株主代表訴訟の提訴請求の受領及び不提訴理由の通知）**

**第54条**

1．監査役は、取締役に対しその責任を追及する訴えを提起するよう株主から請求を受けた場合には、速やかに他の監査役に通知するとともに、監査役会を招集してその対応を十分に審議のうえ、提訴の当否について判断しなければならない。【Lv.1】
2．前項の提訴の当否判断に当たって、監査役は、被提訴取締役のほか関係部署から状況の報告を求め、又は意見を徴するとともに、関係資料を収集し、外部専門家から意見を徴するなど、必要な調査を適時に実施する。【Lv.3】
3．監査役は、第１項の判断結果について、取締役会及び被提訴取締役に対して通知する。【Lv.3】
4．第１項の判断の結果、責任追及の訴えを提起しない場合において、提訴請求株主又は責任追及の対象となっている取締役から請求を受けたときは、監査役は、当該請求者に対し、遅滞なく、次に掲げる事項を記載した書面を提出し、責任追及の訴えを提起しない理由を通知しなければならない。【Lv.1】この場合、監査役は、外部専門家の意見を徴したうえ、監査役会における審議を経て、当該通知の内容を検討する。【Lv.3】
一　監査役が行った調査の内容（次号の判断の基礎とした資料を含む。）
二　被提訴取締役の責任又は義務の有無についての判断及びその理由
三　被提訴取締役に責任又は義務があると判断した場合において、責任追及の訴えを提起しないときは、その理由
5．監査役は、提訴の当否判断のために行った調査及び審議の過程と結果について、記録を作成し保管する。【Lv.3】

**（株主代表訴訟における補助参加の同意）**

**第55条**

1．監査役は、株主代表訴訟における会社の被告取締役側への補助参加の同意に際し、監査役会にて協議を行う。【Lv.3】
2．前項の補助参加への同意の当否判断に当たって、監査役は、代表取締役、被告取締役及び関係する取締役のほか関係部署から状況の報告を求め、又は意見を徴し、必要に応じて外部専門家からも意見を徴する。【Lv.3】監査役は、補助参加への同意の当否判断のために行った調査及び協議の過程と結果について、記録を作成し保管する。【Lv.3】

**（会社が原告となる責任追及訴訟における和解）**

**第56条**

1．監査役は、会社が取締役等の責任を追及する訴えに係る訴訟における和解の同意に際し、監査役会にて協議を行う。【Lv.3】
2．前項の和解への同意の当否判断に当たって、監査役は、代表取締役、被告取締役及び関係する取締役のほか関係部署から状況の報告を求め、又は意見を徴し、必要に応じて外部専門家からも意見を徴する。【Lv.3】監査役は、和解への同意の当否判断のために行った調査及び協議の過程と結果について、記録を作成し保管する。【Lv.3】

【第56条参考】会社法第849条の２を踏まえた改定である。

**（株主代表訴訟における和解に対する異議の判断）**

**第57条**

1．監査役は、株主代表訴訟について原告株主と被告取締役との間で訴訟上の和解を行う旨の通知及び催告が裁判所からなされた場合には、速やかに監査役会等においてその対応を十分に審議し、和解に異議を述べるかどうかを判断しなければならない。【Lv.2】
2．前項の訴訟上の和解の当否判断に当たって、監査役は、代表取締役、被告取締役及び関係する取締役のほか関係部署から状況の報告を求め、又は意見を徴し、必要に応じて外部専門家からも意見を徴する。【Lv.3】監査役は、訴訟上の和解の当否判断のために行った調査及び審議の過程と結果について、記録を作成し保管する。【Lv.3】

**（多重代表訴訟等における取扱い）**

**第58条**

1．最終完全親会社（会社が特定責任追及の訴えの制度（いわゆる多重代表訴訟制度）の対象となる子会社（本条において「完全子会社」という。）を有している場合の当該会社をいう。本条において同じ。）

の監査役は、完全子会社の取締役、清算人（本条において「完全子会社取締役等」という。）に対する特定責任追及の訴えについて、以下に留意して、本章の規定に準じた対応を行う。

一　完全子会社が最終完全親会社の株主から完全子会社取締役等に対する特定責任追及の訴えの提起に係る訴訟告知を受けた旨の通知を最終完全親会社が完全子会社から受ける場合、最終完全親会社の監査役が最終完全親会社を代表する。【Lv.1】

二　最終完全親会社が完全子会社取締役等に対して特定責任追及の訴えを行う場合、最終完全親会社の監査役が最終完全親会社を代表する。【Lv.1】

三　特定責任追及の訴えにおいて最終完全親会社が被告完全子会社取締役等側へ補助参加を行う場合、最終完全親会社の監査役は当該参加に同意するか否かを判断する。【Lv.1】

2．完全子会社の監査役は、最終完全親会社の株主から完全子会社取締役等に対する特定責任追及の訴えの提訴請求を完全子会社が受ける場合、完全子会社を代表する。【Lv.1】

【第58条補足】子会社役員に対して①多重代表訴訟や②株式交換等があった場合の親会社株主からの代表訴訟等が提起された場合、親会社監査役は自らにも一定の責任が生じることに留意して対応すべきである。

## 第11章　監査の報告

**（監査内容等の報告・説明）**

**第59条**

監査役は、監査活動及び監査結果に対する透明性と信頼性を確保するため、自らの職務遂行の状況や監査の内容を必要に応じて説明することが監査役の重要な責務であることを、自覚しなければならない。【Lv.2】

**（監査調書の作成）**

**第60条**

監査役は、監査調書を作成し保管しなければならない。【Lv.2】当該監査調書には、監査役が実施した監査の方法及び監査結果、並びにその監査意見の形成に至った過程及び理由等を記録する。【Lv.3】

**（代表取締役及び取締役会への報告）**

**第61条**

1．監査役及び監査役会は、その活動状況等について、定期的に代表取締役及び取締役会に報告する。【Lv.3】

2．監査役及び監査役会は、重点監査項目に関する監査及び特別に実施した調査等の経過及び結果を代表取締役及び取締役会その他関係する取締役に報告し、必要があると認めたときは、助言又は勧告を行うほか、状況に応じ適切な措置を講じる。【Lv.3】

**（監査報告の作成・通知）**

**第62条**

1．監査役は、監査役監査報告を作成し、監査役会に提出しなければならない。【Lv.1】

2．監査役会は、各監査役が作成した監査役監査報告に基づき、審議のうえ、正確かつ明瞭に監査役会監査報告を作成しなければならない。【Lv.1】

3．監査役会は、事業報告等及び計算関係書類の作成に関する職務を行った取締役から受領した事業報告等、計算関係書類その他の書類について、法定記載事項のほか、開示すべき事項が適切に記載されているかを確かめ、必要に応じ取締役に対し説明を求め、又は意見を述べ、若しくは修正を求める。【Lv.3】

4．監査役は、第25条第１項に定める内部統制システムに係る取締役会決議の内容が相当であるか否かを監査報告に記載する。【Lv.3】また、当該決議に基づき構築・運用されている内部統制システムについて指摘すべき事項がある場合には、その内容を監査報告に記載する。【Lv.3】

5．監査役会は、監査役会監査報告を作成するに当たり、取締役の法令又は定款違反行為及び後発事象の有無等を確認するとともに、第45条第２項に掲げる事項にも留意のうえ、監査役会監査報告に記載すべき事項があるかを検討する。【Lv.3】

6．監査役は、監査役会監査報告の内容と自己の監査報告の内容が異なる場合には、自己の監査役監査報告の内容を監査役会監査報告に付記する。【Lv.3】

7．監査役は、自己の監査役監査報告及び監査役会監査報告に署名又は記名押印（電子署名を含む。）する。【Lv.3】また、常勤の監査役及び社外監査役はその旨を記載するものとする。【Lv.4】また、監査役会監査報告には、作成年月日を記載しなければならない。【Lv.1】

8．特定監査役は、事業報告等に係る監査役会監査報告の内容及び計算関係書類に係る監査役会監査報告の内容を特定取締役に通知し、計算関係書類に係る監査役会監査報告の内容を会計監査人に通知しなければならない。【Lv.1】ただし、事業報告等に係る監査報告と計算関係書類に係る監査報告を一通にまとめて作成する場合には、当該監査報告の内容を会

計監査人に通知しなければならない。【Lv.1】

9．前項において、特定監査役は、必要に応じて、事業報告等に係る監査役会監査報告の内容を特定取締役に通知すべき日について特定取締役との間で合意し、計算関係書類に係る会計監査報告の内容を特定監査役に通知すべき日並びに計算関係書類に係る監査役会監査報告の内容を特定取締役及び会計監査人に通知すべき日について特定取締役及び会計監査人との間で合意して定めるものとする。【Lv.4】

（電子提供制度による開示）

**第63条**

1．会社法第325条の5第3項に基づき電子提供措置事項のうち法務省令で定めるものの全部又は一部について電子提供措置事項記載書面に記載することを要しない旨の定款の定めがある会社において、取締役が、当該定款に基づく措置をとろうとしている場合には、監査役は、当該措置をとることについて検討し、必要があると認めたときは、異議を述べる。【Lv.3】

2．前項の定款の定めに基づく措置がとられる場合に、監査役は、電子提供措置事項記載書面に記載された事項が監査報告を作成するに際して監査をした事業報告又は計算書類若しくは連結計算書類に記載され、又は記録された事項の一部である旨を、電子提供措置事項記載書面の交付を受ける株主に対して通知すべき旨を取締役に請求することができる。【Lv.5】

【第63条参考】会社法において株主総会資料の電子提供制度が導入されたことを踏まえた改定である。

（みなし提供制度による開示）

**第64条**

1．会社法施行規則第94条第1項、会社法施行規則第133条第3項、会社計算規則第133条第4項及び会社計算規則第134条第4項に定めるみなし提供制度の措置をとる定款の定めがある会社において、取締役が当該措置をとろうとしている場合には、監査役は、当該措置をとることについて検討し、必要があると認めたときは、異議を述べる。【Lv.3】

2．前項の定款の定めに基づく措置がとられる場合に、監査役は、現に株主に対して提供される事業報告又は計算書類若しくは連結計算書類が、監査報告を作成するに際して監査をした事業報告又は計算書類若しくは連結計算書類の一部であることを株主に対して通知すべき旨を取締役に請求することができる。【Lv.5】

（株主総会への報告・説明等）

**第65条**

1．監査役は、株主総会に提出される議案及び書類並びに電磁的記録その他の資料について法令若しくは定款に違反し又は著しく不当な事項の有無を調査し、当該事実があると認めた場合には、株主総会において調査結果を報告しなければならない。【Lv.1】また、監査役は、監査役の説明責任を果たす観点から、必要に応じて株主総会において自らの意見を述べるものとする。【Lv.4】

2．監査役は、株主総会において株主が質問した事項については、議長の議事運営に従い説明する。【Lv.3】

3．監査役は、株主総会議事録に議事の経過の要領及びその結果、その他法令で定める事項が適切に記載されているかを確かめる。【Lv.3】

（附則）

本基準において、「記載」には、その性質に反しない限り、電磁的記録を含むものとする。また、本基準において言及される各種書類には、電磁的記録により作成されたものを含むものとする。

以　上

資料2

# 内部統制システムに係る監査の実施基準

## 第1章　本実施基準の目的等

（目的）

第1条

本実施基準は、監査役監査基準（1975年3月25日制定。2021年12月16日最終改定）第25条第8項に基づき、監査役が会社の内部統制システムに関して行う監査（本実施基準において「内部統制システム監査」という。）に当たっての基準及び行動の指針を定めるものである。

（内部統制システムの定義等）

第2条

本実施基準において、次の各号に掲げる用語の意義は、当該各号に定めるところによる。なお、本実施基準における「章」、「条」の記載は、特段の言及がない限り、本実施基準における章及び条を意味する。

一　内部統制システム　監査役監査基準第25条第1項各号に定める体制をいう。

二　法令等遵守体制　取締役及び使用人の職務の執行が法令及び定款に適合することを確保するための体制をいう。

三　損失危険管理体制　損失の危険の管理に関する規程その他の体制をいう。

四　情報保存管理体制　取締役の職務の執行に係る情報の保存及び管理に関する体制をいう。

五　効率性確保体制　取締役の職務の執行が効率的に行われることを確保するための体制をいう。

六　企業集団内部統制　会社並びにその親会社及び子会社から成る企業集団における業務の適正を確保するための体制をいう。

七　財務報告内部統制　会社及びその属する企業集団に係る財務報告の適正性を確保するための体制をいう。

八　財務担当取締役　財務報告を所管する取締役をいう。

九　監査役監査の実効性確保体制　監査役監査基準第18条第2項各号に定める体制をいう。

十　監査役報告体制　取締役及び使用人が監査役に報告するための体制その他の監査役への報告に関する体制をいう。

十一　内部監査部門等　監査役監査基準第38条第1項に定める内部監査部門等をいう。

十二　補助使用人　監査役監査基準第16条に定める補助使用人をいう。

十三　内部統制部門　監査役監査基準第8条第3項に定める内部統制部門をいう。

十四　内部統制決議　会社法第362条第4項第6号並びに会社法施行規則第100条第1項及び第3項に基づき行われる内部統制システムに係る取締役会決議をいう。

十五　会議等　取締役会、コンプライアンス委員会、リスク管理委員会その他関連する会議又は委員会等をいう。

十六　代表取締役等　代表取締役を含む業務執行取締役をいう。

十七　重大な欠陥　内部統制システムの構築・運用の状況において取締役の善管注意義務に違反する重大な事実があると認められる内部統制の不備をいう。

## 第2章　内部統制システム監査の基本方針及び方法等

（内部統制システム監査の対象）

第3条

監査役は、取締役の職務の執行に関する監査の一環として、内部統制システムに係る以下の事項について監査を行う。

一　内部統制決議の内容が相当でないと認める事由の有無

二　取締役が行う内部統制システムの構築・運用の状況における不備の有無

三　事業報告に記載された内部統制決議の概要及び構築・運用状況の記載が適切でないと認める事由の有無

（内部統制システム監査の基本方針）

第4条

1．監査役は、内部統制システムが適正に構築・運用されていることが良質な企業統治体制の確立のために必要不可欠であることを認識し、自らの責務として内部統制決議の内容及び内部統制システムの構築・運用の状況を監視し検証する。

2．監査役は、内部統制システムの重要性に対する代表取締役その他の取締役の認識及び構築・運用に向けた取組みの状況並びに取締役会の監督の状況（必要な事項の取締役会への報告状況を含む。）など、会社の統制環境を監査上の重要な着眼点として内部統制システム監査を行う。

3．監査役は、内部統制システムが、会社及びその属する企業集団に想定されるリスクのうち、会社に著しい損害を及ぼすおそれのあるリスクに対応しているか否かに重点を置いて、内部統制システム監査を行う。内部統制システムがかかるリスクに対応していないと認めた場合には、監査役は、内部統制システムの不備として、代表取締役等、内部監査部門等又は内部統制部門に対して適時に指摘を行い、必要に応じ代表取締役等又は取締役会に対して助言、勧告その他の適切な措置を講じる。

4．監査役は、内部統制の実践に向けた規程類及び組織体制、情報の把握及び伝達の体制、モニタリング体制など内部統制システムの構成要素が、前項のリスクに対応するプロセスとして有効に機能しているか否かについて、監視し検証する。

5．監査役は、取締役会及び代表取締役等が適正な意思決定過程その他の適切な手続を経て内部統制システムの構築・運用を行っているか否かについて、監視し検証する。

**（内部統制決議に関する監査）**

**第5条**

1．監査役は、内部統制決議について、以下の観点から監視し検証する。

一　内部統制決議の内容が、会社法第362条第4項第6号並びに会社法施行規則第100条第1項及び第3項に定める事項を網羅しているか。

二　会社に著しい損害を及ぼすおそれのあるリスクに対応した内部統制システムのあり方について、決議がなされているか。

三　内部統制決議の内容について、必要な見直しが適時かつ適切に行われているか。

四　監査役が内部統制決議に関して助言又は勧告した指摘（第5章に定める監査役監査の実効性確保体制に関する指摘を含む。）の内容が、取締役会決議において適切に反映されているか。反映されていない場合には正当な理由があるか。

2．監査役は、各事業年度における内部統制システムの構築・運用の状況について、内部統制決議に定められた基本方針に適って構築・運用されているか、当該基本方針に見直すべき点がないかなどについて代表取締役等に対して評価を求め、説明を受ける。また、内部統制決議の内容の見直し等の要否を検討するため必要がある場合、監査役は、代表取締役等に対して、当該評価内容を取締役会において報告するよう求める。

**（内部統制システムの構築・運用の状況に関する監査）**

**第6条**

1．監査役は、第3章各条に定める内部統制システムの各体制（本条及び第8条において「各体制」という。）について、本条に定める監査活動その他日常的な監査活動を通じて、第3章各条第1項に掲げる重大なリスクに対応しているか否かを監視し検証する。なお、財務報告内部統制については第4章に定めるところに従い、監査役監査の実効性確保体制については第5章に定めるところに従い、監査役は監査を行い適切な措置を講じる。

2．監査役は、各事業年度の内部統制システム監査の開始に当たり、当該時点における内部統制決議の内容及び内部統制システムの構築・運用の状況を把握し、内部統制システム監査の計画を策定する。事業年度中に内部統制決議の内容に修正があった場合には、それに応じて監査計画等の必要な見直しを行う。

3．監査役は、会議等への出席及び代表取締役等との定期的会合等を通じて、各体制の構築・運用の状況とそれに対する取締役の認識について把握し、必要に応じ各体制の構築・運用の状況等について代表取締役等に対して報告を求める。

4．監査役は、内部監査部門等から、内部監査計画その他モニタリングの実践計画、その実施状況及び監査結果について適時かつ適切な報告を受ける。監査役は、内部監査部門等から各体制における重大なリスクへの対応状況その他各体制の構築・運用の状況に関する事項について定期的に報告を受け、必要に応じ内部監査部門等が行う調査等への監査役若しくは補助使用人の立会い・同席を求め、又は内部監査部門等に対して追加調査等とその結果の監査役への報告を求める。

5．監査役は、前項に定める内部監査部門等との連携を通じて、内部監査部門等が各体制の構築・運用の状況を継続的に検討・評価し、それを踏まえて代表取締役等が必要な改善を施しているか否かなど、内部統制システムのモニタリング機能の実効性について、監視し検証する。

6．監査役は、第4項に定める内部監査部門等との連携のほか、内部統制部門に対して、各体制の構築・

運用の状況及び各体制の実効性に影響を及ぼす重要な事象について、それに対する対応状況を含め定期的かつ随時に報告を受け、必要に応じて説明を求める。

7．監査役は、会計監査人との定期的会合等を通じて、内部統制システムの構築・運用の状況に関する会計監査人の意見等について把握し、必要に応じて報告を求める。

**（内部統制システムに関する事業報告記載事項の監査）**

**第7条**

監査役は、内部統制決議の内容及び運用の概要が、事業報告において正確かつ適切に記載されているかを検証する。また、以下のいずれかに該当する場合、監査役は、当該事業年度における内部統制システムの構築・運用状況が事業報告に適切に記載されているかを検証する。

一　重大な企業不祥事等が生じ、再発防止策のあり方を含め内部統制システムについて改善が求められている場合

二　前号の場合の他、事業の経過及び成果、対処すべき課題等の会社の現況に関する重要な事項として記載することが相当であると認められる場合

**（内部統制システムの不備等への対応等）**

**第8条**

1．監査役は、内部統制決議の内容に見直すべき点があると認める場合には、必要に応じ監査役会における審議を経て、取締役会に対して助言、勧告を行う。助言又は勧告等にもかかわらず、取締役会が正当な理由なく適切に対応せず、かつその結果、内部統制決議の内容が相当でないと認める場合には、監査役は、必要に応じ監査役会における審議を経て、監査報告においてその旨を指摘するものとする。内部統制システムに関する事業報告の記載内容が著しく不適切と認める場合も同様に対応するものとする。

2．監査役は、内部統制システムの構築・運用の状況に関する監査において実施した監査の方法の内容及び監査結果、発見した不備、助言又は勧告を要すると判断した論拠及び結果等について、監査役会に報告するものとする。

3．監査役会は、前項の各監査役からの報告を受けてその内容を検討し、代表取締役等又は取締役会に対して助言又は勧告すべき事項の有無及びその内容を審議する。

4．前項の審議を踏まえ助言又は勧告すべき事項を監査役会で決定した場合、監査役は、代表取締役等又は取締役会に対して、内部統制システムの構築・運用の状況や不備に関する監査役の所見、判断の根拠について説明のうえ、改善対応などについて助言又は勧告を行う。

5．前項の監査役の助言又は勧告にもかかわらず、代表取締役等又は取締役会が正当な理由なく適切に対応せず、かつその結果、各体制の構築・運用の状況に重大な欠陥があると認められる場合には、監査役は、必要に応じ監査役会における審議を経て、監査報告においてその旨を指摘するものとする。内部統制システムの構築・運用状況の概要に関する事業報告の記載内容が著しく不適切と認める場合も同様に対応するものとする。

6．本条に定める監査役会における審議及び決定は、法令で定められた各監査役の権限の行使を妨げるものではない。

## 第3章　法令等遵守体制・損失危険管理体制等の監査

**（法令等遵守体制に関する監査）**

**第9条**

1．監査役は、法令等遵守体制について、以下に列挙する重大なリスクに対応しているか否かを監査上の重要な着眼点として、監視し検証する。

一　代表取締役等が主導又は関与して法令等違反行為が行われるリスク

二　法令等遵守の状況が代表取締役等において適時かつ適切に把握されていない結果、法令等違反行為が組織的に又は反復継続して行われるリスク

三　代表取締役等において把握された会社に著しい損害を及ぼすおそれのある法令等違反行為が、対外的に報告又は公表すべきにもかかわらず隠蔽されるリスク

2．監査役は、法令等遵守体制が前項に定めるリスクに対応しているか否かについて、以下の事項を含む重要な統制上の要点を特定のうえ（ただし、以下に掲げる事項はあくまで例示であり、会社の事業内容、規模その他会社の特性に照らして過不足のない重要な要点に絞るものとする。以下第14条までの各条第2項について同じ。）、判断する。

一　代表取締役等が、会社経営において法令等遵守及びその実効的体制の構築・運用が必要不可欠であることを認識しているか。

二　取締役会、経営会議その他重要な会議等におけ

る意思決定及び個別の業務執行において、法務を所管する部署及び外部専門家に対して法令等遵守に関する事項を適時かつ適切に相談する体制など、法令等を遵守した意思決定及び業務執行がなされることを確保する体制が構築・運用されているか。取締役会、経営会議その他重要な会議等において、収益確保等を法令等遵守に優先させる意思決定が現に行われていないか。

三　法令等遵守に係る基本方針及び行動基準等が定められ、事業活動等に関連した重要法令の内容が社内に周知徹底されているか。反社会的勢力への適正な対応方針が社内に周知徹底されているか。また、倫理基準、品質基準、安全基準等が社内に周知徹底されているか。

四　法令等遵守の状況を監視するモニタリング部門が存在し、会社の法令等遵守に係る問題点が発見され、改善措置がとられているか。法令等違反に関する処分規程が整備され、それに従った適切な措置がとられているか。

五　法令等遵守体制の実効性に重要な影響を及ぼしうる事項について、取締役会及び監査役に対して定期的に報告が行われる体制が構築・運用されているか。内部統制部門が疑念をもった取引・活動について内部監査部門等及び監査役に対して適時かつ適切に伝達される体制が構築・運用されているか。内部通報システムなど法令等遵守に関する状況が業務執行ラインから独立して把握されるシステムが構築・運用されているか。

**（損失危険管理体制に関する監査）**

**第10条**

1．監査役は、損失危険管理体制について、以下に列挙する重大なリスクに対応しているか否かを監査上の重要な着眼点として、監視し検証する。

一　損失の危険の適正な管理に必要な諸要因の事前の識別・分析・評価・対応に重大な漏れ・誤りがあった結果、会社に著しい損害が生じるリスク

二　会社に著しい損害を及ぼすおそれのある事業活動が正当な理由なく継続されるリスク

三　会社に著しい損害を及ぼすおそれのある事故その他の事象が現に発生した場合に、適切な対応体制が構築・運用されていない結果、損害が拡大しあるいは事業が継続できなくなるリスク

2．監査役は、損失危険管理体制が前項に定めるリスクに対応しているか否かについて、以下の事項を含む重要な統制上の要点を特定のうえ、判断する。

一　代表取締役等が、会社経営において損失危険管理及びその実効的体制の構築・運用が必要不可欠であることを認識しているか。

二　会社に著しい損害を及ぼすおそれのある事象への対応について、取締役会、経営会議その他重要な会議等において、十分な情報を踏まえたリスク分析を経た議論がなされているか。

三　代表取締役等が、会社の事業内容ごとに、信用・ブランドの毀損その他会社存続にかかわるリスクを認識しているか。当該リスクの発生可能性及びリスク発生時の損害の大きさに関する適正な評価が行われているか。他社における事故事例の把握、安全・環境に対する社会的価値観の変化、法的規制その他経営環境及びリスク要因の変化が認識され、それに対して適時かつ適切に対応する体制が構築・運用されているか。

四　当該事業年度において重点的に取り組むべきリスク対応計画を策定しているか。当該計画の実行状況が定期的にレビューされる仕組みが構築・運用されているか。

五　各種リスクに関する識別・分析・評価・対応のあり方を規定した管理規程が構築・運用されているか。定められた規程及び職務分掌に従った業務が実施されているか。損失危険管理の状況を監視するモニタリング部門が存在し、会社の損失危険管理に係る問題点が発見され、改善措置が講じられているか。

六　会社に著しい損害を及ぼすおそれのある事業活動の継続に関し、適時かつ適切な検討が行われているか。正当な理由なく放置されていないか。

七　損失危険管理体制の実効性に重要な影響を及ぼしうる事項について、取締役会及び監査役に対して定期的に報告が行われる体制が構築・運用されているか。内部通報システムなど損失危険管理に関する状況が業務執行ラインから独立して把握されるシステムが構築・運用されているか。

八　会社に著しい損害を及ぼす事態が現に生じた場合を想定し、損害を最小限にとどめるために、代表取締役等を構成員とする対策本部の設置、緊急時の連絡網その他の情報伝達体制、顧客・マスコミ・監督当局等への対応、業務の継続に関する方針等が予め定められているか。

**（情報保存管理体制に関する監査）**

**第11条**

1．監査役は、情報保存管理体制について、以下に列

挙する重大なリスクに対応しているか否かを監査上の重要な着眼点として、監視し検証する。

一　重要な契約書、議事録、法定帳票等、適正な業務執行を確保するために必要な文書その他の情報が適切に作成、保存又は管理されていない結果、会社に著しい損害が生じるリスク

二　重要な営業秘密、ノウハウ、機密情報や、個人情報ほか法令上保存・管理が要請される情報などが漏洩する結果、会社に著しい損害が生じるリスク

三　開示される重要な企業情報について、虚偽又は重大な欠落があるリスク

2．監査役は、情報保存管理体制が前項に定めるリスクに対応しているか否かについて、以下の事項を含む重要な統制上の要点を特定のうえ、判断する。

一　代表取締役等が、会社経営において情報保存管理及びその実効的体制の構築・運用が必要不可欠であることを認識しているか。

二　情報の作成・保存・管理のあり方に関する規程等が制定され、かつ、当該規程を有効に実施するための社内体制が構築・運用されているか。

三　取締役会議事録その他法定の作成資料について、適正に内容が記録され保存される社内体制が構築・運用されているか。

四　保存・管理すべき文書及び情報の重要性の区分に応じて、適切なアクセス権限・保存期間の設定、セキュリティー・ポリシー、バック・アップなどの管理体制が構築・運用されているか。

五　個人情報ほか法令上一定の管理が求められる情報について、社内に対して、当該法令で要求される管理方法の周知徹底が図られているか。

六　会社の重要な情報の適時開示、IRその他の開示を所管する部署が設置されているか。開示すべき情報が迅速かつ網羅的に収集され、法令等に従い適時に正確かつ十分に開示される体制が構築・運用されているか。

七　情報保存管理に関して定められた規程及び職務分掌に従った管理がなされているか。情報保存管理の状況を監視するモニタリング部門が存在し、会社の情報保存管理に係る問題点が発見され、改善措置が講じられているか。

八　情報保存管理の実効性に重要な影響を及ぼしうる事項について、取締役会及び監査役に対して定期的に報告が行われる体制が構築・運用されているか。内部通報システムなど情報保存管理に関する状況が業務執行ラインから独立して把握されるシステムが構築・運用されているか。

**（効率性確保体制に関する監査）**

**第12条**

1．監査役は、効率性確保体制について、以下に列挙する重大なリスクに対応しているか否かを監査上の重要な着眼点として、監視し検証する。

一　経営戦略の策定、経営資源の配分、組織の構築、業績管理体制の構築・運用等が適正に行われない結果、過度の非効率性が生じ、その結果、会社に著しい損害が生じるリスク

二　過度の効率性追求により会社の健全性が損なわれ、その結果、会社に著しい損害が生じるリスク

三　代表取締役等が行う重要な業務の決定において、決定の前提となる事実認識に重要かつ不注意な誤りが生じ、その結果、会社に著しい損害が生じる決定が行われるリスク

2．監査役は、効率性確保体制が前項に定めるリスクに対応しているか否かについて、以下の事項を含む重要な統制上の要点を特定のうえ、判断する。

一　代表取締役等が、会社の持続的な成長を確保する経営計画・事業目標の策定、効率性確保と健全性確保との適正なバランス等が、会社経営において重要であることを認識しているか。

二　経営計画の策定、経営資源の配分、組織の構築、管理体制のあり方、ITへの対応等が、適正に決定・実行・是正される仕組みが構築・運用されているか。

三　会社の経営資源及び経営環境等に照らして達成困難な経営計画・事業目標等が設定され、その達成のため会社の健全性を損なう過度の効率性が追求されていないか。

四　代表取締役等が行う重要な意思決定及び個別の業務の決定が、監査役監査基準第23条第２項各号に定める観点に適合する形でなされることを確保するための体制が構築・運用されているか。

**（企業集団内部統制に関する監査）**

**第13条**

1．監査役は、企業集団内部統制について、以下に列挙する重大なリスクに対応しているか否かを監査上の重要な着眼点として、監視し検証する。

一　重要な子会社において法令等遵守体制、損失危険管理体制、情報保存管理体制、効率性確保体制に不備がある結果、会社に著しい損害が生じるリスク

二　重要な子会社における内部統制システムの構築・運用の状況が会社において適時かつ適切に把握されていない結果、会社に著しい損害が生じるリスク

三　子会社を利用して又は親会社及び株式会社の経営を支配している者（本条において「親会社等」という。）から不当な圧力を受けて不適正な行為が行われ、その結果、会社に著しい損害が生じるリスク

2．監査役は、企業集団内部統制が前項に定めるリスクに対応しているか否かについて、以下の事項を含む重要な統制上の要点を特定のうえ、判断する。

一　代表取締役等が、会社経営において企業集団内部統制及びその実効的体制の構築・運用が必要不可欠であることを認識しているか。

二　企業集団全体で共有すべき経営理念、行動基準、対処すべき課題が周知徹底され、それに沿った法令等遵守、損失危険管理及び情報保存管理等に関する基準が定められ、その遵守に向けた適切な啓発活動とモニタリングが実施されているか。

三　企業集団において重要な位置を占める子会社、内部統制リスクが大きい子会社、重要な海外子会社などが、企業集団内部統制の管理・モニタリングの対象から除外されていないか。

四　子会社の内部統制システムの構築・運用の状況を定期的に把握しモニタリングする統括本部等が会社に設置され、子会社の内部統制システムに係る重要な課題につき問題点が発見され、適切な改善措置が講じられているか。子会社において法令等違反行為その他著しい損害が生じる事態が発生した場合に、会社が適時かつ適切にその状況を把握できる情報伝達体制が構築・運用されているか。グループ内部通報システムなど子会社に関する状況が会社において把握されるシステムが構築・運用されているか。

五　子会社に監査役、監査委員会又は監査等委員会（本条において「監査役等」という。）が置かれている場合、当該監査役等が、第9条から本条に定めるところに従い、当該子会社の内部統制システムについて適正に監査を行い、会社の統括本部等及び会社の監査役との間で意思疎通及び情報の交換を適時かつ適切に行っているか。子会社に監査役等が置かれていない場合、監査機能を補完する適正な体制が子会社又は企業集団全体で別途構築・運用されているか。

六　企業集団内で共通化すべき情報処理等が適正にシステム化されているか。

七　子会社に対して達成困難な事業目標や経営計画を設定し、その達成のため当該子会社又は企業集団全体の健全性を損なう過度の効率性が追求されていないか。

八　子会社を利用した不適正な行為に関して、会社がその状況を適時に把握し、適切な改善措置を講じる体制が構築・運用されているか。

九　会社に親会社等がある場合、少数株主の利益を犠牲にして親会社等の利益を不当に図る行為を防止する体制が構築・運用されているか。

## 第4章　財務報告内部統制の監査

**（財務報告内部統制に関する監査）**

**第14条**

1．監査役は、財務報告内部統制について、以下に列挙する重大なリスクに対応しているか否かを監査上の重要な着眼点として、監視し検証する。

一　代表取締役及び財務担当取締役（本条において「財務担当取締役等」という。）が主導又は関与して不適正な財務報告が行われるリスク

二　会社の経営成績や財務状況に重要な影響を及ぼす財務情報が財務担当取締役等において適時かつ適切に把握されていない結果、不適正な財務報告が組織的に又は反復継続して行われるリスク

三　会計監査人が関与又は看過して不適正な財務報告が行われるリスク

2．監査役は、財務報告内部統制が前項に定めるリスクに対応しているか否かについて、以下の事項を含む重要な統制上の要点を特定のうえ、判断する。

一　財務担当取締役等が、会社経営において財務報告の信頼性の確保及びそのための実効的体制の構築・運用が必要不可欠であることを認識しているか。また、財務報告における虚偽記載が適時かつ適切に発見・予防されないリスクの重大性を理解したうえで、財務報告内部統制の構築・運用及び評価の基本計画を定めているか。

二　財務報告を所管する部署に会計・財務に関する十分な専門性を有する者が配置されているか。また、専門性を有する者を育成する中長期的取組みが行われているか。

三　財務担当取締役等が、財務報告の信頼性確保のために、以下の重要な事項について適切に判断・対応できる体制を構築・運用しているか（ただし、以下は例示であり、会社の事業内容、規模その他

会社の特性に照らして過不足のない重要な点に絞るものとする。)。

イ　会計処理の適正性と妥当性（売上・売掛金の計上時期と実在性、棚卸資産の実在性、各種引当金計上の妥当性、税効果会計の妥当性、減損会計の妥当性、その他重要な会計処理の適正性と妥当性）

ロ　重要な会計方針の変更の妥当性

ハ　会計基準や制度の改正等への対応

ニ　資本取引、損益取引における重要な契約の妥当性

ホ　重要な資産の取得・処分等の妥当性

ヘ　資金運用の妥当性（デリバティブ取引等を含む。)

ト　連結の範囲及び持分法適用会社の範囲の妥当性

チ　連結決算に重要な影響を及ぼす子会社及び関連会社に関する、上記の各事項の適正な会計処理

リ　後発事象の把握と重要性判定の妥当性

四　開示すべき財務情報が迅速かつ網羅的に収集され、法令等に従い適時に正確かつ十分に開示される体制が構築・運用されているか。

五　会計監査人が適正に監査を行う体制が構築・運用されているか。会計監査人の会社からの独立性が疑われる特段の関係が形成されていないか。

六　会社の経営成績や財務状況に重要な影響を及ぼす可能性が高いと認められる事項について、財務担当取締役等と会計監査人との間で適切に情報が共有されているか。

3．会社の財務報告内部統制が、金融商品取引法第24条の4の4第1項に定める財務報告内部統制の評価報告（本条において「内部統制報告書」という。）の対象となっている場合、監査役は、以下の方法により前項の判断を行う。

一　財務報告内部統制の評価に関する以下の事項（ただし、以下に掲げる事項はあくまで例示であり、会社の事業内容、規模その他会社の特性に照らして過不足のない重要な事項に絞るものとする。）について、財務担当取締役等及び内部統制部門から報告を受ける。必要があれば証跡の閲覧及び運用テスト等への立会い等を通じて、実際の状況を確認する。

イ　財務報告内部統制の構築・運用及び評価のための基本計画と体制の状況

ロ　財務報告リスク及び情報開示リスクの特定の妥当性（前項第3号に列挙される重要な事項に関するリスクについて適切に判断及び対応できる体制の状況を含む。）

ハ　評価範囲の妥当性（重要な事業と拠点の特定を含む。）

ニ　重要な業務プロセスの特定と選定の妥当性

ホ　チェックリスト等を利用した全社的な内部統制の構築・運用の評価状況

ヘ　重要な業務プロセスの構築・運用の評価状況

ト　連結グループの決算及び財務報告プロセスの構築・運用の評価状況

チ　IT全般統制及び業務処理統制の構築・運用の評価状況

リ　不備の検出、改善及び是正のプロセスの妥当性

ヌ　内部統制報告書の作成プロセスと内容の妥当性

ル　過剰な文書化及び証跡化の有無、重複したコントロールの有無、その他会社の事業内容、規模その他会社の特性に照らして過剰な対応の有無

二　金融商品取引法第193条の2第2項の規定に従い内部統制報告書について監査証明を行う者（本条において「財務報告内部統制監査人」という。）から、財務報告内部統制における重大なリスクへの対応状況その他財務報告内部統制の実効性に重要な影響を及ぼすおそれがあると認められる事項について、前号の財務報告内部統制の評価に関する主要な点に留意して、適時かつ適切に監査役又は監査役会において報告を受ける。

三　監査役がその監査職務の過程で知り得た情報で、財務報告内部統制の実効性に重要な影響を及ぼすと認められる事項について、財務担当取締役等及び財務報告内部統制監査人との情報の共有に努める。

四　財務担当取締役等と財務報告内部統制監査人との間で、財務報告内部統制の評価範囲、評価方法、有効性評価等についての意見（会社の事業内容、規模その他会社の特性に照らして過不足のない重要な事項の範囲についての意見を含む。）が異なった場合には、財務担当取締役等及び財務報告内部統制監査人に対し、適時に監査役又は監査役会に報告するよう求める。

五　財務担当取締役等に対して、取締役会等に以下の事項について定期的な報告をするよう求める。

イ　財務担当取締役等による財務報告内部統制の

評価の状況

ロ　財務報告内部統制監査人の監査の状況

六　内部統制システムについて会社法に定める監査報告を作成する時点において、財務報告内部統制監査人から、財務報告内部統制の監査結果について、書面による報告を受ける。口頭による報告を受ける場合、その内容を監査役会議事録に残すことが望ましい。財務報告内部統制について開示すべき重要な不備（財務計算に関する書類その他の情報の適正性を確保するための体制に関する内閣府令第２条第10号に定義される不備をいう。本条において同じ。）が存在する旨の指摘があった場合には、財務担当取締役等と財務報告内部統制監査人の双方から説明を求め、当該不備の内容とその重大性、既に実施した改善策と今後の改善方針、計算関係書類及びその会計監査結果に及ぼす影響などについて確認のうえ、当該不備に関する事業報告の記載内容について検証するとともに、本条第４項の規定に従い監査報告の内容を検討する。

4．監査役は、本条に定める監査の方法その他会社法に定める監査活動を通じて、財務報告内部統制が第１項に定める重大なリスクに対応していないと判断した場合には、必要に応じ監査役会における審議を経て、その旨を財務担当取締役等に対して適時かつ適切に指摘し必要な改善を求めるとともに、第８条第５項の規定に従い、内部統制システム監査について監査報告に記載すべき事項（重大な欠陥に該当するか否かを含む。）を検討する。また、会計監査人に対して必要な情報を提供し、会計監査上の取扱いにつき意見交換を行う。会計監査人が当該情報の内容を十分考慮せず適正な会計監査を行っていないと認める場合には、監査役は、会計監査人の監査の方法又は結果の相当性について監査報告に記載すべき事項を検討する。

5．監査報告作成後に、当該監査報告に係る事業年度の財務報告内部統制について開示すべき重要な不備の存在が判明した場合、監査役は、財務担当取締役等及び財務報告内部統制監査人の双方から意見を聴取し、その内容や改善策などについて確認するとともに、必要に応じて当該事業年度に係る定時株主総会において監査報告との関係等について説明を行う。

## 第５章　監査役監査の実効性確保体制の監査

### （補助使用人に関する事項）

**第15条**

1．補助使用人に関して以下の事情のいずれかが認められる場合には、監査役は、代表取締役等又は取締役会に対して必要な要請を行う。

一　監査役の監査体制に照らし、その職務を執行するために必要と認められる補助使用人の員数又は専門性が欠けている場合

二　監査役の指示により補助使用人が行う会議等への出席、情報収集その他必要な行為が、不当に制限されていると認められる場合

三　補助使用人に対する監査役の必要な指揮命令権が不当に制限されていると認められる場合

四　補助使用人に関する人事異動（異動先を含む。）・人事評価・懲戒処分等に対して監査役に同意権が付与されていない場合

五　監査役から補助使用人に対する指示の実効性を制限・制約する事象が生じている場合

六　その他、監査役監査の実効性を妨げる特段の事情が認められる場合

2．前項に定める監査役の要請は、必要に応じ監査役会における審議を経て行う。前項の要請に対して、代表取締役等又は取締役会が正当な理由なく適切な措置を講じない場合には、監査役は、監査役会における審議を経て、監査報告等においてその旨を指摘する。

### （監査役報告体制）

**第16条**

1．監査役報告体制について、以下の事情のいずれかが認められる場合には、監査役は、代表取締役等又は取締役会に対して必要な要請を行う。

一　取締役会以外で監査役が出席する必要のある重要な会議等について、監査役の出席機会を確保する措置が講じられていない場合

二　監査役が出席しない会議等について、その付議資料、議事録等の資料が監査役の求めに応じて適時に閲覧できる措置が講じられていない場合

三　業務執行の意思決定に関する稟議資料その他重要な書類が、監査役の求めに応じて適時に閲覧できる措置が講じられていない場合

四　代表取締役等、内部監査部門等又は内部統制部門が監査役に対して定期的に報告すべき事項が報

告されていない場合

五　前号の報告事項以外で、代表取締役等、内部監査部門等又は内部統制部門が監査役に対して適時に報告すべき事項が報告されていない場合

六　会社に置かれている内部通報システムについて、監査役に当該システムから提供されるべき情報が適時に報告されていない場合

七　監査役に報告をした者又は内部通報システムに情報を提供した者が、報告をしたことを理由として不利な取扱いを受けないことが確保されていない場合

2．前項に定める監査役の要請は、必要に応じ監査役会における審議を経て行う。前項の要請に対して、代表取締役等又は取締役会が正当な理由なく適切な措置を講じない場合には、監査役は、監査役会における審議を経て、監査報告等においてその旨を指摘する。

**（内部監査部門等との連携体制等）**

**第17条**

1．監査役は、以下の事情のいずれかが認められる場合には、代表取締役等又は取締役会に対して必要な要請を行う。

一　第6条第4項に定める監査役と内部監査部門等との連携が実効的に行われていないと認められる場合

二　前号に定めるほか、監査役と内部監査部門等との実効的な連携に支障が生じていると認められる場合

三　第6条第6項に定める内部統制部門からの報告に関して監査役が要請した事項が遵守されていない場合

2．前項に定める監査役の要請は、必要に応じ監査役会における審議を経て行う。前項の要請に対して、代表取締役等又は取締役会が正当な理由なく適切な措置を講じない場合には、監査役は、監査役会における審議を経て、監査報告等においてその旨を指摘する。

**（監査費用）**

**第18条**

監査役は、監査費用に関して、以下の事情のいずれかが認められる場合には、代表取締役等又は取締役会に対して必要な要請を行う。

一　日常の監査活動等に必要な費用について、予算措置等の監査費用の前払及び償還の手続が定められていない場合

二　監査役が必要と認める外部の専門家の助言を受ける費用の前払又は償還が受けられない場合

三　監査役の役割・責務に係る理解を深めるために必要な知識の習得や適切な更新等に適合した定期的研修等の費用の前払又は償還が受けられない場合

四　企業不祥事発生時の監査役の対応に係る費用等、臨時の活動に必要な費用について、費用の前払手続が定められていない場合

五　前各号に定める場合のほか、監査費用等の前払及び償還に関して、実効的な監査活動等の実施に支障が生じていると認められる場合

以　上

# 索　引

## A～Z



## あ



## か

## さ

## は



## ま



## や



## ら

【著者紹介】

高橋　均（たかはし　ひとし）

獨協大学法学部教授。
一橋大学大学院国際企業戦略研究科経営法務専攻博士後期課程修了。博士（経営法）。
新日本製鐵株式会社（現、日本製鉄株式会社）入社。監査役事務局部長、社団法人日本監査役協会常務理事、獨協大学大学院法務研究科（法科大学院）教授を経て、現職。
一般社団法人GBL研究所理事。国際取引法学会理事。企業法学会理事。
専門は、商法・会社法、金融商品取引法、企業法務。
企業実務経験と商法・会社法の専門家としての法理論の双方からのアプローチを実践している。

〈主著〉
『上級商法　ガバナンス編（第２版）』商事法務（分担執筆、2006年）
『株主代表訴訟の理論と制度改正の課題』同文舘出版（2008年）
『新版・金融商品取引法ガイドブック』新日本法規出版（共編著、2009年）
『会社役員の法的責任とコーポレート・ガバナンス』同文舘出版（共編著、2010年）
『コーポレート・ガバナンスにおけるソフトローの役割』中央経済社（共編著、2013年）
『企業責任と法～企業の社会的責任と法の役割・在り方～』文眞堂（分担執筆、2015年）
『実務の視点から考える会社法（第２版）』中央経済社（2020年）
『改訂版・契約用語　使い分け辞典』新日本法規出版（共編、2020年）
『グループ会社リスク管理の法務（第４版）』中央経済社（2022年）
『監査役・監査（等）委員監査の論点解説』同文舘出版（2022年）
『会社法実務スケジュール（第３版）』新日本法規出版（共編、2023年）

ほか多数

2008年10月10日　初版１刷発行
2009年７月17日　初版３刷発行
2009年11月20日　第２版発行
2013年６月25日　第３版発行
2015年１月27日　第３版４刷発行
2015年４月30日　第４版発行
2016年４月30日　第４版４刷発行
2016年６月15日　第５版発行
2018年２月20日　第５版４刷発行
2018年７月20日　第６版発行
2020年11月５日　第６版５刷発行
2021年１月30日　第７版発行
2021年11月25日　第７版３刷発行
2023年３月20日　第８版発行
2024年４月10日　第８版２刷発行

略称：監査役実務(8)

監査役監査の実務と対応（第８版）

著者　©高橋　均
発行者　中島豊彦

発行所　同文舘出版株式会社
東京都千代田区神田神保町１-41〒101-0051
営業(03)3294-1801　編集(03)3294-1803
振替 00100-8-42935　https://www.dobunkan.co.jp

Printed in Japan 2023

製版　一企画
印刷・製本　三美印刷
装丁　志岐デザイン事務所

ISBN978-4-495-19258-7

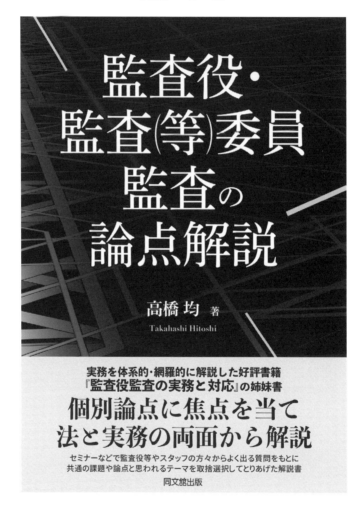